P9-BYN-749

LA CULTURA MODERNA EN AMÉRICA LATINA

LA CULTURA MODERNA EN AMÉRICA LATINA

JEAN FRANCO

colección enlace

grijalbo

MÉXICO BARCELONA BUENOS AIRES

LA CULTURA MODERNA EN AMÉRICA LATINA

(Edición original de Editorial Joaquín Mortiz)

Título original en inglés:

The Modern Culture of Latin America: Society and the Artist

Traducción: Sergio Pitol de la edición de Pallmall Press, Londres.

Calz. San Bartolo Naucalpan No. 282
Argentina Poniente 11230
Miguel Hidalgo, México, D. F.

PRIMERA EDICION

ISBN 968-419-531-1

IMPRESO EN MÉXICO

ÍNDICE

PRÓLOGO A LA SEGUNDA EDICIÓN MEXICANA

Escribí este libro durante los años sesenta antes de la publicación de muchas obras importantes de los grandes autores contemporáneos como Vargas Llosa, García Márquez, Roa Bastos, Carlos Fuentes; también antes de las publicaciones de los novísimos narradores y poetas entre los cuales se encuentra un número cada vez más grande de escritoras. Corresponde a esta creciente producción literaria, una fuerte actividad crítica que se caracteriza por su diversidad metodológica y teórica. A diferencia de los años sesenta cuando todavía era difícil encontrar ediciones fidedignas de ciertos autores (por ejemplo de la poesía de Vallejo), cuando se encontraba muy poca crítica a la altura de la producción literaria (por eso, los escritores se convertían en críticos), hoy día asistimos a una revisión importante de la historia de la cultura latinoamericana. Ejemplar en este sentido ha sido la obra del lamentado Ángel Rama cuya obra sintetizaba los aportes de la lingüística, de la antropología, de la narratología y de la sociología de la cultura. Una generación más joven hoy día está sentando las bases de una sociocrítica seria e inteligente.

Al preparar esta segunda edición de *La cultura moderna en América Latina* me he visto ante dos alternativas: escribir el libro de nuevo o dejar el libro tal cual era salvo unas pequeñas modificaciones y la edición de dos ensayos más recientes. Me he decidido por la segunda dejando para el futuro un análisis de los procesos más actuales.

Espero que, con estos modestos cambios, el libro siga siendo útil.

JEAN FRANCO

PRÓLOGO A LA PRIMERA EDICIÓN MEXICANA

Este libro no es una historia de la literatura o el arte en América Latina. Consiste más bien en ocho ensayos alrededor del tema del artista y la sociedad. El libro fue concebido en principio para un público de lengua inglesa y escrito inicialmente en los años 1965 y 66, en momentos en que en Inglaterra había condiciones muy reducidas para el estudio de la literatura latinoamericana. Conseguir los libros y revistas apropiados o meras fechas de nacimiento era sumamente difícil. Muchas veces tuve que consultar colecciones privadas. A J. M. Cohen, por ejemplo, debía casi todo mi conocimiento de la literatura cubana. Estoy en deuda también con un gran número de escritores latinoamericanos que me han ayudado generosamente. A México y a Guatemala, países en los que residí cerca de un lustro, debo mis primeros contactos con la literatura y las artes hispanoamericanas. A ellos dedico este libro como una forma de agradecimiento.

INTRODUCCIÓN: EL ARTISTA Y LA CONCIENCIA SOCIAL

En los últimos cincuenta años el arte latinoamericano se ha caracterizado por su intensa preocupación social. La literatura —y aun la pintura y la música— ha desempeñado un papel social, y el artista ha actuado como guía, maestro y conciencia de su país. El latinoamericano ha concebido por lo general el arte como expresión de todo el ser del artista: ser que vive en sociedad y que por lo mismo posee preocupaciones sociales tanto como individuales. La idea de la neutralidad moral o de la pureza del arte ha tenido, por el contrario, relativamente pocos adeptos.

En los países latinoamericanos, en donde la integración nacional está aún en proceso de definición y en donde los problemas sociales y políticos son a la vez inmensos e ineludibles, el sentimiento de responsabilidad del artista hacia la sociedad no requiere mayores justificaciones. Por ello toda valoración de los movimientos latinoamericanos debe referirse también a las preocupaciones sociales y políticas de las que surgieron. En tanto que en Europa es legítimo estudiar el arte como una tradición centrada en sí misma en la que pueden surgir movimientos nuevos como solución a problemas meramente formales, esta posición resulta imposible en América Latina, en donde hasta los nombres de los movimientos literarios difieren de los europeos. "Modernismo", "Nuevomundismo", "Indigenismo", definen actitudes sociales, mientras que "Cubismo", "Impresionismo", "Simbolismo" aluden sólo a técnicas de expresión. La diferencia es de extrema importancia, pues significa que por lo general los movimientos artísticos no constituyen desprendimientos de un movimiento anterior, sino que surgen como respuesta a factores externos al arte. Una nueva situación social define la posición del artista, quien improvisa o se vale de la técnica que considera adecuada para sus propósitos. Por ello la historia artística latinoamericana no observa un desarrollo continuo sino que se presenta como una serie de nuevos puntos de partida.

Este libro se propone considerar algunos de esos "nuevos puntos de partida" y examinar la actitud del artista hacia la sociedad y el modo en que la expresa en su obra. La literatura nos proporciona la mayor parte de los materiales de estudio, aunque evidentemente un estudio de este género debe tomar también en consideración la pintura y la arquitectura. El campo de acción lo constituyen la América de habla hispana y el Brasil. El punto de partida, 1888, no es arbitrario. Fue el año de la publicación de *Azul*... de Rubén Darío: libro que sirvió de heraldo al nacimiento del primer movimiento verdaderamente artístico en América Latina, el Modernismo. Antes de esa fecha no era posible hablar de movimientos, sino sólo de posiciones individuales.

EL SIGLO XIX

Pocas diferencias pueden ser más abismales que la existente entre la turbulencia de la vida política latinoamericana del siglo XIX y la casi absoluta torpeza de su literatura y pintura. Una extraordinaria procesión de déspotas excéntricos, tiranos locos y semicivilizados "hombres de a caballo", desfila a lo largo del escenario histórico sin haber sido captada en las páginas de las insípidas novelas históricas y románticas de la época. La realidad latinoamericana era demasiado áspera para poder ser aprehendida por escritores acostumbrados a los sutiles refinamientos de París o de Londres. Ellos mismos eran conscientes de su incapacidad. Con la Independencia, los intelectuales hispanoamericanos y brasileños esperaban un maravilloso florecimiento de literatura original y no una estéril lucha entre la moda europea y la realidad americana. Pero desde un principio el ejercicio del arte fue labor difícil. Brasil, bajo una monarquía independiente, tenía la necesaria estabilidad pero estaba inundado por libros importados que hacían difícil a los escritores seguir un camino diferente al trazado por las modas europeas. En Hispanoamérica, la situación era desastrosa. Hacia 1830, prácticamente todo el continente latinoamericano presentaba espectáculos de guerra civil, violencia o dictaduras; los pocos escritores e intelectuales habían sido marginados o forzados a participar en las refriegas. Las quejas ante la imposibilidad de ejercer alguna actividad artística abundaron a principios del siglo XIX. El poeta argentino Esteban Echeverría (1805-1851) declaraba, por ejemplo:

> . . .todos los hombres capaces, a causa del estado de revolución en que se encuentran, absorbidos por la acción o por las necesidades materiales de una existencia precaria, no pueden consagrarse a la meditación y recogimiento que exige la creación literaria, ni hallan muchas veces medios para publicar sus obras.[1]

José Joaquín de Olmedo (Ecuador, 1780-1847) se excusaba de lo magro de su producción poética culpando al medio ambiente de no ser favorable. Según él, el poeta tenía necesidad de un lugar agradable, desde el cual fuera posible ver el campo, los ríos, las montañas; era necesaria también la existencia de amigos que lo criticaran y de jueces que lo aplaudieran, y aun de apasionados que discutieran cada palabra, cada frase, cada pensamiento.[2]

Aquí encontramos definidos ya los dos factores que más influyeron para impedir el desarrollo de una tradición artística permanente: el factor político y la falta de un público preparado y crítico.

El primero fue tan grave en el siglo XIX que impidió toda actividad artística durante largos periodos. En Argentina, por ejemplo, durante la dictadura de Juan Manuel de Rosas (1829-1832 y 1835-52) casi todos los escritores se vieron forzados al exilio. Durante la guerra civil en México entre 1858 y 1860, la impresión de libros y periódicos se suspendió o se restringió casi totalmente. En Venezuela, innumerables revoluciones, entreveradas con periodos dictatoriales significaron el virtual eclipse de la vida artística. Desafortunadamente aun en nuestro siglo esta situación ha prevalecido en muchos países. Guatemala, Honduras, Nicaragua, La República Dominicana, Cuba, Venezuela, Paraguay y Perú han conocido largos periodos de dictadura, y en algunos de dichos países, especialmente en Paraguay, la República Dominicana y Nicaragua, la vida intelectual se ha encontrado al borde de la extinción. Hasta países como Argentina y Brasil han sido gobernados en fechas recientes por hombres que emprendieron una venganza sistemática contra el intelectual.

El segundo factor, la falta de un público crítico y preparado, surgió como corolario a la áspera situación social y política. El abismo existente entre la élite cultivada y las masas, que constituía el meollo del problema, tiene orígenes en el modelo social forjado durante la Conquista. En la América española más aún que en Brasil, las masas rurales que constituían la mayor parte de la población permanecieron marginadas de las principales corrientes culturales de la vida colonial. Sólo a través de la religión se sintieron vinculadas a una tradición universal, y por ello únicamente en la arquitectura y la escultura religiosas del periodo colonial se encuentra una importante fusión de elementos indígenas con temas de carácter universal. La Independencia no redujo la separación entre las masas iletradas y la minoría educada, fundamentalmente urbana. El número de analfabetos —más del 80 por ciento en la mayoría de los países en el siglo XIX— es un indicio significativo de la situación social y aclara por qué muchos escritores prefirieron el exilio voluntario en Europa a un aislamiento real en su propio hemisferio. Esto también explica la existencia de dos culturas en la América Latina: una rural, de tradición oral, tenazmente enraizada en el pasado e inalterada por las corrientes europeas modernas y una cultura minoritaria urbana de inspiración europea.

La costumbre de considerar la cultura europea como el nivel supremo al que podía aspirarse está profundamente arraigada en el intelectual latinoamericano desde los tiempos coloniales. En aquellos días, la fuente de toda luz era Europa; el viejo continente enviaba los nuevos libros y las nuevas modas intelectuales. El hecho de que las leyes coloniales españolas exigieran que todos los gobernantes de cierta importancia debían ser españoles por nacimiento contribuyó indudablemente a crear un sentimiento de admiración excesivo hacia todo lo que proviniera de Europa. Después de la Independencia esa actitud se modificó sólo superficialmente. Hubo, es cierto, una reacción decisiva en Hispanoamérica contra todo lo español, así como un repudio a la cultura española.[3] Pero ese repudio se produjo no porque la cultura española no se aviniera con la realidad latinoamericana, sino porque era tradicional, anticuada y no estaba de acuerdo con el mundo moderno con el que se identificaban las nuevas generaciones de intelectuales hispanoamericanos. Un fenómeno semejante ocurrió en Brasil, a pesar de que el monarca, aunque de origen portugués, deseaba también identificarse con el mundo moderno. Un crítico brasileño ha observado que:

> fuertemente marcado por su "europeización" el pensamiento brasileño tornó hacia los diferentes mercados europeos que podían abastecerlo. Se sentía que dentro de los volúmenes de la sabiduría europea debía haberse escondido algún ideal y una fórmula milagrosos. La realidad circundante era completamente olvidada por la mayoría de los intelectuales de comienzos del siglo XIX, quienes consideraban que los moldes literarios artísticos y filosóficos de Europa ajustaban perfectamente en el Brasil.[4]

Esta opinión exaltada de la moda europea de última hora (especialmente la francesa) no favorecía a los artistas nacionales. Las clases dominantes de las nuevas repúblicas y de Brasil preferían a los experimentados arquitectos, pintores, músicos y escritores europeos por sobre sus propios aprendices nativos. Los libreros se abastecían principalmente con libros importados del exterior, y en el teatro las obras de los autores nacionales jamás obtenían un éxito comparable al de las extranjeras. Así que mientras el artista estaba al tanto de las últimas corrientes europeas y se identificaba con lo moderno, su propia obra era una imitación que aun el público para el que escribía desdeñaba.

De este modo, el artista se encontraba en una posición difícil entre el influjo de Europa y las necesidades de una cultura nacional. No obstante, fue precisamente esto lo que a menudo lo llevó a escribir crítica social. Podía tratar de imponer su propio nivel cultural como Andrés Bello (Venezuela, 1781-1865) o emplear el conocimiento que tenía de los modelos sociales de la civilizada Europa para atacar el retraso de su país. La adopción de esto último produjo una ola de escritos satíricos o polémicos en los que el autor enjuiciaba a América desde una posición "europea". En los poemas satíricos del peruano Felipe Pardo Aliaga (1806-68), por ejemplo, se elegía a Inglaterra como un modelo por el que debía conformarse el Perú. De ahí que Pardo se burle tanto del "Pueblo Soberano, Zar de tres colores", que no obstante su ignorancia contribuyó a decidir el destino de la nación, como de la aristocracia criolla a la que consideraba negligente y egoísta. De esta manera, aunque Pardo escribía desde la posición conservadora, lo que le preocupaba no era que el Perú imitara modelos políticos europeos sino que fueran los modelos europeos *equivocados*. Del mismo modo, José Joaquín Fernández de Lizardi (1778-1827) escribió la primera novela mexicana *El Periquillo Sarniento* (1816), como un ataque al atraso de México a fines del periodo colonial. Expuso las fallas del sistema educativo, los males de un clero sin vocación, de médicos y cirujanos sin la necesaria preparación, y de los malos hospitales. Sus principales blancos se centran en el pensamiento y las actitudes anticuados y recibe sus armas de la ilustración europea, con la que se siente identificado.

En Argentina la identificación del intelectual con las ideas europeas más avanzadas tuvo una importancia decisiva bajo la dictadura de Rosas, cuya defensa de los intereses rurales lo hizo despreciar las modas importadas de Europa tanto en las costumbres como en las ideas políticas. La actitud del hombre culto cristaliza en uno de los más acerbos opositores de Rosas, Domingo Faustino Sarmiento (1811-88), en un ensayo polémico, *Civilización y barbarie: Vida de Juan Facundo Quiroga* (1845), conocido generalmente como *Facundo*, que específicamente identificaba la ciudad con los valores de la civilización, los valores europeos:

> El hombre de la ciudad viste el traje europeo, vive de la vida civilizada ... allí están las leyes, las ideas de progreso, los medios de instrucción, alguna organización municipal, el gobierno regular, etc. Saliendo del recinto de la ciudad, todo cambia de aspecto; el hombre de campo lleva otro traje, que llamaré americano, por ser común a todos los pueblos: sus hábitos de vida son diversos, sus necesidades peculiares y limitadas: parecen dos sociedades distintas, dos pueblos extraños uno de otro.[5]

Sarmiento, al igual que la mayoría de los intelectuales contemporáneos suyos se declaró partidario de lo moderno contra la tradición, del hombre cultivado y letrado contra el bárbaro iletrado, de la idea europea de civilización contra el localismo centrífugo de los argentinos rurales. Y la novela de protesta más lograda desde el punto de vista artístico, *El matadero,* de Esteban Echeverría, publicada póstumamente pero posiblemente escrita hacia 1840, dramatiza esas antinomias. Dicha obra, cuento más que novela, constituye un ataque a fondo contra el régimen de Rosas. Relata un incidente en el rastro de Buenos Aires donde, durante el sacrificio de reses, escapa un toro y al huir mata a un muchacho. El toro es capturado y los carniceros, excitados por la aventura de la persecución y la captura hacen de su muerte un rito sangriento. Cuando han terminado con el animal, pasa a caballo un joven de aspecto refinado. Se lanzan contra él, lo derriban del caballo y lo torturan. El joven lucha valientemente contra sus agresores, pero sufre una hemorragia y aquéllos lo dan por muerto y lo abandonan. La razón del ataque no fue otra sino el hecho de tratarse de un "unitario" (es decir un opositor a Rosas y a su partido federalista). Los carniceros han identificado a su víctima como "unitario" por no llevar ningún signo externo de apoyo al régimen de Rosas y también porque monta en silla europea, lo que es calificado como un modo de vida "antiamericano". Las simpatías de Echeverría no dejan lugar a dudas. Indudablemente se inclina por el refinamiento y la civilización contra los "carniceros" nativos.

Es por consiguiente legítimo concluir que la conciencia social de Echeverría y otros escritores de principios del siglo XIX surgió de una disparidad entre su refinamiento cultural y la brutalidad del medio. Pero esa disparidad contribuyó a hacerles difícil la creación de obras de arte. Al sentirse parte de la cultura occidental deseaban desarrollar su obra dentro de esa tradición; por ello a menudo escribieron el mismo tipo de novela o poesía que sus contemporáneos europeos: novelas históricas, novelas sociales al estilo de Balzac, novelas sobre la vida indígena al estilo de Chateaubriand. En tanto que el escritor europeo, al trabajar desde el interior de una tradición, podía extender su visión por la adquisición gradual de nuevas técnicas, tal posibilidad le estaba vedada a los latinoamericanos, que tendían a utilizar el instrumento que les parecía más adecuado a sus fines y a abandonarlo cuando se planteaba una nueva situación. Pero lo más frecuente era que la experiencia latinoamericana simplemente no se ajustara a ningún modelo europeo. En ese caso el escritor debía sacudirse de Europa y confiarse audazmente a sus propios medios: difícil labor que a menudo lo hacía sentirse perdido. El escritor para quien reflejar condiciones específicamente americanas era una necesidad tan urgente que lo obligaba a abandonar las formas europeas, se sentía invariablemente en la necesidad de justificarse por poner más atención al contenido que a la forma. El prólogo de Juan María Gutiérrez, por ejemplo, a *El matadero* de Echeverría, insiste una y otra vez en el mismo punto, en que el autor no gozaba de tranquilidad de espíritu cuando lo escribió y por ello no había logrado producir una obra de fino acabado. Gutiérrez menciona el apresuramiento y la incorrecta caligrafía del original para mostrar bajo qué presiones escribía el autor y constantemente se refiere a la obra como un "croquis", o una serie de "bosquejos".[6] En el prefacio a la edición de 1851 de *Facundo,* Sarmiento habla extensamente del día en que concluida la lucha pueda dedicarse a un trabajo menos condicionado por las presiones del momento: "Echaría al fuego entonces de buena gana cuantas páginas precipitadas he dejado escapar en el combate." [7] Tanto Juan María Gutiérrez como el autor de *Facundo* tienen que justificar esa forma literaria no ortodoxa.

Este problema de la búsqueda de formas para expresar la experiencia americana, ha sido permanente. En realidad la única obra latinoamericana que antes de 1880 logró cumplir con un criterio de originalidad fue el poema de la vida del gaucho, *Martín Fierro* (la primera parte se publicó en 1872), de José Hernández (Argentina, 1834-86), el cual, según juicio de Jorge Luis Borges es tal vez el libro más importante que han producido los argentinos en ciento cincuenta años.[8] Al igual que *El matadero y Facundo,* ese poema surgió de una necesidad de protesta contra la injusticia social; pero en tanto que los dos primeros autores prefirieron combatir la "barbarie" desde el punto de vista de la civilización europea, *Martín Fierro* atacaba al gobierno europeizante de Buenos Aires por intentar destruir el modo de vida americano tradicional del gaucho. El autor protestaba concretamente contra el envío de gauchos como soldados a la frontera. Cuando el poeta comenzó a escribir, "algo misterioso, algo mágico pasó", dice Borges. Martín Fierro se convirtió no sólo en una víctima del reclutamiento forzoso sino en un rebelde solitario en contra de la sociedad, un hombre cuya condición humana se da en la soledad y quien encarna las cualidades de la vida en la pampa. Pero aún más importante que el hecho de que Hernández lograra unir temas nacionales y universales por medio de una anécdota local, fue la manera de presentar el material, pues intentó trabajar dentro de la existente tradición argentina de las canciones populares, con enérgicos trazos basados en proverbios e imágenes populares. De esta manera rompió las barreras que dividían tradicionalmente al culto del ignorante. Hernández escribió un poema sobre un "gaucho malo" con quien podían identificarse los habitantes del país, en un lenguaje que les era familiar y en una forma métrica fácil de memorizar. Como resultado, el poema se hizo inmensamente popular entre la gente ordinaria; se pagaba a personas para que lo recitaran en las más remotas haciendas y se hicieron numerosas ediciones. *Martín Fierro* ejemplificaba una solución a las dificultades inherentes a la creación de un poema que contuviera una protesta social efectiva. Al escribirlo en una forma tradicional ya existente y sin tomar prestado un modelo europeo se aseguró un público de masas y un interés duradero a la vez que mostró la posibilidad de desarrollar, a partir de una anécdota local, un tema "extraño" y universal. A pesar de ello, el poema no logró ser apreciado por el público culto y por los escritores europeizantes, que desdeñaron ese producto nativo.

En el siglo XIX la literatura se concibió no sólo como instrumento de protesta social sino también como medio para modelar la conciencia nacional y crear un sentimiento de tradición. De ahí también que el afán del escritor por mostrar la originalidad de su cultura a menudo entrara en conflicto con los modelos europeos que inconscientemente aceptaba. Nada menos Andrés Bello reconocía esa dificultad cuando sostenía que la civilización hispanoamericana era "una planta exótica que no ha chupado todavía sus jugos a la tierra que sostiene". A Bello le alarmaba el rechazo de la cultura española por parte de los escritores de las nuevas repúblicas, pues creía que esas culturas debían entroncar con la tradición hispánica. Sus puntos de vista por lo general no fueron aceptados. No obstante, aunque los escritores se decidieron a crear una literatura latinoamericana deliberadamente y *ab ovo,* a menudo tenían la visión más superficial que se pueda imaginar sobre esa "realidad latinoamericana". El uso de nombres locales en las numerosas imitaciones de Byron que aparecieron no lograba salvarlas de ser eso, meras imitaciones. De igual manera, la novela histórica —que pudo haber sido un género importante ya que podía haber iluminado el presente a través de la comprensión del pasado— resultó muy superficial en su enfoque, interesada como estaba más en minucias históricas que en la Historia. Sólo *Enriquillo* (1882) de Manuel de Jesús Galván (República Dominicana, 1834-1911), que trata de la exterminación de los indios de Santo Domingo, inmediatamente después de la Conquista, logra plasmar una visión coherente del pasado. Tal vez una de las razones que explican el fracaso de la novela histórica del siglo XIX (aparte de la evidente incapacidad de los escritores) fue la dificultad de encontrar un periodo clave acerca del cual escribir. Las épocas precolombina, colonial e independiente eran tan desemejantes que elegir uno de esos periodos significaba dejar de lado importantes sectores de la vida nacional. Sin duda alguna la dificultad hubiera sido superada por un escritor dueño de verdadera imaginación histórica. El hecho es, no obstante, que el esfuerzo más afortunado por realizar una recreación imaginaria del pasado, fue el de Ricardo Palma, quien rompió con las limitaciones de la novela histórica para crear un nuevo género: la "tradición". Las *Tradiciones peruanas,* de Ricardo Palma (Perú, 1833-1919) consisten en una serie de relatos, publicados intermitentemente entre 1872 y 1910, que abarcan todos los aspectos del pasado del Perú —desde el mundo prehispánico hasta la Colonia y la República— y comprenden todas las regiones del país. Las tradiciones fueron el primer intento afortunado de resumir la realidad nacional sudamericana y ofrecer al pueblo un sentido de continuidad y tradición. Pero, igual que la literatura de protesta social, las *Tradiciones* demuestran que una obra de arte lograda sólo puede surgir cuando se abandona o modifica el molde europeo.

El cambio real en el panorama artístico latinoamericano comienza a realizarse hacia mediados del siglo, con el surgimiento de grupos literarios y la fundación de círculos para promover la publicación de poemas y novelas, ofrecer aliento y crítica, y crear un público —aunque fuera reducido— para el aspirante a escritor. Algunas de las mejores novelas del siglo XIX fueron escritas como resultado directo del aliento de tales grupos literarios. En Cuba, por ejemplo, en donde la casa de Domingo Delmonte (1804-53) proporcionaba un lugar de reunión a los escritores, comenzó a surgir una escuela de literatura nacional que acentuaba su interés en los temas nacionales y sociales. De ese grupo surgió Cirilo Villaverde (1812-94), quien en 1882 publicó la versión definitiva de *Cecilia Valdés,* una novela cuya heroína es mulata. En Colombia, el grupo literario El Mosaico financió la publicación de *María* (1867) —la mejor novela romántica latinoamericana— de Jorge Isaacs (1837-95). En Perú, inmediatamente después de la guerra chileno-peruana, Manuel González Prada formó un círculo literario con el fin de vigorizar la vida intelectual del país. Un miembro de ese círculo, Clorinda Matto de Turner (1854-1909), escribió la primera novela en que se exponen los sufrimientos de los indios de su tiempo: *Aves sin nido* (1889). En México, las discusiones literarias tenían lugar en una escuela secundaria, el Liceo Hidalgo; en una de las sesiones que se celebraban allí, Ignacio Manuel Altamirano (1834-93), escritor de origen indígena, leyó capítulos de su novela *El Zarco* (publicada póstumamente en 1901). Aun en Brasil, donde la vida literaria había tenido un desarrollo más tranquilo y pacífico, el grupo literario fue importante como estímulo.[9]

Los círculos literarios no sólo ayudaron a preparar el terreno para una literatura nacional al estimular la creación de novelas y poemas de temas nacionales, sino que también intentaron rehabilitar al escritor nacional, bastante despreciado en comparación con el extranjero. A este respecto la literatura llevaba la delantera en relación con las otras artes, que dependían mucho más directamente del gusto del público y no estaban en situación de modificar ese gusto. No fue sino hasta bien avanzado el siglo XX cuando se comenzó a desarrollar una demanda estimulante para la música y la pintura nacionales. La literatura tuvo la fortuna de que aun el mínimo estímulo proporcionado por un círculo literario podía a menudo tener un efecto decisivo. Un segundo factor, con efecto importante en el desarrollo de las artes, fue la prosperidad alcanzada por las clases superiores de Latinoamérica a fines del siglo XIX, como resultado del auge comercial (la exportación de carne de la Argentina), las inversiones privadas y el desarrollo de las comunicaciones. Uno de los primeros efectos de esta prosperidad fue alentar la compra de los productos artísticos más prestigiados en Europa: pintura, casas y edificios públicos de diseño europeo, libros y muebles importados. Francia fue la fuente más importante de abastecimiento, en parte porque se consideraba a la civilización francesa como el modelo más elevado de elegancia, y en parte porque un gran número de acaudalados latinoamericanos vivían en París breves o largos periodos y allí adoptaban criterios de valoración franceses. Sin embargo, así como el primer efecto de esa creciente prosperidad fue sencillamente derramar con amplitud esa elegancia de tono francés, no es menos cierto que las artes latinoamericanas se beneficiaron indirectamente con el surgimiento de nuevas clases opulentas que proporcionaron un mercado potencial debido al mayor número de periódicos y revistas que podían financiarse.*

La década de 1880 conoció también el surgimiento de una nueva ideología dominante: el Positivismo. Los discípulos latinoamericanos del filósofo francés Auguste Comte (1798-1857), o del pensador británico Herbert Spencer (1820-1903), creían que el positivismo podría ser el instrumento por medio del cual los latinoamericanos lograrían emanciparse intelectualmente de la influencia "retrógrada" de España. También creían que el positivismo podía proporcionar el adiestramiento intelectual que los latinoamericanos necesitaban a fin de que sus países pudieran convertirse en estados industriales modernos. Un crítico ha comentado al respecto:

> Así entre 1880 y 1900 parece surgir una Hispanoamérica nueva. Una Hispanoamérica que aparentaba no tener ya nada que ver con la de los primeros cincuenta años que siguieron a su independencia política. Un nuevo orden se alzaba en cada país. . .
> un orden apoyado en la ciencia. Un orden que se preocupaba por la educación de sus ciudadanos y por alcanzar para ellos el mayor confort material.[10]

* Por ejemplo *El Cojo Ilustrado* (1892-1915), revista que se convirtió en el modelo principal de la literatura venezolana, empezó siendo el periódico comercial de una empresa de tabaco. En Chile, *Pluma y Lápiz* (1900-04) tenía anuncios de las gran-

Pero lo que los positivistas latinoamericanos no lograron comprender era que ningún sistema importado podría transformar a Latinoamérica en un Estado moderno mientras subsistiera una estructura social feudal y oligárquica. Es más, la expansión económica de los años ochenta terminó en una serie de crisis financieras, que fueron especialmente graves en Chile y Argentina. En este último país una especulación afiebrada terminó en el aparatoso derrumbe económico de 1890.*

Es precisamente en ese periodo, en que los males tanto como los beneficios de la nueva era industrial y financiera se hicieron visibles, cuando la sociedad vivía en una situación fluctuante y grandes fortunas se formaban y perdían por igual, cuando surgió el movimiento modernista hispanoamericano. Los poetas modernistas fueron el primer grupo de artistas latinoamericanos que se consideraron diferentes del resto de la sociedad, justificando ese aislamiento al declarar que la sociedad moderna era baja y materialista, ignorante de los verdaderos valores, que ellos, como videntes y profetas, vislumbraban. Esta afirmación de su aislamiento no fue de ninguna manera retórica, como nos lo demuestra el destino de muchos poetas menores de Ecuador, Nicaragua y Honduras (véase el cap. 8). Su importancia es tal que, a desemejanza de las generaciones anteriores de poetas, éstos intentaron dedicarse por entero a la literatura. Fue así como los modernistas constituyeron la primera generación de escritores profesionales en la América Hispana.**

---

des compañías que financiaban la revista, a la vez que publicaba la nueva literatura chilena.

* La fiebre de especulación de ese periodo ha sido descrita por Julián Martel (seudónimo de José Miró, 1868-96) en su novela *La bolsa* (1891).

** En Brasil la situación fue mejor que en la América Española. Hubo escritores de origen humilde (por ejemplo, Machado de Assis), capaces de sostenerse como empleados públicos o periodistas. Véase Antonio Cándido, "O escritor e o público", *Literatura e Sociedade,* Sao Paulo 1965, pp. 87-104. Entre l. crítica más reciente del modernismo, véase Noé Jitrik: *Las contradicciones del modernismo* (El Colegio de México, 1978; Francoise Perus, *Literatura y sociedad en América Latina: el modernismo* (México, Siglo XXI, 1976); Ángel Rama, *Rubén Darío y el modernismo* (México, Nueva Imagen, 1977).

1. UNA REBELIÓN SIMBÓLICA: EL MOVIMIENTO MODERNISTA

"Vivo de poesía. Amo la hermosura, el poder, la gracia, el dinero, el lujo, los besos y la música. No soy más que un hombre de arte." Esta síntesis del credo modernista* parece tener poca relación con la conciencia social. Sin embargo, la aparición de este grupo de poetas, que escribieron hacia fines del siglo diecinueve, tuvo una profunda importancia, por dos razones: Primera, porque los modernistas contemplaban al artista —y particularmente al poeta— como un ser cuya relación con la sociedad era de naturaleza especial, y fueron, por consiguiente, los primeros hispanoamericanos que se consideraron escritores profesionales. Segunda, porque realizaron una rebelión contra la sociedad de su tiempo.[1]

El representante más influyente de este "nuevo espíritu" fue Rubén Darío (1867-1916), un prodigio nacido en la pequeña población de Metapa, Nicaragua, cuyo talento lo elevó muy pronto por encima de ese escenario provinciano. Invitado a Managua, la capital, aún adolescente, inició una carrera que lo llevó a conocer otros países centroamericanos. De éstos se dirigió a Chile, en donde, en la biblioteca del hijo del presidente, Pedro Balmaceda Toro, leyó a los poetas franceses contemporáneos, cuyo estilo y ritmo no tardaría en incorporar brillantemente al español. Más tarde pasó muchos años en Buenos Aires y después llegó a París y Madrid. Para entonces era ya una personalidad poderosa: su presencia galvanizaba la vida literaria. En los cafés de Santiago y en Buenos Aires era el centro de las discusiones literarias. Contribuyó a la creación de varias revistas literarias, como la argentina *Revista de América,* fundada en 1894, y colaboró infatigablemente en pequeñas publicaciones. Fue él quien bautizó con el nombre de Modernismo al renacimiento literario evidente en toda la América española.[2] El nombre arraigó y llegó a caracterizar un amplio movimiento

* El Modernismo hispanoamericano, que alcanzó su esplendor en los años noventa, es diferente del movimiento brasileño de los posteriores años veinte, también conocido como Modernismo.

cuya finalidad era renovar la forma y el contenido de la poesía y la prosa. Es más, dos de sus propias publicaciones, *Azul...*, que apareció en Chile en 1888, y *Prosas profanas* (1896) tuvieron una influencia decisiva en el mundo entero de habla española.[3]

De ningún modo puede considerarse a Darío como una figura aislada, ni siquiera como el iniciador de la renovación literaria a la que dio nombre. Los más vigorosos talentos de la época estaban unidos en un común deseo de cambio del lenguaje literario. Debemos mencionar entre ellos a José Asunción Silva (Colombia, 1865-96) y José Martí (Cuba, 1853-95) como ejemplos de poetas que empezaron a experimentar con la forma poética antes que Darío, o que se mantuvieron fuera del movimiento modernista propiamente dicho. Una rebelión contra la herencia literaria y la invención de nuevas formas de expresión constituyen muy rara vez ejercicios gratuitos. Por lo general indican un profundo descontento con la interpretación de la experiencia y las formas existentes; sólo la invención de nuevas formas puede allanar esa separación. Para los modernistas, el idioma español y la forma poética eran inadecuados para la expresión de su nueva sensibilidad. Pero no fueron los únicos en sentir aquella deficiencia. A fines del siglo diecinueve se vivió un periodo de polémicas vibrantes en muchos países latinoamericanos entre intelectuales que deseaban defender la pureza del idioma e intelectuales que deseaban un lenguaje nuevo que correspondiera de algún modo al idioma que realmente se hablaba en América.[4] Sin embargo para los modernistas el conflicto se estableció no tanto entre el castellano puro y el español de América, sino como conflicto ideológico entre un lenguaje que no había logrado desarrollarse al mismo ritmo que el mundo moderno y sus propias experiencias espirituales y estéticas. Los reproches de Darío a la lengua española son importantes a este respecto. El español, declaraba, estaba amurallado por la tradición; su propia misión era poner al día el lenguaje y para ese fin era necesaria la introducción de un vocabulario no español.* Pedro Emilio Coll (Venezuela, 1872-1947) acentuaba esa misión del poeta modernista,

* Darío era muy consciente de su misión a este respecto, como lo señala en los prefacios a sus obras: Ver, por ejemplo, *Poesías completas*, p. 703.

al expresar que Rubén Darío y otros "... dan vida a nuestra habla castellana y hacen correr calor y luz por las venas de nuestro idioma que se moría de anemia y parecía condenado a sucumbir como un viejo decrépito y gastado".[5]

Había cierta justificación en esos reproches. En España no existía un Baudelaire, ni un Rimbaud, ni un Victor Hugo. La cultura española carecía de esa veta brillante y subversiva de la poesía posromántica que era un desafío a los valores convencionales. El poeta que, por su mera profesión, era consciente de un mundo invisible tras el mundo de las apariencias, se sentía gravemente frustrado por las rígidas restricciones de un lenguaje que ni siquiera poseía términos con que poder designar sus experiencias. En su ataque al idioma castellano, por consiguiente, el modernista atacaba también los valores españoles. Pedro Emilio Coll señalaba que el desarrollo técnico logrado por los modernistas iba de la mano con una "evolución sentimental".[6] Manuel González Prada (Perú, 1848-1918) sentía que el ejemplo español no podría ser ya útil al Nuevo Mundo, pues "el enfermo que deseara transfundir en sus venas otra sangre, elegiría la de un amigo fuerte y juvenil, no la de un abuelo decrépito y extenuado".[7] Rubén Darío consideraba que España era responsable del sentimiento de rebelión existente en todos los rincones de sus antiguas colonias. La cultura de la metrópoli no proporcionaba ya estímulos intelectuales, y sus escritores trataban a los del Nuevo Mundo con condescendencia. De ahí que los escritores hispanoamericanos hubieran estrechado vínculos más fuertes con las culturas de otros países europeos que con la de España. Una ciudad cosmopolita y políglota como Buenos Aires, observaba, no podía sentirse por más tiempo ligada únicamente a la tradición castellana cuando se hallaba abierta a las influencias de todo el mundo.[8] Para abreviar, el Modernismo surgió en un momento de crisis, cuando las creencias religiosas tradicionales y los convencionalismos morales eran desafiados abiertamente. "No se encuadran las producciones artísticas en los viejos moldes agujereados por el uso de cien generaciones."[9] Qué más natural, pues, para el modernista, que buscar inspiración en un lenguaje y una cultura capaces de expresar esa nueva sensibilidad: el lenguaje y la cultura de Francia.

La verdad era que Francia proveía de todo lo que carecía

España: una literatura que se abría a nuevas zonas de experiencia; un lenguaje suficientemente flexible como para expresar esas zonas; un ambiente que ofrecía estímulos al artista. Francia representaba la cúspide de la conciencia artística, y por consiguiente fue con el artista francés contemporáneo con quien el modernista sintió deseos más ardientes de identificarse. Darío, por ejemplo, al llegar a la Gare Saint-Lazare sintió pisar terreno sagrado. En una ocasión declaró que su sueño había sido escribir en francés.[10] Cuando en 1888 publicó *Azul...*, su amigo Julián del Casal (Cuba 1863-93) lo felicitó por escribir como un artista francés. Julián del Casal, quien murió joven de tuberculosis, fue otro admirador de Francia, aunque de una Francia tal vez legendaria. Declaraba que odiaba el arte "que celebra anualmente el 14 de julio; el París que se exhibe en la Gran Ópera", en otras palabras el París burgués. "...Pero adoro, en cambio, el París raro, exótico, delicado, sensitivo, brillante y artificial." Es aquél el París que paga tributo al artista: "el París teósofo, mago, satánico y ocultista"; "el París... que no conocen los extranjeros y de cuya existencia no se dan cuenta tal vez".[11] Del mismo modo, cuando el mexicano Manuel Gutiérrez Nájera (1859-95), que, como Casal, jamás había estado en París, describe a su amada, la elogia porque es como "la griseta de Paul de Kock".[12] La tendencia de los modernistas era, pues, la de medirlo todo con un metro francés.

Se siente uno tentado a considerar el Modernismo como un sustituto de influencias españolas por influencias francesas, lo que acentuaba una tendencia de ningún modo nueva en Hispanoamérica. Las traducciones francesas habían sido la lectura favorita de la élite literaria hispanoamericana durante mucho tiempo; en pintura y arquitectura la influencia francesa era muy importante como hasta la fecha lo atestiguan muchos edificios de Buenos Aires o de la ciudad de México. Los mismos modernistas fueron los primeros en declarar su deuda con Francia. Salvador Díaz Mirón (México, 1853-1928) se reconocía como discípulo de Hugo; Darío aceptaba ampliamente la influencia en su poesía y su prosa de escritores tan diversos como Leconte de Lisle, Catulle Mendès, Alphonse Daudet, Hugo y Banville. Julián del Casal dedicó una serie de poemas al pintor francés Gustave Moreau. Los tres libros de poemas importantes que marcan la culminación del movimiento modernista muestran las huellas de la influencia francesa: *Prosas profanas*, de Darío, *Las montañas del oro*, de Leopoldo Lugones (Argentina, 1874-1938) y *Castalia bárbara*, del boliviano Ricardo Jaimes Freyre (1868-1933).[13]

Sin embargo, el Modernismo es mucho más que una sustitución de influencias. El vuelo espiritual hacia Francia señalaba las deficiencias del medio en que se movía el poeta. Francia ofrecía la comunión con mentes semejantes que no existían en los bárbaros desiertos de Hispanoamérica. ¿A quién se podía dirigir el escritor hispanoamericano en su propio país? Amado Nervo (México, 1870-1919) se lamentaba:

> En general, en México se escribe para los que escriben. El literato cuenta con un cenáculo de escogidos que lo leen y acaba por hacer de ellos su único público. El *gros public* como dicen los franceses, ni lo paga ni lo comprende, por sencillo que sea lo que escribe. ¿Qué cosa más natural que escriba para los que si no lo pagan lo lean al menos? [14]

Y en el otro extremo de América, en Chile, Antonio Bórquez Solar (1873-1938) se quejaba de manera igualmente amarga. Sentía que en el futuro su época iba a ser considerada como un periodo bárbaro, en el que existía "una falta absoluta de elevación mental, espíritu hostil y refractario a las bellas cosas de la poesía y del arte". Consideraba que la poesía era un lujo intelectual al que las masas no podían aspirar. Por esa razón quienes se elevaban por encima de la mediocridad general eran insultados y considerados como decadentes; el pueblo no podía entender que algunos cuantos desearan cultivar rosas cuando la mayoría se conformaba con vivir entre coles.[15]

El poeta uruguayo Julio Herrera y Reissig (1875-1910) maldecía la "implacable estupidez" de su país. Un amigo de Darío, el argentino Luis Berisso (1866-1944), se quejaba de que las clases superiores de su país sólo apreciaban los deportes y la cría de caballos y no mostraban el menor interés por la literatura. Fuera de la política, escribió, no existe nada que pueda penetrar la espesa capa de indiferencia que recubre todas las cosas. Añadía que entre los muchos factores que se aglutinaban en contra del artista —la inestable situación política, las convulsiones anarquistas, la precaria situación económica—, el más grave era la inexistencia de un público conocedor.

> No basta poseer un Ateneo y una Academia; es indispensable un público, por así decirlo, *artista,* un público que ame la ciencia, la poesía, el arte, las cosas bellas del espíritu.
>
> Es verdaderamente triste que una ciudad de seiscientos mil habitantes, como Buenos Aires, no tenga cien lectores de libros nacionales.[16]

Contra este medio ambiente desalentador, el poeta modernista podía al menos protegerse en el calor de la amistad con otros poetas. A través de las fronteras nacionales e internacionales, los poetas franceses, españoles e hispanoamericanos, podían comunicarse su sentimiento de solidaridad contra un mundo hostil.

La falta de un público inteligente en sus países no era el único defecto que los modernistas encontraban en ellos. Pedro Emilio Coll, al hablar de la "nueva sensibilidad" del arte contemporáneo hispanoamericano, vio esto como un reflejo de las condiciones sociales. "Si esos estados de alma son vagos y 'crepusculares', débese a hondas causas sociales, a la educación, al angustioso momento histórico cuyo aire respiramos." [17]

La nueva sensibilidad del poeta se estrellaba contra las normas sociales, y, por consiguiente, sentía muy profundamente que su posición era la de un extranjero, en la sociedad.

EL POETA COMO "EXTRANJERO"

La posición de extranjero fue a menudo dramáticamente subrayada por los acontecimientos trágicos en la vida de los poetas. Ya desde antes de comenzar a escribir, muchos de los poetas modernistas habían experimentado duras pruebas debido a la crueldad y peligros de un mundo gobernado por la fuerza y el dinero. La economía hispanoamericana era absolutamente inestable a fines del siglo diecinueve. Guerra civil, inflación y disturbios políticos contribuían a esa inestabilidad. La rueda de la fortuna giraba erráticamente y en su curso dejaba en la ruina a múltiples familias. El colombiano José Asunción Silva pasó parte de su vida adulta tratando de poner a flote los negocios de su familia, arruinada durante una guerra civil. Los padres de Leopoldo Lugones se vieron forzados a abandonar la hacienda familiar y a instalarse en Córdoba después de atravesar por graves dificultades financieras. A la edad de veinte años, Julio Herrera y Reissig había visto a su familia perder fortuna e influencia política. La familia de Julián del Casal se vio precisada a abandonar su pequeño ingenio azucarero debido al desarrollo en Cuba de las grandes empresas competitivas. Sería absurdo sugerir que se hicieron poetas porque las familias perdieron su fortuna (en realidad hubo algunos ricos entre los modernistas, tales como el venezolano Manuel Díaz Rodríguez, 1871-1927), pero esos reveses ciertamente fortalecieron el odio a la sociedad contemporánea que fue una constante en sus obras. No es de sorprenderse que muchos de ellos vieran con simpatía los incipientes movimientos socialistas y anarquistas, ya que su sentimiento de rechazo, no sólo se dirigía a la sociedad que los circundaba, sino hacia la sociedad en general. Un proyecto de novela de Julián del Casal resumía esa actitud. La trama presentaba a un protagonista que viajaba de un lugar a otro y encontraba que todas las naciones eran intolerables. Así, después de viajar de país en país llega a la conclusión de que "el mundo civilizado es inhabitable, porque en todas partes los hombres son iguales".[18] De la misma manera encontramos en José Asunción Silva una condenación de los fundamentos utilitaristas de la sociedad contemporánea.[19]

El tipo de sociedad que los modernistas odiaban con mayor violencia era la sociedad burguesa contemporánea. Esto parecerá extraño, ya que Hispanoamericana estaba marginada de la expansión industrial y capitalista. Pero no era necesario que los poetas conocieran las oscuras y satánicas fábricas a su derredor para que advirtieran que una nueva fuerza perturbadora se cernía sobre ellos. En un breve relato, "El paraguas del padre León", José Asunción Silva comparaba la Bogotá colonial —cuya presencia se dejaba sentir aún en los edificios y en la atmósfera— con la Bogotá de su tiempo, representada por un hombre que se movía de un sitio a otro con la rapidez y el lujo de los medios más modernos.[20] El vínculo económico, destructor de todas las otras relaciones humanas, era lo que más temían los artistas. Por ello la naturaleza de muchas obras en prosa de los modernistas las convierte en alegorías de la relación del artista con la sociedad moderna. Por ejemplo, el venezolano Manuel Díaz Rodríguez, en uno de sus *Cuentos de color* (1899), escribió sobre la tragedia de Psique, que había sido respetada sólo cuando estuvo ricamente vestida. En los tiempos modernos sólo el poeta podía verla; el resto de la sociedad se hallaba cegado por un velo dorado.[21] El cuento de Darío "El rey burgués" relata el destino del pöeta condenado a tocar un organillo en la nieve, porque ha proclamado su desafío a los valores burgueses. El poeta representaba la voz de la fértil selva en un mundo convencional con el que no podía comprometerse. "El arte no viste pantalones, ni habla en burgués, ni pone los puntos en todas las íes". En otro de los relatos de Darío, un poeta, un escultor, un músico y un pintor comparan la triste suerte de los artistas modernos con la de los artistas del pasado. "La muchedumbre que befa" y "la celda del manicomio" es todo lo que pueden esperar de la sociedad; por consiguiente, necesitan "el velo de la reina Mab": el velo de la ilusión que los ayude a soportar la vida en el mundo moderno. En un poema en prosa, "Canción del oro", un mendigo que es a la vez poeta canta irónicamente su canción en elogio del Becerro de Oro a quien todo el mundo venera.[22]

La condenación del oro es frecuente en los labios de los poetas de la época, desde José Asunción Silva al cubano José Martí, cuya obra en muchos sentidos difiere de la de los modernistas. Sin embargo, Martí también sentía el odio al materialismo, odio común a los demás poetas de su generación. Uno de sus poemas confronta la efímera belleza del oro con los placeres verdaderos del campo:

> Yo he visto el oro hecho tierra
> barbullendo en la redoma.
> Prefiero estar en la sierra
> cuando vuela una paloma.[23]

REBELIÓN REAL Y SIMBÓLICA

El odio del poeta al materialismo de la época fue a menudo únicamente verbal. No obstante, condenar a esta generación, como lo hacen algunos críticos, por su postura de torre de marfil, es una actitud demasiado elemental. Hay muchos matices en cuanto a las posiciones tomadas frente a la sociedad entre la ática soledad de Herrera y Reissig y la militancia de José Martí. Pero ya fuera que el poeta eligiera la inactividad o la muerte en el campo de batalla, su poesía invariablemente mostraba una inconformidad con los valores burgueses de su tiempo.

No obstante, debe admitirse que la acción directa de Martí en el movimiento independentista de Cuba lo aparta de los otros poetas de su tiempo que prefirieron una forma simbólica de rebelión. Nacido en Cuba en 1853, a la edad de diecisiete años Martí se encontró ya en conflicto con las autoridades españolas y fue sentenciado a seis años de prisión: sentencia que más tarde se le conmutó por el exilio. Después de visitar varios países europeos y americanos regresó a La Habana en 1878, sólo para volver a exiliarse poco después. En 1881 fundó la *Revista Venezolana,* en Caracas, pero ni en Venezuela ni en ningún otro país de habla española pudo encontrar las condiciones políticas que deseaba y finalmente se instaló en Nueva York. Murió en una expedición revolucionaria a Cuba en 1895. Martí publicó tres volúmenes de poemas: *Ismaelillo,* dedicado a su hijo, en 1882; *Versos libres,* escrito poco después de *Ismaelillo,* pero no publicado sino hasta 1919, bastante tiempo después de su muerte; y *Versos sencillos,* que apareció en 1891. Estos títulos son significativos, pues revelan una concepción de la poesía más próxima a Wordsworth que a Darío. Nada podía estar más lejos de una actitud aristocrática que estas palabras de Martí:

> La poesía es a la vez obra del bardo y del pueblo que la inspira; ... La poesía es durable cuando es obra de todos. Tan autores son de ella los que la comprenden como los que la hacen. Para sacudir todos los corazones con las vibraciones del propio corazón, es preciso tener los gérmenes e inspiración de la humanidad. Para andar entre las multitudes, de cuyos sufrimientos y alegrías quiere hacerse intérprete, el poeta ha de oír todos los suspiros, presenciar todas las agonías, sentir todos los goces, e inspirarse en las pasiones comunes a todos. Principalmente es preciso vivir entre los que sufren.[24]

Compárese esto con la posición de Darío, quien en su poema "Torres de Dios: poetas", describe al poeta como una torre, como un conductor de luz, porque permanece aparte y por encima del resto del mundo. Pero para Martí ese aislamiento resultaba "espantoso". El hombre necesita salir de sí:

> Salir de sí desea
> el hombre, que en su seno no halla modo
> de reposar, de renovar su vida.[25]

La diferencia entre la actitud totalmente comprometida de Martí y la rebelión simbólica de sus contemporáneos puede advertirse mejor si se comparan las posturas frente al pasado. Mientras Darío veía el pasado como una Edad de Oro perdida en que el artista era homenajeado, y no sentía sino desprecio por la sociedad moderna, para Martí el pasado era un reto constante al presente. Esto lo expresa con claridad en uno de sus poemas más conocidos, "Los héroes".

> Sueño con claustros de mármol
> donde en silencio divino
> los héroes, de pie, reposan:
> ¡De noche, a la luz del alma,
> hablo con ellos: de noche!
> Están en fila: paseo
> entre las filas: las manos
> de piedra les beso: abren
> los ojos de piedra: mueven
> los labios de piedra: tiemblan
> las barbas de piedra: empuñan
> la espada de piedra: lloran:
> ¡Vibra la espada en la vaina!
> Mudo, les beso la mano.
>
> ¡Hablo con ellos, de noche!
> Están en fila: paseo
> entre las filas: lloroso
> me abrazo a un mármol: "¡Oh mármol,
> dicen que beben tus hijos
> su propia sangre en las copas
> venenosas de sus dueños!
> ¡Que hablan la lengua podrida
> de sus rufianes! ¡Que comen
> juntos el pan del oprobio,
> en la mesa ensangrentada!
> ¡Que pierden en lengua inútil

el último fuego! ¡Dicen,
oh, mármol, mármol dormido,
que ya se ha muerto tu raza!"

Échame en tierra de un bote
el héroe que abrazo: me ase
del cuello: barre la tierra
con mi cabeza: levanta
el brazo: ¡el brazo le luce
lo mismo que un sol! resuena
la piedra: buscan el cinto
las manos blancas: ¡del soclo
saltan los hombres de mármol! [26]

En este poema Martí representaba el pasado como un modelo de proezas a seguir y no como una mano muerta sobre el presente o un Paraíso perdido. Revela por entero su actitud ante la vida.

A pesar de que los modernistas por lo general rechazaban la acción social o política, muchos, como se ha advertido, por su odio a la sociedad de su tiempo se sintieron atraídos por los nacientes movimientos socialistas o anarquistas. En la región de La Plata especialmente, los años noventa fueron años de gran actividad en la creación de los partidos socialistas. Leopoldo Lugones y Ricardo Jaimes Freyre fueron al principio socialistas, aunque Lugones, en una época posterior de su vida, se convirtió al nacionalismo de extrema derecha. Rubén Darío se sintió atraído por un "socialismo artístico" y, en sus primeros años, durante su estancia en Chile, escribió su poema "Al obrero", destinado a ser leído en la celebración del aniversario de un sindicato de trabajadores en Valparaíso.[27] El poema, sin embargo, carece de contenido político; simplemente exalta la gloria del trabajo, y exhorta a los obreros a imitar a la abeja y al castor. Más revelador es un poema (posiblemente escrito entre 1888-89) dirigido a la madre España, "El salmo de la pluma", donde Darío predica la caída de los tiranos y augura el levantamiento de las masas obreras.[28] La raíz de la simpatía de Darío hacia el socialismo se revela claramente en una carta dirigida al poeta chileno Emilio Rodríguez Mendoza: "La parte del socialismo artístico no me desagrada, porque es la reacción contra la opresión de la vida moderna. Pero no olvida usted, y hace bien, que el arte es esencialmente aristocrático." [29]

Sin embargo, no todos los contemporáneos de Darío desdeñaron el uso de la poesía como instrumento para despertar la conciencia de la humanidad. El tono del modernismo chileno fue decididamente humanitario,[30] y en México, Salvador Díaz Mirón, inspirado en Victor Hugo, escribió amargos y potentes poemas en favor de los oprimidos. Su poema "Los parias" describe las tribulaciones de aquellos cuyas duras vidas carecen del menor sentido:

> Mas, ay, ¿qué logra con su heroísmo?
> ¿Cuál es el premio, cuál su laurel?
> El desdichado recoge ortigas
> y apura el cáliz hasta la hez.[31]

Tal identificación completa con los pobres era rara. El poeta se concebía a sí mismo no como integrante de la masa, sino como su dirigente. Como ingenuamente declaraba el poeta chileno Bórquez Solar: "Pedí justicia en prosa y en verso, en la prensa y en los comicios públicos. Soñaba con hacerme oír, quise —¡oh locura!— ser como un profeta y alcanzar así la inmortalidad de la fama." [32] En uno de sus poemas juveniles Darío hablaba del poeta como de alguien menos sublime que Dios, pero más que la muchedumbre. A pesar de su simpatía humanitaria inicial la actitud aristocrática iba a prevalecer en Darío: "Yo no soy un poeta para las muchedumbres", escribiría en 1905 en su prefacio a los *Cantos de vida y esperanza*. No obstante ahí mismo anota: "Pero sé que indefectiblemente tengo que ir a ellas." En la poesía de Darío se vislumbra siempre su concepción del poeta como profeta.

No es necesario ir muy lejos para encontrar el origen de esa actitud. La sombra de Victor Hugo se cierne sobre una generación entera, cuyos miembros eran naturalmente afectos a un credo político que elevaba al poeta a la condición de semidiós. Los múltiples tributos rendidos a Hugo por los poetas del periodo revelan en su lenguaje mismo la enorme atracción que aquél despertaba en ellos. Salvador Díaz Mirón lo describe como un "Atlas en que se apoya el firmamento.

Atalaya que explora el infinito".[33] Muchos de los poemas iniciales de Darío contienen desorbitados elogios a Hugo:

> Salud, genio inmortal, salud, profeta
> a cuya voz sonora y prepotente
> tiemblan los opresores en sus tronos...[34]

Otros poemas repiten la exaltación que Hugo hacía del poeta. En "A un poeta", Darío declara que el talento del poeta era un don divino y que sólo ante Dios debe responder el poeta.[35] En *Las montañas del oro* (1897) de Leopoldo Lugones, la exaltación del poeta se vuelve aún más excesiva

> ... El árbol duerme aún en la semilla,
> mas la semilla en lo hondo del porvenir vegeta.
> De ella surgirá este átomo, este sol: ¡Un poeta!
> ¿Un poeta? Es preciso. Dios no trabaja en vano.[36]

Hay momentos en que esta autoexaltación del poeta alcanza dimensiones cómicas. El peruano José Santos Chocano (1875-1934) imprimió en tinta roja sus *Iras santas,* escritas en prisión entre 1893 y 1895, y se vanagloriaba de poder encarcelar a los corruptos en la prisión de sus versos:

> Y cada verso que germine y se abra
> será el juicio final de los mandones.[37]

En algunas ocasiones la concepción que el poeta tenía de sí mismo como de alguien que está "por encima del campo de batalla" era aceptada por su propia sociedad. José Santos Chocano, por ejemplo, fue comisionado para cumplir misiones diplomáticas delicadas y se convirtió en amigo íntimo y consejero del dictador guatemalteco Estrada Cabrera. Rubén Darío fue designado representante de Nicaragua en Madrid, y Ricardo Jaimes Freyre sirvió en Bolivia, no sólo como diplomático, sino también como ministro de educación y de relaciones exteriores en los años veinte.

Pero había un punto oscuro en el mito del poeta. Su inconformismo hacia la sociedad podía pagarse con sufrimientos y aun con la muerte. José Asunción Silva se dio un balazo cuando tenía treinta y un años. La poetisa uruguaya Delmira Agustini (1886-1914) fue asesinada a los veintiocho años. Julio Herrera y Reissig murió en la pobreza, relativamente joven. Darío, que logró llegar a la vejez, pasó sus últimos años convertido en un desdichado dipsómano.

Los modernistas llevaron también a los límites la posición del poeta como bohemio y excéntrico. Esa actitud era consecuente con la concepción de que el poeta era un ser semidivino y por consiguiente no estaba sujeto a las reglas ordinarias de la conducta social. Al igual que los esteticistas ingleses y franceses, José Asunción Silva y Julián del Casal se vestían y comportaban de modo calculado para ofender a la sociedad. Silva recibía a sus amigos en un estudio lleno de libros, frascos de perfume, cigarrillos egipcios y búcaros de flores. En su mesa había un retrato de su hermana, que muriera en 1891 y de quien supuestamente había estado enamorado. Cultivaba una reputación de drogadicto. En La Habana, Julián del Casal recibía a sus amistades vestido con atavío de mandarín en un salón atestado de bibelots chinos y japoneses. Allí les ofrecía té mientras frente a una imagen de Buda se elevaban volutas de humo de sándalo o incienso. En Montevideo, Herrera y Reissig llamaba a su buhardilla la Torre de los Panoramas y vivía en medio de un desorden bohemio, rodeado de retratos de los grandes a quienes admiraba.

¿ESCAPISMO... O AFIRMACIÓN DE VALORES VERDADEROS?

En 1882, Oscar Wilde, en una de las conferencias que dio en los Estados Unidos, apremiaba a su público a cultivar la belleza y a despreciar los valores materiales de la época. Declaraba que cuando los hombres se unieran en una meta intelectual común, la guerra y las rivalidades desaparecerían. Aquella conferencia fue escuchada por José Martí, quien admiró el valor de Wilde al lanzar ante el rostro de una sociedad hostil el reto del esteticismo. De cualquier manera, Martí no creía que el análisis de Wilde fuera correcto. No era la falta de belleza la que constituía el mal de la sociedad, sino la concentración de ésta en fines puramente materiales. Darío y su generación tal vez estarían de acuerdo con Martí en que el materialismo era el mal de la época, pero también habrían estado de acuerdo con Wilde en que la tarea del poeta era la de cultivar la belleza y de esa manera sentar un ejemplo para el resto de la humanidad.[38] Esta entrega a la obtención de valores no personales fue lo que situó a los modernistas aparte de los demás y mantuvo su fe en su superioridad como auténticos aristócratas de la sociedad. Gutiérrez Nájera se firmaba "Duque Job"; Julián del Casal escribía con el seudónimo de "Conde de Camors". Darío se vanagloriaba de que la sangre indígena que corría por sus venas era la sangre de una princesa india. Estos aristócratas tenían una comunidad de santos. Algunos de los libros que ejercieron mayor influencia, aparecidos en la última década del diecinueve –*Literatura extranjera* (1895, de Enrique Gómez Carrillo, Guatemala, 1873-1927) y *Los raros* de Rubén Darío (1896)– eran colecciones de ensayos referentes a sus héroes: Verlaine, Baudelaire, Poe. Hombres que habían sufrido y que de alguna manera eran mártires de la búsqueda de valores "verdaderos".

De ahí se desprende que se hablara siempre de la poesía en términos de reverencia extrema. Gutiérrez Nájera subrayaba la inmortalidad que ella confería.[39] Julián del Casal se mantenía firme frente a las tribulaciones de la existencia debido al orgullo de ser poeta que podía "extraer un átomo de oro del fondo pestilente de un pantano".[40] Para José Asunción Silva el verso era un "vaso sagrado" [41] en el que sólo podían depositarse los pensamientos puros. Darío hablaba en terminos incandescentes de "quien se atreve a proclamar el triunfo de la Armonía y de la Idea, 'bajo el ojo de los bárbaros' y prefiere entre las glorias humanas la de adorador y sacerdote del eterno ideal".[42] El *eterno* ideal. El credo estético de esta generación se basaba en la suposición de que existían ideas platónicas eternas. Como Blake, creían que "el mundo de la imaginación es el mundo de la eternidad, es el seno divino en que yaceremos todos después de la muerte del cuerpo. El mundo de la imaginación es Infinito y Eterno, mientras que el mundo de la Generación o Vegetación es Finito y Temporal." Darío lo diría en otros términos: "El poeta tiene la visión directa e introspectiva de la vida y una supervisión que va más allá de lo que está sujeto a las leyes del general conocimiento ... Es el arte el que vence el espacio y el tiempo." [43] Fue esa visión de un mundo inmutable y eterno la que, como reconocía José Asunción Silva, sostenía al poeta en su batalla solitaria contra la sociedad totalmente preocupada en la política cotidiana y el dinero. Los más felices momentos de Silva fueron aquellos en que logró perder su sentido de individualidad y separación, y eso sólo podía hacerlo a través de un proceso semejante al misticismo, que describía de la siguiente manera:

> En la primera hora de quietud pensativa volvieron a mi mente escenas del pasado, fantasmas de los años muertos, recuerdos de lecturas remotas; luego lo particular cedió a lo universal, algunas ideas generales como una teoría de masas que llevaran en las manos las fórmulas del universo, desfilaron por el campo de mi visión interior. Luego cuatro entidades grandiosas, el Amor, el Arte, la Muerte, la Ciencia, surgieron en mi imaginación, poblaron solas las sombras del paisaje, visiones inmensas suspendidas entre dos infinitos del agua y del cielo; luego aquellas últimas expresiones de lo humano se fundieron en la inmensidad negra y, olvidado de mí mismo, de la vida, de la muerte, del espectáculo sublime entré en mi ser por decirlo así y me dispersé en la bóveda constelada, en el océano tranquilo, como fundido en ellos en un éxtasis panteísta de adoración sublime.[44]

La preocupación constante de José Asunción Silva es el contraste entre el mundo de la eternidad que es también el mundo de la muerte, y el mudable mundo de lo temporal y la apariencia. Su poema "Día de difuntos" contrasta el tintineante sonido de una campana que marca el tiempo y las notas graves, profundas, de las campanas de una iglesia, doblando a difuntos. En el sonido de las campanas se funden tiempo y eternidad. En "Nocturno", su más famoso poema, describe un paseo con la amada a la luz de la luna, durante el cual observa las sombras alargarse y finalmente fundirse:

> Y tu sombra
> Fina y lánguida
> Y mi sombra
>
> Por los rayos de la luna proyectada
> Sobre las arenas tristes
> De la senda se juntaban
>
> Y eran una
> Y eran una

¡Y eran una sola sombra larga!
¡Y eran una sola sombra larga!
¡Y eran una sola sombra larga! [45]

Pero esa unión es temporal y efímera. La amada del poeta muere y el poema evoca el sentido de separación que sobreviene sólo cuando el poeta, al caminar a la luz de la luna, imagina que las sombras vuelven a unirse una vez más. El poema se mueve en los límites entre vida y muerte, comunicando la sombría naturaleza de la existencia. El hecho de que haya sido escrito para la hermana de Silva, Elvira, le añade importancia, no por el supuesto motivo del incesto, sino porque su hermana representaba, aún más que una amante, un sentimiento de plenitud y complementación. Elvira era un símbolo para todo lo que representara la comunicación perfecta y, sin embargo, a la vez, representaba una doble inalcanzabilidad, por haber muerto, por ser la hermana. A pesar de ello, la visión del poeta sobrepasa las limitaciones y las sombras se unen en un mundo puramente imaginario.

LA "CONGELACIÓN" DEL TIEMPO

Los modernistas vivieron en un periodo de rápidas transformaciones, e indudablemente su aspiración de eternidad se asociaba con temores subconscientes ante los cambios que ocurrían en torno a ellos. Muchos trataron deliberadamente de lograr un efecto estático en sus versos, como si desearan detener todo tiempo y movimiento. El efecto fue logrado por el poeta uruguayo Julio Herrera y Reissig. En los poemas de *Los éxtasis de la montaña* (1904), creó un mundo pastoral en el que, al evitar precisar los nombres de lugares, al emplear los verbos siempre en presente y describir tipos y actividades pastoriles eternos, obtenía un sentido de inmutabilidad. Su elección del ambiente pastoril es deliberada, pues la vida campesina es lenta en registrar los cambios. Pero al elegir la forma pastoril también traicionaba su nostalgia por una sociedad ordenada y libre de culpa. De hecho, la poesía de Herrera y Reissig intentaba crear un mundo en que la humanidad se hallara aún en la infancia, un mundo sin conflictos ni modificaciones, y sin momentos desagradables. Sus *Sonetos vascos* (1906) tenían como escenario el país vasco, que nunca había visitado, pero que simbolizaba para él un mundo de comunidad patriarcal bien ordenado, antítesis del impetuoso e impaciente Nuevo Mundo.

Darío también empleaba un vocabulario especial de "princesas", "marquesas", "cisnes", "rosas", que elevaban su poesía, por sobre la cotidianidad, a un reino de eterna belleza. Sin embargo, Darío, al contrario de algunos de sus seguidores y contemporáneos, advertía las dificultades de "congelar" el tiempo a través del lenguaje: medio ligado íntimamente con la temporalidad. Uno de sus mejores poemas expresa el conflicto:

> Yo persigo una forma que no encuentra mi estilo,
> botón de pensamiento que busca ser la rosa;
> se anuncia con un beso que en mis alas se posa
> al abrazo imposible de la Venus de Milo.
>
> Adornan verdes palmas el blanco peristilo;
> los astros me han predicho la visión de la Diosa;
> y en mi alma reposa la luz, como reposa
> el ave de la luna sobre un lago tranquilo.
>
> Y no hallo sino la palabra que huye,
> la iniciación melódica que de la flauta fluye
> y la barca del sueño que en el espacio boga;
>
> y bajo la ventana de mi Bella-Durmiente,
> el sollozo continuo del chorro de la fuente
> y el cuello del gran cisne blanco que me interroga.[46]

Aquí tenemos descrita la visión de eterna belleza de Darío, simbolizada por la Venus de Milo: visión que permanece en su alma, pero que puede ser expresada sólo con la "palabra que huye". El chorro de la fuente del tiempo y el blanco cisne que recuerda el enigma de la muerte, expresan el conflicto sin resolución en el alma de Darío entre su visión de lo eterno y las exigencias de lo temporal. A menudo se elogia correctamente la musicalidad del verso de Darío, que es otra indicación de su deseo imperativo de purificar las palabras de su inmediata y efímera asociación y hacerlas reflejar modelos arquetípicos de experiencia. Las palabras se imantan así de una propiedad mágica que permite al poeta expresar experiencias radicales. Por desgracia, en muchos de sus poemas Darío no profundiza suficientemente. Se conformó con los aderezos de una cultura literaria y humanista que a finales del siglo diecinueve formaba aún la base de la educación de las clases media y alta. Esta educación daba a ambas clases un cuerpo común de conocimientos y de experiencia literaria derivados de la poesía y de la mitología clásicas. En tanto que esto era común a las minorías cultivadas de casi todos los países occidentales, podía considerarse como una tradición universal. Darío suponía que sus alusiones a centauros, a Venus y a Leda, serían fácilmente inteligibles debido a la educación clásica de sus lectores y también por el continuo uso de estos mitos y símbolos en la tradición literaria occidental. Lo que no podía imaginar era que ese conjunto de conocimientos comunes no iba a perdurar en el siglo veinte. Sin embargo, quizás tanto como en la potencialidad mítica real de los dioses y diosas del Olimpo, Darío se interesaba en su representación escultórica y plástica. La escultura y la pintura tienen una enorme ventaja sobre las palabras, ya que no se sujetan a las leyes del tiempo como las palabras con su valor mudable. Los poemas de Darío están llenos de estatuas y esculturas marmóreas como si sólo con ellas pudiera lograr que su poesía perdurara. En otras ocasiones vacía joyas y piedras preciosas en sus versos, o trata de infundir una cualidad heráldica a sus poemas. Algunas veces se inspiraba directamente en un pintor determinado. Uno de sus poemas, "El reino interior", está inspirado en un cuadro de Dante Gabriel Rosetti, que representa las siete virtudes y los siete pecados capitales.[48]

En su intento de crear imágenes de belleza "frías como las vírgenes" y "más blancas que los cisnes", Julián del Casal volvía los ojos a la pintura de Gustave Moreau, uno de los artistas más populares entre los estetas del siglo diecinueve. En sus poemas "Prometeo" y "Salomé", Casal intentó plasmar en palabras el "momento de congelación" que Moreau había logrado expresar en su pintura. Así, Prometeo yace en su roca "marmóreo, indiferente y solitario". Salomé baila ante el tetrarca:

> Salomé baila y en la diestra alzado
> muestra siempre, radiante de alegría
> un loto blanco de pistilos de oro.[49]

La figura de Salomé fue especialmente importante en este periodo; simbolizaba una sexualidad cargada de implicaciones ambiguas. Como lo ha señalado Mario Praz, Salomé era a la vez "asexual y lasciva", un tipo andrógino que indicaba "una turbia confusión entre función e ideal". El triunfo de la sensualidad en la poesía de esa época fue otra afirmación de lo que los poetas consideraban como valores "auténticos" contra las falsas restricciones y convencionalismos sociales. Pero eso también llevó a los modernistas a oponerse a los códigos morales tradicionales. Algunas veces el conflicto se expresó con rara violencia, como en el primer verso de uno de los poemas de Casal:

> como vientre rajado sangra el ocaso.

En Darío la expresión de la sensualidad hizo surgir un dramático conflicto que corrió a lo largo de su vida y su poesía. Hombre de temperamento ardiente, su vida fue una serie de tempestuosos conflictos maritales y apasionadas aventuras, con intermitencias de remordimientos y culpas en que aspiraba al tranquilo refugio de la religión. Hacia el fin de su vida, muy enfermo, se aproximó más a la iglesia. Aun entonces, la vieja sensualidad lo asaltaría una y otra vez. En la poesía el conflicto entre la sensualidad de su naturaleza y sus creencias religiosas era tan fuerte que echó a perder varios de sus poemas. No cabe duda que la trágica vida del poeta nicaragüense y su poesía simbolizan un conflicto generacional entre la tradición y un nuevo orden de valores. El catolicismo con su dogma del pecado original y el mal, entraba también en conflicto con una optimista herencia en el progreso y la perfectibilidad. Los primeros poemas de Darío mostraron una gran preocupación en torno a la idea del progreso y las optimistas creencias religiosas de Hugo, que unían la idea de progreso y perfectibilidad a una conciencia del mal. Pero el mal en Hugo era redimible. En "El fin de Satán" había previsto la reconciliación del demonio con Dios. Muchos de los poemas de Darío parecen un diálogo con el poeta francés, cuyas creencias religiosas le hubiera gustado compartir, pero que, de alguna manera, no lograban convencerlo. Así en "Zoilo," escrito en 1886, exclama: "¡Gran Hugo! El mal existe..." Es posible dividir tales poemas en dos categorías. En algunos, el amor sensual es ajeno al pecado, una fuente de alegría, parte del ritmo de la naturaleza. En otros existe una conciencia culpable y un deseo de regresar a la seguridad de la fe religiosa.[50]

En *Azul...* de Darío, la sensualidad es imperante. Cuatro poemas, situados en las cuatro estaciones, tratan sobre aspectos diferentes del amor. En el primero, "Primaveral", el amor se asocia con el ritmo de la naturaleza, con un mundo pagano libre de culpa, donde las ninfas desnudas se bañan en el agua "serena" y el aire es "cristalino". Aquí la sensualidad se asocia con la serenidad y la pureza. Darío nos presenta un mundo anterior al pecado original. Cuando el pecado interviene en *Azul...* es en su forma de crueldad y no de amor sexual. En un poema, una tigre —símbolo de la belleza, la fuerza y la fertilidad de la naturaleza— es perversamente asesinada por un cazador. En otro, una paloma, parte de la armonía de la naturaleza, es atrapada por un halcón. En su siguiente volumen de poemas, *Prosas profanas,* Darío resuelve el conflicto entre sensualidad y culpa, sublimando ambos elementos en el mito. Evoca los cuadros de Watteau, un mundo feérico de princesas en espera de amantes, y la alegría carnavalesca de Pierrot y Colombina. De esta manera logra transmitir la sensualidad como algo bello, alegre, nostálgico, pero no como un pecado. Su intento más ambicioso de reconciliar sus conflictos a través del mito lo encontramos en el poema "El coloquio de los centauros", en el que los centauros simbolizan la fusión de lo animal, lo humano y lo divino. Sus centauros meditan sobre los aspectos conflictivos de la vida, el amor y la muerte. El sentido profundo del poema es que los elementos contradictorios de la existencia, irreconciliables en la vida, pueden resolverse a través del arte, que restaura la totalidad e integridad que constituyen la verdad de la creación.[51]

La labor del poeta consiste, por consiguiente, no sólo en mantener a la gente consciente de los "verdaderos" valores, sino también recordarle la unidad y la plenitud que han sido fragmentadas tanto en el tiempo como en el espacio. En Darío tal plenitud está a menudo sugerida por símbolos complejos o figuras míticas tales como el centauro o el cisne.

En el poema "Leda", el cisne, con sus asociaciones clásicas, como una encarnación de Júpiter, se identifica con lo divino. En forma de cisne, Júpiter seduce a Leda, quien concibió a Elena de Troya; así el cisne viene a representar esa unión entre lo animal y lo divino que da nacimiento a la belleza y a la poesía. En la creación artística, toda fealdad y todo mal son sublimados: de aquí que la violación de Leda por el cisne, el supremo acto creativo, llegue a adquirir la importancia de la anunciación:

> ¡Antes de todo, gloria a ti, Leda!
> Tu dulce vientre cubrió de seda
> el Dios. ¡Miel y oro sobre la brisa!
> Sonaban alternativamente
> flauta y cristales, Pan y la fuente.
> ¡Tierra era canto; Cielo, sonrisa!

El acompañamiento musical de flauta y agua, símbolos ambos del tiempo, subraya la belleza y la armonía del acto. Cuán diferente del poema, a Leda, de Yeats, donde predomina la violencia:

> Un golpe repentino, las grandes alas aún batientes
> sobre la temblorosa joven; sus muslos acariciados
> por oscuras membranas, su cuello por el pico doblegado,
> sostiene su pecho indefenso bajo su pecho.
>
> ¿Cómo pueden los aterrorizados vagos dedos apartar
> la emplumada gloria de sus rendidos muslos?

El poema de Yeats presiente una era de destrucción cataclísmica:

> ... el muro derribado, el techo y la torre en llamas.
> Y Agamenón muerto.

Es grande el contraste entre este "terrible conocimiento" y el poema de Darío que termina con una nota de dulce melancolía. Aquí Júpiter no puede sino sentir la tristeza de la carne, pues en el acto de violación ha compartido el sentimiento de temporalidad.

La diferencia entre ambos poemas es aleccionadora. En el de Darío todo es armonía; Yeats vislumbra el abismo. Uno se mueve en un mundo protegido y pleno, el otro en un mundo que va a ser destruido.[52]

A Darío le hubiera gustado vivir eternamente en ese "bosque ideal", en un bosque donde conviven los sátiros con los ruiseñores. Sin embargo, a medida que fue envejeciendo, su bosque se fue paulatinamente oscureciendo por un sentimiento de culpa. Sus ojos comenzaron a buscar la luz de Belén, y muchos de los poemas de *Cantos de vida y esperanza* y *El canto errante* nos revelan esa nostalgia por la sencilla fe religiosa de la niñez.[53]

El conflicto de Darío —que sólo terminó con su muerte— fue el más dramático de su tiempo; pero era un conflicto común a todos los poetas de una generación que empezaba a explorar una tierra de nadie sin religión. La mayor parte de los contemporáneos de Darío tendían a elegir más que a permanecer desgarrados como él ante el conflicto. Delmira Agustini, la poetista uruguaya, dedicó audazmente su poesía a Eros. Los mexicanos Amado Nervo y Enrique González Martínez (1871-1952), por otra parte, tendieron a recoger sus propias experiencias íntimas filosóficas y religiosas. Uno de los poetas, aparte de Darío y José Asunción Silva, que realmente encontraron el correlativo objetivo para sus preocupaciones íntimas fue el boliviano Ricardo Jaimes Freyre. En el mundo nevado de la mitología escandinava, Jaimes Freyre encontró un lenguaje de símbolos y mitos para situar sus brumas y su soledad espiritual. Su "Canto del Mal" anticipa sorprendentemente la interpretación que nuestro siglo ha hecho del Mal como separación.

> Canta Lok en la obscura región desolada
> y hay vapores de sangre en el canto de Lok.
> El pastor apacienta su enorme rebaño de hielo,
> que obedece —gigantes que tiemblan— la voz del pastor.
> Canta Lok a los vientos helados que pasan,
> y hay vapores de sangre en el canto de Lok.
>
> Densa bruma se cierne. Las olas se rompen
> en las rocas abruptas, con sordo fragor.
> En su dorso sombrío se mece la barca salvaje
> del guerrero de rojos cabellos huraño y feroz.
> Canta Lok a las olas rugientes que pasan,
> y hay vapores de sangre en el canto de Lok.

Cuando el himno de hierro se eleva al espacio
y a sus ecos responde siniestro clamor,
y en el foso, sagrado y profundo, la víctima busca,
con sus rígidos brazos tendidos, la sombra de Dios,
canta Lok en la pálida muerte que pasa,
y hay vapores de sangre en el canto de Lok.[54]

En ese mundo de hielos, cercado por las nieves, Dios difícilmente existe. Los brazos de la víctima se yerguen en vano. Lok, o el Mal, triunfa en un mundo frío y siniestro en el que sólo el sonido de las tormentas y el "himno de acero" se escuchan. Aunque ambos son de la misma generación, el poema de Jaimes Freyre se encuentra a un siglo de distancia del "Nocturno" de José Asunción Silva. Este último vivía en la época romántica, en tanto que Jaimes Freyre había vislumbrado el mundo solitario del hombre moderno.

LA REBELIÓN MODERNISTA

¿Puede hablarse del Modernismo como de una rebelión? A primera vista el movimiento parece más bien una evasión de la realidad; e indudablemente los poetas modernistas parecían esperar poco de su propia sociedad, tendiendo por ello a buscar el reconocimiento en el extranjero. No obstante, a pesar de las características a todas luces negativas del movimiento, los modernistas lograron ciertos resultados positivos. Ante todo, por su misma existencia, justificaron la entrega al arte. Por primera vez el artista comenzó a existir como miembro diferenciado en la sociedad hispanoamericana. En segundo lugar, afirmaron valores opuestos a los de las sociedades en que vivían. Explotaron zonas del sentimiento que hasta entonces habían sido tabú y llevaron a un primer término el diálogo entre sensualidad y sentimiento religioso que constituye una antinomia de la existencia humana, entre la afirmación de la individualidad y la necesidad de trascender las limitaciones temporales. Pero, sobre todo, su desafío consistió en afirmar la necesidad de dedicarse a fines no personales frente a sus contemporáneos más convencionales. El movimiento ayudó a expresar, con el apoyo de la cultura, la insatisfacción de una clase entera de intelectuales. Contra la prevaleciente vulgaridad y grosería circundantes ellos sostuvieron los valores de una tradición humanista y culta. Si su influencia no se extendió a toda la sociedad, sí fue decisiva entre la minoría cultivada.

Eso no niega los aspectos negativos del movimiento. El temor al cambio estaba fuertemente arraigado en los modernistas; de aquí la seguridad que encontraron en el reino de los valores eternos. En los periodos de cambio acelerado es frecuente que ocurra un retorno al platonismo, que trata de aferrarse a lo permanente y absoluto ante un mundo de apariencias y fragmentación. Como muchos poetas antes que ellos, los modernistas consideraron la belleza como un valor permanente, sin advertir que los modelos de belleza eran tan relativos como la cultura. A eso se debe que en muchos aspectos parezcan ser no tanto rebeldes sino hombres situados al final de una tradición que está por extinguirse. Es también por ello que en el sereno mundo cercado de su paganismo irrumpían corrientes de duda y angustia. El cambio que temían los rodeaba y los eternos valores en que depositaban su credo estético estaban ya minados.

El Modernismo fue un fenómeno hispanoamericano. Desde luego hubo también poetas en Brasil en ese periodo —entre los que destacaron el parnasiano Raimundo Correia (1869-1911) y el simbolista João Cruz e Sousa (1861-98) que compartieron muchas de las actitudes de los hispanoamericanos en lo referente a la poesía y la belleza. La poesía de Cruz e Sousa estaba muy próxima a la de Jaimes Freyre, y fue celebrada tanto por Freyre como por Darío. El odio de los modernistas hacia el materialismo fue compartido por el poeta Joaquim de Sousa Andrade —Sousândrade— (véase capítulo segundo) y hay cierta semejanza entre la concepción del arte del gran novelista Machado de Assis, que lo consideraba como un medio de elevarse por encima del flujo y la agitación de la vida cotidiana (véase capítulo segundo), y la de los modernistas. No obstante, por razones diversas, la década del noventa fue un periodo en que los intelectuales brasileños volvieron la mirada hacia el panorama nacional en vez de dirigirla a Europa. La abolición de la esclavitud en 1888, la proclamación de la República en 1889, anunciaban una época nueva en la vida del país, lo que se reflejó en una mayor preocupación por crear una cultura verdaderamente nacional. Este fermento, sin embargo, no se dejó sentir en la poesía. En los años noventa encontramos muchas lamentaciones sobre la pobreza de la literatura brasileña, y hubo voces que se elevaron contra el fenómeno de importación de literatura extranjera, la cual, según se decía, era "ajena a nuestra naturaleza". En 1890 Raimundo Correia declaraba:

> Debemos instaurar un nacionalismo artístico y literario; debemos sentir menos desprecio hacia lo nacional, lo nativo, lo propio. Los poetas y escritores deben cooperar en esta gran tarea de reconstrucción.[55]

2. LA MINORÍA SELECTA: ARIELISMO Y CRIOLLISMO, 1900-1918

El año 1898 fue dramático para Latinoamérica. Cuba y Puerto Rico, las últimas colonias en el Nuevo Mundo, obtuvieron su independencia, al igual que las Filipinas, la colonia española en Asia. Mucho más importante que la derrota de España fue el surgimiento de una nueva potencia mundial, que mostraba además un creciente interés por la América Latina. Al asegurar su propio territorio, los Estados Unidos comenzaron a buscar una esfera de influencia al Sur de sus fronteras. En 1895, el entonces secretario de Estado norteamericano, Richard Olney, declaró que los Estados Unidos eran "prácticamente soberanos en todo el continente" y que su "voz sería ley sobre los asuntos a los que restringiría su intervención".[1]

"Los asuntos sobre los que restringiría su intervención" fueron, como se iba a ver posteriormente, muy numerosos. A consecuencia de la guerra americano-española, los Estados Unidos se anexaron Puerto Rico y las Filipinas y ocuparon Cuba. Aunque la ocupación de Cuba terminó en 1904, la influencia de los Estados Unidos continuó ejerciéndose en la isla en virtud de la Enmienda Platt, que sancionaba la intervención americana en los asuntos internos del país. Durante los primeros años de este siglo, los intereses de los Estados Unidos establecieron una posesión colonial sobre las "repúblicas bananeras" centroamericanas. En 1903, usando la excusa de un pequeño levantamiento en la ciudad de Panamá (entonces parte de Colombia) los norteamericanos ayudaron a crear la república independiente de Panamá, lo que les permitió asegurarse un tratado favorable para el canal a través del istmo de Panamá. La "salvaguardia de los intereses nortemericanos" justificó la ocupación de Nicaragua en 1912. Las repúblicas latinoamericanas no estaban en posición de competir ni política ni comercialmente con los Estados Unidos. Se encontraban divididas entre sí, entregadas a rivalidades fronterizas. La riqueza estaba en manos de unos cuantos individuos. Las severas dictaduras –como la de Porfirio Díaz en

México y la de Estrada Cabrera en Guatemala— no frenaron la influencia norteamericana, sino que por el contrario otorgaron enormes concesiones a los intereses monopolistas y así comprometieron el futuro de sus países. Chile fue casi el único país latinoamericano que logró dar algunos pasos importantes en el camino de la democracia, pero aun así la sociedad chilena no escapaba a las injusticias sociales y se caracterizaba por la enorme pobreza de sus clases populares. Política, social y económicamente, Latinoamérica era débil.

Este contraste entre las débiles y divididas repúblicas y los poderosos Estados Unidos fue indudablemente uno de los factores que condujeron a los intelectuales latinoamericanos a considerar su sociedad y su cultura bajo una nueva luz crítica. Hasta entonces muchos intelectuales se habían preocupado por el florecimiento de una gran cultura nacional; después de 1898, un número cada vez mayor de intelectuales comenzó a señalar los lazos comunes raciales y culturales de América Latina y la gran diferencia entre la tradición mediterránea y latina en que se fincaban sus raíces y la tradición anglosajona de la que derivaba la cultura de los Estados Unidos. El interés en concebir a Latinoamérica como una unidad, dejando al margen nacionalismos estrechos, es uno de los rasgos sobresalientes de la vida intelectual posterior a 1900, que encontró expresión en movimientos tales como el "Mundonovismo" y el "Americanismo Literario"*[2], lo que no impidió el continuo interés en el desarrollo de las culturas nacionales. En la novela, el cuento y la poesía, los escritores describían con mayor abundancia el paisaje y los tipos nacionales, especialmente los de las zonas rurales donde las costumbres se diferenciaban aún más de Europa. Este movimiento se conoce con la designación general de criollismo. Muchos factores contribuyeron a este creciente interés en la escena nacional. Uno muy importante fue la aparición de periódicos y revistas como *Caras y Caretas* (fundada en Argentina en 1898), *El Cojo Ilustrado* (Venezuela 1892-1915), *Pluma y Lápiz* (Chile, 1900-4) en donde aparecieron cuentos cortos de ambiente rural. Otro factor decisivo fue la aparición en la escena lite-

* "Mundonovismo" fue un término acuñado por el crítico chileno Francisco Contreras; "Americanismo Literario" fue una denominación empleada por F. García Godoy en una colección de ensayos publicados en 1917.

raria de escritores como Mariano Latorre (Chile, 1886-1955), Baldomero Lillo (Chile, 1867-1923), Roberto J. Payró (Argentina, 1867-1928) y José Rafael Pocaterra (Venezuela, 1889-1955), que no se habían educado en Europa ni en ambientes europeizantes. Estos escritores se preocuparon por incorporar a la literatura hispanoamericana las regiones del país y la vida de sus habitantes que hasta ese momento permanecían ignoradas.

Pero al emprender la búsqueda de materiales en su propio hemisferio, los escritores se encontraron pronto con arduas dificultades. En primer lugar, se conocía muy poco sobre esas regiones; apenas existían algunos esbozos rudimentarios de historia y geografía de la América Latina. En segundo lugar si se podía considerar que una parte de Latinoamérica poseía una cultura original, era en las regiones rurales con sus ricas tradiciones orales, su música, danzas y dialectos; una verdadera cultura nacional no podía ignorar el campo, la población indígena ni el paisaje americano. Sin embargo, eran ésas las zonas precisamente que menos conocía el intelectual. El escritor debía de alguna manera abarcar esta realidad, labor que resultó mucho más difícil de lo que parecía en un principio. No sólo el paisaje latinoamericano difería del todo de los jardines europeos, sino que existía además el complejo problema de los pobladores –gente ruda, primitiva, y en su mayor parte analfabeta, a menudo cruelmente explotada–. El intelectual que exploraba el país, lejos de hallar una Arcadia rural se encontró en el centro del más intrincado de los problemas nacionales. A menudo surgía un dilema real entre las exigencias de una literatura que siguiera los pasos de Zola o Gorki y la propia educación intelectual del escritor, que él tendía a restringir para expresar su simpatía hacia los trabajadores de las haciendas y los siervos. La mayoría de los escritores y artistas pertenecían aún a las clases superior o media: casi todos eran blancos, y muchos descendían de familias de terratenientes, acostumbrados a considerar a los campesinos como sus inferiores. El escritor y político venezolano Rufino Blanco-Fombona (1874-1944) expresó lo que debió haber sido una opinión común entre los intelectuales de ese periodo:

> Hago, en fin, una vida nueva, una vida bucólica, arcádica. Pero, estoy cansándome. La torpeza y la rusticidad de los campesinos

me exaspera. Siempre están en el error, es imposible que se rediman jamás –si no es por una persistente obra de la escuela– de su triste condición de seres inferiores. Yo no puedo hablar con ninguno de ellos cinco minutos. No encuentro qué decirles. Me hacen la impresión de que su idioma es otro que el mío y que nada les digo, no porque nada tenga que decirles, sino porque ignoro su lengua.[3]

La comunicación era una de las muchas dificultades. Bastante más serias eran, tal vez, las diferencias raciales que separaban a la élite de los mestizos, mulatos, negros o indios que poblaban su país. En Uruguay, Argentina y Chile, es cierto, los indios habían casi desaparecido, pero había gauchos mestizos. Ningún país latinoamericano podía considerarse totalmente blanco y en la mayor parte de ellos los blancos eran sólo una minoría, a veces minúscula. De aquí que ninguna élite blanca pudiera considerarse enteramente representante de la nación. El problema racial era difícil de evadir. Sin embargo, fue precisamente el problema de la raza el que reveló las más graves fallas de la generación: la tendencia de sus miembros a sentirse pertenecer a una casta superior y su falta de deseos para despojarse de esa superioridad. Aunque el atraso de los no blancos y las razas mixtas era claramente producto de la esclavitud económica, pocos escritores del periodo parecieron considerar el fin de la servidumbre económica, ni entendían que fuera necesario emprender cambios importantes en la estructura social para que progresaran los otros miembros de la población. En vez de ello, depositaron su fe en soluciones que complacían su autoestima, tales como la inmigración europea (que alteraría la composición racial de América Latina) o la educación, en la que ellos serían los mentores.

EL OBSTÁCULO RACIAL

Las actitudes hacia el fenómeno racial en Latinoamérica en esa época estaban ampliamente influidas por el determinismo en filosofía y por las teorías raciales europeas. El determinismo geográfico de Buckle y Taine, subrayaba la influencia del ambiente físico en la formación del carácter nacional. Las teorías raciales de Gobineau y Desmoulins, atribuían superioridad, exclusivamente, a las razas teutónicas y anglosajonas.[4]

Cuando los latinoamericanos de ese periodo comenzaron a examinar sus países tendieron a concentrarse en los defectos, en el atraso y en la carencia de cultura. El determinismo geográfico y la existencia de la "raza inferior" fueron generalmente expuestos para explicar estos males.

En Hispanoamérica el primer estudio social de este tipo fue obra de un argentino, Carlos Octavio Bunge (1875-1918), cuya obra *Nuestra América* se publicó en 1903. Bunge no encontraba nada salvable en la composición racial de la sociedad hispanoamericana. El español era arrogante, indolente, carente de espíritu práctico, verborreico y uniforme. Los negros eran blandos, con mentalidad de esclavos. A los indios los caracterizaba su resignación, su pasividad y su sentimiento de venganza. Igualmente sombríos eran Alcides Arguedas (1879-1946), cuando describió al indio, al mestizo y al blanco en su ensayo sobre Bolivia, *Pueblo enfermo* (1909),[5] y Francisco García Calderón (1883-1953) en su estudio sobre Perú, *Le Pérou contemporain*.[6]

En Brasil se iniciaba un nuevo periodo de vida nacional con el fin de la esclavitud y la proclamación de la República, y por ello era natural que la consideración de los problemas raciales estuviera en la mente de los intelectuales y escritores. Algunos veían en Brasil un poderoso rival de los Estados Unidos de América; aunque era evidente que el Estado sudamericano no tenía el sentimiento de integración nacional y de misión que poseía la potencia del Norte. José Veríssimo (1857-1916), prominente crítico literario, fue uno de los que trataron el problema de la identidad nacional del Brasil en la década del noventa, y percibió que para considerar el papel del Brasil en el futuro era necesario encarar el problema de la composición racial del país. Parecía creer que las mujeres mulatas eran responsables de una cierta blandura de carácter y llegó a la conclusión de que la inmigración europea en gran escala contribuiría a fortalecer el país.[7] Muchas de las dudas que los brasileños tenían sobre la raza se expresan en dos obras aparecidas en 1902. La primera fue *Os sertões,* de Euclydes da Cunha (1866-1909), estudio sociológico del árido y montañoso país ganadero, o sertão; la segunda, fue una novela, *Canãa,* de José Pereyra de Graça Aranha (1868-1931). En ambas obras, el enfoque humanitario y liberal del autor se ve disminuido por la aceptación de las teorías predominantes en la época sobre el determinismo racial.

Os sertões fue escrita como resultado de una campaña militar del gobierno en el noreste de Brasil contra un grupo de fanáticos religiosos separatistas, bajo la guía de su dirigente, Antonio, "el consejero"; campaña en que el autor tomó parte como reportero oficial. La campaña se encontró con dificultades inesperadas debido a que "el consejero" y sus partidarios conocían el terreno mejor que los atacantes, y fueron increíblemente tenaces en su resistencia a las fuerzas gubernamentales. Su heroico valor despertó no sólo la simpatía y la admiración de Da Cunha sino también su curiosidad. Encontró la explicación de su valor y su obcecado deseo de independencia en la lucha constante que sostenían contra la Naturaleza. Sin embargo, ¿cómo podría esto reconciliarse con el hecho de que los *sertanejos,* o habitantes del *sertão,* descendientes mestizos de portugueses e indígenas, fueran por consiguiente presuntamente degenerados? Da Cunha sólo podía concluir que la lucha contra el medio había eliminado sus defectos raciales. Asentaba la superioridad del modo de vida europeo y el deseo de llevar a los *sertanejos* a ser una nación moderna, encaminada al "progreso". Su política para integrar a los disidentes al nuevo Brasil consistía en una labor educativa vigorosa. Educación e inmigración eran las dos grandes "soluciones" que gozaban del favor de los intelectuales del periodo.[8]

Canâa, de Graça Aranha es aún más equívoca en su actitud racial. La novela relata la historia de dos inmigrantes alemanes en Brasil, Lenz y Milkau, que viven en una comunidad de colonizadores en el interior del país. Lenz y Milkau representan dos conceptos diferentes de inmigrante. Lenz cree firmemente en la superioridad de la raza europea y considera que el futuro del Brasil consiste en ser una nación dominada por blancos. Milkau no duda de la presente superioridad europea, pero cree que la civilización europea está en decadencia y que quizás haya nuevas civilizaciones destinadas a reemplazarla:

> Llegará el tiempo de África. Las razas se civilizan a través de la fusión; es en el encuentro entre las razas adelantadas y las salvajes razas vírgenes donde está ... el milagro del rejuvenecimiento de la civilización.[9]

La ambigüedad de Graça Aranha se manifiesta en relación al presente y no al futuro. El retrato que hace tanto de los brasileños como del inmigrante alemán resulta desalentador; en la novela los brasileños son venales y lascivos, los alemanes despiadados y ásperos. Resulta evidente que la única fe del autor está puesta en una aristocracia del intelecto consistente en hombres como Milkau, que logran trascender las pequeñeces de sus contemporáneos. La concepción del autor a este respecto es mucho más coherente que las de los hispanoamericanos de la época.

En las repúblicas andinas y en México, el indio era considerado por muchos intelectuales como un obstáculo serio para el progreso. En Perú esto resultaba tal vez sorprendente, pues una de las figuras sobresalientes del periodo, Manuel González Prada (1848-1918), había predicado constantemente a sus contemporáneos que el concepto de nacionalidad peruana debía extenderse más allá de la minoría blanca, para incluir a las masas indígenas. "Nuestra forma de gobierno se reduce a una gran mentira porque no merece llamarse república democrática un estado en que dos o tres millones de individuos viven fuera de la ley".[10] Las ideas de González Prada inspiraron la primera novela peruana que trató con simpatía los problemas del indio del Perú: *Aves sin nido* (1889), de Clorinda Matto de Turner (1854-1909). Sin embargo, a pesar de ese ejemplo, había quienes pugnaban por una política migratoria que convirtiera al Perú en una nación de tipo europeo. Por ejemplo, Francisco García Calderón consideraba que los indios podían ser incorporados a la vida nacional sólo bajo *"une tutelle savante"*. Su modo tradicional de vida se desvanecería ante el ejemplo que impondrían los emigrantes europeos, enseñando español a los indios y a través de la educación de los dirigentes indígenas.[11] En Bolivia, Alcides Arguedas –hombre que sentía profunda simpatía por los indios y que rechazaba la solución fácil de la inmigración– era absolutamente consciente de la tristeza y sordidez de la vida indígena. Arguedas sólo confiaba en la educación.[12]

Los desafortunados efectos de la aplicación de teorías darwinistas a los problemas raciales fueron ilustrados en México, en donde durante ese periodo hubo una constante discusión acerca del lugar del indígena y el mestizo en la vida nacional. La dictadura de Porfirio Díaz favoreció al mexicano blanco y al extranjero; no obstante, la composición racial de México era tal que difícilmente podía ignorarse la presencia del indio. Los intelectuales más destacados, como Justo Sierra, quien influyó considerablemente en la vida intelectual, por lo general confiaban en la educación como medio para incorporar al indígena a la nación. Sierra afirmaba tajantemente su confianza en el mestizo como factor dinámico en la historia mexicana y en la educación del indígena. Pero sus opiniones no eran compartidas por todos los pensadores de la época. Un crítico moderno observaba que el miedo al indígena estaba ampliamente extendido en los primeros tiempos del régimen de Díaz; y lo corrobora con artículos de periódicos de la época que expresaban temor porque el indio se estaba volviendo demasiado rebelde, y a que esa rebelión desembocara en una guerra racial.*[13]

Uno de los más curiosos análisis del problema racial fue expuesto en México en esa época por Francisco Bulnes (1847-1924) en *El porvenir de las naciones latinoamericanas* (1899). Bulnes sugería la teoría de que los indios, africanos y asiáticos estaban condenados por sus circunstancias geográficas a la inferioridad, debido a sus pobres dietas de arroz o maíz. Aunque Bulnes proponía una política de inmigración blanca en los trópicos a fin de apresurar la mezcla de razas, no veía el modo de resolver la dificultad proveniente de que la dieta tropical y el medio geográfico continuaran produciendo razas inferiores.[14] Así, pues, aun en México donde el mestizo y el indio habían desempeñado un papel activo en la vida nacional, los pensadores de principios de siglo estaban dominados por el determinismo y el pensamiento darwinista en materias raciales.

En Venezuela, país de población mestiza, algunos miembros de la élite deseaban la inmigración con el fin de inclinar la mezcla racial hacia Europa;[15] y aun en Argentina y

* Este temor en parte pudo haber sido provocado por algunos levantamientos como el que describe Heriberto Frías en su novela *Tomóchic,* escrita en circunstancias bastante parecidas a la de *Os sertões*. El autor ayudó a aplastar un levantamiento de indios alzados contra el gobierno bajo la influencia de un místico religioso. Como Da Cunha, Frías, cuya novela se basa en su experiencia de oficial del ejército mexicano, llegó a sentir simpatía y admiración por el pueblo que había sido enviado a combatir.

Uruguay —países en donde la raza no constituía un factor importante— se dio por sentada la inferioridad y la pereza del gaucho mestizo. Los más vigorosos intelectuales argentinos —como Carlos Octavio Bunge y José Ingenieros (1877-1925)— favorecieron la idea de la inmigración europea, que se convirtió en un grupo ascendiente de la población contra el contingente indohispánico, al que se consideraba perezoso. Ingenieros, cuyo padre había nacido en Italia, saludó en un ensayo el advenimiento de una Argentina de raza blanca que pronto iba a permitir borrar el estigma de inferioridad con que los europeos se referían siempre a los sudamericanos.[16] El criollo holgazán es una figura típica en los cuentos del uruguayo Javier de Viana (1868-1926), y el enfrentamiento de los criollos perezosos y carentes de iniciativa con los italianos, trabajadores, esforzados y ahorrativos, domina la acción de *La gringa* (1904), obra teatral del también uruguayo Florencio Sánchez (1875-1910).

Pocos ensayistas o novelistas experimentaron la simpatía instintiva que mostraron por el indio dos poetas de la generación modernista: José Santos Chocano y Rubén Darío. Debe admitirse que esa simpatía por el indio se dirigía al indio aristocrático de los tiempos incaicos y estaba asociada con el culto por lo exótico. No obstante, sería un grave error hacer de lado los poemas indios de Darío y Santos Chocano por considerarlos representativos de un mero exotismo. En la introducción a *Prosas profanas,* Darío escribe: "Si hay poesía en nuestra América, ella está en las cosas viejas: en Palenke y Utatlán, en el indio legendario y el inca sensual y fino, y en el gran Moctezuma de la silla de oro." [17] Su poema "Tutecotzimí", escrito a comienzos de la última década del siglo, es una evocación del México precolombino, que muestra una profunda sensibilidad. Su mensaje es el triunfo de un caudillo que canta a la "paz y al trabajo", sobre el cruel jefe guerrero, y revela una alta apreciación de la belleza de las leyendas indígenas. Darío fue uno de los primeros en apreciar las posibilidades estéticas de las leyendas indígenas y el folklore, lo que constituyó un modo de llegar a una comprensión más cierta del indígena.[18] Igual fue el caso de Santos Chocano: la proclamación de orgullo por su sangre mestiza y su pasado inca fue un paso en la dirección correcta. Reconocer la gloria de los incas era un modo indirecto de rehabilitar al indio contemporáneo, aunque ciertamente en el caso de Chocano hay poemas que demuestran que no era de ningún modo indiferente a los problemas del indio moderno.

> Indio que labras con fatiga
> tierras que de otros dueños son:
> ¿ignoras tú que deben tuyas
> ser, por tu sangre y tu sudor?[19]

Uno de sus poemas, "Ahí no más", elogia a la raza que es "fuerte en su tristeza", que siempre encuentra lo que quiere "ahí no más", y cuya sabia ironía sobre las distancias comunica "una emoción de eternidad". Aquí el escapismo de Chocano hacia el pasado inca lo lleva a descubrir virtudes en ciertas actitudes del indio que muchos de sus contemporáneos, firmemente convencidos de la superioridad europea, no advertían.[20]

EL ARIELISMO Y LA RAZA LATINA

Hacia 1877 apareció un ataque al materialismo norteamericano en medio de un largo poema romántico del poeta brasileño Joaquim de Sousa Andrade o, como le gustaba ser llamado, Sousândrade (1833-1902). Este extraño poema *O Guesa Errante,* relata los vagabundeos de un bardo moderno que en una etapa de su viaje se detiene en Nueva York. En el canto X, "O inferno de Wall Street", escrito en una extraña mezcla de inglés y portugués, el poeta presencia una *Walpurgisnacht* de agentes de bolsa, políticos y hombres de negocios corrompidos. Se burla de la alianza de la biblia con el dólar, del puritanismo con el materialismo; y el canto termina con una estrofa en que se canta en un himno casi incoherente a las acciones de la Bolsa y a Mammon, Pegaso y Parnaso:

> Bear, bear, its ber-beri, Bear... Bear.
> Mammumma, mammumma, Mammon
> Bear, bear, ber'... Pegasus
>   Parnasus
> Mammumma, mammumma, Mammon.[21]

En realidad parece que fue en Brasil donde se dejó sentir primero el temor al poderío norteamericano. El crítico literario, José Veríssimo, por ejemplo, publicó en 1890 un tratado sobre educación nacional, en que atacaba el materialismo de los Estados Unidos. El propósito del tratado era la reforma de la educación brasileña sobre lineamientos más prácticos y nacionalistas a fin de proporcionar a los brasileños un sentimiento de identidad nacional. En él, Veríssimo asentaba que, así como consideraba que Brasil podía igualar a los Estados Unidos en riqueza material y poderío, su país podría ser superior en su concepción de un destino nacional. "Los admiro, pero no los estimo", fue el juicio que le merecían los Estados Unidos, los cuales tenían una cultura mediocre y un enfoque de la ciencia demasiado utilitarista.[22]

Estas palabras tuvieron un eco casi literal en una obra que iba a tener una vasta influencia en toda América Latina: el ensayo *Ariel* del pensador uruguayo José Enrique Rodó (1871-1917).[23] Concebido en 1898 y publicado en 1900 —es decir, inmediatamente después de la guerra americano-española—, la enorme popularidad de *Ariel* se debe al hecho de que expresaba conceptos que los latinoamericanos deseaban escuchar. Con un simbolismo derivado de *La tempestad*, de Shakespeare, Rodó representa a Ariel como la parte noble y alada del espíritu, en tanto que Calibán ejemplifica la sensualidad y la grosería. Este simbolismo había ya sido usado por Ernest Renan en su drama filosófico *Caliban*, donde la cultura aristocrática representada por Próspero es derribada cuando Calibán (las masas) ascienden al poder. Esa obra expresaba el temor del pensador positivista francés de que con el arribo de la democracia, "Ariel" o el espíritu pudiera sucumbir.[24] Rodó no aceptó las conclusiones de Renan sobre la democracia. Estaba convencido de que cuando se dieran iguales oportunidades para la educación surgiría una aristocracia natural de los mejores —es decir hombres y mujeres preparados para llevar a cabo un ideal desinteresado, para dirigir la sociedad. Una civilización realmente grande podía edificarse sobre la sociedad sólo cuando sus miembros prosiguieran algún fin no personal. El ideal griego de belleza y el ideal cristiano de caridad eran los grandes ideales que debían componer una sociedad moderna valiosa. Tal sociedad, basada en un sistema democrático, capacitaría a "los mejores" para elevarse a la cima como dirigentes, lo que produciría inevitablemente una cultura superior. Por otra parte, un poder cuyas solas preocupaciones son las materiales estaba destinado a la mediocridad. Ese poder, afirmaba Rodó, lo constituían los Estados Unidos, cuya "prosperidad es tan grande como su imposibilidad de satisfacer a una mediana concepción del destino humano".[25]

¿Pero cómo podían los latinoamericanos resistir la influencia de Norteamérica? Principalmente en virtud del "genio de la raza" que diferenciaba claramente a los latinoamericanos de sus vecinos del Norte. Pero la salvación tendría que depender de los jóvenes intelectuales, quienes, al cultivar el "ideal desinteresado", ayudarían a elevar su sociedad sobre el nivel de la materialista Norteamérica. Así Rodó encontraba una solución cultural a las dificultades económico-políticas. No negaba que una democracia funcional debía basarse en un nivel de vida adecuado para todos y en la igualdad de oportunidades educativas, pero para él ésos eran requisitos previos de algo más grandioso. A menos que los individuos se dedicaran a la búsqueda de objetivos no materiales, la sociedad se encadenaría a un vulgar materialismo. La naturaleza idealista de esta solución era un llamado a los intelectuales latinoamericanos, y en breve aparecieron ediciones de *Ariel* en todo el continente de habla española. Se publicó en la República Dominicana en 1901, en Cuba en 1905, en México en 1908. *Ariel* fue seguido de *Los motivos de Proteo* (1909), obra bastante retórica en que Rodó examinaba más ampliamente la vocación y los ideales individuales como fuerzas motrices de la vida humana.

La influencia de *Ariel* tuvo aspectos negativos y positivos. Del lado negativo, el ensayo creaba un mito conformista: el mito de que los Estados Unidos no tenían cultura y de que sus habitantes poseían una visión totalmente materialista. Este enfoque se repitió *ad nauseam* notablemente por Manuel Ugarte (Argentina, 1878-1951), en *El porvenir de la América Latina* (1911); en los ensayos de Carlos Arturo Torres (Colombia, 1867-1911) y por Blanco-Fombona. La contrapartida del mito era la superioridad "espiritual" de la América Latina. Ambos mitos fueron atacados por un discípulo cubano de Rodó, Jesús Castellanos (1879-1912), quien, en 1910, señaló que mientras los cubanos, a partir de su emancipación parecían totalmente preocupados por intereses materiales, en los Estados Unidos el idealismo triunfaba por sobre el materialismo.[26]

La contribución positiva de *Ariel* a la ideología de la generación posterior al 98 tuvo dos aspectos. En primer lugar al insistir en el poder de los ideales y las ideas en la conformación de una sociedad, Rodó impulsó la teoría educativa y su reforma. Los intelectuales de la Nueva Era consideraban un deber proporcionar educación a las masas para elevarlas a su nivel, ya que de ese modo contribuirían a la gradual transformación de la vida social y política de Latinoamérica. En segundo término —al que daremos atención inmediata— ese "ideal latinoamericano" proporcionó a la acción de los intelectuales mayor sentido del que podían lograr los nacionalismos estrechos, y los capacitó para ver por encima de sus frustrantes y limitadoras situaciones nacionales.

Para Rodó, el ideal del latinoamericanismo equivalía a un ideal supranacional que debía conducir a la unidad de las naciones separadas e inspirar a los individuos un más alto sentido de acción que los meros fines nacionales.[27] En tanto que un solo país podía tener poca tradición cultural, Latinoamérica, considerada como un todo, poseía una tradición impresionante. Es más, a pesar de que las naciones tuvieran diferencias que las separaban, Rodó descubrió entre ellas una unidad cultural. El concepto de una integración latinoamericana surgido de la unidad cultural continental fue tal vez la contribución más importante de Rodó a la ideología de su tiempo y tuvo una amplia influencia entre sus contemporáneos. Blanco Fombona, por ejemplo, encontró en la literatura de las repúblicas separadas un "aire de familia" que demostraba la unidad cultural de Latinoamérica."[28] Manuel Ugarte expresaba que aunque "nos proclamemos argentinos, uruguayos o chilenos, ante todo somos americanos de habla española".[29] Hasta el momento presente* ese ideal de la unidad cultural de Latinoamérica sigue atrayendo a los principales escritores y pensadores, incluyendo a personalidades como la de José Vasconcelos (1882-1959), quien como mi-

* El concepto de la unidad cultural de América Latina está todavía vigente. Compárese una declaración de Cortázar, *Panorama*, 24 de noviembre de 1970: "Para mí hoy la 'patria chica' es la Argentina, pero la 'patria' es América Latina."

nistro de Educación en México, hacia 1920, dio un impulso práctico a esta concepción, al invitar a artistas de toda la América Latina a compartir sus experiencias en la nueva sociedad mexicana. Aventuras como la *Revista de América*, fundada en París en 1909 y la Casa Editorial América, fundada en Madrid en 1914 por Blanco-Fombona, fueron realizaciones prácticas del arielismo.

Con la concepción en mente de una América "latina" unida, muchos escritores comenzaron a ver con mayor generosidad a la antigua "Madre Patria", España, la que, a partir de su derrota de 1898 no era ya una amenaza. La generación arielista iba a contribuir con algunos destacados eruditos en estudios hispánicos, tales como el dominicano Pedro Henríquez Ureña (1884-1946) y el mexicano Alfonso Reyes (1889-1959).* Dos novelas del momento se nutren en la herencia común española: *El embrujo de Sevilla* (1922), de Carlos Reyles (Uruguay, 1868-1938) y *La gloria de don Ramiro* (1908), de Enrique Larreta (Argentina, 1875-1961), hábil reconstrucción histórica de la vida española en el tiempo de Felipe II. En poesía, Darío cantó el ideal de unidad de la raza latina en varios poemas incluidos en los *Cantos de vida y esperanza,* el primero de los cuales dedicó a Rodó. El más conocido de ellos fue su "Salutación del optimista", un *tour de force* de sonoridad en hexámetros virgilianos, en donde previene sombríamente contra las acechanzas del Norte y avizora el amanecer de la gloriosa Era Latina. Menos polémicos y más nostálgicos en el tono son los poemas de Santos Chocano, *Alma América* (1906), que expresan las afinidades espirituales entre América y España. "¡Oh Madre España! —escribió Chocano— Acógeme en tus brazos". Por otra parte escribió nostálgicamente sobre el Perú virreinal, un gracioso Perú ya para entonces desaparecido.[30]

EL PODER DE LA IDEA

"La cálida América de origen español" y la "fría América del Norte" eran, según Manuel Ugarte, irreconciliables.[31] El

* Este acercamiento fue activamente secundado por algunos sectores de España, especialmente intelectuales. El historiador Rafael Altamira hizo una gira por América Latina patrocinado por la Universidad de Oviedo, y a su regreso sugirió un extenso programa de intercambio cultural. (Véase, R. Altamira, *Mi viaje a América,* 1911.)

retrato trazado por Rodó de una América del Norte utilitarista produjo el surgimiento de un mito paralelo: el de una América del Sur espontánea e idealista. En un congreso de filosofía que tuvo lugar en Heidelberg en 1908, Francisco García Calderón sostuvo que había un auténtico idealismo de raza en América Latina y citaba a muchos de los filósofos que enseñaban y trabajaban en América Latina cuyas teorías reflejaban alguna forma de idealismo.[32] La observación de García Calderón era correcta, la enseñanza predominantemente positivista de muchas universidades latinoamericanas había comenzado a ser desplazada y sustituida por otros métodos y sistemas nuevos. Se equivocaba, en cambio, al atribuir esto a un innato idealismo del pensamiento latinoamericano. Más bien se trató de una forma natural de reacción contra el positivismo que había fracasado en su intento de proporcionar panaceas a los problemas de Latinoamérica y que se había, al menos en México, convertido en un conformismo carente de imaginación. México resultaba, en verdad, aleccionador a este respecto. Ahí, el grupo llamado de los *científicos* había proporcionado la espina dorsal al régimen de Díaz, cuyo lema era "Orden y Progreso". Pero orden equivalía a opresión y progreso a bienestar para unos cuantos a expensas de una población rural oprimida por la miseria. La primera rebelión contra esa situación no fue de carácter claramente político, sino una acción de tipo cultural contra el duro autoritarismo del régimen de Díaz. Comenzó con la inauguración de la Sociedad de Conferencias en 1907, asociación que pronto se convirtió en el *Ateneo de la Juventud* y más tarde en *Ateneo de México* (1909-1914). El grupo incluía a José Vasconcelos, Pedro Henríquez Ureña, Martín Luis Guzmán, Alfonso Reyes, quien más tarde se convirtió en un destacado hombre de letras, y el pensador Antonio Caso. Todos ellos reconocieron posteriormente la importancia del Ateneo en el cambio de atmósfera intelectual del régimen de Díaz, que según sus afirmaciones se produjo al abandonar el positivismo e iniciar una exploración por otras corrientes del pensamiento contemporáneo, tales como el bergsonismo, y el retorno a la especulación metafísica que el positivismo condenaba por infructuosa.[33] Una de las conferencias celebradas en 1910 fue sobre la obra de Rodó. La generación del Ateneo iba a llevar el arielismo a su aplicación práctica cuando, después de la Revolución de 1910, compartieron la tarea de forjar un nuevo tipo de cultura mexicana.

Rodó había sido enfático al destacar la importancia de la idea en la dirección de la sociedad: "Basta que el pensamiento insista en ser ... para que su dilatación sea ineluctable y para que su triunfo sea seguro." [34] Pero tales ideas-fuerza, se argüía, sólo podían emanar de la élite intelectual. Según Rómulo Gallegos (Venezuela, 1884-1969) no podían surgir de abajo, pues lo inferior no puede dar nacimiento a lo superior.[35] Según Carlos Reyles era la carencia de ideas-fuerza lo que hacía que Latinoamérica viviera una situación política caótica.[36] Francisco García Calderón creía que las reformas, si se producían, debían ser realizadas por un grupo selecto que actuara como una oligarquía hasta que el resto de la nación pudiera pensar por cuenta propia.[37] La noción de una minoría selecta que guiara los destinos de su país, o que, por lo menos, creara un ejemplo valioso, estaba íntimamente ligada a la función de la idoneidad moral de la clase dirigente. No cabe duda que muchos de los discípulos de Rodó creían que los intelectuales que habían sacrificado ambiciones personales en aras del ideal desinteresado serían los mejores gobernantes. Una democracia verdadera, decía Rodó, permitiría a quienes poseen cualidades realmente superiores elevarse hasta la cima; esas cualidades superiores debían ser: virtud, carácter y espíritu.[38] Este tono de alta moral lo compartían Manuel Ugarte y Rómulo Gallegos, y se revela también en *Idola fori* de Arturo Torres. Carlos Vaz Ferreira (1873-1958), pensador y escritor uruguayo, en su *Moral para intelectuales* (1908) adopta la posición de que el intelectual debe proporcionar un ejemplo social. Aconsejaba a sus lectores dedicar media hora al día a meditar en asuntos que no tuvieran ninguna ingerencia personal directa, como una especie de ejercicio espiritual.[39] No se trataba de que los efectos elevados de la educación tuvieran que limitarse a los intelectuales; se consideraba también importante la educación de los otros sectores de la comunidad. Es cierto que algunos escritores acentuaron la importancia de la ilustración de las clases superiores; por ejemplo, el peruano Alejandro O. Deústua (1849-1945) consideraba que su país podía transformarse con el adiestramiento moral adecuado del grupo en el poder, cuyos miembros deberían aprender a actuar en función del bien común y no para satisfacer sus propios intereses.[40] Pero en su conjunto, la generación arielista era consciente de que la educación se debía extender a toda la población. José Veríssimo, Manuel Ugarte y Rómulo Gallegos coincidían en dar un lugar de especial importancia a la instrucción cívica y en subrayar la necesidad de educar a las masas haciéndolas reflexionar sobre su propio país.

El didactismo de los ensayistas está secundado por los novelistas y cuentistas. De hecho uno de los rasgos sobresalientes de la literatura creativa del periodo es su fuerte acento moral y su concentración en la exposición de las fallas morales. Algunas veces, sin embargo, esa preocupación referente a problemas de una moral "conformista", tales como el adulterio o la prostitución, llevaron al escritor a evadirse de problemas más graves. Tal fue el caso de Federico Gamboa (México, 1864-1939) que en el apogeo del régimen de Díaz escribió novelas sobre problemas de conducta que concernían a un sector muy pequeño de la clase media urbana. *El hombre de hierro* (1907) de Blanco-Fombona se centra en las ambiciones egoístas de la sociedad arribista de Caracas. Aun así, las novelas del periodo revelaron a veces niveles más profundos. En *A la costa* (1904), el novelista ecuatoriano Luis Martínez (1869-1909) ataca los falsos valores de la clase media quiteña, cuyos miembros aspiraban a que sus hijos se dedicaran a una profesión cuando había ocupaciones más creadoras. El novelista argentino Roberto Payró en sus *Divertidas aventuras del nieto de Juan Moreira* (1910) ataca a los caciques políticos que dirigen las zonas rurales. Descendientes del viejo grupo de gauchos, los caciques de la nueva generación, aunque ya han dejado de usar el poncho, mantienen aún el desprecio tradicional de sus antepasados por el gobierno central y la ley. Al abandonar el poncho, han perdido también las virtudes que lo acompañaban. Según Payró el mejor modo de combatir el mal del caciquismo era "pintándolo con pelos y señales".[41]

Tal planteamiento es típico del concepto de literatura que tenía esa generación: literatura como instrumento; concepción asociada a la fe en el poder de la palabra escrita y en la educación como solución social. No es, pues, una concepción que estimule una producción literaria de entretenimiento, ya que los autores vivían preocupados más por describir tipos y denunciar abusos característicos (la prostitución, por ejemplo*), que por hacer el retrato de individuos. Sólo uno o dos escritores se resistieron a la tentación del didactismo y se decidieron a tratar a los seres humanos como realmente eran. Es interesante que dos de los mejores escritores de la época hayan sido autores que no se proponían reformar el mundo y que consideraban su arte por encima de cualquier función pedagógica o reformista. Estos escritores fueron el cuentista y novelista colombiano Tomás Carrasquilla (1858-1940), y el novelista brasileño Machado de Assis (1839-1908).

Para Carrasquilla, la novela era la forma de describir "las relaciones del hombre con el medio ambiente". Tomaba su material de la experiencia. Declaró en una ocasión que "el descubrimiento de América mal contado no vale artísticamente lo que la fiel descripción de un perro con sarna". De ahí que, cuando los temas políticos y las situaciones sociales intervienen en sus novelas, se incluyen no por el hecho de que en el sistema existan males y abusos, sino sencillamente como parte del medio en que los personajes se desenvuelven. Uno de los mejores relatos de Carrasquilla, "El padre Casafús", trata de un sacerdote gruñón y malhumorado que se niega a adular a la más poderosa dama de la parroquia. Debido al carácter libre del sacerdote, el odio de la dama crece y comienza a divulgar el rumor de que es un liberal y un hereje hasta que el sacerdote es suspendido por el arzobispo y se ve reducido a extremos de absoluta miseria. Los conflictos políticos y religiosos forman parte de la trama, pero sólo en cuanto constituyen también parte de la historia del sacerdote.[42]

Las narraciones de Machado de Assis distan aún más de cualquier didactismo. Sus mejores novelas, *Memórias póstumas de Brás Cubas* (1881), *Quincas Barba* (1891), *Dom Casmurro* (1899) y *Esaú e Jacob* (1904), revelan un "sentimiento amargo y áspero", debido en gran parte a su visión schopenhaueriana de la vida. Concibe al hombre como sujeto

* Un buen número de novelas abordaron el tema de la prostitución: por ejemplo, *Santa* (1903) de Federico Gamboa, *Juana Lucero* (1902) de Augusto d'Halmar (Chile, 1882-1950), *Nacha Regules,* (1909) de Manuel Gálvez.

sacudido por todas las pasiones "agitado como si fuera una campana hasta que las pasiones terminan por aniquilarlo".[43] Cada una de sus novelas importantes muestra el desperdicio de una vida humana. En *Quincas Borba*, por ejemplo, Rubiâo, el protagonista, recibe en herencia una fortuna al inicio de la novela y la gasta junto con el resto de su vida pretendiendo seducir a una mujer cuyo marido lo esquilma cínicamente, hasta terminar loco, pobre, abandonado de sus amigos. En *Esaú e Jacob,* aunque existe un tema político, la política es considerada como un juego absurdo. La novela es, de hecho, una alegoría. Los personajes centrales, Pedro y Paulo, representan las facciones combatientes en la vida política de Brasil. Son gemelos, nacidos el mismo año del Manifiesto Republicano, combatieron desde el seno materno, y son después rivales en el amor de una mujer, Flora, y el de su madre, Natividade, una mujer que viene a ser la representación del Brasil, casada significativamente con un próspero banquero. A través de toda la novela desfila la frivolidad y el sinsentido de la militancia política; los acontecimientos históricos de la época son tratados de un modo ligero. El fin del Imperio está descrito a través de las reacciones de un pastelero que teme la ruina de su negocio si no le cambia nombre a su "Pastelería Imperial". Machado de Assis consideraba el sacrificio de los principios como una de las consecuencias inevitables de la vida en sociedad. En muchos de sus cuentos expuso la tesis de que los seres humanos tienen dos egos, uno público y otro privado, y que el público sólo puede florecer a expensas del privado. En su relato *O Espelho* (1882) la imagen que refleja el narrador es borrosa hasta que se pone el uniforme de teniente y entonces los rasgos del reflejo se vuelven nítidos y definidos.[44] La aproximación de Machado de Assis a la sociedad y a la política se basa, por supuesto, en convicciones profundas sobre la inmutabilidad del hombre: una visión que no compartían la mayor parte de los intelectuales de la época.

EL ESCRITOR Y LA TRADICIÓN

La tarea más urgente del escritor, según Rodó y muchos de sus discípulos, era la de crear una cultura original, y la de mantener viva cuanta tradición americana existiera. Hubo, por ende, un esfuerzo deliberado de revivir la memoria de los héroes del pasado. La *Revista de América* sostenía que al recordar las glorias pasadas, al estudiar la obra de los maestros, al anotar y discutir las influencias, se llegaría a la convicción de que las ideas y los estilos no habían surgido repentinamente en una tierra carente de historia.[45]

Durante ese periodo se publicaron varios ensayos sobre grandes hombres americanos. Uno de los primeros fue *El pensamiento de América* (1898) escrito por Luis Berisso —amigo de Rubén Darío—, colección de treinta y cinco ensayos sobre escritores e intelectuales hispanoamericanos, que incluía a muchos de los modernistas. *El mirador de Próspero* (1913) de Rodó, contenía ensayos sobre algunas celebridades prominentes del continente latino, como Bolívar y Montalvo. *Letras y letrados de América* (1908) y *Grandes escritores de América* (1917) de Blanco-Fombona, fueron escritos con igual intención didáctica. Escritores que no se confinaron a la labor de persuadir a sus propios nacionales de que poseían una noble tradición, llevaron también su propaganda a los escenarios más gratos de los bulevares parisinos. *Les Démocraties Latines de l'Amérique* (1912), de Francisco García Calderón y *Les écrivains contemporains de l'Amérique Espagnole* (1920), de Francisco Contreras (Chile, 1877-1933), fueron escritos para un público extranjero. García Calderón y Contreras vivieron durante largos periodos de su vida en París, pero continuaron desarrollando una activa labor en beneficio de la cultura latinoamericana.

Además de su insistencia en una tradición latinoamericana común, los escritores comenzaron a publicar obras destinadas a estimular el sentido de su historia y tradiciones nacionales. El nacionalismo cultural de los años veinte tenía ya sus raíces en el "ideal latinoamericano" formulado en las dos décadas anteriores. Uno de los iniciadores fue el poeta argentino Leopoldo Lugones (1874-1938), que pasó de una posición socialista a una nacionalista. Lugones —junto con el historiador argentino Ricardo Rojas (1882-1957)— fue uno de los primeros escritores argentinos que consideraron el *Martín Fierro* de José Hernández como una obra literaria de envergadura. Este poema narrativo de la década del 70, sumamente popular entre la gente del campo, había sido menospreciado por el sector culto de la población; pero Lugones en *El payador* (1916) lo elevó al rango de épica. No sólo eso; lo convirtió en *la* épica de la Argentina, dándole una significación nacional vital.

> Producir un poema épico es, para todo pueblo, certificado eminente de aptitud vital: porque dicha creación expresa la vida heroica de su pueblo. Esta vida comporta de suyo la suprema excelencia humana, y, con ello, el éxito superior que la raza puede alcanzar: la afirmación de su identidad como tal, entre las mejores de la tierra.[46]

Así era de importante, según Lugones, la contribución del gaucho en la historia de la nación. Su novela histórica *La guerra gaucha* (1905) describe episódicamente la parte heroica de los anónimos pobladores del campo que combatieron en las guerras de Independencia.

Es necesario advertir que la estimación que Lugones hacía del gaucho diverge de la teoría — sostenida por pensadores como Ingenieros y Bunge— de la inferioridad de los elementos indohispánicos. Puede argüirse que las tesis de Lugones representan las de un sector de la comunidad que comenzaba, por razones sociopolíticas, a volver los ojos a concepciones culturales afincadas en la tradición argentina. Ese concepto en gran parte encarnaba la reacción de la élite de viejos hacendados contra la invasión de inmigrantes.*

LOS INTELECTUALES Y LA AMÉRICA LATINA RURAL

La minoría selecta aspiraba a crear una cultura original latinoamericana. Difícilmente se les podía escapar el hecho de que cualquier originalidad que América Latina poseyera residía en las zonas rurales, entre las masas mestizas o indígenas que habían desarrollado formas específicas de vida. El vestido, el habla, las tradiciones, la cultura oral y el arte popular, todo había quedado libre de las recientes influencias europeas. Algunos críticos, desde José Veríssimo hasta Francisco García Calderón, exigían a los escritores que se concentraran en esas diferencias. Ponían toda su elocuencia en

* Adolfo Prieto en su *Literatura autobiográfica argentina* (1962) subraya este retorno a la tierra como un mecanismo de defensa de parte de ciertos argentinos contra la amenaza de los inmigrantes.

la descripción de las bellezas del paisaje americano. "Los árboles centenarios se enlazan con lianas indescifrables. Una vegetación voraz cubre su áspera desnudez. Fermenta un inmenso mundo parasitario sobre la tierra húmeda." [47] Manuel Ugarte comentó en *El porvenir de la América Latina*:

> Cuando la literatura, la pintura, la escultura y la música nazcan de nuestras concepciones nacionales y engloben el alma de nuestro conjunto coordinando las influencias contradictorias y mezclándolas con el componente salvaje que imponen el territorio y los atavismos, la masa acogerá con arrobamiento la síntesis moral que habrá nacido al fin de ella.[48]

Y añadía que los artistas deberían olvidarse de modelos extranjeros y aprender a *ver* a América. García Calderón estaba firmemente convencido de que la originalidad en el arte era tan importante como la independencia económica. Para lograr tal originalidad, los artistas y escritores debían someterse a "la influencia de la tierra". Los artistas y escritores de hecho volvieron los ojos ávidamente al escenario rural para descubrir la originalidad a que aspiraba García Calderón. Muchos de ellos eran hijos de hacendados o intelectuales educados en la ciudad, y por consiguiente tenían que provocar un verdadero salto imaginativo a fin de identificarse con los elementos más humildes de la población. Mariano Latorre, escritor chileno descendiente de inmigrantes franceses, describió cómo sus ojos se habían abierto repentinamente al mundo "inédito" de su alrededor, un mundo que hasta entonces no había sido descrito. La vocación literaria de Latorre se despertó ante el abismo que observó entre el mundo de su experiencia y el de su educación, que lo había mantenido ignorante de la geografía y la historia de su país natal.[49]

En Chile, más que en cualquier otro lugar de la América Latina durante ese periodo, hubo un esfuerzo deliberado por parte de los intelectuales para estrechar el abismo que los dividía del campo y de sus habitantes. Chile era uno de los países más avanzados políticamente del Continente; sin embargo enfrentaba graves problemas sociales, y una carencia general de sentimiento de identidad nacional. Los escritores sentían, más que la urgencia de enseñar y guiar a sus connacionales, la necesidad de identificarse con los pobres y derribar las barreras que los separaban de ellos. Esto lo ilustra asombrosamente el patético ejemplo de dos escritores, Augusto d'Halmar y Fernando Santiván (1886) que a pesar de su total ignorancia de la agricultura decidieron formar una colonia tolstoiana para trabajar la tierra.[50] Aún más sorprendentes resultaron los esfuerzos de un maestro de escuela, Alejandro Venegas (muerto en 1922), que solía disfrazarse y teñir de rubio su cabello antes de hacer sus recorridos entre los pobres. El hecho de que necesitara disfrazarse de extranjero ilustra la distancia existente entre la clase media y el resto de la comunidad.

> Así conocí la vida de los inquilinos de nuestros campos, visité las minas de Lota, Coronel y Curanilahue, para observar las de los que extraen el carbón; penetré al interior de la Araucanía para conocer la situación de nuestros indígenas, recorrí las provincias de Coquimbo y Atacama para formarme un concepto de la de nuestros legendarios mineros, y, por último, en Tarapacá y Antofagasta comí en una misma mesa y dormí bajo un mismo techo con los trabajadores de las salitreras, para poder escribir con conciencia sobre sus necesidades y miserias.[51]

La misma clase de espiritualidad que animaba a Venegas se refleja en la poesía de Carlos Pezoa Véliz (Chile 1879-1908), que capta la tristeza del paisaje campesino, la soledad y el anonimato de sus habitantes.[52] La simpatía por los pescadores, por los campesinos y aun por los indios se refleja en la obra de Mariano Latorre. En ocasiones algunos cuentos que expresaban esos sentimientos humanitarios podían elevarse a alturas considerables, como los que integran los libros de Baldomero Lillo, *Sub terra* (1904) y *Sub sole* (1907). Lillo comenzó a escribir sacudido por la indignación que le producían las condiciones de trabajo de los mineros. Uno de sus cuentos, "La compuerta número doce", es una denuncia del trabajo de los niños en las minas. Sin embargo, Lillo no comete el error en que caían muchos de sus contemporáneos: emplear el relato como un sermón. Simplemente presenta una situación en toda su brutalidad. El padre que lleva a su hijo a la mina, el niño atemorizado y a la vez fascinado por el mundo que descubre. Sólo cuando advierte que debe permanecer abajo, en la mina, para trabajar, el niño se rebela.

El padre, dividido entre sus sentimientos paternales y la necesidad de dinero, termina por atar al niño a una roca e irse a trabajar.

> Las cortantes aristas del carbón volaban con fuerza, hiriéndole el rostro, el cuello y el pecho desnudo. Hilos de sangre mezclábanse al copioso sudor que inundaba su cuerpo, que penetraba como una cuña en la brecha abierta, ensanchándola con el afán del presidiario que horada el muro que lo oprime; pero sin la esperanza que alienta y fortalece al prisionero: hallar al fin de la jornada una vida nueva, llena de sol, de aire y de libertad.[53]

Al igual que Machado de Assis en su relato de esclavos, *Pai contra mae* (1906), Lillo presenta la cruel inhumanidad de un sistema en que las necesidades económicas anulan todos los sentimientos hacia los demás y destruyen las relaciones más íntimas. Un profundo sentimiento de indignación de este tipo podía producir excelente literatura sólo cuando se expresara a través de una situación y no en forma de discursos o comentarios del autor.

Aparte de los fracasos artísticos que debilitan muchos relatos de vidas campesinas o humildes durante ese periodo, se encuentra la ambigüedad de los sentimientos del escritor, lo que evidentemente no es el caso de Baldomero Lillo, pero en otros escritores "el realismo" (es decir el retrato de los humildes tal como los veía el autor) entraba en conflicto con sus simpatías humanitarias, pues lo que el escritor a menudo veía eran espectáculos sórdidos y brutales. Mariano Latorre, por ejemplo, se conmueve indudablemente por la lucha fiera del hombre contra la Naturaleza; sin embargo, a menudo retrata personas que son como animales en su indiferencia moral.[54] Esta ambigüedad es todavía más marcada en escritores de otras partes de la América Latina. En el cuento más famoso de Rufino Blanco-Fombona. "El catire", un campesino sádico tortura a un burro hasta que éste escapa, y después observa cómo lo mata un cocodrilo cuando el burro intenta cruzar un río.[55] Más interesante resulta el caso del uruguayo Javier de Viana, quien escribió muchos cuentos sobre la vida de los gauchos. Viana pertenecía a una familia de terratenientes de origen español, y, aunque consideraba sus primeros años en una granja como la parte más valiosa de su educación, no se hacía ilusiones sobre los campesinos. A menudo exhibía la indolencia de las mujeres, su "pereza", "inercia" e "indiferencia animal". En un cuento, típicamente suyo, describe la historia de la hija de un bandido de quien se han enamorado dos hombres. Cuando el que ella ama comienza a evitarla, pues se ha enterado de que existe un rival, el padre decide simplificar las cosas eliminando al rival. Asesina al otro en la oscuridad, toma la cabeza y se la lleva a su hija, quien al reconocerla no hace sino exclamar de manera indiferente que ése era el que más le gustaba.[56] Es verdad que no se trata del mejor Viana, y que sus relatos reflejan fielmente la proletarización de los trabajadores uruguayos y su creciente miseria, debida al desarrollo de la industria del ganado. Sin embargo, también es cierto que entre su actitud y la de Lillo hay grandes diferencias. En "La compuerta número doce" lo que se condena es el sistema, no al minero. En las historias de Viana, por otra parte, los personajes no logran obtener nuestra simpatía, pues sus defectos parecen ser inherentes. Los cuentos de Javier de Viana, por consiguiente, tienden a confirmar las tesis de pensadores como Bunge o Ingenieros en el sentido de que el elemento mestizo es inferior. Es un punto de vista opuesto al de Lugones, que reconocía las virtudes de la vida del gaucho. Las dos actitudes corresponden a un conflicto en la vida argentina y uruguaya de ese periodo, entre lo viejo y lo nuevo, entre los habitantes tradicionales de la tierra y el "nuevo" argentino desembarcado de Europa. El conflicto se llevó a escena en las obras del uruguayo Florencio Sánchez, uno de los primeros dramaturgos latinoamericanos modernos de valor. Además del ya mencionado *La gringa* (1904), escribió otros dos dramas importantes sobre la vida rural: *M'hijo el dotor* (1903) y *Barranca abajo* (1905). En *M'hijo el dotor,* Sánchez presenta el conflicto generacional, que es también un conflicto entre contemporaneidad y tradición. En *La gringa,* como hemos visto, dramatiza el conflicto entre inmigrantes y criollos. *Barranca abajo* trata de la decadencia de una familia criolla de viejo tipo.

No todos los escritores describieron la vida rural como estúpida, brutal y deficiente. Hubo también quienes vieron que la tierra era la base de la vida económica y que toda elevación en los niveles materiales debía proceder de las zonas rurales. En este aspecto, si la gente del campo era atrasada e ignorante, era en parte por culpa de los propietarios siempre ausentes y de una clase gobernante que desconocía su propio país; una sabia minoría, firmemente enraizada en la tierra, era la mejor garantía para el futuro de la nación. Tres importantes novelas del periodo transmiten ese mensaje: *La parcela* (1898) del mexicano José López Portillo y Rojas (1850-1923), *A la costa* de Luis A. Martínez y *El terruño* (1916) de Carlos Reyles.

La parcela se centra en una disputa entre dos terratenientes rivales por un trozo de tierra. Uno de ellos, don Miguel, es avaro, egoísta, y no tiene el menor escrúpulo en violar las leyes y la justicia para lograr lo que se propone. El otro, don Pedro, es un tipo ideal de hacendado: humano con los campesinos, con un amplio conocimiento de los problemas de la tierra, un sostenedor de la justicia, que considera que el duro trabajo de la tierra significa un adiestramiento para la vida. La superioridad moral de don Pedro triunfa. La conclusión que se desprende es que el hacendado paternalista con los principios morales correctos constituye la columna vertebral de la vida del país. Un tipo semejante de buen propietario aparece en *A la costa,* que ya hemos examinado en relación con los falsos valores de la clase media. Salvador, el protagonista de la novela de Luis Martínez, es un pobre estudiante de derecho que interrumpe sus estudios debido a la guerra civil, y que después se gana la vida como empleado de una tienda y en varios otros trabajos. Su amigo Luciano Pérez, hijo de un hacendado, abandona también los estudios para trabajar en la propiedad de su padre. La vida en el campo le da a Luciano una doble energía moral que nunca antes había conocido. Comienza a sentir la dignidad y la fuerza que sólo provienen del dinero ganado en la diaria labor y sin temor a las catástrofes políticas o los cambios de fortuna. Esta saludable vida de la tierra se compara con la frustración de Salvador en Quito, frustración que finalmente lo conduce, como a Luciano, hacia la tierra. Gradualmente vuelve a ganar su propio respeto y el respeto de los demás, como administrador de una plantación bananera en el trópico. *El terruño* también nos presenta a una buena hacendada e ilustra la creencia del autor uruguayo respecto a la posibilidad de que una clase de terratenientes sabios sea la base necesaria para un Estado fuerte. En una novela anterior, *Beba* (1894), Carlos Reyles había descrito a un propietario que trata de mejorar sus propiedades ganaderas aplicando métodos modernos de crianza, pero que fracasa debido al ambiente hostil a las nuevas ideas. *El terruño,* escrita mucho después, cuando Reyles había ya sufrido algunas desilusiones políticas, contrapone al hábil aunque poco práctico intelectual, Tocles, con su suegra, Mamagela, una mujer de gran sentido práctico que administra su granja y protege a sus peones a pesar de la guerra civil y otros disturbios. Tocles se ve forzado a admitir que la capacidad práctica de Mamagela es mucho más efectiva, y, a largo plazo, mucho más beneficiosa para la vida nacional que sus propios y tristes esfuerzos intelectuales.

Estas novelas de Carlos Reyles y Luis Martínez contienen más que un mensaje social inmediato. Implican que la tierra ofrece una permanencia y una seguridad contra las fluctuaciones y el cambio en el resto de la sociedad, y que es un deber del intelectual volver a ella. De hecho, algunos escritores consideraban la vida en el campo como la vida verdadera, la única forma de vida que proporciona un sentimiento de identidad nacional y de valor. Tal es la tesis expresada en *Los gauchos judíos,* de Alberto Gerchunoff (1884-1950), que apareció en 1910. Se trata de una serie de episodios que describen la vida en una comunidad argentina fundada por judíos que se han visto obligados a abandonar la Rusia de los pogroms. El libro cita al principio: "Los más fuertes y más grandes varones de Judea trabajaron la tierra; cuando el pueblo elegido cayó en cautividad se dedicó a oficios viles y peligrosos, perdiendo la Gracia de Dios." [57] La vida rural era algo precisamente adecuado para ser cantado e idealizado por alguien como Gerchunoff, que odiaba tanto los "empleos viles y peligrosos", asociados al capitalismo y a los representantes de la vieja clase terrateniente. Roberto Payró, anarquista por convicción, parece también haber acariciado la idea de una sociedad ideal basada en la pequeña propiedad.

La idea rural era a menudo tema poético. Leopoldo Lugones, después de su socialismo inicial, comenzó a dejarse ganar por el nacionalismo, que identificaba con el paisaje y los escenarios en que había transcurrido su niñez. Sus *Odas seculares,* publicadas en 1910, para celebrar el aniversario de la Independencia argentina, son reminiscencias deliberadas de las *Geórgicas* de Virgilio, pues en ellas celebraba "los ganados y las mieses". Estaba convencido de que el habitante del campo tenía un sentimiento de conducta positiva y la certidumbre de ser una persona humana, de la que carecían los habitantes de la ciudad.

LA NOVELA DE LA DESESPERACIÓN

> Ninguno fue feliz, ninguno alcanzó la paz propicia que ayuda a emprender la obra verdaderamente durable ... Pero de esta derrota de la primera germinación auténtica de un ideal continental, queda algo más que el recuerdo de un sacrificio.[58]

Son palabras de Manuel Ugarte. El sentimiento de frustración se reflejaba en muchas novelas de desesperación. La minoría selecta había vuelto los ojos de Europa a América, pero sólo para encontrar vastos problemas raciales, educativos y sociales. Hasta los escritores más exaltados al hablar del "Continente ideal" eran también elocuentes en sus críticas al ambiente americano. Rodó, por ejemplo, le expresaba a Unamuno, el gran escritor español, su deseo de vivir en Europa, donde realmente era posible vivir del espíritu.[59] El intelectual o el artista quebrado por su medio o arruinado por una educación deficiente, es uno de los temas constantes de las novelas del periodo. Tal ocurre en *Ídolos rotos* (1901), de Manuel Díaz Rodríguez (Venezuela, 1871-1927), *Un perdido* (1917-18), de Eduardo Barrios (Chile 1884-1963). *El mal metafísico* (1916) de Manuel Gálvez (Argentina, 1882-1962), *Triste fim de Policarpo Quaresma* (1915) del novelista brasileño Lima Barreto (1881-1922) y en la primera novela de Rómulo Gallegos, *Reinaldo Solar* (1920) publicada originalmente con el título de *El último Solar.*

La característica común de todos esos novelistas es que

presentan situaciones en que el intelectual desemboca en el fracaso. En *El mal metafísico* de Gálvez, por ejemplo, el héroe, Carlos Riga, abandona sus estudios para dedicarse a la literatura. Muere derrotado, sin haber dejado ninguna huella en la vida del país porque, como comenta uno de sus amigos, "no podía adaptarse a la estupidez, al prosaísmo, a la bajeza de nuestra vida moderna".[80] Los protagonistas epónimos de *Reinaldo Solar* de Rómulo Gallegos y *Quaresma* de Lima Barreto, están ávidos de realizar sus ambiciones tanto en un plan nacional como individual; ambos llegan al final de sus vidas vencidos y derrotados en todos sus proyectos. Estas novelas son intensamente pesimistas. Los débiles esfuerzos de los protagonistas por actuar dentro de su medio son insignificantes si se les compara con la magnitud de la labor de aportar un mínimo de orden, civilización y cultura a sus países. Esa desesperación es en parte atribuible a la posición frustrada del escritor y del intelectual de la generación arielista. Ellos habían depositado su confianza en la reforma educativa y en la efectividad de la letra impresa, pero esos insignificantes instrumentos fueron diminutos en relación con la magnitud de los problemas sociales y económicos a los que se enfrentaban. El optimismo de *Ariel* fue como un relámpago en la oscuridad, un optimismo en busca de confianza que por un tiempo ocultó la verdadera desesperanza que sentían muchos intelectuales (incluyendo a Rodó). Una impresionante demostración del sentimiento de desesperanza del escritor lo encontramos en algunos cuentos de Baldomero Lillo. Lillo evidentemente odiaba el sistema que permitía que los mineros fueran tratados de modo tan inhumano, pero en sus cuentos no podía menos que mostrarlos eternamente aprisionados, o, en su caso, describir algún cataclismo que destruyera la mina.[61]

La combinación de doctrinas revolucionarias y condiciones inicuas de trabajo entre 1900 y 1920 produjo una indudable aprensión entre la clase media. Algunas veces su humanitarismo, su preocupación por los de abajo, era señal de sus temores sobre lo que podía ocurrir si la situación no mejoraba. Alejandro Venegas, por ejemplo, anuncia abiertamente una catástrofe si la clase gobernante chilena no se preocupa más por las condiciones de los obreros y los campesinos.[62] Pero la más contundente evidencia de ese temor a los oprimidos la encontramos en dos novelas, *Los de abajo** (1916) de Mariano Azuela (México, 1873-1952) y *Raza de bronce* (1919) de Alcides Arguedas. *Los de abajo* relata la historia del levantamiento de un campesino, Demetrio Macías, que, gracias a su valor y sangre fría, se convierte en general durante la Revolución mexicana. Macías representa la fuerza ciega y destructiva que la revolución ha desatado. Una fuerza que no podía ya contenerse, enteramente bárbara. Un estudiante de medicina, Luis Cervantes, es, sin embargo, peor que los campesinos, ya que su astucia superior le permite aprovecharse de la revolución. Los revolucionarios carecen de ideales y de amor por sus semejantes; son una fuerza meramente destructiva. La novela refleja los propios temores del autor de que la cultura sufra un marasmo cuando triunfen las masas. *Raza de bronce,* de Alcides Arguedas, trata de los indios bolivianos. Aunque describe una situación en que los oprimidos se encuentran muy lejos de poder amenazar a la clase gobernante, en el relato de los sufrimientos de una comunidad indígena cerca del lago Titicaca bajo la tiranía de un hacendado y de sus agentes, Arguedas revela cierto temor. Muestra a los indios soportar con resignación la injusticia hasta que, después de la violación de una muchacha indígena por blancos y ladinos, pierden finalmente la paciencia y se rebelan. La casa del patrón es incendiada y destruida. El mensaje que se deriva es una vez más que la clase gobernante debe mostrar una actitud más humanitaria si no quiere perecer.

Aun antes del estallido de la Revolución mexicana de 1910 y de la rusa de 1917, muchos escritores e intelectuales sentían que una gran transformación social estaba por ocurrir y que su poder no se hallaba por encima del obrero sino a su lado. Ya hacia 1904, González Prada advertía a los intelectuales contra la adopción de posturas aristocratizantes y contra su actitud de lazarillos o conductores de ciegos. Muchos se unieron a los movimientos socialista o anarquista, entre ellos Roberto J. Payró, Florencio Sánchez, Alberto Ghiraldo (Argentina 1874-1916), José Ingenieros y Manuel Ugarte. Sintomática de esta nueva corriente en los círculos intelectuales

* *Los de abajo* fue publicada como folletón de un periódico en El Paso, Texas, en 1915 y apareció en forma de libro en 1916.

fue la declaración del poeta brasileño Olavo Bilac (1865-1918), quien saludó a la "Revolución de la Duma" rusa de 1905, afirmando que el triunfo del pueblo era inminente y que al final los rusos habían logrado "el derecho de ser tratados como hombres y no como bestias miserables". Estas palabras demuestran que el poeta había bajado del Parnaso.[63]

3. LA VUELTA A LAS RAÍCES: I. NACIONALISMO CULTURAL

La generación arielista se concebía a sí misma como la minoría selecta necesaria para conducir a sus semejantes hacia un modelo de civilización europea. Pero hacia 1918 la creencia en la superioridad de los sistemas culturales y sociales de Europa se había desvanecido. El espectáculo que ofrecían las grandes potencias al dedicar los recursos de la ciencia y la industria a una labor de exterminio resultaba escarnecedor a todos los latinoamericanos para quienes Europa había significado la cúspide de los valores humanos. La abrumadora influencia de los Estados Unidos después de 1898 había logrado que los intelectuales latinoamericanos examinaran las deficiencias de su propio sector del continente. Pero ahora, después de 1918, el fracaso de Europa como ideal los llevó a la búsqueda de una Utopía en el Hemisferio americano. En la década de los veintes, músicos, escritores, pintores y escultores comenzaron a reandar el camino en un esfuerzo por encontrar en su tierra y en los pueblos indígenas las cualidades que había perdido Europa o de las que siempre había carecido. Muchos europeos creían que su civilización estaba en decadencia y trataban de hallar fuera de Europa una nueva Era. Oswald Spengler, en *La decadencia de Occidente,* declaraba que Europa no era la cultura más avanzada lograda por el hombre, sino sencillamente una de las muchas civilizaciones que como otras en el pasado —la egipcia, la griega, la romana— estaban destinadas a perecer.* Al inicio de la primera Guerra Mundial, debido a la tradicional admiración por Francia, muchos intelectuales latinoamericanos habían apoyado a los aliados, pero, a medida que la guerra avanzaba, comenzaron a comprender que la importancia de la gue-

* La célebre obra de Spengler comenzó a aparecer en 1918. Fue ampliamente discutida en toda Latinoamérica en los veintes, y las referencias a ella son muy frecuentes en los ensayos de la época. Desafortunadamente no existe un estudio sobre el efecto de las ideas spenglerianas en la América Latina.

rra no estribaba en la victoria de uno y otro contendiente sino en la clase de mundo nuevo que podría surgir. Así encontramos al escritor brasileño Alberto de Oliveira (1857-1937), que trata de prever las "nuevas ideas de un nuevo periodo social, de una nueva y tal vez mejor humanidad".[1] El socialista argentino José Ingenieros, calificó la guerra como una lucha entre fuerzas reaccionarias, cuya destrucción era el heraldo de una nueva Era de justicia social.[2] En la revolución bolchevique de 1917 en Rusia, Ingenieros y varios más observaron las primeras señales de esta nueva Era.

El periodo posbélico, tanto en Europa como en Latinoamérica, fue de gran fermento social. En Perú, Chile y Brasil había una inquietud entre las clases trabajadoras, a cuya causa se unieron muchos escritores e intelectuales. Un movimiento de reforma universitaria que comenzó en Argentina y rápidamente se extendió a Chile, Uruguay y Perú unificó a los estudiantes en una lucha contra los viejos sistemas de enseñanza y la posición aristocratizante de algunos intelectuales. El desarrollo en muchos países de nuevos movimientos radicales coincidía con el fin del viejo orden. En México se había realizado una gran revolución social. En 1920 cayó el dictador guatemalteco Estrada Cabrera, después de veintidós años en el poder. En Chile subió al poder el gobierno de Alessandri con un programa de reforma social. En Uruguay, el gobierno de Batlle y Ordóñez había adoptado una intensa política reformista. En Brasil, había habido un ciclo de revoluciones en 1922, 1924 y 1925, que mantenían al país en plena agitación. A pesar de que todos los levantamientos habían sido aplastados, la revolución definitiva parecía estar por llegar. La marcha heroica de Luis Carlos Prestes y su columna a través del interior desconocido del Brasil entre 1925 y 1927, fue un ejemplo dramático sobre la manera de difundir un mensaje revolucionario. Este oficial del ejército no se interesaba en enseñar o dirigir a la población olvidada del interior de Brasil sino en enrolarla para combatir en la causa común de la justicia social. Los veintes, pues, fueron un tiempo de esperanza en Latinoamérica —esperanza que se mantuvo viva gracias a un cambio radical ocurrido en el mismo continente: la Revolución mexicana.

El efecto de la Revolución rusa en el arte latinoamericano alcanzó su máxima influencia en los treintas. En la década de los veintes fue la Revolución mexicana la que proporcionó un nuevo ideal. Al contrario de Rusia, México había hecho una revolución sin inspirarse en una ideología definida; fue una revolución nacional que modificó la estructura del país al eliminar muchos de los antiguos latifundios. Nuevos elementos —campesinos y obreros— habían ingresado en el panorama de la vida nacional. De la revolución surgió un amplio programa de reformas sociales destinado a resolver graves injusticias y a disminuir la influencia extranjera en la economía mexicana. Al ejecutar el programa, se intentó lograr un desarrollo especial y original. México no se erigió como modelo de una revolución a seguir, sino como ejemplo de un nuevo tipo de nacionalismo basado en una estructura social equitativa. El resultado inmediato de la revolución fue la liberación de nuevas y poderosas energías, como señalaba Pedro Henríquez Ureña en un discurso a los estudiantes argentinos:

> Está México ahora en uno de los momentos activos de su vida nacional, momento de crisis y de creación... México está creando su vida nueva, afirmando su carácter propio, declarándose apto para fundar su tipo de civilización.[3]

La nueva civilización de México, decía Henríquez Ureña, debía forjarse por dos instrumentos gemelos: "la cultura y el nacionalismo no los entiende, por dicha, a la manera del siglo XIX". En lugar de interpretaciones de estos conceptos hechas por la vieja minoría gobernante surgieron teorías totalmente nuevas: "Se piensa en la cultura social, ofrecida y dada realmente a todos, y fundada en el trabajo: aprender no es sólo aprender a conocer, sino igualmente aprender a hacer." [4] Este nacionalismo no sólo era diferente del viejo nacionalismo político sino que era un nacionalismo "espiritual" que permitía que en el arte y en el terreno de las ideas pudiera expresarse la originalidad de la nación. En otras palabras, el impulso al nacionalismo cultural era doble. Primero se presentaba allí el deseo de integrar a todos los sectores de la comunidad a la vida nacional. En segundo lugar, la élite buscaba ahora, en la cultura popular, en los pueblos indígenas y en su medio ambiente, los valores que previamente había aceptado de Europa.

Uno de los arquitectos del nacionalismo cultural mexicano fue José Vasconcelos (1882-1959), filósofo y escritor, que había sido miembro del Ateneo de la Juventud. Vasconcelos se unió a la revolución en las filas de Francisco I. Madero; sus simpatías por los dirigentes agrarios Villa y Zapata eran escasas.[5] Su esfuerzo consistió en agrupar a los elementos más moderados que, según su parecer, después del asesinato de Madero, podían realizar la política de ese dirigente. En 1914 llegó a ser ministro de Educación en el breve régimen de Eulalio Gutiérrez. Su primera aparición en el Ministerio fue refrescante y vigorosa: "Nos recibió el portero. Era un viejo que caminaba demasiado despacio para mi impaciencia, y, dejándolo atrás, trepando de dos en dos las gradas de la escalera, llegamos a los salones que empezamos a abrir de empellón." [6] Pero no bien acababa de tomar posesión del despacho cuando el gobierno tuvo que evacuar la capital. En 1921, terminada la revolución, Vasconcelos tuvo una segunda oportunidad al ser nombrado nuevamente ministro de Educación por el presidente Obregón. En esa ocasión permaneció tres años en el puesto, y en ese periodo puso en aplicación un programa de largo alcance que transformó la vida educativa y cultural del país. Disgustado por el asesinato del senador Field Jurado, Vasconcelos presentó su renuncia, que Obregón no aceptó. En 1924 renunció por segunda vez debido a presiones ejercidas desde el Estado de Oaxaca. Después de renunciar dirigió una campaña contra el "bárbaro" Calles (en el poder de 1924 a 1928) que culminó con su propia derrota electoral, y el exilio. El año de su derrota, 1929, marca una nueva época en la vida mexicana, pues a partir de ese momento el intelectual tuvo que optar entre colaborar con el gobierno o trabajar en el aislamiento.

No obstante la derrota de Vasconcelos, los efectos de su programa de nacionalismo cultural fueron duraderos y, de hecho, cambiaron el rostro de México. Este programa fue trazado de acuerdo con su propia filosofía, que concebía el arte, la receptividad estética y la creatividad en la cima de los logros humanos. En una serie de ensayos, *Pitágoras*

(1916), *La raza cósmica* (1925), *Indología* (1927), desarrolló una teoría de la evolución humana y social. Pensaba que la humanidad progresaba a través de una serie de etapas: fase intelectual o racionalista, y fase estética. La actividad estética era superior al conocimiento racional porque el artista, por medio de la percepción, conocía el ritmo que unía todos los elementos del universo. Pero esa percepción sólo podía alcanzarse en un estado de desinterés cuando el hombre pudiera olvidar la existencia del ego. La estética, sostenía, no es sino un camino por el cual el hombre alcanza el mundo divino de los procesos desinteresados.[7]

Vasconcelos consideraba que la sociedad progresaba hacia la fusión de las razas; fusión destinada a lograrse primero en la América Latina, ya que ahí eran aparentes los inicios de una "raza cósmica". En una época futura la América Latina sería la civilización que dirigiría el mundo; los latinoamericanos, por lo tanto, deberían esforzarse en apresurar el advenimiento de esa nueva era, y esto se podía lograr colocando los intereses raciales por encima de cualquier nacionalismo estrecho.[8] En un discurso leído en Washington, Vasconcelos expuso su visión del futuro:

> Imagino un futuro muy próximo, en que las naciones se fundirán en grandes federaciones étnicas. El mundo estará dividido entonces en cuatro o cinco grandes poderes, que colaborarán en todo lo que es bueno y es bello; pero expresando lo bueno y lo bello cada uno a su manera. Enseñamos, por lo tanto, en México no sólo el patriotismo de México, sino el patriotismo de la América Latina, un vasto Continente abierto a todas las razas, y a todos los colores de la piel, a la humanidad entera para que organice un nuevo ensayo de vida colectiva; un ensayo fundado no solamente en la utilidad, sino precisamente en la belleza, en esa belleza que nuestras razas del Sur buscan instintivamente, como si en ella encontraran la suprema ley divina.[9]

Este ideal de unidad latinoamericana fue emprendido por Vasconcelos de modo práctico. Dio empleo al exiliado peruano Víctor Raúl Haya de la Torre (1895), entonces dirigente estudiantil; invitó a la poetisa chilena Gabriela Mistral (1889-1957) a enseñar en México. Visitó Argentina y también Brasil, país al que obsequió una estatua de Cuauhtémoc. En esa ocasión subrayó que los latinoamericanos deberían abandonar la idea de que eran "siervos espirituales" del pensamiento europeo, aunque, a la vez, debían cuidarse de rechazar todas las ideas provenientes de Europa. Declaraba que la introducción de ideas europeas había sido importante en el pasado, pero que había dejado de ser necesaria. La visión de Cuauhtémoc era una anticipación del florecimiento de la cultura latinoamericana.[10]

En la escena nacional Vasconcelos no fue menos activo. En su Ministerio creó tres departamentos relacionados con las escuelas, las bibliotecas y las bellas artes; por medio de ellos dirigió su campaña contra la ignorancia y la barbarie. Fundó escuelas en todo el país y en su campaña contra el analfabetismo no olvidó a los indios. Los indios fueron adiestrados para participar en el sistema de escuelas oficiales, a fin de que se fueran integrando a la vida nacional. Se imprimieron y distribuyeron millares de ejemplares de libros para proporcionar educación popular: una colección verdaderamente asombrosa que comprendía desde diccionarios españoles hasta el *Quijote,* los clásicos griegos, Dante, Goethe. En un pueblo de analfabetos la edición de los clásicos griegos en gran escala podía parecer absurda, pero de cualquier manera la empresa no era vana. Significaba que el gobierno perseguía la publicación en gran escala, lo que hasta entonces no se había concebido. En esa fecha en México aun las editoriales comerciales publicaban a menudo ediciones de quinientos o mil ejemplares.[11] Vasconcelos apoyó también decididamente a músicos como Julián Carrillo (1875-1965), cuyos experimentos musicales habían tenido influencia aun fuera de México, y Joaquín Beristáin (1878-1948), organizador de orquestas y grupos folklóricos. También comisionó a artistas nacionales para decorar los muros de los edificios públicos y de esa manera se convirtió en el promotor de la famosa Escuela Mexicana de pintura mural.[12] En ninguna otra rama fue más efectivo el programa de nacionalismo cultural de Vasconcelos que en la pintura, pues los murales mexicanos pronto comenzaron a atraer la atención del resto del mundo. Sin embargo, los logros de los muralistas fueron en muchos sentidos muy diversos de los que el propio Vasconcelos pensaba que debía ser la pintura mural. De él provino la inspiración oficial, aunque otros más a tono con la época fueron los responsables de su desarrollo.

En realidad los primeros esfuerzos por encontrar una expresión nacional fueron extremadamente tentativos. Vasconcelos esperaba que los muralistas produjeran pintura sobre temas literarios y con un contenido simbólico. Su primera comisión fue la creación de un vitral, tal vez porque el cristal en color simbolizaba para él la integración cultural de la Edad Media, en tanto que el primer mural que encargó tenía un tema netamente vasconceliano: "La acción es más poderosa que el destino". No había nada original ni particularmente mexicano en ese mural, que se componía de doce figuras mexicanas alegóricas que encarnaban las horas, en torno a un caballero armado que se apoya en un árbol persa de la vida, lleno de gigantescos capullos y aves canoras sobre un fondo dorado.[13] Otro mural fue ejecutado por el luchador revolucionario Doctor Atl (Gerardo Murillo, 1875-1965), maestro de pintura que había luchado al lado de Obregón y había contribuido entusiastamente al saqueo de iglesias, y quien, no obstante, pintó escenas dulces y al margen de la revolución, principalmente paisajes. Aunque un crítico norteamericano describió aquel mural como una "llameante descripción del paisaje mexicano", Diego Rivera no estaba tan seguro de su contenido nacional. Según él se trataba de "formas y líneas pintadas con un desagradable gusto yanki de quinta categoría".[14] Pero el mismo Rivera tenía poco derecho a criticar, ya que sus propios primeros murales debían mucho al arte europeo del que originalmente se había nutrido. Su colega David Alfaro Siqueiros (1898) a quien Vasconcelos había hecho volver de Europa, y que más tarde se convirtió en un importante dirigente comunista, ejecutó su primer mural con el sorprendente (por tratarse de él) tema de "El espíritu de Occidente o de la Cultura Europea flotando sobre México". El mural ilustraba exactamente lo que se podía esperar de tal título: "una mujer alada, nítida y realistamente modelada, se elevaba sobre una red de líneas diagonales, sobre la cual una profusión de conchas alternaba con formas abstractas.[15] El otro pintor que junto con Rivera y Siqueiros formó la trilogía de grandes muralistas mexicanos fue José Clemente Orozco (1883-1949), artista que ya había ganado prestigio como grabador y caricaturista. Su primer mural fue tan "mexicano" como los de los otros, aunque en uno de los paneles pintó una deidad azteca; otro, "Hombre estrangulando a un gorila", representa evidentemente un esfuerzo encaminado a la búsqueda de un nuevo simbolismo.[16]

Para Diego Rivera el momento de transformación parece haber coincidido con una visita a Tehuantepec —con su riqueza de arte popular y su paisaje tropical—. Desde ese momento sus murales se volvieron cada vez más mexicanos en el empleo de motivos folklóricos, en sus fondos de frutas y flores, en su recreación de escenas de la vida nacional y hasta llegaba a proclamar la rehabilitación de antiguas técnicas prehispánicas. Sobre esto existen algunas dudas, aunque Rivera declaraba que sus murales estaban pintados con una preparación a base de savia de maguey.[17]

Rivera no fue el primero en declarar que su técnica derivaba de fuentes precolombinas. Uno de los maestros empleados por Vasconcelos, Adolfo Best Maugard (1891-1964) publicó un manual de dibujo y creó un nuevo sistema de enseñanza para dibujar basado en "los siete elementos lineales de las artes mexicanas, indígenas y populares".[18] De cualquier manera, los murales de Diego Rivera en la Secretaría de Educación y en la Escuela de Agronomía de Chapingo, fueron los primeros grandes logros del nuevo arte mexicano. El pintor declaró:

> Tenía la ambición de reflejar la expresión esencial auténtica de la tierra. Quería que mis obras fueran el espejo de la vida social de México como yo la veía y que a través de la situación presente las masas avisoraran las posibilidades del futuro. Me propuse ser... un condensador de las luchas y aspiraciones de las masas y a la vez transmitir a esas mismas masas una síntesis de sus deseos que les sirviera para organizar su conciencia y ayudara a su organización social.[19]

Los murales del Ministerio de Educación se volvían cada vez más revolucionarios en su contenido. En el mural de la Escuela de Agronomía de Chapingo, Rivera pintó la inscripción: "Aquí se enseña a explotar la tierra no al hombre." El contenido revolucionario de los murales de Rivera no agradó a Vasconcelos, cuyo retrato se incluía en los frescos de su propio Ministerio entre los "falsos profetas". En realidad fue resultado evidente que el nacionalismo cultural de

Vasconcelos pertenecía a otra época. Rivera representaba el nuevo espíritu que identificaba a la nación con el pueblo, cuyos héroes eran las masas anónimas de los combatientes contra la opresión. Surgió una nueva iconografía junto con la idealización de indios y campesinos, que en los murales de Rivera se asociaban con flores, frutos, la tierra y los ritmos de la naturaleza. Mientras que aquéllos eran pintados con líneas suaves y tersas, los hombres malos, los opresores, a menudo aparecían con armaduras o ropajes desagradables, y eran pintados con colores ásperos y líneas angulosas.

El desenvolvimiento de este arte revolucionario va a ser descrito en otra parte, pues en él la lucha de clases se convirtió en un tema de vital importancia. Desde el punto de vista del nacionalismo cultural, el aspecto más importante de los muralistas fue su casi completa identificación entre lo nacional y lo indígena. Los blancos eran casi siempre explotadores extranjeros, españoles o financieros yanquis. Posiblemente esta identificación obedecía en los primeros murales a razones plásticas, pero muy pronto los héroes míticos de este movimiento fueron invariablemente indios o mestizos de color muy oscuro, desde Cuauhtémoc, el caudillo azteca, hasta el héroe del siglo XIX, Benito Juárez. El mexicano auténtico se identificaba con un México indígena cuyas tradiciones derivaban de los tiempos precolombinos. La contribución española y las posteriores influencias europeas llegaron a considerarse como esencialmente extranjeras y por ello "antimexicanas". Esta actitud radical iba a tener más tarde un efecto funesto en el arte mexicano. La inicial frescura de los murales y el descubrimiento del valor pictórico de algunos aspectos de la vida nacional fueron reemplazados por un esquematismo fácil o un tipo de pintura polémica. El retorno a las técnicas indígenas produjo una forma exagerada de "pureza" nacional. Un joven muralista, Amado de la Cueva (1891-1926), muerto prematuramente en un accidente, intentó ir hacia atrás, a las concepciones de espacio y perspectiva de la pintura prehispánica. El resultado seguramente hubiera consistido en una especie de arcaísmo pictórico. Otra tendencia de los muralistas —el abuso de motivos folklóricos— fue criticada por José Clemente Orozco, quien hizo a tiempo un recordatorio de que el arte nacional no necesariamente debía identificarse con el folklore:

La diferencia esencial entre pintura en su más noble concepción y pintura como un arte popular menor es ésta: la primera se arraiga en tradiciones permanentes universales de las cuales no puede desprenderse, no importa cuáles sean las circunstancias, la época y el tiempo, mientras que las artes populares tienen tradiciones específicamente locales que varían de acuerdo con las costumbres, cambios, agitaciones y convulsiones ocurridos en cada país, cada raza, nacionalidad, clase, y aun familia o tribu... Tales ideas me llevaron a descartar definitivamente toda pintura de sandalias indias y trajes sucios. Desde el fondo de mi corazón deseo que quienes los usan se desprendan de ellos y adopten un vestido más civilizado. Pero hacer de ellos un culto equivale a hacer un culto del analfabetismo, la ebriedad, los montones de basura que "embellecen" nuestras calles, y yo me niego a eso.[20]

Tal vez la expresión más total de ese tipo de nacionalismo cultural se encuentre en la arquitectura y la decoración de la Universidad Nacional Autónoma de México, obra que se inició por los años cuarenta y terminó en los cincuenta, y en la que contribuyeron Diego Rivera, Alfaro Siqueiros y muchos otros artistas.* Algunos de los edificios, en especial el estadio, los frontones y la biblioteca, fueron intentos de reproducir formas arquitectónicas indígenas; los mosaicos del edificio de la biblioteca universitaria están hechos con piedras mexicanas de colores y algunos de los motivos son precolombinos.

Pero la concepción del arte mexicano demostró ser demasiado limitada y eso nos lo prueba la reciente rebelión emprendida por los artistas más jovenes, que han resentido la acusación de que aprender o usar técnicas extranjeras es una actitud antipatriótica.[21] De cualquier manera, el enorme estímulo que el movimiento muralista mexicano, en su mejor momento, tuvo en toda la vida artística e intelectual del país no puede negarse. De los muralistas se desprendió una amplia corriente de interés en el arte folklórico, en los trajes nativos, la danza, la música y el lenguaje popular. Tal vez la contribución más valiosa derivó de la reputación que alcanzaron en el extranjero. Gracias a ese reconocimiento exterior el artista fue respetado en su propio país, y de esa manera se

* Rivera hizo un mural en mosaico para el estadio; Siqueiros decoró la torre de la rectoría; Juan O'Gorman ejecutó los murales en mosaico de la biblioteca.

creó un interés en la producción nacional, cuyo resultado fue beneficioso en todos los campos de la creación artística.

La introducción de temas nacionales en la música se liga íntimamente con el nacionalismo cultural plástico. Vasconcelos, como ya hemos visto, se interesó ampliamente en el desarrollo del arte musical mexicano y en consecuencia alentó la formación de orquestas, la enseñanza de la música, y estimuló la creación de los autores nacionales. En ese periodo surgieron tres compositores destacados: Manuel M. Ponce (1882-1948), Silvestre Revueltas (1889-1940) y Carlos Chávez (1899). Una de las composiciones de este último, el poema tonal *Xochipilli-Macuilxóchitl,* compuesto para instrumentos indígenas precolombinos, demuestra la aplicación a la música de los principios del "retorno a las raíces" de los muralistas. En 1938 Chávez estrenó su *Sinfonía india.*[22]

La música y la pintura recibieron protección oficial a partir de la estancia de Vasconcelos en el Ministerio. La danza, especialmente la danza popular, también recibió apoyo, aunque el Ballet Folklórico de México no fue oficialmente reconocido como compañía nacional sino hasta 1959. Vasconcelos fue también uno de los primeros en reconocer el valor del cine y su utilidad para formar una conciencia nacional. No obstante, un proyecto propio para una película sobre la vida de Bolívar no se llegó a realizar nunca. Las primeras películas mexicanas fueron sentimentales historias de amor con fondo campesino o revolucionario. A grandes rasgos puede decirse que el cine fracasó en su intento de convertirse en el instrumento cultural que Vasconcelos había deseado.[23]

La atmósfera entera del México de los veintes, cuando los artistas giraban entre experimentos de vanguardia, llamados a la revolución y afanes de producir un arte nacional, está descrita en una novela publicada en 1959, *La creación,* de Agustín Yáñez (1904). La pintura mural contó siempre con un público, aunque fuera reacio a ella. En la poesía y en la novela, los escritores mexicanos se encontraron con la dificultad de comunicarse con un público semianalfabeto o de permanecer aislados. Cierto es que tal aislacionismo tenía la ventaja de que los escritores pudieran tratar libremente temas poco o nada relacionados con la realidad social inmediata; asimismo, como la literatura se identificaba en menor grado con el gobierno que las artes plásticas, fue más crítica hacia el nuevo sistema. Mientras que los pintores se convirtieron en iconógrafos de la revolución, los escritores se mantuvieron al margen. Ramón López Velarde (1888-1921), el mayor poeta del periodo posmodernista en México, identificaba los deleites de la niñez con el ahora "subvertido edén" de la vida provinciana anterior a la revolución.

> Mejor será no regresar al pueblo,
> al edén subvertido que se calla
> en la mutilación de la metralla.[24]

No obstante, aunque la revolución había tenido sus aspectos oscuros, también había creado una amplia apertura de horizontes y de posibilidades para el escritor. El novelista poseía ahora un mundo que nunca había sido previamente tratado en la literatura mexicana: un mundo de campesinos e indios. Sobre todo era rico el material que proporcionaba la misma revolución.

Para el escritor el nacionalismo cultural era primordialmente un problema de tema: la manera de introducir la realidad mexicana a la novela y al cuento. Sin embargo, la nueva literatura fue lenta en aparecer, como ya un crítico señalaba en 1924. Su artículo sobre "El afeminamiento en la literatura mexicana" lamentaba la ausencia de una "literatura de la revolución". La cercanía de aquellos acontecimientos violentos, la inadecuada industria editorial y la falta de un público responsable son factores que en distintos grados ayudan a comprender la curiosa escasez de novelas revolucionarias en los años veinte. Posiblemente otro factor fue la actitud ambigua del escritor de la clase media hacia la revolución.[25] Puede decirse que del cuantioso volumen de novelas sobre la revolución que apareció después de ese primer lapso de silencio, las más interesantes y mejor escritas son invariablemente críticas no hacia la revolución misma sino a la barbarie con que se realizó.

El iniciador de la novela revolucionaria fue Mariano Azuela, cuyas obras *Los de abajo* (1916), *Los caciques* (1917) y *Las moscas* (1918) cubrieron varios aspectos importantes de la lucha. En *Los caciques* describe a los explotadores, cuyo inhumano trato a los pobres contribuyó al estallido de la revolución. *Los de abajo* trata, como ya hemos visto, del levantamiento de un campesino que llega a ser general durante la lucha revolucionaria. En *Las moscas,* Azuela describe la huida por tren de un grupo de oportunistas y miembros del antiguo régimen cuando las fuerzas revolucionarias entran en la ciudad de México. El autor, libre también de compromisos con el antiguo orden, fustiga inmisericordemente a los parásitos egoístas cuyo talento para sobrevivir es tan grande como su cinismo. Por otra parte, en *Los de abajo* hay una crítica implícita al aspecto bárbaro de la revolución.

Azuela fue el pionero de la novela revolucionaria también en otro sentido. Fue el primer novelista latinoamericano que usó a las masas como protagonistas, y supo hallar la forma necesaria para mostrar a una multitud en acción. *Las moscas* es un excelente ejemplo de novela con un protagonista multitudinario. Como casi toda la acción ocurre en un tren, el escenario proporciona una firme unidad de espacio. Dentro de esta unidad logra mostrar a la multitud circulante con sus impulsos conflictivos y su miedo. En *Los de abajo* hay también un protagonista masivo: los oprimidos. Ahí nuevamente Azuela logra dar la impresión de masa, al centrar la acción en un guerrillero, Demetrio Macías. Esta técnica iba a ser usada después con gran efecto por otros escritores de novelas de la Revolución mexicana, especialmente por Gregorio López y Fuentes (1897-. . . .) en *Campamento.* En esta última, el autor simplemente presenta a un grupo anónimo de combatientes antes de entrar en acción, que recogen sus pensamientos y recuerdos durante esa pausa en la lucha. Al final de la novela, el campamento está en movimiento para entrar en acción.[26]

El otro tipo de literatura que surgió con la revolución fue el relato testimonial. Un buen número de escritores participaron personalmente en la revolución. Muy a menudo sus obras consisten en relatos crudamente novelados; pero en dos escritores, Martín Luis Guzmán (1887) y José Rubén Romero (1890-1952), el testimonio tiene un interés más que inmediato. Los recuerdos personales forman la espina dorsal de *El águila y la serpiente* (1928), de Martín Luis Guzmán. Su interés central radica en las vibrantes descripciones que el autor hace de Pancho Villa y de otros destacados dirigentes revolucionarios, a quienes Guzmán conoció, con la esperanza de encontrar uno que llenara el ideal de dirigente que pudiera guiar a México después de la revolución. La novela testimonia su fracaso en encontrar a ese hombre y la escena final, en que el autor se despide de Villa, no sólo está escrita con vigor sino que señala tácitamente las discrepancias entre el "bárbaro" dirigente campesino y el intelectual "civilizado". José Rubén Romero es un novelista de la provincia, de la vida lenta de los pequeños pueblos que observa y retrata a sus personajes y su idiosincrasia. En una de sus novelas más importantes, *La vida inútil de Pito Pérez* (1938), emplea un arquetipo literario, un borracho y "filósofo" de aldea; pero en dos novelas autobiográficas anteriores —*Apuntes de un lugareño* (1932) y *Desbandada* (1934)— recoge anécdotas de la vida de una pequeña ciudad de provincia por donde la revolución (fuera de uno o dos incidentes) ha pasado sin penetrar. La rápida, estremecedora brutalidad de esos incidentes, tal como están descritos, es aún más impresionante, pues contrasta con un contexto de provinciana tranquilidad. Como López Velarde, la impresión que produce Romero es la de un "edén subvertido".[27]

A pesar de la actitud crítica mantenida por los novelistas, el principal efecto de la Revolución sobre la actividad artística fue, como ya hemos señalado, la enorme apertura de horizontes y el desarrollo de un nuevo concepto de nacionalismo, un concepto en el que, según Pedro Henríquez Ureña, todos los sectores de la comunidad estaban convidados a participar. Quizá por primera vez en América Latina, desde la Independencia, el gobierno, pueblo y artistas de una nación —la mexicana— se inspiraron en el deseo fundamental de crear una nueva sociedad. Pero aunque ningún otro país latinoamericano pasó por la experiencia de una revolución durante ese periodo, en todo el sur del continente un nuevo tipo de fervor nacionalista se apoderó de artistas e intelectuales. Suponían que la revolución social era inminente, que todas las razas y clases debían participar en la vida nacional y que las formas sociales, políticas y artísticas genuinamente nacionales debían ocupar su lugar en la cultura y la sociedad, lugar usurpado por el viejo grupo minoritario. Si la Nueva Era no había alboreado en 1918, parecía estar muy próxima.

De todos los países hispanoamericanos, el Perú parecía el más adecuado para seguir a México y desarrollar una forma original de sociedad y cultura. Es verdad que una dictadura fuerte bajo el mando del presidente Leguía tomó el poder en 1919 y permaneció en él hasta 1930. De cualquier manera, durante el régimen de Leguía se crearon nuevos partidos políticos y sus programas de reforma social fueron trazados con el afán de resolver las necesidades específicas de un país como el Perú, con amplia población indígena. Uno de esos partidos fue el APRA (Alianza Popular Revolucionaria Americana), fundado por Haya de la Torre, quien había inaugurado su carrera política en el Movimiento de Reforma Universitaria y pasado un periodo de exilio en México como secretario de Vasconcelos. El APRA sostenía un programa antimperialista que incluía el rechazo de cualquier estructura política, social o económica basada en modelos extranjeros. Uno de los miembros del APRA, Antenor Orrego, edificaría después un sistema de filosofía política cuya tesis era que debían rechazarse todos los modelos europeos cuando los partidos o gobiernos intentaran imponerlos en América Latina. La destrucción de esos modelos produciría un estado de caos, pero sólo de ese caos podría surgir una nueva sociedad original.[28]

Poco después de la fundación del APRA surgió un segundo partido político con la tesis de construir una sociedad socialista sobre lineamientos originalmente peruanos. El fundador, José Carlos Mariátegui (1895-1930), brillante periodista y escritor que ya en los inicios de su carrera había defendido la causa de los obreros en la revista *La Razón,* estuvo ligado en un principio a Haya de la Torre en el movimiento aprista.[29] A principios de los veinte pasó tres años en Europa, donde conoció a Henri Barbusse y entró en contacto con los socialistas italianos. Cuando volvió al Perú fundó la revista *Amauta,* de amplia influencia, en la que expuso sus propias teorías políticas y sociales, y publicó cuentos, poemas y artículos de los escritores progresistas jóvenes del Perú. En 1928, el APRA fue condenado por Moscú debido a que su existencia impedía la creación de un partido comunista. Mariátegui, en consecuencia, formó un nuevo partido de tendencia marxista: el Partido Socialista del Perú, que intentó formular una política socialista correspondiente a la realidad del Perú.* El Perú era sólo parcialmente europeo; una gran proporción de la población —los indios— vivía aún en comunas que formaban parte de la estructura social precolombina. Estas comunas, o *ayllu,* podían constituir la base de una futura colectivización. El socialismo peruano divergía también del modelo europeo en lo referente a la importancia que se daba al problema agrario, el problema básico del país. El Partido Socialista de Mariátegui era un ejemplo de la manera en que las teorías socialistas europeas podían transformarse en un programa nacional.

Pero tanto el Aprismo como las teorías de Mariátegui tendrían gran repercusión en el terreno artístico. En los *Siete ensayos de interpretación de la realidad peruana* (1928) se incluía un ensayo que por primera vez analizaba la literatura peruana desde el punto de vista de su efectividad como expresión del espíritu nacional. Este ensayo fue también el primero de los trabajos críticos latinoamericanos en abordar el problema de la incorporación del indio a la literatura.[30]

Uno de los escritores peruanos más descollantes que aceptaron el nacionalismo cultural de Haya de la Torre y de Mariátegui fue el joven poeta de vanguardia, César Vallejo (1892-1938). Había abandonado el Perú en 1923, después de un breve periodo de cárcel por motivos políticos, para ir a vivir a París. En varios artículos escritos para la prensa peruana, Vallejo se manifestaba contra la adopción en América de "teorías universales" tales como el marxismo, arguyendo que la historia había demostrado la falacia de tratar de introducir sistemas políticos europeos en el continente. Vallejo iba a convertirse en un militante comunista después de su segunda visita a Rusia, realizada en 1929, pero antes de esa fecha sus artículos reflejaban claramente la influencia de Haya de la Torre a quien, de hecho, citaba en apoyo de sus tesis.[31] Consideraba a la vez que el intento de volver a formas indígenas podía tener también sus peligros.[32] Ciertamente en su poesía no subordinaba su preocupación central

* Véase el capítulo quinto.

sobre la condición humana a ningún sentimiento "nacionalista".

En la literatura narrativa, el nacionalismo cultural estaba más claramente reflejado en el intento de algunos escritores de tratar al indio, pues era la población indígena y el pasado inca lo que más distintivamente señalaba al Perú como una sociedad nacional diferente de las demás. En 1924 apareció una colección de cuentos, *La venganza del cóndor*,[33] que retrataba la vida de los indios andinos. El autor, Ventura García Calderón (1888-1959), pertenecía a la generación arielista y contemplaba a los indios desde un punto de vista turístico europeo, maravillado por su exotismo, y bastante amedrentado, también, ante lo que podía ocurrir el día que perdieran la paciencia y se rebelaran contra sus opresores blancos. No obstante, un nuevo espíritu informaba los círculos literarios. Los relatos de Abraham Valdelomar (1888-1919) en *Los hijos del sol* (1921), recuerdan al lector la grandeza de las antiguas civilizaciones indias; y los cuentos realistas de Enrique López Albújar (1872-1965), *Cuentos andinos* (1920), retratan al indio no como una criatura pasiva y exótica sino como una personalidad humana cuya pobreza e ignorancia surgen de la opresión feudal que se ve obligado a sufrir. López Albújar tenía razones personales para escribir sobre las razas "inferiores"; él era mulato, y, por consiguiente, podía describir con conocimiento propio el sentimiento de inferioridad de sus personajes indios:

> Aprendí a tener la boca pronta para la réplica hiriente, a recibir y devolver las frases soslayadas, a corresponder con los puños o con cualquier cosa los golpes que recibía de los primos, a mirar de frente y con soberbia a las gentes que me miraban con sorna, en una palabra, a confiar sólo en mí.[31]

Los intereses predominantes de López Albújar se centran en el problema del color y en su deseo de derribar un prejuicio que tiene sus orígenes en la estructura social, lo que se manifiesta claramente en una carta escrita al español Ramiro de Maeztu, después de una crítica que aquél escribió contra su novela *Matalaché* (1928). *Matalaché* trata del amor apasionado de la hija de un blanco, propietario de una plantación, por un esclavo negro, y el bárbaro castigo que se inflige a éste por tal razón. Maeztu declaraba que semejante historia de amor en cualquier lugar, salvo en el trópico, resultaría monstruosa, a lo que Albújar respondió que claramente se trataba del acto de repulsión que cualquier hombre blanco siente por el color de una raza que simboliza un largo pasado de inferioridad y servidumbre.

En la literatura de los años veinte, el nacionalismo peruano se reflejaba en esa determinación de los escritores de despertar la conciencia pública hacia la situación del indio y otros sectores oprimidos de la sociedad.

LA NOVELA Y LA REGENERACIÓN NACIONAL

Colombia y Venezuela son países con poblaciones mestizas; ambos comprenden no sólo una gran variedad de razas y mezclas raciales sino también una enorme disparidad geográfica entre las zonas montañosas y las selvas tropicales. Durante años la vida cultural se había confinado a pequeños cenáculos literarios, pero esos pequeños grupos estaban circundados por vastas zonas rurales sobre las que los intelectuales no sabían casi nada y no les producían ninguna preocupación. Hacia 1920 en ambos países comenzaron a aparecer nuevos elementos en la escena literaria y política que aportaron una visión fresca de la realidad nacional: escritores como el colombiano José Eustasio Rivera (1888-1928) y el venezolano Rómulo Gallegos. Rivera procedía de una familia provinciana colombiana de modestos recursos. Fue uno de los primeros graduados de un colegio de maestros, entonces recientemente fundado; era también licenciado en derecho, y su trabajo legal lo llevó al interior de Colombia, primero a los llanos, y después, como miembro de una comisión de límites, a la región amazónica.[35] Rómulo Gallegos era de origen más humilde; nacido en un pueblo cercano a Caracas, había tenido, debido a su pobreza, dificultades para completar su instrucción. Durante muchos años trabajó como maestro. Rivera y Gallegos representan de esta manera un nuevo tipo en la literatura de sus países, que hasta entonces había estado dominada por aristócratas u hombres ricos, de los cuales José Asunción Silva y Blanco-Fombona son ejemplos representativos.

La única novela de Rivera, *La vorágine* (1924), puede considerarse desde muchos aspectos: como una alegoría romántica, como una visión de intelectual urbano atemorizado por la barbarie de su país, como una novela de protesta. Sin embargo, es ante todo una novela intensamente nacional: la primera novela colombiana que describe la realidad de la vida entre los vaqueros de las llanuras y los trabajadores del caucho en la selva. El protagonista, Arturo Cova, es un poeta que tiene que abandonar Bogotá después de seducir a una joven, Alicia, y fugarse con ella. Es sensible, culto, hombre educado en la ciudad, a quien aterroriza la brutal realidad de la vida de los vaqueros, con sus peligros físicos y su fondo de ilegalidad. En los llanos no se conoce la justicia —impera sólo la ley del más fuerte, ante la cual hasta los representantes del orden público deben inclinarse. Pero había algo aún peor. Atrás de los llanos existe el mundo de la selva en la que se interna Arturo Cova tras los pasos de Alicia, quien se ha unido a un grupo de caucheros en busca de dinero. En la selva la ferocidad de la naturaleza sólo resulta comparable con la de los presidiarios evadidos que han formado un imperio gracias a los trabajadores esclavizados del caucho. Arturo Cova ha abandonado el mundo de la sociedad y sus normas para encontrarse en otro anterior a cualquier sociedad humana: un mundo gobernado por la ley natural del "sálvese quien pueda". *La vorágine* contiene una lección profundamente nacional, pues muestra cuán frágil es el manto de civilización de la sociedad colombiana y cuán cerca de la superficie alienta la ley de la selva. Si el nacionalismo colombiano debía significar algo, tenía que extenderse a proteger a los vaqueros y a los caucheros, para cuya protección no existían aún leyes. En un momento dramático de la novela, cuando Arturo Cova está a punto de matar a un hombre del que sospecha que sea un espía, la palabra "colombiano" transforma la situación. La víctima desdichada apela a un concepto que puede salvarlo de la ejecución de esa ley de la selva.

Rómulo Gallegos, como José Eustasio Rivera, era miembro de una clase de nueva educación surgida de los estratos modestos de la población. Durante la mayor parte de la niñez y buena de su vida adulta, Venezuela estuvo dominada por dos dictadores: Cipriano Castro y Juan Vicente Gómez, quienes gobernaron el país con mano de hierro y protegieron los intereses feudales de los terratenientes. Gallegos creció en una generación que colocó su fe en la educación y en la cultura literaria como medio para combatir la barbarie. En su juventud, su principal preocupación fue social y política más que literaria, y esto era fácilmente comprensible en un periodo sobre el que uno de sus amigos escribía: "Efectivamente los años de nuestro aprendizaje aparecían a nuestras almas jóvenes años de desastre, años tenebrosos y no queríamos sino pensar en la patria." [36]

La primera novela de Gallegos, *Reinaldo Solar,* no apareció sino hasta 1920. La hemos mencionado en el capítulo segundo como ejemplo del aspecto pesimista de la generación arielista, que veía la frustración de sus esperanzas de salvar a la patria por medio de la literatura y la educación. Pero en su segunda novela, *La trepadora* (1925), la temática de Gallegos había cambiado. "Mi primer libro optimista", le llamó. "*La trepadora* es ansia de mejoramiento, y, por lo tanto, implica confianza en el porvenir." [37] Esta confianza no surgió de nada preciso en la situación política, que era aún bastante oscura, sino de la convicción de que la gran revolución social que había ya comenzado en una parte del continente pronto se extendería a Venezuela. En manos de Gallegos, la novela se iba a convertir en un instrumento de regeneración nacional por medio de la exposición de los males del país y la indicación del camino hacia un futuro desarrollo. *La trepadora,* la primera de sus novelas "regeneradoras", trata del tema racial. En ella Gallegos describe el ascenso a la riqueza y al poder de Hilario, un mulato, hijo de una negra y un propietario blanco. El éxito de Hilario le permite casarse dentro de la aristocracia blanca. Su hija, Victoria, simboliza la fusión de dos elementos esenciales en la vida venezolana, el naciente y dinámico mulato y la cultivada pero declinante casta de origen europeo. Gallegos piensa que en la nueva Venezuela ambos elementos debían fusionarse.

En una serie de novelas escritas durante los años veinte y los treinta, Gallegos iba a cubrir todos los aspectos de la vida venezolana y a situar sus novelas en distintas regiones: llanos, selvas, plantaciones. Pero en todos ellos tuvo el doble propósito de describir la vida desconocida del interior y mostrar que el trágico desorden y división del país podían ser superados. Durante un periodo de exilio voluntario en Europa terminó dos novelas de los llanos, *Doña Bárbara* (1929) y *Cantaclaro* (1934) y una novela de la selva, *Canaima* (1935). Todos los protagonistas de esas novelas simbolizan aspectos de la vida venezolana; la epónima heroína de *Doña Bárbara,* por ejemplo, encarna la bárbara ilegalidad, independencia y valor de los habitantes de aquellas regiones adonde el brazo de la ley aún no se extendía. En la novela, doña Bárbara resulta vencida finalmente por Santos Luzardo, el hombre educado en la ciudad que se ve forzado a adoptar métodos violentos para derrotar a doña Bárbara. El matrimonio de Santos Luzardo con Marisela, la hija de la protagonista, es simbólico de esa "conquista de la frontera" por la civilización, que es el meollo de toda la novela. En *Cantaclaro,* la nota optimista es menos evidente, aunque el vaquero trovador que es el protagonista y que se pierde en los llanos al final de la novela encarna "un espíritu de los llanos" que no pueden domeñar ni las guerras civiles ni las injusticias.

Tanto *Cantaclaro* como *Canaima* ejemplifican el problema de crear una obra optimista y "nacional" en momentos en que la política nacional y la escena social eran oscuras. El deseo de cambios debe dejarse siempre para el futuro, a menos que se falsifique el presente. En *Canaima,* una novela cuyo escenario lo constituyen las regiones selváticas cerca de Ciudad Bolívar, Gallegos resuelve este problema por medio del protagonista, Marcos Vargas, quien, en el curso de su desarrollo, experimenta todas las ilusiones comunes a los habitantes de esas regiones tropicales de Venezuela: el afán de obtener riquezas fáciles con el oro y el caucho, la tentación del poder político ejercido en virtud de una fuerza física superior. Vargas descarta gradualmente esas falsas metas y abandona una promisoria carrera a fin de aprender la sabiduría de los habitantes originarios de la región: los indios. Su hijo, fruto de su unión con una mujer india, simboliza la esperanza en el futuro cuando las civilizaciones indígena y europea se fusionen realmente. Al encarnar las virtudes y vicios de sus compatriotas en ciertos personajes, Gallegos critica los males endémicos de la nación y a la vez es capaz de mostrar virtudes nacionales que podrían explotarse al desaparecer aquellos males. Se anticipa así a los novelistas más recientes al atribuir muchas de las dificultades de Venezuela a características psicológicas generales.

EL NACIONALISMO Y EL INMIGRANTE

En Venezuela y Colombia la amenaza a la unidad nacional surgió del interior, de su propia disparidad interna. En varios otros países, notoriamente en Argentina, Uruguay y Chile y, en ciertas regiones del Brasil, la amenaza llegó de afuera, del inmigrante. El nacionalismo cultural fue estimulado en un afán de preservar las tradiciones nacionales frente al alud de recién llegados que no tenían conocimiento alguno de la cultura ibérica ni de los aborígenes, y con un imperfecto dominio del idioma español o portugués. De Rodó en adelante, los intelectuales fueron conscientes de la amenaza que constituía el inmigrante para los niveles culturales nacionales; pero fue en la Argentina, con el concepto de argentinidad, donde se desarrolló el intento más firme de resistir ese peligro.

Ya hacia 1910, fecha de aniversario de la Independencia de Argentina, Ricardo Rojas (1882-1957), escritor liberal y crítico recién desembarcado de Europa, publicó el ensayo *La restauración nacionalista,* en el que predicaba el retorno a la verdadera tradición indohispánica que había sido marginada en parte por obra de las corrientes migratorias de la segunda mitad del siglo diecinueve. Como se ha advertido en el capítulo segundo, Rojas, con el propósito de inculcar un sentimiento de la tradición argentina, se embarcó en la monumental tarea de escribir las vidas de los grandes hombres del país y compilar una amplia historia de su literatura, en la que se concedía un sitio especial al poema del siglo diecinueve, *Martín Fierro.* Rojas, humanista y erudito, no interpretaba el nacionalismo en su sentido chauvinista; para él resultaba evidente que el espíritu de una nación debía manar de su pasado histórico, así como de la naturaleza del país y de la sociedad. Identificaba el espíritu nacional auténtico con lo autóctono y tradicional, contrastando esos elementos con el exotismo y el cosmopolitismo de la gran ciudad. Consideraba que la cultura europea no debía ser rechazada sino absorbida y adaptada para satisfacer las condiciones argentinas.[38]

Rojas fue un liberal toda su vida. Por ello, como los nacionalistas cultos de otras regiones del continente, se preocupó mucho por ampliar el concepto de nacionalismo y por disminuir las distancias existentes entre las dos culturas de Latinoamérica. No era un nacionalista que utilizara la tradición como un antídoto contra la modernidad. Opuestamente, el poeta Leopoldo Lugones, que al principio había estado asociado con Rojas, comenzó a predicar hacia los años veinte un nacionalismo cultural de tendencia derechista en que la calma y la estabilidad de la vida rural eran colocados como el ideal en contra de la fracturación de la vida urbana. Lugones estaba movido por un temor profundamente arraigado a la contemporaneidad, temor que lo llevó a exigir gobiernos dictatoriales y a actuar con ese fin. Fue un escritor prolífico; entre su obra se cuentan tres volúmenes de poemas sobre aspectos de la vida rural. En *El libro de los paisajes* (1917) hay poemas que describen su tierra natal. *Poemas solariegos* (1927) incluye evocaciones nostálgicas de la vida pastoral argentina. La colección póstuma, *Romances del Río Seco* (1938), comprende canciones ambientadas en los paisajes donde pasó su niñez. Su concepto de nacionalismo se refleja en los poemas en que elogia valores patriarcales de "amor y deber", la calma ordenada de la familia rural, y la existencia pacífica y armoniosa de quienes viven cerca de la naturaleza.

Fuese o no resultado directo de las grandes transformaciones sociales y la intranquilidad que amenazaba la vida nacional, lo cierto es que surgió una nueva actitud hacia los gauchos, los habitantes del campo y hacia la tierra misma entre los escritores del Plata. A comienzos de siglo, Javier de Viana y Florencio Sánchez escribieron sobre la degeneración o decadencia del campesino; pero a comienzos de los veintes, los escritores iniciaron una nueva aproximación al tema tradicional del gaucho. En las novelas de Ricardo Güiraldes (1886-1927) y Benito Lynch (1885-1952) el gaucho adquiere una nueva e inesperada dignidad.

Don Segundo Sombra (1926), de Ricardo Güiraldes, una de las obras maestras de la literatura latinoamericana, presenta al gaucho como una afirmación de valores propios.[39] El autor no lo mide de acuerdo con un metro de valores europeos, sino que lo considera como un hombre adaptado a las circunstancias de la vida en la pampa, capaz de convertirse en un ser humano pleno y armonioso dentro de los conceptos de la vida en aquélla. Güiraldes consideraba que el hombre del campo no necesita que le lleven la cultura del mundo exterior para poder convertirse en una persona civilizada. De la misma manera, en las novelas de Benito Lynch, las mujeres gauchas tienen profundas y nobles emociones. En dos novelas, *Los caranchos de la Florida* (1916) y *El inglés de los güesos* (1924), la tragedia azota una comunidad gaucha cuando un hombre llegado del exterior, de Europa, llega a romper para una muchacha las normas rudas pero efectivas de la comunidad rural en que hasta entonces había vivido. Sea o no con intención, los relatos de Lynch parecen ser alegorías de la influencia europea en la tierra nativa. Europa es atractiva, pero la unión de la muchacha gaucha y el europeo o el hombre educado a la occidental desemboca siempre en tragedia. Por contraste, en *Don Segundo Sombra,* Europa apenas aparece. La pampa es suficiente para educar y hacer madurar al rústico adolescente, que protagoniza el relato.

NACIONALISMO CULTURAL Y VANGUARDIA

La década de los veinte fue un periodo revolucionario en las artes. En la poesía, el teatro y la novela, las viejas convenciones sucumbieron. Desaparecieron también el ritmo y la métrica regular en la poesía y las convenciones de color y perspectiva en pintura. Después de 1918 toda la concepción del arte sufrió cambios. El arte no era ya una misión sagrada sino que en el mundo burgués se convertía en un juego o una broma. La vanguardia enfiló sus cañones de alto calibre para ridiculizar a la sociedad, la lógica, la razón, el ideal del progreso y, de hecho, todas las concepciones del pensamiento del siglo diecinueve. Los artistas intentaron formular nuevos códigos poéticos y artísticos para interpretar el mundo fragmentado de la posguerra mundial. Para ilustrar la naturaleza no trascendente de todos los valores artísticos, los movimientos de vanguardia, como el futurismo, el cubismo y el dadaísmo, florecieron y decayeron con gran rapidez. Este espíritu de revuelta pronto se comunicó a la América Latina, donde habían ya existido algunos experimentos poéticos realizados por el chileno Pedro Prado

(1886-1952) en sus *Flores de cardo* (1908) y por Leopoldo Lugones en su *Lunario sentimental* (1909). En esta obra Lugones había practicado distorsiones humorísticas y grotescas en torno a la tradicional escena romántica del claro de luna:

> En las piscinas
> los sauces con poéticos desmayos
> echan sus anzuelos de seda negra a tus rayos
> convertidos en relumbrantes sardinas.[40]

Como en Europa la vanguardia era revolucionaria no sólo en poesía sino también en política, a menudo se asociaba con los movimientos izquierdistas o socialistas. Algunos poetas consideraban que sus desaforados ataques a la burguesía ayudaban a apresurar el proceso de desintegración de la sociedad capitalista: actitud expresada en América Latina por la revista cubana *Avance,* que se defendía de los ataques de Diego Rivera sobre la base de que la vanguardia representa los primeros síntomas de la revolución. En México algunos poetas estridentistas predicaban la destrucción del capitalismo. En dos países latinoamericanos los movimientos vanguardistas no se ligaron tanto a la revolución social sino fueron más bien intentos de revitalizar las culturas nacionales: fueron ellos el movimiento "Martinfierrista" en Argentina y el "Modernismo" en Brasil. Ambos movimientos identificaban la cultura nacional con la cultura vanguardista de la ciudad moderna más que con la cultura popular del interior.

El escritor más destacado del grupo que fundó *Martín Fierro* en Buenos Aires fue Jorge Luis Borges (1899), un joven que había regresado a su país en 1921 después de una larga permanencia en Europa.* Durante su estancia en España había contribuido a varias publicaciones de vanguardia; a su regreso, encontró un país atrasado y árido en el aspecto literario, casi ignorante de las corrientes artísticas contemporáneas. *Martín Fierro* se convirtió en el instrumento por medio del cual el público argentino podía enterarse de la literatura europea. Papel que una década más tarde iba a desempeñar la revista *Sur.* Pero *Martín Fierro* cumplió otra misión. Sus escritores tomaron a broma a las generaciones

* *Martín Fierro* fue la más importante de las revistas de vanguardia en que Borges colaboró. Las otras fueron *Prisma* y *Proa.*

anteriores, y caricaturizaron implacablemente las instituciones nacionales, como si se propusieran borrar para siempre la vieja imagen de la Argentina. De hecho tal era su intención. Para ellos, una gran ciudad como Buenos Aires debía ocupar el lugar que le correspondía en la vanguardia literaria mundial; sus escritores debían proclamar su modernidad, identificarse con lo nuevo y crear nuevos valores.[41]

Así fue como Buenos Aires se convirtió en una especie de culto durante los veintes, como si sus escritores desearan deliberadamente situarla en el mapa de las grandes capitales del mundo. Algunos de los primeros poemas de Jorge Luis Borges, incluidos en *Fervor de Buenos Aires* (1923), revelan este espíritu de un modo bastante consciente. En el poema "Arrabal" por ejemplo, el poeta expresa:

> Y sentí Buenos Aires;
> esta ciudad que yo creí mi pasado
> es mi porvenir, mi presente;
> los años que he vivido en Europa son ilusorios
> yo he estado siempre (y estaré) en Buenos Aires.[42]

No obstante la naturaleza transitoria del grupo *Martín Fierro,* muchas de las actitudes posteriores de Borges con relación al lenguaje de los argentinos y a la tradición arrancan de la posición cosmopolita y ecléctica de esta revista. Dos de sus ensayos posteriores, por ejemplo, son estudios que tratan abiertamente del nacionalismo cultural; *El idioma de los argentinos* (1928) y *El escritor argentino y la tradición* (1957)* identifican la cultura argentina con la cultura occidental y no con una cultura regional o estrechamente localista. En el primer ensayo, Borges defiende un español inteligible en todo el mundo de habla hispánica contra la degeneración del lenguaje producido en Buenos Aires, resultante de la influencia de los inmigrantes extranjeros. En el segundo ensayo, al definir la tradición argentina declara contundentemente: "Creo que nuestra tradición es toda la cultura occidental." [43] Borges advierte sobre el absurdo de apoyar cualquier concepto de nacionalismo argentino en una tradición no europea. De ahí su afirmación: "Creo que los argentinos, los sudamericanos en general ... podemos mane-

* Incluido en la segunda edición de *Discusión.*

jar los temas europeos, manejándolos sin supersticiones, con una irreverencia que puede tener, y ya tiene, consecuencias afortunadas."[44] Tanto la irreverencia como el eclecticismo que Borges proclamó como integrantes de la tradición argentina fueron defendidos primero por la revista *Martín Fierro,* a la que debemos considerar como una pionera del nuevo espíritu que se identificaba con una sociedad urbana cultivada y no con el pasado rural.

En Brasil, el movimiento vanguardista, conocido como Modernismo (como hemos explicado no tiene nada en común con el Modernismo hispanoamericano) reflejaba el nuevo nacionalismo de los habitantes cultos de la ciudad. El movimiento surgió en la "Semana de Arte Moderno", reunión cultural celebrada en São Paulo en 1922, en que un grupo de artistas y escritores jóvenes manifestaron su deseo de concebir un arte enteramente nuevo y anticonvencional. El movimiento contó con el apoyo de Graça Aranha, escritor de la vieja generación, para esas fechas recién llegado de Europa, quien apoyó el ataque al viejo orden. Ese mismo año, marcado por la revolución artística, lo fue también de rebelión política, pues en 1922 ocurrió el levantamiento de un grupo de oficiales idealistas del ejército en los cuarteles de Copacabana. La insurrección fracasó, pero de ella surgió el partido de los tenientes y, con él, se extendió la esperanza de que un nuevo orden se hallara en camino. 1922 fue un año de fermentación en todos los aspectos. Por eso no es de admirar que el crítico Wilson Martins, sostenga que con él se inició un nuevo siglo brasileño. Señalaba:

> Los veinte años de vida brasileña que se extienden entre 1920 y 1940 son años de nacionalismo político, de revoluciones inspiradas en la idea de reforma social y de una investigación febril sobre la *realidad brasileña.* El Modernismo responde en gran parte a esos afanes, al mismo tiempo que es un incentivo para ellos.[45]

Aunque la "Semana del Arte Moderno" se considera generalmente como el punto de partida del Modernismo en Brasil, lo cierto es que había ya un terreno bien preparado.

El año 1912, cuando Oswald de Andrade (1890-1954) —joven poeta y crítico— regresó de Europa, se produjo el gradual acercamiento, especialmente en São Paulo, de los elementos que más tarde iban a integrar el Modernismo brasileño. Oswald de Andrade se propuso como primera tarea publicar la obra de la vanguardia europea, exigir a los artistas brasileños el desarrollo de un estilo propio y abandonar la imitación de modelos extranjeros. Poco después comenzaron a surgir escritores y pintores de un nuevo tipo. Entre los pintores de la escuela de São Paulo, los iniciadores de las nuevas corrientes fueron Lasar Segal (1891-1957), nacido en Letonia, y Anita Malfatti (1896) que había estudiado en Europa y en los Estados Unidos. Anita Malfatti hizo dos exposiciones que reflejaron la influencia de las corrientes más avanzadas de la pintura contemporánea y que causaron verdadero furor. Surgieron dos poetas talentosos, Mário de Andrade (1893-1945), cuyo *Há uma gôta de sángue em cada poema,* apareció bajo seudónimo en 1917, y Manuel Bandeira (1886) cuyo *A cinza das horas* apareció también en 1917. El mismo año apareció *Juca mulato,* poema de Paulo Menotti del Picchia (1892), que trataba del amor de un joven mulato por la hija del amo y expresaba también el amor por la tierra natal. Antes del año 1922 habían ya aparecido muchos de los poemas de vanguardia de São Paulo, de Mário de Andrade, reunidos después en volumen con el título de *Pauliciéa desvairada* (1922).

A estos síntomas de cambios literarios se añadía un sentimiento de profunda e intensa conciencia nacionalista, que se extendía a escritores y periodistas que no estaban directamente ligados con el movimiento de São Paulo.[46] Este sentimiento, como el nacionalismo vanguardista de Buenos Aires, fue estimulado por la teoría de que sus países podían convertirse en poco tiempo en la vanguardia de la civilización. Así lo señaló un crítico: "A la América le corresponderá fatalmente el 'liderazgo' del Universo. Una civilización se desintegra de acuerdo con la fatalidad de las leyes sociológicas. El Brasil necesita prepararse desde ahora para no ser inferior a su misión en el futuro próximo." [47]

¿Cómo debía prepararse el Brasil? Para los modernistas de São Paulo, sólo quienes estuvieran en la vanguardia, aquellos que en su obra hubieran comprendido o interpretado el mundo moderno podían asumir la dirección. Como el mundo moderno era el universo de la ciudad y la máquina, los futuristas italianos —preconizadores de la belleza de la máquina y la era tecnológica– fueron ávidamente imitados por los modernistas, para quienes la palabra "Futuro" tenía una magia y una promesa especiales. Oswald de Andrade, por ejemplo, declaraba:

> El problema paulista es un problema futurista. Ningún conglomerado humano ha estado tan fatalmente abocado al futurismo en sus actividades e industria, así como en la historia del arte, como São Paulo. ¿Qué somos nosotros, gente de mil orígenes, llegada en mil barcos distintos, sino, por fuerza ineludible, futuristas?[48]

De ahí que los modernistas rechazaran el pasado, al que asociaban con el atraso rural, con convenciones pasadas de moda, con el academismo y con una imitación servil de los modelos europeos. El pasado debía ser destruido implacablemente y buena parte de las primeras producciones interesantes de ese movimiento ridiculizaban o pariodaban los viejos valores. Son reveladoras de ese espíritu las *Memórias sentimentais de João Miramar* (1924) de Oswald de Andrade: novela escrita con técnica cinematográfica y que presenta a São Paulo como visto a través de un caleidoscopio. Hay atisbos de la vida de café, trozos de conversación, parodias de discursos oficiales, reportajes periodísticos y obituarios.

Esta tendencia a la parodia fue común a la mayoría de los escritores modernistas, pues representaba un ataque corrosivo a todo lo viejo, que debía desecharse para que pudiera nacer una nueva literatura creadora. El crítico Ronald de Carvalho (1893-1935) sostenía la importancia de evitar todas las ideas preconcebidas, para que el escritor pudiera dar libre cauce al "grandioso mundo virginal, pleno de excitantes promesas" que lo circundaba.

> Organizar ese material, darle estabilidad, reducirlo a su verdadera expresión humana, debe ser la preocupación fundamental. Un arte directo, puro, enraizado profundamente en la estructura nacional, un arte que fije todo nuestro tumulto de pueblo en gestación es el que debe preocupar al hombre moderno de Brasil.[49]

A la vez los poetas Mário de Andrade, Manuel Bandeira y Carlos Drummond de Andrade (1902) descargaban sus ataques contra las formas poéticas convencionales. En su *Poética* Manuel Bandeira se declaraba en favor de:

> Todas las palabras, especialmente los barbarismos universales.
> Todas las construcciones, especialmente las sintaxis anómalas.
> Todos los ritmos, especialmente los que escapen a la métrica.[50]

Similarmente, en un capítulo de su novela *Mucanaima*, (1928), Mário de Andrade ridiculizaba al tipo de brasileño que insistía en escribir un "portugués correcto". El autor explica:

> La ocasión era buena para satirizar a nuestros cronistas (relatores de monstruosidades, mentirosos a más no poder), y a la actual situación de São Paulo, urbana, intelectual, política, sociológica. Hice todo eso, en un estilo pretencioso, parodiando nuestro portugués, y pugnando, subrepticiamente, por un lenguaje claro, natural, sencillo, que era el que empleaba en los otros capítulos.[51]

Aunque los modernistas combatían lo institucional, también criticaban un tipo de literatura que identificaba la realidad brasileña con los campesinos primitivos y perezosos del interior. Posiblemente el ataque que reproducimos de un joven crítico modernista está dirigido contra el escritor José Benito Monteiro Lobato (1882-1948) que creó en Jeca Tatu a un "tipo nacional", cuyas actitudes abúlicas e indolentes eran consideradas como una mera caricatura.

> Será espléndido para el extranjero que, con placer, verá un Brasil conforme a sus deseos y gustos: el Brasil del antropófago salvaje, el de los indios amoiré, todo plumas y dentaduras humanas: el Brasil del mestizo miserable, inepto e indiferente a todo, a la situación de su pueblo, a la integridad de su patria.[52]

Oswald de Andrade prevenía contra las actitudes sentimentales que despertaban los elementos atrasados de la sociedad. El Nuevo Arte, la industria y el comercio de São Paulo eran quienes en realidad representaban el futuro.

Al mismo tiempo, el primitivismo, en boga en la Europa de esa época, no se mantuvo del todo ausente en el Modernismo brasileño. Muchos de los pintores que expusieron en la "Semana de Arte Moderno" eran de inspiración fauvista, y tanto *Mucanaíma,* de Mário de Andrade, como *Cobra Norato* (1931) de Raul Bopp (1898) tienen por escenario el Amazonas. Sin embargo, aunque "primitivista", *Mucanaíma* no es una novela regional; el protagonista, un "rey" amazónico, no tenía características de ninguna región en especial. Está descrito como un "hombre sin carácter". El autor no muestra respeto por la precisión de los detalles geográficos y hasta el lenguaje intenta crear una composición brasileña no constreñida a ningún dialecto regional. De ahí que el nacionalismo de los Modernistas estuviera asociado con la visión de un Brasil moderno e integrado, cuya forma distintiva de civilización y cultura no serían meramente folklóricas o regionales.

EL REGIONALISMO BRASILEÑO

Mucanaíma apareció en 1928, año en que también comenzó a publicarse un nuevo tipo de novela regional. *A bagaceira* de José Américo de Alméida (1887). *Mucanaíma* había eliminado su afincamiento a una región, *A bagaceira* estaba firmemente arraigada en las formas de vida específicas del noreste de Brasil. La primera fue producto del movimiento literario de São Paulo; la segunda floreció dentro de un movimiento regionalista iniciado en Recife, que debía mucho de su ímpetu a la obra de Gilberto Freyre (1900), joven universitario que había regresado al país en 1923 después de realizar estudios en Europa y los Estados Unidos. Los años de estudio en el extranjero lo convencieron de que el futuro de Brasil no residía en la centralización sino en el desarrollo de culturas regionales fuertes y diferenciadas. En 1926 se celebró en Recife un Congreso Regionalista al que asistieron escritores, científicos y delegados extranjeros. Freyre dio a conocer un Manifiesto Regionalista, en el que señalaba que su concepción del regionalismo no implicaba separatismo o localismo. Hacía un llamado al país para crear "un sistema nuevo y flexible en que las regiones, mejor que los estados, se complementen y se integren activa y creadoramente en una verdadera organización nacional".[53]

La meta del Congreso era la rehabilitación de las tradiciones y valores del noreste de Brasil, una amplia región en que se habían desarrollado varias formas diferentes de sociedad, incluyendo las de los indómitos e independientes ganaderos que habitaban el sertão, y la sociedad de "Casa Grande" de las plantaciones de caña de azúcar con sus colonias de peones negros. En el noreste se había producido una fusión de muchas razas, religiones y culturas. Freyre hacía un llamado para defender activamente la cultura regional —cuya amplia interpretación abarcaba no sólo el arte y la arquitectura sino también la cocina— antes de que desapareciera sepultada por la ola de cosmopolitismo y falso modernismo. Un joven amigo de Gilberto Freyre iba a convertirse en uno de los más talentosos novelistas de Brasil: José Lins do Rego (1901-57). Tanto él como Freyre criticaban el Modernismo de São Paulo, en primer lugar por el afán de los modernistas de derribar todo lo que existía antes de ellos. Esto, según José Lins do Rego, era un error cardinal. "Había tierra, había gente, había todo un Brasil característico, en el Noreste, en Rio Grande do Sul, en São Paulo, en Minas Gerais. ¿Por qué entonces arrancar esas raíces tan bien plantadas y despreciar nuestros sentimientos y valores nativos?" [54] Lins do Rego no creía que ser regionalista significara un empobrecimiento cultural. Por el contrario, estar enraizado en el propio suelo era una de las fuentes más profundas de humanidad:

> A este regionalismo le podríamos llamar orgánico, profundamente humano. Ser de su región, de su trozo de tierra, para ser persona, criatura viva, pero vinculada a la realidad. Ser de su casa para ser intensamente de la humanidad. En ese sentido el regionalismo del Congreso de Recife merecía propagarse por todo el Brasil, por ser esencialmente revelador y vitalizador del carácter brasileño y de la personalidad humana. Con un regionalismo de ese tipo es como podremos fortalecer todavía más la unidad brasileña. Porque al cultivar lo que cada quien tiene de más personal, de más propio, es como le damos más vida al grupo político, formando un pueblo que no será una masa uniforme y sin color.[55]

El movimiento regionalista del noreste de Brasil dio lugar a un gran renacimiento literario, particularmente en la novela.[56] Desde la publicación de *A bagaceira,* en 1928, hasta los años cincuenta, la corriente de novelas sobre la vida del Noreste continuó fluyendo. Cuatro grandes nombres dominaron la escena brasileña durante el periodo: Graciliano Ramos (1892-1953), Rachel de Queirós (1910), Jorge Amado (1912) y José Lins do Rego.

Aunque a menudo se considera en conjunto a los novelistas del Noreste, hay entre ellos diferencias importantes. Las novelas de Rachel de Queirós, por ejemplo, tratan no sólo temas del Noreste sino también de la posición de la mujer brasileña. Las de Jorge Amado son interpretaciones de la sociedad y la historia del Noreste en función de la lucha de clases. Las novelas de Graciliano Ramos son estudios psicológicos de ciertos tipos regionales, en tanto que Américo de Almeida y José Lins do Rego están espiritualmente próximas al regionalismo de Gilberto Freyre. Pero fuera que el énfasis residiera en la protesta social o en la crónica de las costumbres, la gran aportación de la novela del Noreste consistió en la iluminación de todos los aspectos de la vida de esa región. Las plantaciones de caña son descritas por Lins do Rego y Américo de Almeida; la vida de los ganaderos del sertão y su lucha constante contra la miseria son el tema de *A bagaceira* de Almeida, *O quinze* (1930) de Rachel de Queirós y *Vidas sêcas* (1938) de Graciliano Ramos. Jorge Amado describe la vida entre los plantadores de cacao y algunas novelas suyas y de Lins do Rego describen la vida y carácter de los pescadores de la región. Tampoco se desdeña la vida de la ciudad: en *O moleque Ricardo* (1935) el protagonista trabaja en una panadería de Recife.

Después de los años treinta, nadie podía pretender que São Paulo y Río de Janeiro constituyeran la esencia del Brasil. El Noreste había afirmado su existencia separada, había llamado la atención a sus problemas específicos y a su particular modo de vida. No sólo fueron cubiertos todos los aspectos de la vida de la región en esas novelas, sino que también hubo una incorporación a la novela de tipos humanos: tipos como el muchacho protagonista de *Menino de Engenho* (1938) de Lins do Rego, los trabajadores negros de las plantaciones, los hombres duros e independientes del interior y sus mujeres, los caciques políticos que manejaban el país, para no mencionar a las prostitutas y criminales. Otros aspectos de estas novelas, sobre todo su protesta social y su interés ante la lucha del hombre contra la naturaleza, se tratan en capítulos posteriores. Los dos autores que mejor reflejan los aspectos que en este capítulo consideramos, es decir la aproximación regionalista al problema nacional del Brasil son José Américo de Almeida y Lins do Rego.

José Américo de Almeida era un político liberal, un partidario del idealista "Partido de los Tenientes" que surgió después de la derrota de Copacabana, y más tarde dirigente de la oposición liberal contra Getúlio Vargas. La acción de su novela *A bagaceira* se sitúa en una plantación azucarera que acoge a algunos sertanejos que han huido de la sequía. El propietario de la plantación, Dagoberto, representa al hacendado de viejo cuño: dominante, estrecho de criterio, lascivo. Su hijo, Lucio, representa la actitud más humana y civilizada de la joven generación ilustrada. El conflicto generacional se exacerba por la rivalidad entre padre e hijo por el amor de la bella hija de uno de los refugiados. Pero no se trata únicamente de un choque entre generaciones, sino también de una confrontación de mentalidades entre los dos norestes: entre los hombres de las tierras ganaderas y los obreros de las plantaciones. La novela revela la complejidad de los problemas de Brasil, sus conflictos internos, su desunión y el azar insuperable de las calamidades naturales. Aunque Lucio hereda la plantación e inicia reformas, al final de la novela los problemas profundamente planteados por la miseria en el sertão y la rivalidad entre los habitantes de las tierras ganaderas y los de las plantaciones continúan sin resolverse.

Una de las grandes obras brasileñas de este siglo es, sin duda alguna, el "Ciclo de la caña de azúcar" de José Lins do Rego, serie de novelas iniciada en 1932, con la publicación de *Menino de Engenho,* historia de la niñez de Carlos, el nieto de un hacendado; sus relaciones con los esclavos y con las otras familias terratenientes de la región. *Doidinho* (1933) relata los días de escuela del muchacho y *Banguê* (1934) muestra las plantaciones en decadencia; el vigoroso abuelo está agonizando y el joven Carlos —ahora un escritor— es incapaz de asumir la responsabilidad y continuar la tradición familiar. *O moleque Ricardo* describe las aventuras de un muchacho negro, Ricardo, que abandona la plantación para ir a trabajar a Recife. Allí se ve envuelto en una huelga y es deportado como prisionero a una colonia penal. *Usina* (1936) marca el fin verdadero de la plantación. El nuevo propietario, un tío de Carlos, se ha hecho cargo de los negocios; hace dinero y se vuelve demasiado ambicioso. Funda una fábrica en el Estado, pero es incapaz de resistir la presión de los grandes monopolios. La fábrica fracasa y él y su familia se ven reducidos a la mendicidad.

El ciclo de novelas de Lins do Rego cumplió las exigencias de una literatura profundamente enraizada en la región y, además, la de decir algo importante en el plano nacional y universal. La historia de la caña de azúcar era una parte vital en la historia del Brasil. A través de su propia experiencia y de la niñez transcurrida en las plantaciones Lins do Rego logró dar expresión artística y significación a un tema nacional.

AMÉRICA COMO VANGUARDIA

Si se exceptúa la posición de unos cuantos escritores, como Lugones, cuyo nacionalismo miraba hacia el pasado, todas las formas de nacionalismo cultural —desde la de los muralistas mexicanos hasta la vanguardia brasileña— tenían el común propósito de liberarse de la tutela europea. Hacia 1920 los cambios parecían ser inminentes. México se encontraba en camino de una completa transformación y otros países parecían dispuestos a seguir la ruta mexicana. Sin embargo, esto no pudo realizarse, ya que los países latinoamericanos se encontraban en una situación de dependencia económica y política de potencias e intereses exteriores. "Libertad" y "Antimperialismo" eran lemas de la época —y por libertad la gente entendía libertad económica y política, así como literaria y artística. La literatura y el arte adquirieron un tono profético, anunciando una nueva era; el arte se convirtió en un muestrario de los lemas del futuro.

Y tales lemas no eran ya enarbolados por parias solitarios. Gradualmente los artistas y los escritores fueron conquistando un público; a menudo, es verdad, un público reducido, pero habían comenzado a existir grupos de personas que querían informarse sobre sus propios países y comprar pintura nacional. El reconocimiento europeo obtenido por músicos como Heitor Vila-Lôbos (Brasil, 1887-1959), cuya obra se inspiraba en temas nacionales, y el reconocimiento norteamericano a los muralistas mexicanos produjo indudablemente cierto estímulo inicial, pero el interés ya existía. Las novelas conocieron más de una edición y empezaron a publicarse en Latinoamérica y ya no en Europa. Aunque los escritores, pintores y músicos continuaron emigrando a París, regresaban después a sus propios países a hacerse una reputación en ellos. Europa todavía podía enseñarles técnicas, pero comenzaron a advertir que ya no podía ofrecerles valores, pues la misma Europa se agitaba desesperadamente en busca de estímulos literarios en otras culturas. Por vez primera, el artista latinoamericano encontró que tenía a la mano algo que fascinaba a Europa: el indio, el negro, la tierra.

4. LA VUELTA A LAS RAÍCES: II. EL INDIO, EL NEGRO, LA TIERRA

Después de la primera Guerra Mundial, los intelectuales hispanoamericanos comenzaron a buscar en las culturas indígena y negra, y en la misma tierra, valores ajenos a los de la cultura europea que parecía en vísperas de desintegración. Este intento de hallar raíces en la cultura nativa se produjo no sólo por rechazo a los valores culturales europeos, sino también de los principios racionales, intelectuales y científicos sobre los que la civilización europea se basaba.

En Europa, la década del veinte había producido la conciencia cada vez más arraigada del elemento irracional existente en la naturaleza humana, el reconocimiento de motivos inconscientes que según se supo eran más poderosos y tal vez más profundos que la conducta consciente. Buena parte del arte del siglo diecinueve se había preocupado por la exploración de los aspectos más oscuros e irracionales de la existencia humana; en el siglo veinte, esa exploración se convirtió en un verdadero asalto a la razón. El mundo de conceptos lógicos se vio atacado porque las estructuras racionales parecían ignorar los aspectos fundamentales e inconscientes de la experiencia. La razón, al clasificar la experiencia, la fragmentó. Del mismo modo las estructuras convencionales del lenguaje y las formas literarias y artísticas habían creado un orden falso sobre el mundo de la experiencia, ignorando factores como la constante mutabilidad de las relaciones, la relatividad de los conceptos, el factor tiempo, o la perspectiva cambiante del lector o espectador de la obra de arte.

De 1907 en adelante, la punta de lanza del ataque fue el movimiento cubista, que revolucionó la pintura. El pintor era ya capaz de escapar de las limitaciones de la representación y podía transferir a la tela la amplia complejidad de la figura humana y el paisaje, explorando en ese proceso todo un mundo de relaciones entre el observador y la realidad. Dicho movimiento se definió como "un arte de liberación dinámica de todas las categorías estéticas". Pero tras su complejidad había una semejanza fundamental de fenómenos: los cubos y los ángulos geométricos de que se componía el cuadro. Los cubistas habían descubierto de ese modo la posibilidad de sugerir la complejidad de la realidad y la básica semejanza e interrelación de todos los fenómenos. El cubismo fue importante en dos aspectos. Atrajo la atención sobre la naturaleza fragmentaria de la vida urbana y su concentración en las figuras geométricas de todos los objetos hechos por el hombre. En segundo lugar, despertó interés por todas las concepciones artísticas no europeas, especialmente las del arte negro. El movimiento cubista fue seguido por un buen número de "ismos" de vanguardia —dadaísmo y surrealismo en Francia y movimientos semejantes en todas partes— cuyo común denominador era la actitud antintelectual y antirracional. Esto también se unía al culto de lo primitivo: los pueblos "atrasados" de África habían expresado, no reprimido, sus instintos, y, por consiguiente, estaban destinados a ser más "saludables" que los europeos decadentes que habían perdido toda espontaneidad de sentimientos. Fue esta exaltación del instinto lo que atrajo la atención del poeta peruano César Vallejo, quien escribió después de ver en París una compañía de danzas africanas:

> Nunca había presenciado semejante música, tales instrumentos monstruosos, cuales refriegas anatómicas del baile salvaje, en que los siete frenos católicos de nuestra civilización no bastan a amordazar la angustia misteriosa del animal que se pone de espaldas con el hombre. Danza de la selva, ante cuya crudez casi meramente zoológica no hay crítica posible.[1]

La magnitud del antirracionalismo de la época se puede medir por el inaudito respeto que despertaron las concepciones de Oswald Spengler, D. H. Lawrence y el conde Hermann Keyserling. *La decadencia de Occidente* de Spengler, como se dijo en el capítulo tercero, produjo en los latinoamericanos honda impresión, especialmente por la sugestión de que la agonizante civilización occidental había sido sólo una de tantas civilizaciones del mundo, y quizá no la más importante de todas ellas. Esa teoría sugería que las culturas indígenas americanas podían igualar y aún superar a la cultura europea y que, por consiguiente, no había razón para que no pudiera desarrollarse en el Nuevo Mundo una civilización más avanzada que la europea. Las teorías de Spengler fueron ávidamente absorbidas por los latinoamericanos y tuvieron una influencia directa, por ejemplo, en el Caribe,[2] y es posible que contribuyeran a que los latinoamericanos comenzaran a sentir más respeto por las culturas del pasado y mayor confianza en el futuro. La influencia de D. H. Lawrence es menos fácil de determinar, pero *La serpiente emplumada,* en especial, fue sintomática de un culto a lo instintivo, a la "sangre", que iba a reflejarse en el arte latinoamericano. En México Lawrence descubrió "una misteriosa humanidad de sangre cálida y pies ligeros con una extraña civilización propia."

> Los mexicanos estaban aún en ese periodo. Lo que en América es aborigen pertenece todavía a la época antediluviana, anterior al espíritu. Por eso en América la vida espiritual y mental de la raza blanca florece rápidamente, lo mismo que la mala hierba en una tierra virgen. Probablemente se mustia con igual rapidez, y la muerte lo destruirá todo. Y entonces, un germen potente, un nuevo concepto de la vida, surgirá de la fusión de la antigua conciencia intuitiva de la sangre y de la intelectual y razonada del hombre blanco.[3]

Esas consideraciones eran muy semejantes a las de Keyserling, quien declaraba que América Latina podía crear

> una cultura de gran profundidad en el sentido de proximidad a la tierra. Aun esa parte de Sudamérica que tiene sangre europea no es cristiana en sus raíces. Está determinada por la vida no por el espíritu ... la verdadera vida de Sudamérica ... no es sino la oscuridad de la vida primaria. Ningún arte de la vida embellece y adorna los hechos reales: ninguna fe genuina del espíritu redime la vida de su realidad. Así, pues, el peso original de la tierra domina completamente la atmósfera del Continente. La alegría sudamericana es la voluptuosidad de la Noche de la Creación. Su sufrimiento es una pena abismal ... Su muerte es un simple e indiscutible retorno al seno de la tierra.[4]

De estos tres apóstoles, Keyserling —cuyas teorías fueron parcialmente extraídas de la lectura de novelas latinoamericanas como *La vorágine* y *Don Segundo Sombra*— fue posiblemente quien tuvo una influencia directa mayor. Y aunque su visión de América como "fuerza puramente telúrica" era posiblemente más nociva que útil, poseyó una virtud no usual entre los visitantes europeos. Declaró a su llegada a la Argentina, que había ido no a enseñar sino a aprender.

Durante los años veinte todo tendía a que el artista latinoamericano buscara valores en su propia tierra y en sus pueblos y, a menudo, su experiencia personal reforzaba esa tendencia. Muchos de los escritores indigenistas, o de quienes adoptaron temas negros en su obra, vivían en aquel tiempo en París; cuando volvían a sus países lo hacían con una concepción enteramente nueva de la cultura indígena. Diego Rivera, Miguel Ángel Asturias, Rómulo Gallegos, Ricardo Güiraldes, José Carlos Mariátegui, todos pasaron periodos en París antes de emprender sus obras más importantes. Y fue en París donde uno de los poetas del movimiento afrocubano, Alejo Carpentier (Cuba, 1904), presentó su *Passion noire* y donde Heitor Vila-Lôbos dio a conocer sus piezas sobre temas brasileños. Existe, pues, una clara conexión entre la vanguardia europea y la vuelta de los intelectuales latinoamericanos a sus orígenes.

EL INDIO

De todos los escritores de la época fue tal vez José Carlos Mariátegui quien más claramente advirtió la relación entre el indigenismo y la moda europea del arte exótico. En uno de sus *Siete ensayos* (1928), asoció el indigenismo en la literatura latinoamericana con el culto europeo por lo exótico, lo que consideraba como señal de decadencia. Sin embargo, estuvo muy lejos de condenar el indigenismo latinoamericano simplemente porque había recibido su primer impulso de la decadente Europa. Consideraba que en el Perú el movimiento era saludable, pues significaba que los novelistas y cuentistas pugnaban, al fin, por la rehabilitación del indio. Fue a la vez el primero en señalar que una literatura indigenista escrita por blancos o mestizos difícilmente podía resultar auténtica. La verdadera literatura de los indios debía surgir de los mismos indios.[5]

La literatura indigenista en América Latina iba a tener dos funciones distintas. Una era la de realizar un propósito social directo al despertar la conciencia general sobre las condiciones de los sectores oprimidos de la población. El otro, que es el que interesa en este capítulo, consistía en establecer los valores de la cultura y la civilización indígenas como alternativa frente a los valores europeos.

Por razones que resultan evidentes fue en México donde este culto de los valores indígenas tuvo mayores alcances. La revolución no sólo había cambiado la actitud del pueblo hacia el indio: también le acordó un lugar prominente en la nueva mitología revolucionaria. El indio representaba lo nacional, lo patentemente no-extranjero. Incorrupto por las presiones imperialistas, era un símbolo de sufrimiento y pureza. Esto se desprende, por ejemplo, de los murales de Diego Rivera en Chapingo, Cuernavaca, el Palacio Nacional y el Ministerio de Educación Pública.*

Resulta bastante claro que especialmente en las etapas iniciales del muralismo mexicano, la adopción de las así llamadas técnicas precolombinas, la imitación de sus conceptos de espacio y perspectiva, constituyó primordialmente una actitud de desafío a Europa. El acto simbólico de Gerardo Murillo que cambió su nombre español por uno náhuatl, Dr. Atl, no podía ser más revelador. Pero más tarde hubo un intento consciente de revivir ciertas figuras mitológicas o históricas, tales como Cuauhtémoc, cubrirlas de significación para el mexicano moderno. Cuauhtémoc, que fue ejecutado por Cortés, se convirtió en la nueva figura del Cristo mexicano: un México martirizado por los europeos. Los muralistas estuvieron indudablemente al frente de esta creación mítica, que sólo en parte resultó afortunada. Después de todo, los mismos pintores no tenían una experiencia viva de las creencias o tradiciones indígenas, y su resurrección de mitos y símbolos precolombinos fue a veces un movimiento arcaizante en que estos símbolos aparecían divorciados de su estructura social y religiosa, empleados sólo como motivos decorativos. Un ejemplo del uso sin sentido de los símbolos nos lo ofrece el edificio de la biblioteca de la Universidad Nacional de México. La Universidad fue construida en los años cuarenta, pero la decoración se confió a la generación de artistas —Siqueiros, Juan O'Gorman, Diego Rivera— que constituían la espina dorsal del movimiento muralista. El edificio de la biblioteca, ejecutado por Juan O'Gorman en un mo-

* Por ejemplo "Antes de la Conquista" en el Palacio Nacional y "La traición de Cuernavaca", en el Palacio de Cortés, en Cuernavaca.

saico de piedra mexicana, está cubierto con símbolos estilizados de la cultura mexicana: un caos de figuras y símbolos. Al frente de la biblioteca hay un estanque con dos serpientes en bajo relieve. El efecto de la piedra es agradable, pero el motivo de las serpientes resulta un arcaísmo: ni para el escultor ni para los estudiantes puede tener significado alguno, ya que no existe una tradición viva que conecte la serpiente con el México moderno. Este concepto estrecho de lo que debía ser un arte mexicano auténtico ha sido condenado por la generación más joven de artistas, quienes según uno de ellos (José Luis Cuevas) intentan "trazar autopistas para comunicarse con el resto del mundo, no estrechos senderos para comunicar un poblado de casas de adobe con otro".

A pesar de todo, a despecho de la tendencia a restringir la cultura americana a su herencia indígena y de la tendencia arcaizante, el indigenismo en México produjo algunos resultados fructíferos en el campo de la investigación. La investigación arqueológica y antropológica, y la restauración de los sitios arqueológicos han recibido un enérgico impulso. Los investigadores han comenzado a estudiar los idiomas precolombinos. Se ha redescubierto la literatura náhuatl, y algunos textos (como el libro de profecías *Chilam Balam,*[6] y la biblia maya: el *Popol Vuh*) fueron editados en traducciones españolas. Los resultados de estas investigaciones han sido de largo alcance. El esquema inicial ultrasimplista del indio y de la cultura indígena ha sido reemplazado gradualmente por un cuadro de vasta complejidad. A medida que se han ido descubriendo nuevos sitios, se ha sabido que las civilizaciones precolombinas eran más variadas, se remontan más atrás en el tiempo y son más complejas de lo que hasta hace poco se creía. Mientras tanto un buen conocimiento de las estructuras sociales y religiosas de las sociedades precolombinas ha permitido a los especialistas situar el arte y la literatura indígenas en el contexto social adecuado.

Por muchas razones el indigenismo de los muralistas mexicanos no podía traducirse a la literatura. Como señalábamos en el capítulo tercero, los pintores fueron los iconógrafos de la revolución, empleados por el Gobierno y con la misión de comunicarse directamente con los indios iletrados, mientras que los escritores no poseían un público inmediato y no tenían ninguna misión que realizar, excepto la propia. Lo más cercano que los literatos mexicanos hicieron como idealización de los indios fue la reconstrucción de su pasado histórico. Francisco Monterde (1894), por ejemplo, escribió sobre el periodo de la Conquista en *Moctezuma, el de la silla de oro* (1945) y *Moctezuma II, señor del Anáhuac* (1947). Ermilo Abreu Gómez (1894), en *Quetzalcóatl, sueño y vigilia* (1947), relata historias de héroes y dioses precolombinos.

Pero el indio del presente es materia distinta. Aun como protagonista de la novela de protesta social, raramente ha sido idealizado por los escritores mexicanos. Tanto *El indio* (1935) de Gregorio López y Fuentes (1897) como *El resplandor* (1937) de Mauricio Magdaleno (1906) son ante todo novelas de protesta sobre la forma en que se ha tratado al indio después de la revolución. Ambas novelas ilustran claramente la gran distancia que media entre la sociedad blanca y la indígena: distancia que no podía ser franqueada por una sola generación. En *El indio,* Gregorio López y Fuentes describe la vida cotidiana y las costumbres de una remota aldea indígena, cuyos habitantes siempre han tenido una bien fundada desconfianza hacia los blancos. Cada vez que el blanco ha hecho su aparición en el pueblo ha sido para explotarlos o engañarlos. Llega la revolución con sus promesas de distribución de tierra y educación, pero aún existe la desconfianza mutua. Al final de la novela el jorobado del pueblo vigila el camino por el que espera la llegada de los "hombres civilizados" que atacarán la aldea. Nada ha cambiado. Los indios siguen siendo parias, y los "dirigentes" que han prometido ayudarlos continúan explotándolos y engañándolos. En *El resplandor,* Mauricio Magdaleno relata la historia de Saturnino Herrera, un indio de una aldea que llega a ser dirigente posrevolucionario, sólo para a su vez explotar a los oprimidos.

Al lado de la novela de protesta social hay también otro tipo de novela que documenta la vida y las costumbres indígenas, a menudo con gran detalle y precisión. *El indio* de Gregorio López y Fuentes incluye extensas descripciones de las fiestas y ceremonias nupciales. Ramón Rubín (1912) es el autor de una serie de novelas documentales sobre la vida indígena, entre las cuales destaca *El callado dolor de los tzotziles* (1949). *El diosero* (1952), de Francisco Rojas González

(1903-51), incluye varios cuentos que muestran un conocimiento de primera mano de las creencias religiosas y actitudes del indio. El documento literario más valioso de este tipo es el relato *Juan Pérez Jolote* (1952), en que Ricardo Pozas, prestigiado antropólogo, describe la vida de una comunidad chamula en un periodo que abarca una generación. A través de las peripecias del personaje central nos muestra las transformaciones que ocurren en una comunidad a medida que el contacto con el mundo exterior va ampliándose, y las modificaciones que esto significa en las formas de vida indígena. El tipo de literatura documental sobre el indio ayudó a mostrar que el concepto de indio "primitivo" era del todo inadecuado. Las actitudes del indio son complejas; sus ritos y creencias están íntimamente ligados a los ritmos de la Naturaleza: una naturaleza a la que llegan a entender tal vez mejor que el hombre blanco. La publicación del *Libro de Chilam Balam* hizo que algunos escritores tuvieran conciencia de que la actitud indígena hacia la explotación de la tierra era totalmente distinta de la del europeo, ya que el indio concibe todas las cosas naturales —plantas y animales— como elementos sagrados y por ello no debe voluntariamente destruirlos. Así, en cierto modo, la actitud del indio puede considerarse realmente superior a la del destructivo y torpe europeo.

Este contraste de actitudes ha sido presentado por una novelista, Rosario Castellanos, nacida en 1925 en Chiapas, región habitada principalmente por indios descendientes de los mayas. A diferencia de muchos novelistas anteriores de la vida indígena, Rosario Castellanos fue educada por una nodriza indígena y por ello desde su niñez conoció las leyendas y creencias de estos pueblos. En *Balún Canán* (1957) usa el recurso de presentar un conflicto entre indios y blancos en parte a través de los ojos de una niña blanca con una simpatía especial por su nana india. De esta manera Rosario Castellanos nos da una aguda visión del conflicto entre dos culturas enteramente opuestas: la que considera que la tierra es sagrada y la que la contempla como un objeto de explotación. La novela transcurre durante el periodo presidencial del general Lázaro Cárdenas (1934-40), cuyo programa de expropiación de las grandes haciendas para redistribución causa entre los indios de Chiapas un estado de efervescencia y rebelión. En la novela se traza su transformación de simples siervos en hombres y mujeres conscientes de sus derechos y capaces de luchar por ellos. La obra culmina con la destrucción del ingenio azucarero, símbolo de la explotación del hombre blanco. El conflicto, sin embargo, trasciende un litigio entre explotados y explotadores. La novelista sugiere que, aunque el hombre blanco explota la tierra, no es parte de ella. Una vez que la abandona, su influencia desaparece, como si nunca hubiera vivido allí. Ninguna huella de su presencia permanece. Lo que no ocurre con los indios, quienes, aun derrotados, influyen profundamente en los habitantes blancos. Sus leyendas, sus creencias, su presencia en la tierra son indestructibles porque forman parte de ésta. Sus creencias surgen de la naturaleza de la tierra y por consiguiente no pueden ser destruidas, como sí puede serlo la influencia del cristianismo. Las "supersticiones" indias aún penetran en la conciencia del hombre blanco y demuestran ser más fuertes que la religión europea, porque constituyen íntimamente una parte de la tierra. Rosario Castellanos sugiere así que los valores indios son los naturales en su medio ambiente y, por ende, resultan permanentes y efectivos.

El novelista guatemalteco Miguel Ángel Asturias (1899) nos ofrece una visión semejante del indio. Como Rosario Castellanos, Asturias escribe con un íntimo conocimiento de los descendientes mayas en Centroamérica. Estudió las sociedades y religiones mayas en el Museo del Hombre de París y también ayudó a traducir el libro sagrado de los mayas, el *Popol Vuh.* Su primer obra narrativa, *Leyendas de Guatemala* (1930), es una transcripción poética de las historias —tanto de origen indio como español— que escuchó en la niñez. Sus *Hombres de maíz* (1949) representan el intento más ambicioso emprendido por un escritor hispanoamericano de penetrar en la mente del indio y escribir una novela nutrida en la psicología indígena.[7] *Hombres de maíz* cubre un largo periodo de historia en que las tierras indias fueron confiscadas y convertidas en propiedades donde se cultiva el maíz con fines lucrativos. Esto constituye un acto de violación a las más profundas actitudes del indio hacia la tierra, que para él es sagrada y debe servir sólo para satisfacer las necesidades inmediatas. Asturias muestra que el indio no se siente separado de la naturaleza o de la tierra fecundada con los huesos de sus muertos y en la que está enterrado su propio cordón umbilical. Árboles y plantas —aun el fuego y los elementos— no son objetos sino manifestaciones sagradas de vida, como el hombre mismo. De esta manera el indio quema sólo el trozo de tierra virgen necesario para sembrar el maíz para su sostén. La novela de Asturias describe la llegada del hombre blanco, la expulsión de los indios, la quema de la selva y la gradual degradación de los indígenas sobrevivientes al contacto con la civilización mercantilista de los blancos. La trama está presentada no en forma de una novela tradicional sino del modo en que el indio experimenta la realidad: en términos de mito. Los primeros mitos del libro son heroicos, relatan la lucha entre indios y blancos; luego sigue el mito del indio ciego cuya esposa lo abandona, que simboliza el sentimiento de separación y pérdida cuando el indio ha sido privado de su tierra. Hay el mito del mensajero que se convierte en coyote, que simboliza el repudio de los indios al gobierno y la civilización blancos. Al final de la novela los mitos dejan de existir, pues los indios se han reducido a un estado de hormigas en un mundo comercializado en que su identidad se ha perdido para siempre.

Hombres de maíz penetra profundamente en las actitudes indígenas, como lo ilustra este extracto del párrafo inicial:

> El Gaspar Ilóm deja que a la tierra de Ilóm le roben el sueño de los ojos.
> —El Gaspar Ilóm deja que a la tierra de Ilóm le boten los párpados con hacha.
> —El Gaspar Ilóm deja que a la tierra de Ilóm le chamusquen la ramazón de las pestañas con las quemas que ponen la luna color de hormiga vieja. . .

A la vez que es notable su visión penetradora de la mente indígena, la novela ilustra la paradoja del escritor indigenista, pues presenta tremendas dificultades al lector cuyo conocimiento de la psicología del indígena de Guatemala es nulo. Por otra parte, la novela no puede comunicarse con el lector indio, ya que la mayor parte de ellos son analfabetos. Aunque los indios aprendieran a leer, sería probable que adoptaran el modo de pensamiento europeo y no lograran ya incorporar la experiencia a través de los ojos de Gaspar Ilóm.

Los escritores de las repúblicas andinas se enfrentan exactamente al mismo problema de los mexicanos y centroamericanos cuando escriben sobre los indios. Aquí también las novelas indigenistas son o del tipo de protesta social —como las de Jorge Icaza (Ecuador, 1906) y Adolfo Costa du Rels (Bolivia, 1891) o intentan exaltar valores indígenas.[8]

En Bolivia, un novelista indigenista, Jaime Mendoza (1874-1939) fue también el autor de *La tesis andina* (1920) y *El macizo boliviano* (1935), donde desarrollaba la tesis planteada ya antes por Arguedas, de que el territorio surtía efectos en el carácter de los habitantes y en sus actitudes estéticas.

Sin embargo, fue en el Perú donde la novela indigenista desarrolló sus líneas más originales. Ya en los veinte, López Albújar en la serie de cuentos *Cuentos andinos* (1920) había pintado a un indio militante y desafiante, no al esclavo sumiso y explotado de muchas novelas de protesta social. Un cuento posterior, Hayna-Pishtanag* describe a una pareja india de gran dignidad y orgullo que desafía a la muerte, antes de ceder a los intentos de un bestial capataz de seducir a la mujer. A López Albújar le preocupaba fundamentalmente restaurar el sentimiento de dignidad del indio. Es en las novelas de Ciro Alegría (1909-67) y de José María Arguedas (1911-69) donde encontramos los intentos más ambiciosos de penetrar en la mente del indio peruano.

Las tres obras principales de Ciro Alegría son *La serpiente de oro* (1935), novela sobre una comunidad en el río Marañón; *Los perros hambrientos* (1939), que trata de la lucha de una comunidad indígena de los Andes contra el hambre, y *El mundo es ancho y ajeno* (1941), donde describe el desafío de una comunidad indígena a un hacendado que trata de apoderarse de sus tierras. Ya en la primera novela de Alegría, los hombres que bajan en balsas por los rápidos del río Marañón son hijos de la naturaleza.

> Si morimos, ¿qué más da? Hemos nacido aquí y sentimos en nuestras venas el violento y magnífico impulso de la tierra. En la floresta canta el viento un himno a la existencia ubérrima.[9]

* Incluido en *Nuevos cuentos andinos* (1937).

El mundo es ancho y ajeno es una novela política, que ilustra la tesis de que el ayllu indio o comuna, puede formar la base de una comunidad socialista. Rosendo Maquí, jefe de una comunidad india posee todos los conocimientos tradicionales. Mientras los indios viven aislados, su sabiduría sirve para guiar a la comunidad y hacerla prosperar, pero cuando ocurre el enfrentamiento con el inescrupuloso terrateniente *ladino,* Álvaro, quien puede disponer de todas las fuerzas policiacas y militares del Estado, así como utilizar los recursos legales del siglo veinte para confiscar la tierra de los indios, la sabiduría de Rosendo resulta inadecuada. Rosendo es encarcelado bajo la falsa imputación de un delito y es matado a golpes. La comunidad ha quedado descabezada. En ese momento aparece un nuevo hombre, Benito, un mestizo, hombre que ha nacido en la comuna pero que ha pasado la mayor parte de su vida en el mundo exterior, donde ha aprendido lo que es el socialismo y a militar en sus filas. Regresa a su comuna a fin de organizarla sobre lineamientos socialistas. Sus esfuerzos fracasan porque no ha llegado aún el momento preciso y las tropas gubernamentales aplastan la naciente comunidad socialista. Alegría no pretende penetrar en la psicología indígena como lo hace Miguel Ángel Asturias. El indio aparece a través de los ojos del novelista y sus creencias son explicadas más bien que transmitidas directamente por medio del lenguaje y la narración. A lo largo de *El mundo es ancho y ajeno,* Alegría parece demostrar que la forma comunal de los indios es en muchos aspectos superior a la conducta brutal y rapaz del propietario privado. El mensaje es que, potencialmente, los indios constituyen la parte mejor del Perú, pero tienen que educarse para que su superioridad pueda realmente demostrarse.

José María Arguedas, el más grande intérprete del indio peruano en la novela, debe su penetración de la mente india a las circunstancias de su educación. Pasó gran parte de su niñez en pueblos de población predominantemente indígena, regidos por minorías insignificantes de curas y empleados gubernamentales. Habló el quechua antes que el español y creció con un sentimiento de profunda simpatía y admiración hacia los indios. Para Arguedas la verdadera expresión artística del Perú debe encontrarse en las canciones y danzas indígenas. En los pueblos andinos, declara, las grandes fiestas de la iglesia son preparadas enteramente por los indios, y hasta los habitantes blancos y mestizos de tales lugares prefieren la música y las danzas indígenas, que comunican su más profunda sensibilidad, en vez de la música importada, tangos o jazz. "Y ese arte los conmueve porque es la expresión más justa de sus propios sentimientos." [10]

Pero a la vez que el mestizo se conmueve con el arte indio, comenta Arguedas, no deja de sentirse avergonzado por ello. ¿Por qué se avergüenza? El *wayno,** tanto por la música como por su poesía es arte.

> ...Lo indígena no es inferior, y el día en que la misma gente de la sierra, que se avergüenza todavía de lo indio, descubra en sí misma las grandes posibilidades de creación de su espíritu indígena, ese día, seguro de sus propios valores, el pueblo mestizo e indio podrá demostrar definitivamente la equivalencia de su capacidad creadora con relación a lo europeo, que hoy lo desplaza y avergüenza.

Al egoísmo del terrateniente se debe principalmente el muro de suspicacias que separa al mestizo del indio, e impide el desarrollo del Perú. Solamente cuando el indio sea aceptado y se reconozca el valor de su cultura podrá el Perú prosperar como nación. Y sólo entonces podrá tener un arte nacional a la vez que universal.

Para Arguedas, entonces, el desenvolvimiento de un arte original peruano depende del reconocimiento de que el indio es el verdadero elemento importante de la vida nacional. Pero ese reconocimiento implica también la completa transformación de un sistema económico que descansa sobre el prejuicio y el mito de la inferioridad del indio para mantenerlo en esa situación. También declara explícitamente que ninguna literatura, pintura o música peruana que no provenga de un profundo conocimiento de la vida indígena podrá dar resultados satisfactorios. Aunque saluda el creciente interés que muestran por el indio artistas y escritores, no cree que su música, pintura o literatura puedan ser auténticas hasta que el artista haya vivido en intimidad con el pueblo.

Cuando José María Arguedas comenzó a escribir se en-

* *Wayno,* canto indio de los Andes.

frentaba con el problema del lenguaje. El quechua le parecía un instrumento más idóneo que el castellano para expresar actitudes indias y trató en su primer volumen de cuentos, *Agua* (1935) de mantener el sabor del quechua en el español. Tiene tres novelas, *Yawar Fiesta* (1931), que relata la historia de la expulsión de los indios de sus tierras comunales, *Los ríos profundos* (1958), que está directamente basada en sus experiencias de niñez y *Todas las sangres* (1964). En la segunda narra la historia de un muchacho que viaja por los pueblos indios con su padre abogado hasta que éste decide internarlo en un colegio religioso. La áspera y extraña disciplina del colegio, el salvajismo de los alumnos y el credo religioso que se emplea para mantener adormecido al indígena enfurece al muchacho, cuyas simpatías y afecto están del lado de los indios y sus creencias. Cada vez que le es posible escapa de la escuela. En una de esas ocasiones presencia una manifestación de embravecidas mujeres indias; en otra defiende a un arpista indio a quien los soldados arrestan por tocar música subversiva. Las experiencias más profundas de su adolescencia se asocian con los indios, con el pueblo de quien se siente separado por códigos sociales y religiosos inhumanos. La novela de Arguedas nos muestra el problema del indio en su más profunda y penetrante manera, revelando que no son sólo los indios quienes sufren sino también los blancos, que se enajenan por la falta de contacto con la cultura real del país.

No es una coincidencia que los representantes más destacados del indigenismo en la novela latinoamericana hayan estado íntimamente conectados con la vida indígena, sea por nacimiento como por educación. En las obras de José María Arguedas y de Miguel Ángel Asturias, encontramos una profunda visión no sólo de otra mentalidad y cultura, sino también de la relación de los latinoamericanos de origen europeo con tal cultura. En su aspecto más serio, la novela indigenista sugiere que las formas de vida nacional y las actitudes desarrolladas por los indios en los miles de años de vivir sobre el continente americano, pueden ser una expresión más importante de la tierra que las adaptaciones importadas de la cultura occidental, y que tal vez el blanco y el mestizo excluyen la cultura indígena en demérito propio.

Se podría proclamar que el indio ha desarrollado una cultura más de acuerdo con su ambiente que los europeos, quienes llegaron a América a imponer sus propias estructuras. Pero, ¿y el negro? De las tres razas fue la negra la última que llegó al continente latinoamericano; en las sociedades esclavistas, de las que fue la base, cualquier cultura original que hubiera podido poseer fue destruida o severamente alterada. Sin embargo, como el indio, el negro se ha mezclado con los conquistadores. Negros y mulatos forman parte de la población de Brasil, las islas del Caribe y las regiones de las costas de México, Centroamérica, Venezuela, Colombia, Perú y Ecuador.

Aunque el siglo diecinueve produjo una copiosa literatura sobre temas negros, no fue sino hasta la segunda década del veinte cuando apareció en América Latina una literatura que adscribía al negro ciertos valores superiores a los del blanco. Dos factores cuentan para otorgar esa nueva dignidad al hasta entonces despreciado negro. En primer lugar, en la Cuba recién independizada se produjo una búsqueda de identidad nacional en que esos aspectos previamente ignorados de la cultura cubana comenzaron a ser investigados y examinados. Los primeros estudios de la cultura negra se deben a un investigador cubano, Fernando Ortiz (1881), quien en su *Hampa afrocubana*: *los negros esclavos* (1916) publicó sus investigaciones sobre la sociedad negra.[12] El segundo factor que cuenta para la revaloración del negro fue la moda europea del arte negro, introducida por la vanguardia en Cuba. Esta moda se asociaba, en parte, con el antirracionalismo prevaleciente. El negro era un tipo de hombre cuyo progreso intelectual no se había logrado a expensas de una represión emocional, y cuyo arte expresaba espontáneamente la acción de los instintos que los europeos habían olvidado. En un poema el mulato cubano Nicolás Guillén (1902) se burlaba de esa moda, aunque reconocía que tenía sus ventajas en lo que al negro concernía:

> Es bueno...
> y ahora que Europa se desnuda
> para tostar su carne al sol,

y busca en Harlem y en La Habana
jazz y son,
lucirse negro mientras aplaude el bulevar,
y frente a la envidia de los blancos
hablar en negro de verdad.[13]

La moda de hablar "en negro de verdad" se difundió por toda América Latina. Los poetas vanguardistas que la introdujeron eran casi todos blancos que disfrutaban ejercitándose en estos nuevos ritmos poéticos, como lo hacía Edith Sitwell en Inglaterra. En países con población negra, la poesía afrohispánica se convirtió en algo más importante que una moda, pues los poetas podían nutrirse de mitos populares y formas folklóricas. Igual que ocurría con el indigenismo, el rechazo de Europa y la afirmación de un tipo de arte "nacional" fueron factores determinantes. En Puerto Rico, por ejemplo, el poeta Luis Palés Matos (1898-1959), en rebelión contra la tradición intelectual occidental, declaraba que quería crear un arte que fuera lo menos arte posible, un arte en que la realización técnica estuviera subordinada "al golpe de sangre y del instinto".[14] En 1937, publicó su *Tuntún de pasa y grifería,* en el que con el uso libérrimo de palabras africanas y nombres de lugares, lograba imitar los ritmos negros. Los poemas de Palés Matos eran divertidos e ingeniosos y evocaban un trópico perezoso y una atmósfera sensual, en la que la canción negra era una invitación a recogerse de nuevo en el seno materno y soñar.

Al rumor de su canto
todo se va extinguiendo,
y sólo queda en mi alma
la ú profunda del diptongo fiero,
en cuya curva maternal se esconde
la armonía prolífera del sexo.[15]

En Ñam-ñam de Palés Matos,

Asia sueña su nirvana
América baila el jazz.
Europa juega y teoriza.
África gruñe: ñam-ñam.[16]

Esta sensualidad del negro es el tema de gran parte de la poesía escrita por los poetas afrocubanos.

El movimiento afrocubano comenzó en 1928 con la publicación de dos poemas con ritmo de rumba, uno de José Zacarías Tallet (1893) y otro de Ramón Guirao (1908-49). El movimiento no se limitó a la poesía. Amadeo Roldán (1900) escribió un ballet negro, *La rebambaramba* (1928) y un *Poema negro* (1930) para cuarteto de cuerdas; Alejo Carpentier escribió una *Passion noire* que, como ya hemos dicho, fue estrenada en París. Dos de las figuras sobresalientes del movimiento afrocubano, Alejo Carpentier y Emilio Ballagas (1908-54), ambos blancos, lograron ganar para el arte negro el respeto de América Latina. Ballagas tuvo una influencia considerable a través de su antología de la poesía negra, *Mapa de la poesía negra,* publicada en 1946. Carpentier, un competente musicólogo y poeta, es también novelista. Su *Ecué-Yamba-O* (1933) describió las aventuras de un muchacho negro, quien, después de matar a un hombre, huye a La Habana y se incorpora al culto de la santería. La novela servía el doble propósito de exponer las condiciones de los negros en el campo y en las ciudades cubanas, y ser un documento de sus costumbres. Carpentier incluyó fotografías, para dar mayor autenticidad al relato.

Los primeros ejemplos de poesía afrocubana —el verso-rumba de Tallet, por ejemplo— lo único que hicieron fue explotar el exotismo de la danza africana, haciendo énfasis en su sexualidad animal. Los poetas imitaron los ritmos de la danza africana con buen éxito, gracias al uso de la onomatopeya y a la repetición verbal a la manera de las ceremonias vudúes y de la santería, en donde la repetición de sonidos se emplea para ayudar a producir un estado de trance a los iniciados. Un poema como el "Solo de maracas" de Emilio Ballagas depende enteramente de sus efectos sonoros y las palabras tienen escaso —si es que alguno— significado expresivo:

> Cáscara y chácara,
> cáscara y máscara.
> Máscara y gárgara
> Maraca. . .[17]

Pero aunque el afrocubano comenzó por subrayar las características externas, algunos escritores empezaron a darle pronto al negro una importancia nacional. Juan Marinello (1898), al explicar que el indigenismo que se multiplicaba por doquier en América Latina no podía tener raíces en Cuba, donde los indios habían desaparecido mucho tiempo atrás, declaraba que era el negro quien podía ser la fuente de una cultura cubana.

> Su participación en la vida cubana fue decisiva en las revoluciones contra España, su tragedia social, nueva esclavitud, lo hacen objeto de meditaciones y esperanzas. Sus características físicas, enriquecidas y multiplicadas en su cruce con el blanco y el amarillo, sus bailes de un maliciado y encantado primitivismo, lo hacen motivo de la mejor plástica.[18]

El arte negro, declara Marinello en otro ensayo, es algo característicamente cubano. "Aquí el negro es tuétano y raíz, aliento del pueblo, música acatada, irrepresible impulso. Puede ser, en estos tiempos de tránsito, el quilate rey de nuestra poesía." [19]

Lo mismo que el indigenismo en Hispanoamérica, el movimiento de poesía afrocubana tuvo el efecto de estimular la investigación sobre la vida y el arte de los negros. La *Revista de Estudios Afrocubanos* (1937-1941), en especial, dedicó sus números a profundos estudios sobre estas materias.

El poeta descollante del movimiento afrocubano fue un mulato, Nicolás Guillén, cuyos primeros dos volúmenes de poemas, *Motivos del son* (1930) y *Sóngoro Cosongo* (1931) emplearon temas hispánicos y del folklore africano. Guillén nos aparta inmediatamente de la figura del sensual bailador de rumba convertido en un cliché afrocubano y nos introduce directamente en el mundo africano y sus creencias, y en el Nuevo Mundo Negro con sus dialectos y actitudes. Algunos de los poemas de Guillén son evocaciones del folklore africano.

> ¡Ñeque que se vaya el ñeque!
> ¡Güije, que se vaya el güije!
>
> Las turbias aguas del río
> son hondas y tienen muertos;

carapachos de tortuga,
cabezas de niños negros.
De noche saca sus brazos
el río, y rasga el silencio
con sus uñas, que son uñas
de cocodrilo frenético.[20]

O, como en "Sensemayá" (canción para matar a una serpiente), donde imita una danza ritual y canto africano:

¡Mayombe-bombe-mayombé!
¡Mayombe-bombe-mayombé!
¡Mayombe-bombe-mayombé!

La culebra tiene los ojos de vidrio;
la culebra viene y se enreda en un palo;
con sus ojos de vidrio, en un palo
con sus ojos de vidrio.
La culebra camina sin patas;
la culebra se esconde en la hierba;
¡caminando se esconde en la hierba!
¡Caminando sin patas!
¡Mayombe-bombe-mayombé!
¡Mayombe-bombe-mayombé![21]

Guillén tiene algunos poemas llenos de gracia e ingenio en que los versos son dichos por algún personaje negro o negra que comenta en argot cubano acerca de sus amantes o de sus amigos.

Con tanto inglé que tú sabía
Vito Manuel,
con tanto inglé, no sabe ahora
decir: ye.[22]

Guillén difiere de poetas como Luis Palés Matos en que el empleo de temas populares o africanos no significa en él un rechazo de los valores europeos. Guillén no exalta al africano a expensas del europeo, pero se preocupa por restaurar la dignidad que había perdido el negro durante la esclavitud. Intenta dar a sus semejantes un sentimiento de orgullo, pero a la vez reconoce que la lucha principal no se libra entre el negro y el blanco sino entre oprimidos y opresores.

En Cuba la cultura negra es importante, pero también lo es la europea. Su poema "Balada de los dos abuelos" muestra hasta donde aprecia la "angustia blanca" y la "angustia negra". Para Nicolás Guillén, como para el erudito de la cultura negra, Fernando Ortiz, el afrocubanismo es más que una moda, es un modo de reintegrar al negro a la vida nacional, y el paso preliminar para forjar una cultura verdaderamente nacional.

El afrocubanismo despertó un gran interés a lo largo de todo el mundo hispanoamericano, y el negro se convirtió en tema de novelas y poemas. Evidentemente un movimiento como éste sólo podía tener importancia en países donde el negro formaba un elemento substancial, o al menos una minoría importante, en la vida de la nación. En Venezuela no había necesidad de seguir el ejemplo cubano, ya que el tema del negro había aparecido en la literatura en *La trepadora* (1925) de Rómulo Gallegos, examinada en el capítulo tercero. Sin embargo, es interesante ver cómo en otra novela de Gallegos sobre el tema del negro, *Pobre negro* (1937), las danzas africanas, los acentos folklóricos y las canciones a la manera afrocubana se entreveran con el tema del negro rebelde, Pedro Miguel Candelas.

Que una moda literaria pueda en ciertos casos producir una genuina expresión artística de un sector hasta entonces silencioso de la comunidad nos lo ilustra la carrera del escritor ecuatoriano Adalberto Ortiz (1914). En el prólogo a su libro de poemas, *El animal herido* (1959), Ortiz, un mulato, relata el poco interés que sentía por la literatura hasta que no cayó en sus manos la *Antología de la poesía negra hispanoamericana,* de Ballagas: "Quedé deslumbrado por los ritmos negroides que bullían en mi propia sangre, sin saberlo." [23] Y en uno de sus poemas Ortiz declara:

> Aún recuerdo su voz fraternal que me decía
> Que no quiero ser negro
> Que no quiero ser blanco.
> Es mi grito silencioso:
> Quiero ser más negro que blanco.[24]

Adalberto Ortiz escribió también una novela, *Juyungo* (1943), situada en la región del río que divide Ecuador y Colombia.

La novela es un relato picaresco de las aventuras de un pobre negro que huye de su casa para viajar por los ríos de su país. Al igual que muchas novelas indigenistas, *Juyungo* documenta la vida de una región hasta entonces desconocida, y hace un llamado a la conciencia del lector al mostrar la condición de sus habitantes.

De todos los países latinoamericanos seguramente es el Brasil el que podía esperar una literatura negra más dinámica. Sin embargo, tal vez porque el país es tan rico y variado, ningún movimiento afrobrasileño ha constituido una moda literaria predominante. Posiblemente una de las razones de esto sea la saludable influencia del notable estudio sociológico de Gilberto Freyre, *Casa Grande e Senzala* (1933). De este libro extraordinariamente rico y fascinante se desprende una lección de importancia: la cultura del Brasil no es negra, blanca o india, sino una cultura inmensamente compleja en la que los tres elementos raciales han contribuido y se han influido mutuamente. A los escritores modernistas, así como a los regionalistas del Noreste lo que les preocupaba era poder explicar el fenómeno total del Brasil. Debe recordarse asimismo que el negro figuró prominentemente en la literatura del siglo diecinueve y que había dado nacimiento a una literatura de interés documental y humanitario similar a muchas de las obras escritas sobre el indio.[25] Después de la década del veinte el negro figuró en arte menos como objeto de un sentimiento humanitario que como una figura con sus propios derechos, cuya cultura tenía un valor intrínseco. Los temas del folklore negro hicieron su aparición en arte, pintura y literatura, pero como parte del variado paisaje brasileño.

Una presentación narrativa sobresaliente de la vida de un negro la tenemos en la novela de Lins do Rego, *O Moleque Ricardo* (1935), ya tratada en relación con el nacionalismo. No sólo la prosa de esta novela capta la psicología del personaje de modo notable, sino que lo hace sin tener que recurrir a formas dialectales o caer en la incomprensibilidad. Ricardo no es un "tipo", no es el "negro", sino un individuo que además es negro. De esta manera la novela no es realmente una novela sobre el tema del color, sino simplemente la historia de un joven y su vida en una panadería y su intervención en un movimiento de huelga. Nunca se sugiere que alguna de las actitudes de Ricardo emanen del hecho de ser negro, o de que sus dificultades surjan a causa del color. No es el color lo importante sino la posición de Ricardo en un mundo cuyas estructuras sociales intenta transformar.

Jorge Amado escribió una novela sobre la vida negra, *Jubiabá* (1935) que ocurre en Bahía, más próxima en espíritu al afrocubanismo que *O Moleque Ricardo.* El héroe, Antonio Balduino, es un personaje picaresco, un muchacho de la calle que "sólo conoce la ley del instinto" y que en el curso de su vida es músico, boxeador, explotador de mujeres. Aunque la novela tiene un mensaje político y Antonio termina como organizador sindical, una vez que ha conocido las leyes de la solidaridad humana, el lector no puede dejar de pensar que el mensaje político es incidental dentro del retrato pintoresco y lleno de colorido de la vida negra.

Es en la poesía más que en la novela del Brasil donde los valores negros se oponen a los del blanco. Jorge de Lima (1893-1953), uno de los escritores del Noreste cuya carrera poética se desarrolló en diferentes etapas y estilos, publicó en 1928 una excelente colección de poemas sobre temas negros con el título de *Bangue e Negra Fulô.* El poema más conocido de esa colección "Essa negra Fulô" evoca un mundo de amos y esclavos que anticipa la descripción de Freyre en *Casa Grande e Senzala.* En el poema de Jorge de Lima, los ritmos folklóricos están hábilmente empleados para presentar una situación arquetípica, como en las baladas tradicionales. La historia de una negra, sirvienta en la Casa Grande que roba el amor de su amo, recrea no solamente el atractivo de las negras sino toda la complejidad de la simbiosis blanco-negra de Brasil. Como los poemas de Guillén, los de De Lima a menudo contienen una protesta contra los sufrimientos del negro, en quien reconoce una superioridad moral.

> Olá Negro! Olá Negro!
> A raça que enforca, enforca-se de tédio, negro!
> E és tu que a alegras ainda com os teus jazzes,
> com os teus *songs,* com os teus lundus.
> Os poetas, os libertadores, os que derramaram
> babosas torrentes de falsa piedade
> não compreendiam que tu ias rir!
> E o teu riso, e a tua virgindade e os teus mêdos e a tua bondade
> mudariam a alma branca cansada de tôdas as ferocidades![38]

Esta sugerencia de una superioridad moral del negro y el indio, junto con la teoría de que sus culturas tienen una relación mayor con el ambiente circundante que la lograda por la cultura occidental, es característica del arte indígena producido después de la guerra de 1914-1918. En su forma más superficial, este movimiento fue un mero gesto de desafío hacia Europa; en sus mejores logros hizo justicia a sectores hasta entonces silenciados de la sociedad. Es en el folklore de Brasil —en la música, la danza, en los ritos de candomblé y macumba— donde la influencia africana es más evidente. Vinicius de Moraes (1913), autor de la obra de teatro (y película) *Orfeu da Conceição,* no solamente refleja la influencia del folklore africano sino también escribe letras para canciones de *bossa nova.*

LA TIERRA

La tierra es el otro elemento de esa trinidad a la que muchos artistas se habían aferrado en busca de raíces. En realidad era la estrecha liga del indio y el negro con la naturaleza lo que atrajo hacia ellos la atención de los intelectuales. En la superficie de sus culturas estaba la tierra misma. Pero el retorno a la naturaleza no podía hacerse en términos europeos. Aquí no había Arcadia sino un medio hostil que nada tenía en común con los jardines europeos. La vida del hombre en las selvas o en las regiones montañosas constituiría una lucha dramática. La primera lección que aprendió el artista al mirar al interior de sus países era que aquél no era un lugar donde el hombre pudiera darse el lujo de sentimientos personales, sino que se trataba de un medio que aniquilaba al individuo.

Una de las primeras novelas importantes que marcó el contraste entre las relaciones del hombre europeo y latinoamericano con la naturaleza fue *La vorágine* de José Eustasio Rivera, publicada en 1924. El protagonista, Arturo Cova, hombre culto, educado en la ciudad, huye al desierto muy influido por el espíritu romántico europeo que preconiza el escape de la sociedad. Pero ahí termina la semejanza con Europa. *La vorágine* se convierte en un grito de horror y sorpresa ante el mundo hostil que Arturo Cova encuentra fuera del marco civilizado de la sociedad urbana. Una y otra vez el idilio natural es destruido en esta novela. Arturo Cova acampa junto a una laguna y se entrega a meditaciones románticas, para en ese instante descubrir una horrible serpiente de río. Un hato de ganado se detiene abruptamente cuando uno de los vaqueros es atacado por un toro y queda degollado. Cuando Cova llega a la selva, encuentra que la personalidad humana se derrumba completamente. El hombre se ve reducido a un elemento insignificante en medio de un implacable ciclo natural en que las plantas se alimentan de plantas y el animal de animales. La carnada humana que se introduce en la selva es simplemente una repetición de esa ley de la naturaleza. La novela de José Eustasio Rivera se propone destruir deliberadamente el concepto europeo de una naturaleza domesticada.

No todos los escritores, sin embargo, iban a contemplar el paisaje natural con tal horror. Con el rechazo de los valores europeos en los años veinte y el regreso a lo indígena, muchos artistas encontraron en la tierra una fuente de verdaderos valores nacionales. Tal fue particularmente el caso de la Argentina y el Uruguay, donde no había poblaciones india o negra que pudieran proporcionar una cultura aborigen. La parte desempeñada por la tierra en la formación de una cultura fue primero planteada como una tesis seria por el escritor argentino Ricardo Rojas en *Blasón de plata* (1909), en que sugería que la *fuerza territorial* tenía una profunda influencia en la forja del carácter del pueblo. Rojas creía que aun en Argentina, era importante el indio porque había dado una contribución clave a la formación de la nación y a su cultura. Consideraba también que había algo en el campo argentino que tenía una influencia benéfica en la gente y que transformaría a los inmigrantes en verdaderos argentinos.[27] Aunque no expresado tan claramente, este concepto de la tierra como fuerza formadora y beneficiosa se refleja en la poesía de dos mujeres, Gabriela Mistral (Chile, 1889-1957) y Juana de Ibarbourou (Uruguay, 1895), y en la de Carlos Pellicer (México, 1899). Sin embargo, fue en la novela y en el cuento donde la mística de la tierra y su influencia en la formación de una cultura y una forma de vida alcanzó su expresión más plena, especialmente en las obras de Horacio Quiroga (Uruguay, 1878-1937), Ricardo Güiraldes de la Argentina y Rómulo Gallegos de Venezuela. Es interesante advertir que, en los primeros dos, la exaltación de la naturaleza, o del hombre formado en contacto con la naturaleza, implica una condenación de la sociedad.

Horacio Quiroga comenzó a escribir a principios del siglo bajo la influencia de los modernistas y de Edgar Allan Poe. El punto culminante de su carrera fue una visita bajo los auspicios del gobierno argentino a Misiones, en el norte de Argentina. Misiones era una región tropical que había estado en decadencia desde la expulsión de los jesuitas en el siglo XVIII y estaba poblada en gran parte por rudos colonizadores. Quiroga quedó fascinado por la vida de la región, por lo que pasó la mayor parte de su vida en ésa y en otras regiones remotas, viviendo como agricultor. Sus mejores cuentos incluidos en, *Cuentos de amor, de locura y de muerte* (1917), *Cuentos de la selva* (1918), *Anaconda* (1921) y *Los desterrados* (1926) ocurren en esas regiones.

La naturaleza no aparece sólo como paisaje en los cuentos de Quiroga. El río Paraná, las selvas, los fenómenos naturales, el calor y las mareas, todo forma parte de la existencia del hombre y le antepone obstáculos que debe vencer, peligros a los que debe enfrentarse. No hay premio para esa lucha, ni paraíso al que arribar. La cualidad de la vida del hombre se da en la lucha, y éste es el único sentido de la existencia. La gente puede ser banal, ordinaria y actuar por los motivos más triviales, como en "En la noche", en que el velador de una tienda y su mujer remontan el Paraná cuando está peligrosamente crecido. El hombre es envenenado por una raya y la mujer tiene que remar sola a través de la noche, actuando con una increíble capacidad de resistencia. En tales medios, la más leve falta de carácter se vuelve fatal. En "La miel silvestre", un joven de la ciudad da un paseo por la selva como si estuviera en un parque. Come un poco de miel silvestre, le sobreviene una parálisis y es devorado por las hormigas. La voracidad, que en la ciudad hubiera pasado inadvertida, en la selva resulta fatal. Pero, aunque la vida en la selva está sujeta a grandes calamidades naturales, la calidad de la vida resulta infinitamente superior a la vida social. De hecho, los cuentos de Quiroga son una condenación implícita a la sociedad; la mayoría de sus personajes viven casi solos, aislados de todo, salvo de los contactos humanos más esenciales. En un cuento alegórico, "La patria", los animales de la selva viven en una felicidad perfecta hasta que las abejas, aspirando a la superioridad intelectual, leen un libro humano y tratan de vivir conforme a leyes humanas. Crean una nación con fronteras y bandera de la que son expulsados todos los extranjeros. Se erige un muro alrededor de la selva y se pone una red bajo el cielo. Un hombre regresa a la selva, desilusionado de la guerra. El cuento implica que la organización social y nacional inventada por el hombre es una especie de cárcel.

La actitud recelosa de Quiroga al mecanismo de la sociedad está ilustrada en "El techo de incienso", un cuento basado en datos autobiográficos. El protagonista (archivero en un remoto distrito de Misiones) mantiene los registros de nacimientos y defunciones en la más desesperante de las confusiones, porque pasa casi todo el tiempo reparando el techo de su cabaña. Tanto en este cuento como en "La patria", Quiroga parece implicar que el hombre puede pasarlo bastante bien sin los mecanismos de la nacionalidad y las instituciones, y que en realidad la organización social aumenta más que disminuye las dificultades y rivalidades de la vida. Muchos cuentos de Quiroga tienen protagonistas animales, y en uno de los más famosos, "Anaconda", el personaje es una boa constrictor. En todos esos cuentos, el autor muestra un conocimiento profundo del comportamiento animal y, en contraste, la ineptitud del hombre. En "La insolación" dos perros yacen a la sombra durante una peligrosa onda cálida, atónitos mientras su amo se dedica a trabajar bajo el sol que ya ha aniquilado un caballo. La prudencia de los perros se contrapone favorablemente con la imprudente conducta del hombre, que finalmente es destruido. En "El alambre de púas" dos caballos amantes de la libertad no pueden entender la ansiedad del hombre por cercar sus tierras, ni la venganza inmisericorde que un hombre se toma contra un toro que ha derribado un alambrado. En muchos de los cuentos de Quiroga el hombre destruye a los animales o los maltrata porque ha perdido la capacidad de entender la naturaleza y la vida natural.

Uno de los cuentos más perfectos de Quiroga, "El hombre muerto", demuestra cuán débiles son los lazos humanos con la tierra. El cuento está presentado en forma de una breve meditación, pocos segundos antes de la muerte de un hombre que se ha herido con un machete. El moribundo contempla la plantación bananera que ha estado limpiando, y las hojas de plátano, inmóviles bajo el sol, hasta que el concepto del "yo" comienza lentamente a desaparecer. Nada fundamental ha cambiado. La plantación, las hojas de plátano, continúan ahí, pero el ser humano que las ha contemplado como parte de "sus" posesiones ha dejado de existir. Para Quiroga la importancia de la tierra consiste en que demuestra la banalidad de la sociedad y la civilización humanas y la naturaleza efímera y mezquina de los seres humanos.

Esta especie de tema es desarrollado por Ricardo Güiraldes en *Don Segundo Sombra* (1926), en donde la humildad y paciencia que el hombre adquiere en contacto con la naturaleza contribuye a su formación como ser humano. La novela describe la historia de un muchacho, Guacho, que crece rústicamente en una ciudad de provincia donde vive a cargo de unas tías incomprensivas. Debido a su admiración por un vaquero, don Segundo Sombra, hombre independiente, valiente, maduro y justo, deja el hogar para ir a trabajar en un rancho. Don Segundo se hace cargo del muchacho, lo conduce a través del país con una tropa de ganado y le enseña todo lo concerniente a la vida de vaquero. El muchacho aprende que en esa vida no existe cabida para los caprichos individuales, las actitudes egoístas y las bravuconerías. Los riesgos físicos prueban la calidad del hombre y cualquier debilidad de carácter se hace pronto evidente. En un año o dos, Guacho ha sido transformado de un muchacho vagabundo en un ser humano maduro, capaz de tomar las responsabilidades como propietario de un rancho. Cuando esto ocurre, don Segundo Sombra, cumplida su misión, desaparece. El nombre "Sombra" es en parte simbólico, ya que por Sombra se entiende la pampa misma. Las lecciones que Guacho ha aprendido son producto de su contacto con la Naturaleza.

Tanto Güiraldes como Quiroga contraponen "valores naturales" a los valores sociales: ambos sitúan a sus personajes fuera de la sociedad y les permiten desarrollarse solos, en contacto estrecho con la naturaleza. Ningún sentimentalismo encubre o subestima sus posibles peligros, pero ambos autores sugieren implícitamente que la civilización y la sociedad humanas han fracasado en su intento de desarrollar cualidades verdaderamente morales en el hombre.

Canaima (1935) de Rómulo Gallegos opone también la influencia de la naturaleza a la de la sociedad humana, aunque Gallegos no condena a la sociedad en sí sino al tipo de sociedad que se desarrolló en Venezuela. A través del carácter de un cazador misterioso, Juan Solito, hombre que ha aprendido a manejar a la naturaleza, y que cree que la sabiduría debe venir de "abajo" y no de arriba, Gallegos llega a la conclusión de que la tierra y no los valores europeos de riqueza material o poder constituye la fuerza educativa que debe formar el carácter venezolano.

EN BUSCA DE LOS PASOS PERDIDOS

El rechazo de los valores europeos indujo a los latinoamericanos a volver al indio, al negro y a la tierra, en busca de raíces. De muchas maneras, el movimiento fue sano. Los artistas produjeron novelas, poemas y obras plásticas de enorme poder y originalidad, que descubrieron valores indígenas. La poesía de Nicolás Guillén, Gabriela Mistral y Jorge de Lima; las novelas de Miguel Ángel Asturias, Rómulo Gallegos y José María Arguedas; los cuentos de Horacio Quiroga, la pintura de Diego Rivera, todo ello creó nuevas zonas de experiencia. Pero finalmente el filón del que surgieron demostró ser demasiado estrecho para exploraciones posteriores.

En 1953 apareció una novela que es una alegoría de las búsquedas del artista latinoamericano y una prevención para el futuro, *Los pasos perdidos* de Alejo Carpentier. Carpentier se formó como poeta en el movimiento afrocubano y por consiguiente conocía el terreno que pisaba. En *Los pasos perdidos* su protagonista es un músico, un hombre que compone música para películas y obras teatrales en una gran ciudad cosmopolita moderna; está casado con una actriz que actúa en una obra cuyo éxito la ha mantenido años enteros en cartelera. Ambos son artistas que han experimentado el deterioro de una civilización comercial y urbana. Pero el músico tiene una segunda oportunidad cuando es enviado en una expedición a la región de la selva del Orinoco en busca de algunos instrumentos musicales primitivos. El viaje del músico va a ser una peregrinación en busca de sus propios "pasos perdidos", es decir, sus propias raíces culturales y las de la parte del continente a la que pertenece. Se incorpora a un grupo de personas que huyen de la vida moderna a fin de fundar una nueva comunidad lejos de la civilización. Los acompaña hasta el corazón de la selva y llegan a comunidades cada vez más primitivas para, al fin, arribar a una región no hollada por el hombre. Durante algún tiempo el artista se siente tentado a permanecer en este nuevo Edén, pero descubre que no puede conciliar esa existencia con su profesión musical. Regresa temporalmente a la civilización; cuando intenta volver nuevamente a la comunidad de la selva descubre que no puede encontrar el camino.

La novela de Carpentier llega a la conclusión de que mientras el artista puede y debe buscar los pasos perdidos a sus propias raíces culturales, no debe permanecer en el pasado. Explícitamente señala al final de la novela que ningún artista puede volver atrás, ya que esto es negar su calidad de hombre, cuya tarea es la de Adán: dar nombre a las cosas. No importa que Carpentier proponga esto como un comentario a su propia carrera, o que se refiera al nacionalismo cultural de la época; lo cierto es que la validez de sus puntos de vista se demuestra por el hecho de que los mismos artistas han encontrado que los pueblos indígenas y la fuerza telúrica de la naturaleza son, después de todo, únicamente algunos aspectos de una realidad latinoamericana enormemente compleja, de la que hasta hoy gran parte permanece inexplorada.

Hay más. La exploración de la vida del indio, del negro y de la tierra, si bien tiene la virtud de despertar conciencia de lo desconocido, es muy limitada como programa estético o político. Tanto el indigenismo como el gauchismo constituían en un momento dado trabas al desarrollo del arte. Las funestas consecuencias de la *négritude* en Haiti no tienen resonancia en América Latina. Sin embargo, el fomento turístico del primitivismo en Brasil, por ejemplo, a menudo es vinculado con el chovinismo y la falsificación de la historia.[28]

5. ARTE Y LUCHA POLÍTICA

En la década de 1920 el mundo comenzó a dividirse gradualmente en dos campos antagónicos, el comunismo y el fascismo. La preocupación política se volvió impostergable. Si tales preocupaciones pudieron reconciliarse con los fines del arte, ése es ya otro problema. Este capítulo se propone examinar los diversos modos en que al artista enfrentó las a menudo incompatibles exigencias del arte y la política. Algunos se hicieron militantes y abandonaron la pintura y la poesía; otros pusieron su obra al servicio de un mensaje. Unos cuantos —y éstos fueron minoría— intentaron hallar una forma artística con la cual universalizar sus preocupaciones políticas. Muchos, aunque no todos, se afiliaron al Partido Comunista, y debemos tener presente que no siempre se conformaron a las exigencias estéticas del Partido e, inversamente, algunos que no eran comunistas se sintieron obligados a escribir sobre problemas políticos.

Es importante recordar que en Latinoamérica varios partidos comunistas y socialistas fueron fundados y dirigidos por artistas e intelectuales. El ejemplo más destacado fue el del partido Comunista Mexicano, que en un momento tuvo a tres pintores destacados, Diego Rivera, David Alfaro Siqueiros y Xavier Guerrero en su comité central. En el Perú, el intelectual José Carlos Mariátegui fundó el Partido Socialista;* en Cuba, uno de los más descollantes militantes de los veintes fue a la vez un poeta de vanguardia, Rubén Martínez Villena.

No es sorprendente entonces que entre aquellos primeros militantes comunistas el nombre del novelista francés Henri Barbusse fuera tan importante como el de Lenin. Mucho más efectiva que el impulso directo de la Revolución rusa, de la cual las noticias llegaban distorsionadas e incoherentes, fue la influencia de la izquierda intelectual francesa y, especialmente, del movimiento *Clarté*. Barbusse, autor de una novela an-

* Este Partido Socialista fue un partido marxista que formó parte de la Internacional Comunista. A la muerte de Mariátegui fue reorganizado y rebautizado con el nombre de Partido Comunista Peruano.

tibélica de gran circulación, *El fuego* (1917), fundó en 1919 la revista *Clarté,* que agrupaba a destacados intelectuales del momento "en la lucha contra la ignorancia y contra quienes dirigían ésta como una empresa". Los intelectuales de *Clarté* eran pacifistas y se oponían a la intervención contra la recién creada Unión Soviética.[1] *Clarté* se transformó rápidamente en un movimiento internacional y pronto tuvo ramificaciones en Latinoamérica. En Perú Haya de la Torre y Mariátegui estaban asociados en la revista *Claridad*[2]. En su visita a Europa a principios de los veintes Mariátegui visitó las oficinas de *Clarté* y conoció a Barbusse. En el ensayo "La revolución de la inteligencia", escrito a su regreso, describe la obra de Barbusse y de sus colegas. En Argentina se fundó en 1922 una revista *Claridad* y una casa editorial que publicó traducciones de Marx y Barbusse, así como novelas argentinas contemporáneas y clásicas. En Chile los estudiantes publicaron una revista *Claridad* donde aparecieron algunos de los primeros poemas de Pablo Neruda.[3] En Brasil se fundó en Río una revista *Claridad* y en São Paulo surgió el "Grupo Zumbi", de breve existencia, que agrupó a "jóvenes escritores pequeñoburgueses y obreros".[4] Los intelectuales formaron otra sección revolucionaria junto con los estudiantes. El movimiento de reforma universitaria en Argentina expresó su fe en un futuro socialista; Haya de la Torre comenzó su carrera política como militante en el movimiento estudiantil. En Cuba, los estudiantes progresistas celebraron en 1925 el primer Congreso Revolucionario de Estudiantes, del que surgió la Universidad Popular.[5] La militancia de los estudiantes e intelectuales en aquellos tiempos iniciales del movimiento comunista no deja lugar a dudas. Los más convencidos entre ellos —Diego Rivera, César Vallejo, Rubén Martínez Villena— visitaron la Unión Soviética. Además de su trabajo dentro de o junto al partido comunista los intelectuales de ese periodo estaban asociados con el movimiento sindical y las ligas antimperialistas. Los escritores se sintieron atraídos a la izquierda no sólo por la influencia francesa o por un deseo de justicia social; había también una atracción quizá más fuerte: pertenecer a una fuerza que inevitablemente triunfaría en el futuro. En Argentina, José Ingenieros, un veterano socialista, consideraba ya entonces la Revolución rusa como el anuncio de una Nueva Era.* La pereza, corrupción e inmoralidad de la decadente clase burguesa eran evidentes, por lo cual esa clase debía ser reemplazada por la clase obrera, ya que ésta poseía una conciencia moral nueva y superior. Ingenieros estaba convencido de que colaboraba con las fuerzas del futuro.[6]

Sin embargo, algunos intelectuales influyentes comenzaron pronto a sostener que la simpatía hacia las nuevas corrientes políticas no era suficiente. Debía haber también una participación activa en el campo de la acción. En París, el *Manifeste aux intellectuels* (1927) de Henri Barbusse sostenía que los intelectuales debían hacer todo lo posible para ayudar al nacimiento de la sociedad nueva. En un periodo de crisis como el que se vivía, las circunstancias sociales debían tener precedencia; los intelectuales debían por ello "desempeñar el claro papel social que les correspondía".[7]

Algunos intelectuales latinoamericanos adoptaron esta posición, especialmente José Carlos Mariátegui. En un ensayo en que exponía el problema del intelectual y del movimiento revolucionario, señalaba que, en el pasado, los intelectuales habían sido aliados dudosos en un movimiento político:

> Los intelectuales son generalmente reacios a la disciplina, al programa y al sistema. Su psicología es individualista y su pensamiento es heterodoxo. En ellos, sobre todo, el sentimiento de la individualidad es excesivo y desbordante. La inteligencia del intelectual se siente casi siempre superior a las reglas comunes.[8]

Aún más, según él los intelectuales a menudo son conservadores y sienten aversión por los cambios. Para Mariátegui, Barbusse representaba un nuevo tipo de intelectual, alguien que se había unido a las fuerzas progresistas del mundo y que había roto con la imagen tradicional del aliado indigno de confianza y desleal.

A finales de los años veinte y principios de los treinta, estos grandes entusiasmos iniciales se transformaron en una actitud más rígida. Comenzó entonces a exigirse una adhesión más estricta a la política de Moscú. Se había formado el Komintern. Movimientos como la Alianza Popular Revolu-

* Aunque él nunca se unió al Partido Comunista, sino que siguió siendo miembro del Partido Socialista Argentino.

cionaria Americana (APRA) del Perú, basada en la unión de las clases medias y los obreros, fueron condenados. El Partido Socialista Peruano, de Mariátegui, tampoco escapó a la crítica, y a la muerte de éste fue reformado para convertirse en el Partido Comunista Peruano. Ciertos miembros poco ortodoxos de los partidos comunistas fueron expulsados. Diego Rivera fue expulsado en 1929 (y sólo readmitido poco antes de su muerte). En América Latina este "endurecimiento" de la izquierda ocurrió en una época en que —con la excepción de México— las esperanzas optimistas en la revolución social habían comenzado a desvanecerse. En Brasil, por ejemplo, la revolución de 1930, que parecía ser la primera etapa hacia la implantación de la reforma social, llevó al poder a Getúlio Vargas (1930-1945) quien, después de prometer algunos cambios importantes, introdujo un estado corporativo de tipo fascista, aniquilando toda oposición, especialmente la que le anteponía la Alianca Nacional Libertadora,[9] de inspiración comunista. En Argentina, los propietarios de extrema derecha volvieron al poder en 1930. En Chile, Arturo Alessandri fue reelecto en 1934 como elemento reformista, pero en realidad representó los intereses de la oligarquía terrateniente. Como era de esperarse, los efectos de la depresión económica repercutieron muy agudamente en países como Brasil y Bolivia, cuya economía dependía fuertemente de la exportación de materias primas.

Indudablemente la depresión económica, añadida a las actividades de la derecha, ayudó a cristalizar la opinión de ciertos intelectuales que hasta entonces no habían participado activamente en política. En 1936, el estallido de la guerra civil española condujo a muchos escritores y artistas hasta entonces no militantes a engrosar las filas de la izquierda e impulsó a los intelectuales idealistas de la clase media a unirse con los obreros y los campesinos. Neruda se adhirió al Partido Comunista en 1939, después de su permanencia en España durante la guerra. A Octavio Paz (1914) lo conmovió profundamente su asistencia a un congreso de escritores en España; y su compatriota, David Alfaro Siqueiros (1898) desde tiempo atrás miembro del Partido Comunista Mexicano, combatió en el frente de batalla español.

Para el novelista brasileño Graciliano Ramos, el ejemplo de Prestes y específicamente su espectacular marcha por el interior del Brasil entre 1925 y 1927, fue uno de los factores decisivos para inclinar sus simpatías. "Esa rebeldía sin objetivo ya no era posible en una tierra de conformismo y usura, donde los funcionarios se agarraban a sus puestos como ostras, donde el comerciante y el industrial roían sin piedad al consumidor empobrecido." [10] Y aunque consideraba absurdas muchas de las posiciones de la izquierda —la distribución de la tierra en el noreste del Brasil, por ejemplo, le parecía una tontería— reconocía la calidad del sacrificio y heroísmo de los mejores militantes. Graciliano Ramos era excesivamente honesto como para creer que la militancia en el Partido Comunista creaba por ese solo hecho un hombre mejor, y lo suficientemente lúcido como para expresar sus dudas y vacilaciones. Una de las revelaciones más interesantes de sus *Memórias do Cárcere* (1954) es el informe que da de sus dificultades cuando tiene que renunciar a su posición privilegiada y convivir con la masa. No está acostumbrado al tuteo de los extraños, a estar sucio, sin diferenciación alguna con el proletariado. De cualquier manera, cuando las autoridades de la colonia penal tratan de nombrarlo responsable de grupo o distinguirlo de alguna manera, él no acepta.

Graciliano Ramos habla con severidad constante de sus esfuerzos literarios. Lejos de sentirse miembro privilegiado de una minoría selecta, hace todo lo posible para revelar su ordinariez, aun su inferioridad en algunos aspectos a hombres que consideraba más valientes o decididos que él. Otros escritores llevaron esta actitud a extremos aún mayores y abandonaron la actividad artística para convertirse en profesionales políticos o en dirigentes sindicales; por ejemplo, David Alfaro Siqueiros, el muralista mexicano, se convirtió en un organizador sindical y fue delegado al Primer Congreso Sindical Latinoamericano en 1928. En distintos periodos de su vida ha abandonado el arte para entregarse de lleno a la lucha política, como durante su permanencia en España en plena guerra civil.[11] Tal vez los ejemplos más interesantes de conversión de un intelectual en militante nos lo ofrecen dos poetas de vanguardia: el cubano Rubén Martínez Villena (1899-1934) y el peruano César Vallejo (1892-1938).

Martínez Villena fue un abogado que libró sus primeras campañas políticas en la Universidad. La lucha se intensificó en 1925 al tomar el poder el dictador Machado. Después de la huelga general de 1930 Martínez Villena fue sentenciado a muerte, pero logró escapar del país. Un año o dos antes de eso, al poco tiempo de haberse inscrito en el Partido Comunista, se pudo percibir un cambio de actitud en su poesía. En cierta ocasión expresó a Raúl Roa: "No haré un verso más como esos que he hecho hasta ahora. No necesito hacerlos, ¿para qué? Ya yo no siento mi tragedia personal. Yo ahora no me pertenezco. Yo ahora soy de ellos y de mi Partido..." [12] Cuando un colega le propuso publicar sus poemas, Martínez Villena le respondió rotundamente: "Ya no soy poeta (aunque he escrito versos). No me tengas por tal ... yo destrozo mis versos, los desprecio, los regalo, los olvido: me interesan tanto como a la mayor parte de nuestros escritores interesa la justicia social." [13] En la misma carta que citamos declaraba que sólo hubiera consentido en publicar su libro si fuera de protesta, si mostrara la posesión del país por el capitalismo norteamericano o las condiciones miserables de los trabajadores de Cuba, en vez de ser sólo un libro de poemas.

El caso de César Vallejo es más complejo. En 1923, este autor de dos notables libros de poemas —*Los heraldos negros* (1918) y *Trilce* (1922)— abandonó el Perú, en donde la publicación de sus poemas había pasado bastante inadvertida, y se dirigió a París. Vivió allí casi continuamente, en condiciones extremadamente duras, hasta su muerte ocurrida en 1938. Durante la primera época de París sus simpatías lo acercaban al APRA. Cuando Haya de la Torre visitó París, Vallejo lo esperaba en la estación, pues, según parece, se había incorporado a la célula del APRA establecida en la capital francesa. Los artículos que Vallejo escribió en París en esa época reflejan claramente los conceptos del APRA sobre arte e ideología. Sostenía que tanto el arte como la ideología debían surgir naturalmente de la realidad nacional y no seguir modelos extranjeros. Todavía hacia 1929 lo encontramos atacando al marxismo por su excesiva rigidez: "Hay hombres que se forman una teoría o se la prestan al prójimo, para luego, tratar de meter y encuadrar la vida a horcajadas y a mojicones, dentro de esa teoría. La vida viene, en ese caso, a servir a la doctrina en lugar de que ésta sirva a aquélla." [14] Consideraba peligroso que una teoría como el marxismo constriñera la vida "en zapato de hierro" y falsificara así la experiencia. En un artículo, "El apostolado como oficio", habló irónicamente de Barbusse y de Romain Rolland y lamentó que todo mundo en esa época aspirara a ser revolucionario, cuando lo que se requería era un "equilibrio dinámico." [15]

No obstante, a pesar de sus dudas sobre el marxismo y de la rigidez de la línea del Partido, tanto la poesía de Vallejo como sus artículos revelan una desconfianza en el intelectual y una admiración por la sufriente humanidad común, que iban a ser decisivos. En abril de 1928, por ejemplo, en un artículo sobre "obreros manuales y obreros intelectuales" había ya un cambio de tono. El artículo comentaba un cuestionario enviado a los principales escritores franceses, preguntándoles por qué habían elegido la carrera literaria. Vallejo usaba ese cuestionario como punto de partida para lanzar un ataque a los intelectuales, arguyendo que por la pura naturaleza de su profesión eran deshonestos. "El pensamiento es la facultad que más se presta a los resortes de fraude y mala fe, de truco y tinterillaje." [16] El intelectual, decía, no es sino una fuente de males, pues era una facultad de raciocinio "al servicio consciente o inconsciente de tal o cual pasión o interés". El intelecto era la antivida. "La vida supone honradez, limpieza, salud. El fraude, el zurdo expediente dialéctico, se opone a la vida." Es interesante ver cómo en esta discusión Vallejo opone el intelecto a las fuerzas vitales. De hecho en la raíz de su pensamiento parece estar el concepto bergsoniano del flujo vital que la razón falsifica.*

En contraste con el intelectual, el obrero manual vive más sencilla y honestamente. El obrero actúa naturalmente de acuerdo con una dialéctica natural y no artificial. Desde esta posición Vallejo desarrolló gradualmente la certeza de que el artista debía unirse a la batalla política al lado de los obreros. Por esa razón condenó a los surrealistas, que se rehusaban a dar tal paso, y deploraba el hecho de que el surrealismo, que habría podido convertirse en un movimiento importante y positivo, hubiera fracasado. "El pesimismo y la desesperación deben ser siempre etapas y no metas. Para que

* La superioridad del obrero sobre el artista o intelectual era, por supuesto, un elemento habitual en la propaganda comunista. Es el argumento de Vallejo el que es interesante, pues se asemeja al que había usado contra el marxismo.

ellos agiten y fecunden el espíritu deben desenvolverse hasta transformarse en fuerzas constructivas." [17]

Al igual que Martínez Villena, Vallejo se hizo miembro del partido. Se entregó a una intensa actividad periodística, hizo dos viajes a Rusia y comenzó a escribir dramas sociales y novelas. Aunque los testimonios sobre esta etapa de su vida son escasos, de algunos pasajes de la novela *Tungsteno* (1931) claramente se desprende que consideraba al intelectual como inferior al obrero militante.

> Los inteligentes nunca hacen nada de bueno. Los que son inteligentes y no están con los obreros y con los pobres sólo saben subir y sentarse en el Gobierno y hacerse, ellos también, ricos y no se acuerdan más de los necesitados y de los trabajadores.

Y cierto personaje de la novela *Huanca* (un dirigente sindical) le dice al intelectual: "Lo único que pueden hacer ustedes por nosotros es hacer lo que nosotros les digamos, y oírnos y ponerse a nuestras órdenes y al servicio de nuestros intereses." [18]

Para Siqueiros, Martínez Villena y Vallejo, la afiliación en el Partido Comunista significaba que la creación artística debía subordinarse a las actividades de aquél.

HACIA UNA ESTÉTICA COMUNISTA

El ataque vanguardista al arte y a los valores burgueses parecía ya bastante revolucionario a comienzos de los veinte. No era necesario ser miembro del Partido Comunista para saludar a la Revolución rusa o pronosticar la decadencia de la civilización occidental. Vicente Huidobro (1893-1948) —escritor chileno que fue uno de los iniciadores del vanguardismo latinoamericano con su movimiento "creacionista"— escribió poemas con audaces diseños tipográficos y una métrica libre. En esos poemas condenaba el mundo de las máquinas que conducen a la muerte y la pobreza del hombre:

> Entre la niebla vegetal y espesa
> los mendigos de las calles de Londres
> pegados como anuncios
> contra los fríos muros.[19]

En México, los estridentistas saludaron a la Revolución rusa. *Urbe* (1924) por Manuel Maples Arce (1898) está dedicado a los obreros de México. El poeta describe en términos terribles los sentimientos culpables de los capitalistas:

> Y ahora, los burgueses ladrones se echaron a temblar
> por los caudales
> que robaron al pueblo,
> pero alguien ocultó bajo sus sueños
> el pentagrama espiritual del explosivo.[20]

La principal función de la poesía izquierdista en esa época parecía ser la profética, augurar el apocalipsis que llegaría, como en el poema que Diego Rivera incluyó en uno de sus murales de la Secretaría de Educación Pública. El autor del poema vislumbra una Edad de Oro:

> Cuando el pueblo derrocó a los reyes
> y al gobierno burgués mercenario
> instaló sus "consejos" y leyes
> y fundó su poder proletario.

A comienzos de la segunda década no existía un conflicto aparente entre técnicos de vanguardia y el nuevo contenido revolucionario. Pero gradualmente, empezando por la pintura, los artistas comenzaron a advertir que un compromiso revolucionario significaba un cambio en la actitud del artista hacia el arte. Esto se manifestó más en cuestiones externas al arte que en la obra misma. En México se creó una organización de pintores que se autodenominó Sindicato Revolucionario de Obreros Técnicos y Plásticos. Luego ocurrió el reemplazo de la obra de caballete por el mural. Un crítico señaló que "por fin la separación entre trabajo físico y espiritual, tan ofensiva y deshumanizadora para ambas partes, logró desaparecer".[22] José Clemente Orozco, que no era comunista, sostiene que indudablemente existe una ventaja importante del mural sobre las otras formas de pintura, "ya que es la forma más desinteresada y no puede ser objeto de lucro personal: No puede escondérsele para el beneficio de unos cuantos privilegiados. Es para el pueblo".[23] Los pintores acentuaron el aspecto manual y artesanal de su pintura; vestían como obreros; Siqueiros exigía que los pintores usaran el duco y otros tipos de pintura industrial, así como la pistola de aire en vez de pinceles. El órgano del Sindicato de Pintores, que más tarde se convirtió en el periódico oficial del Partido Comunista fue *El Machete,* cuyo lema era:

> El machete sirve para cortar la caña,
> para abrir las veredas en los bosques umbríos,
> decapitar culebras, tronchar toda cizaña,
> y humillar la soberbia de los ricos impíos.

Otro aspecto de la pintura mural atractivo para la izquierda consistía en el hecho de ser el esfuerzo común de una cooperativa o un equipo. Evidentemente era difícil transplantar este espíritu de equipo a las otras artes, aunque tal vez la aproximación más cercana resulte la creación de la novela brasileña, *Brandão entre o mar e o amor,* publicada en 1942 con capítulos escritos por Jorge Amado, José Lins do Rego, Aníbal Machado, Raquel de Queirós y Graciliano Ramos.

La demanda de un "realismo socialista" en literatura y de una técnica figurativa en pintura, el mensaje a las masas más que a un público selecto, llegaron gradualmente a convertirse en exigencias rígidas para el artista izquierdista, no obstante que existía una amplia distancia entre el gusto popular y el del artista, que resultaba ejemplificado por la recepción que tuvieron los primeros murales mexicanos. Aunque eran figurativos y cartelísticos en algunos casos, el pueblo pareció encontrarlos demasiado estilizados y "feos".[24] En la literatura, a comienzos de los veintes, aun en Rusia había una considerable libertad de experimentación formal y no fue sino hasta el momento en que la Asociación de Escritores Proletarios Rusos comenzó a presionar cuando se desencadenó la ofensiva contra la literatura de vanguardia. En 1934, en el Primer Congreso de Escritores de la Unión Soviética, al que fueron invitados muchos intelectuales extranjeros, se decretó oficialmente que la literatura debía emprender "la educación ideológica y la educación del pueblo trabajador en el espíritu del socialismo". Por consiguiente, los escritores comunistas trataron de describir la lucha de clases. Como el mensaje comunista era de carácter mesiánico, había que pintar no sólo la miseria de los obreros sino "las soluciones a esa miseria". La imposición del "realismo socialista" sobre los escritores tendió a producir una fricción entre quienes defendían los derechos de la vanguardia a experimentar y quienes creían que el arte debía tener una función directamente social.

En América Latina el ataque a la vanguardia había comenzado en los veintes. El conflicto entre los extremos era más acerbo en Argentina, Cuba y México. En Argentina el grupo izquierdista *Boedo* (grupo de escritores que tomó el nombre de la calle donde se reunían) acusó a los vanguardistas de *Martín Fierro* de cosmopolitas. En México Diego Rivera lanzó un ataque contra la revista mexicana *Contemporáneos* y la *Revista de Avance* de Cuba, acusándolas de aristocratismo y de excesiva desviación de las corrientes vitales.* El término "cosmopolitismo" implicaba desprecio de los valores nacionales, mientras que "aristocratismo" era una acusación que implicaba una necesidad de exclusividad por parte de la vanguardia. Tanto la experimentación en la literatura como en la pintura, debido a que se dirigían a una élite, eran consideradas como fenómenos reaccionarios y sintomáticos de decadencia. Cuando Nueva York se convirtió en el centro del abstraccionismo, la pintura abstracta fue a menudo identificada con el "imperialismo" por algunos pintores figurativos de extrema izquierda, especialmente en México. En Cuba un crítico ha lanzado recientemente la misma acusación.[25]

REVOLUCIÓN Y PINTURA

El muralista mexicano José Clemente Orozco hizo en 1947 una descripción de las etapas por las que había pasado después de la revolución el movimiento muralista. Distinguía tres corrientes. Primero, una corriente "nativista" en sus dos aspectos: arcaicopintoresco y folklórico: el Olimpo tolteca o azteca, o bien los tipos y costumbres del indígena contemporáneo. Después, "una segunda corriente con contenido histórico... con criterios opuestos, contradictorios. Los personajes que son los héroes en un mural son los villanos en otro. Y por último, una corriente de propaganda revolucionaria y socialista en la que sigue apareciendo, con curiosa persisten-

* Véase el capítulo 6, p. 183.

cia, la iconografía cristiana con sus interminables mártires, persecuciones, milagros, profetas, santos-padres, evangelistas . . . Todo modernizado muy superficialmente; si acaso fusiles y ametralladoras en lugar de arcos y flechas: bombas voladoras y atómicas en lugar de la maldición divina y un confuso y fantástico paraíso en un futuro muy difícil de precisar." [26]

El ataque de Orozco se dirigía a quienes adoptaron una solución ultrasimplista de los problemas de la pintura revolucionaria. Entre los muralistas más destacados había un intento genuino de resolver los problemas en un nivel de altura. El mismo Orozco, a pesar de no haberse alineado a una ideología política definida, se vio constreñido a expresar ideas revolucionarias en la pintura, como nos lo indican los títulos que dio a sus murales. Sus primeros murales en la Escuela Nacional Preparatoria muestran "La burguesía sembrando el odio entre los trabajadores" y "La destrucción del viejo orden". En el Palacio de Gobierno de Guadalajara sus murales destacan diversos tipos de hombre creador: el obrero, el rebelde, el filósofo, el hombre de ciencia. Pero al examinar la obra de Orozco descubrimos que el ataque al rico corrupto es más de índole religiosa que política y que tiene sus raíces en una tradición mexicana y medieval.[27] Sus obras no satíricas "Soldaderas", "La trinchera", el magnífico "Hombre de fuego" pintado en la cúpula del Hospicio Cabañas de Guadalajara, "Cristo destruyendo su cruz"... todas esas obras tienen relación con el sufrimiento y la angustia humana y no con una moda pasajera. En la litografía "Soldaderas", dos soldados revolucionarios aparecen tras la negrura de un muro; la curva de sus hombros bajo los fusiles, sus cabezas inclinadas, la figura oblicua de la mujer que los sigue, expresan resignación. Ha expresado la tristeza de la guerra, no su gloria. De igual manera, en "La trinchera", la figura de un hombre herido o agonizante se desliza a lo largo del cuadro, diagonalmente, en una posición de indefinida desesperación; los cuerpos humanos en este cuadro son los de seres sufrientes o derrotados, rodeados por un marco de balas afiladas como dientes, una bayoneta. En "El hombre de fuego", en la cúpula del Hospicio Cabañas de Guadalajara, y en "Cristo destruyendo su cruz", sus obras de más poderosa expresión, hay un sentimiento de lucha, esfuerzo y angustia. En el mural de la cúpula, el hombre emerge entre crepitantes lenguas de fuego y parece consumirse en medio de ellas. Aquí se expresa por medio de la pintura el fluir heraclitano. En "Cristo destruyendo su cruz", la figura de Cristo, que descarga un golpe de hacha, está casi perdida entre los duros trazos diagonales de la piedra y la cruz.[28] Como puede deducirse, Orozco emplea la pintura para expresar la angustia humana y las luchas del hombre en un nivel universal.

Los otros dos muralistas mexicanos destacados, Rivera y Siqueiros —ambos miembros del Partido Comunista (Rivera hasta su expulsión en 1929)— intentaron traducir en su pintura la ideología revolucionaria. Los primeros murales de Rivera son predominantemente decorativos. En el edificio de la Secretaría de Educación Pública, los murales recrean el paisaje y la gente del Istmo de Tehuantepec, así como los habitantes del Norte: mineros, campesinos, artesanos populares, etc. Se muestran algunas fiestas, danzas y ceremonias populares. Pero aún aquí el empleo del color revela tácitamente la visión del pintor. Un crítico ha declarado que mientras en el segundo piso aparecen símbolos intelectuales en un *gris neutro,* en el corredor del tercer piso, en *colores más cálidos...* se muestra la vida espiritual del pueblo.[29] Rivera asimila así la bondad de la vida con el calor, la tierra, los ritmos naturales de la existencia; los colores fríos están reservados para los símbolos de la antivida intelectual o para los opresores del pueblo, lo que revela una concepción naturalista que encuentra su más plena expresión en los murales de la Escuela de Agricultura de Chapingo, dominados por la enorme figura desnuda de una mujer que representa la Tierra. En contraste con las líneas quebradas y las ásperas diagonales de la pintura de Orozco, las obras más tiernas de Rivera adoptan formas semejantes a vientres, trazados con suaves curvas, especialmente cuando pinta la naturaleza o a hombres y mujeres que simbolizan sus virtudes. Extrañamente, los murales más controvertidos y polémicos de Rivera corresponden al periodo posterior a su expulsión del Partido Comunista. En un mural para el Palacio Nacional, en donde recrea la historia de México, retrata a Cortés como una bestia feroz, de aspecto degenerado. Más violentos aún fueron los paneles del Hotel del Prado donde caricaturiza a la dictadura en el estilo típico del cartel.

En los murales y obras de caballete del tercer pintor del trío mexicano, David Alfaro Siqueiros, encontramos una técnica extraordinaria de "close-up" para destacar ciertos rasgos humanos, especialmente los brazos o puños. Uno de sus autorretratos contiene en primer plano un gigantesco pulgar. Un retrato de mujer llorando tiene la cara casi cubierta por dos grandes manos clavadas en las cuencas de los ojos. "La obrera" destaca los brazos y las fuertes manos en oposición al rostro borroso y poco preciso. Uno de los murales ejecutados en la Universidad Nacional muestra un enorme brazo que termina en un puño cerrado. El brazo y la mano significan para Siqueiros la dignidad del trabajador. Esta glorificación del trabajador manual en oposición al intelectual o al aristócrata, es asimismo característica de sus retratos en que aparecen hombres y mujeres fuertes, de rasgos toscos, pintados con trazos vigorosos. Son la verdadera antítesis de los retratos aristocráticos del siglo dieciocho, de un Gainsborough, por ejemplo.[30]

Otro pintor que adoptó la forma mural y trató de aportar un espíritu nuevo y revolucionario a la pintura fue Cândido Portinari, en Brasil (1903). Como Orozco, Portinari se negó a confundir arte y política; sin embargo tanto en su obra de caballete como en sus murales, hizo aparecer al obrero manual. Portinari estudió en Europa entre 1928 y 1931, y sus primeros cuadros importantes fueron ejecutados después de esa fecha, como, por ejemplo, "Mujer de Bahía con niño", que recuerda las mujeres monumentales de Picasso de comienzos de los veintes. En verdad, el torso monumental del obrero y de la mujer obrera se convirtió para Portinari en algo así como el brazo y el puño para Siqueiros. Una serie de murales para los edificios del Ministerio de Educación en Río muestran aspectos diversos del trabajo manual: tabaco, algodón, caucho, ganado. En todos ellos el énfasis está colocado en el cuerpo del trabajador más que en el rostro.

En Ecuador se observan tendencias parecidas en la obra de Oswaldo Guayasamín. En fin, esta nueva escuela de pintura ha venido a expresar nuevos valores al romper con las convenciones aristocráticas y retratar un tipo físico diferente, en que la fuerza plástica radica en cuerpos y muslos o en rasgos rudos y honrados, más que en los rostros aristocráticos o en suaves y mullidos desnudos.

EL PROBLEMA DE LA POESÍA

La pintura es una forma artística que puede comunicarse directamente con las masas. Por esa razón Orozco consideraba el mural la más alta, lógica, pura y fuerte forma de pintura.[31] ¿Cómo podía la poesía, la más íntima de las artes, ser accesible al pueblo? Tal vez fuera imposible. César Vallejo parecía tener algunas dudas al respecto, pues, poco después de su segunda visita a Rusia en 1929, se dedicó a escribir obras dramáticas: *Mampar, Entre las dos orillas corre el río, Lock-out* y *Piedra cansada*; ninguna ha sido publicada. El hecho de que intentara escribir teatro parece mostrar su intención de encontrar a un público al que no podía llegar por medio de la poesía.

Fuera de la poesía popular, que era una tradición viva en algunas partes de América Latina, el poeta, del Modernismo en adelante, se dirigía ante todo a una élite. Aun después de los modernistas la tradición predominante en México, Chile, Argentina, Uruguay y Colombia era una poesía que reflejaba conflictos espirituales íntimos. Tal era el caso en la segunda y la tercera década del siglo, cuando movimientos poéticos tales como el de *Contemporáneos* en México y *Piedra y Cielo* en Colombia, produjeron poesía primordialmente ceñida a una angustia íntima, a problemas metafísicos o preocupada por la perfección formal. La adhesión a los partidos comunistas en esa época, de tres poetas fundamentales (César Vallejo, Nicolás Guillén y Pablo Neruda), así como de otros poetas menores significó el nacimiento de un nuevo tipo de poesía en que los conflictos y la angustia individuales cedieron paso a temas colectivos. Esto implicaba también la existencia de un nuevo tipo de poeta que no sólo se preocupaba por las masas sino que pudiera también comunicarse con ellas.

La evolución de este nuevo tipo de poesía fue gradual. En los años veinte —el movimiento estridentista es un ejemplo— era suficiente que el poeta revolucionario describiera la revolución en versos libres, vanguardistas. Algunas veces la revolución se asociaba con la era de la máquina, debido a la influencia del futurismo italiano, en otras palabras, el poeta cantaba a una revolución tanto industrial como política. Pero en su "Salutación fraternal al taller mecánico", el poeta cubano Regino Pedroso (1896) concibió la máquina como un instrumento de opresión tanto como "un salmo de esperanza".

> ¡Oh, taller resonante de fiebre creadora!
> ¡Ubre que a la riqueza y la miseria amamanta!
> ¡Fragua que miro a diario forjar propias cadenas
> sobre los yunques de tus ansias!
> Esclavo del Progreso,
> que en tu liturgia nueva y bárbara
> elevas al futuro con tus voces de hierro
> tu inmenso salmo de esperanza.[32]

Igual que la máquina, la ciudad con su estrépito, voces y humo —el "incienso del trabajo", según Rubén Martínez Villena— también hace su aparición en la poesía. En un nivel más profundo el poeta comunista podía expresar su sufrimiento o alienación, es decir los conflictos que lo habían llevado a ser un revolucionario. La pérdida de la fe religiosa, el descubrimiento de que el hombre era sólo una máquina temporal, constituían a menudo los puntos de partida para una búsqueda angustiosa que permitiera una afirmación de la solidaridad humana en el sufrimiento. A menudo la angustia del poeta se traducía en ataques irónicos a los clichés románticos del pasado, como lo demuestra la siguiente embestida al corazón, de Martínez Villena:

> Corazón: los poetas —rubios de candideces—
> te rellenaron firme de goces y pesares.
>
> ...Tú apenas responsable de una inquietud antáxica
> pues isócronamente, un día y otro día,
> preso en la celda ósea de la jaula torácica
> mueves tu mecanismo vil de relojería.[33]

Los primeros poemas de Pablo Neruda y César Vallejo, escritos antes de que ambos se convirtieran en activos militantes, están centrados en preocupaciones personales, el amor, la muerte, la inexorabilidad del tiempo. Pero en los poemas de

Vallejo, desde *Los heraldos negros y Trilce,* el poeta se preocupa menos por los propios sufrimientos que por la incapacidad para trascender el ser individual. Muchos de los poemas de *Trilce* fueron escritos en prisión, pero son implacables en su determinación de no concederse ninguna autocompasión. Los cuatro muros de la celda cercan al poeta, pero su pensamiento se remonta al espacio y al tiempo; una eternidad de distancia y memoria se opone al cerco físico, semejante a la prisión del yo individual.

> En la celda, en lo sólido, también
> se acurrucan los rincones.
>
> Arreglo los desnudos que se ajan,
> se doblan, se harapan.
>
> Apéome del caballo jadeante, bufando
> líneas de bofetadas y de horizontes;
> espumoso pie contra tres cascos.
> Y le ayudo: ¡Anda, animal!
>
> Se le tomaría menos, siempre menos, de lo
> que me tocase erogar,
> en la celda, en lo líquido.
>
> El compañero de prisión comía el trigo
> de las lomas, con mi propia cuchara,
> cuando, a la mesa de mis padres, niño
> me quedaba dormido masticando.
>
> . . .En la celda, en el gas ilimitado
> hasta redondearse en la condensación,
> ¿quién tropieza por afuera?[34]

La extraordinaria creatividad de la poesía de Vallejo, su empleo de una sintaxis en que las preposiciones, verbos y sustantivos se separan de sus estructuras normales, representó una búsqueda auténtica de expresión. El poema que acabamos de citar emplea una técnica cinematográfica que, dentro de los límites de la celda, puede llevar al lector a las colinas o, aún más lejos, a la infancia del autor. El poeta es capaz de sugerir límites humanos y a la vez el derrumbe de todas las barreras. El mismo Vallejo asumía una completa responsabilidad por su estética, surgida, según decía, de la necesidad de la forma más libre que fuera posible encontrar. Confesaba haber sufrido lo indecible para que en esta libertad el ritmo no cayera en la total licencia. Pero aunque los ritmos sean libres y la sintaxis esté distorsionada, las imágenes de Vallejo son por lo general familiares, imágenes tradicionales de sufrimiento, pecado y culpa, si bien es cierto que se trata de un sufrimiento sentido tanto como individuo como en un nivel colectivo. Fue indudablemente su problema profundamente sentido de incomunicación con sus semejantes y el sentimiento de sufrimiento común a toda la humanidad lo que llevó a Vallejo a adherirse al comunismo. Por muchos años, después de su inscripción en el partido, dedicó casi toda su energía al periodismo y al trabajo interno del partido. En 1936 estuvo en España para asistir a las sesiones del Congreso de Escritores Revolucionarios celebrado en varias ciudades del país durante la guerra civil. Casi todos los materiales de sus dos últimas obras —publicadas póstumamente— *Poemas humanos* (1939) y *España, aparta de mí este cáliz* (1938) fueron escritos precisamente antes, durante y después de la visita a España. Murió un viernes santo, el 15 de abril de 1938.

Podía esperarse que estos dos últimos volúmenes de poesía mostraran algún desarrollo en el contenido o en la forma, en dirección a una poesía comunista. De hecho, la técnica de los últimos poemas no es sustancialmente diferente de la de *Trilce,* y aunque la edición peruana de los poemas de la guerra civil española afirma que la primera impresión de ellos fue hecha durante la guerra por las tropas republicanas, y por consiguiente estaban destinados a una distribución popular, los poemas son tan difíciles que hacen pensar que el autor no tenía esa idea en mente.

Resulta claro que Vallejo buscó en el comunismo algo que aboliera las limitaciones individuales para poder así trascender la muerte y el sufrimiento. Aspiraba a una era de justicia, amor y camaradería entre los hombres cuando se derrotara a la muerte. En un poema de la guerra civil, "Masa", declaraba su fe en el amor universal, que consideraba la verdadera resurrección.

> Al fin de la batalla,
> y muerto el combatiente, vino hacia él un hombre
> y le dijo: ¡No mueras; te amo tanto!
> Pero el cadáver ¡ay! siguió muriendo.
>
> Se le acercaron dos y repitiéronle:
> ¡No nos dejes! ¡Valor! ¡Vuelve a la vida!
> Pero el cadáver ¡ay! siguió muriendo.
> Acudieron a él veinte, cien, mil, quinientos mil,
> clamando: ¡Tanto amor, y no poder nada contra la muerte!
> Pero el cadáver ¡ay! siguió muriendo.
>
> Lo rodearon millones de individuos,
> con un ruego común: ¡Quédate, hermano!
> Pero el cadáver ¡ay! siguió muriendo.
>
> Entonces todos los hombres de la tierra
> le rodearon: les vio el cadáver triste, emocionado:
> incorporóse lentamente,
> abrazó al primer hombre: echóse a andar. . .[35]

Las imágenes cristianas de resurrección en este poema son frecuentes en toda la poesía de Vallejo, así como las imágenes de la comunión, el buen ladrón, la crucifixión, el paraíso y el infierno. Ponen de relieve también el sentido de devaluación del hombre, su falta de dignidad, la que seguramente se acentuó con las crisis económicas, sentimientos que permean *Poemas humanos.* La originalidad de Vallejo reside en el hecho de que es el hombre en general, más que su propio destino personal, quien le produce una preocupación mayor. Preocupación que no se reduce sólo a la muerte (aunque ésta convierta la existencia en algo absurdo) sino también al hecho de que ese absurdo implica también infinidad de sufrimientos.

> y, desgraciadamente,
> el dolor crece en el mundo a cada rato,
> crece a treinta minutos por segundo, paso a paso.[36]

El mecanismo entero de este mundo se ha detenido con la enorme crisis, la gran depresión económica:

> También parado el hierro frente al horno
> paradas las semillas con sus sumisas síntesis al aire,
> parados los petróleos conexos,
> ...y hasta la tierra misma parada de estupor ante este paro.[37]

Pero no es sólo la situación social quien crea los males. El sufrimiento es la esencia de la vida humana:

> Yo no sufro este dolor como César Vallejo. Yo no me duelo ahora como artista, como hombre ni como simple ser vivo, siquiera. Yo no sufro este dolor como católico, como mahometano, ni como ateo. Hoy sufro solamente. Si no me llamase César Vallejo, también sufriría este mismo dolor. Si no fuese artista, también lo sufriría. Si no fuese hombre ni ser vivo siquiera, también lo sufriría. Si no fuese católico, ateo ni mahometano, también lo sufriría. Hoy sufro desde más abajo. Hoy sufro solamente.[38]

La vida militante de Vallejo y su muerte prematura, su ascetismo impuesto por propia voluntad, su profundo sentido de culpa y horror ante las tragedias producidas por la depresión económica tiene cierta semejanza con la experiencia de dos escritores de ese periodo, George Orwell y Simone Weil. Los tres intentaron llevar vidas de pobreza y destruir su sentimiento de incomunicación con los trabajadores y los pobres. Para Vallejo el compromiso significaba sufrir como sufría el obrero; a la vez, el pan que pedía no era sólo material.

> ¿Un pedazo de pan, tampoco habrá ahora para mí?
> Ya no más he de ser lo que siempre he de ser,
> pero dadme
> una piedra en que sentarme,
> pero dadme
> por favor, un pedazo de pan en que sentarme,
> pero dadme
> en español!
> algo, en fin, de beber, de comer, de vivir, de reposarse,
> y después me iré...
> Hallo una extraña forma, está muy rota
> y sucia mi camisa
> y ya no tengo nada, esto es horrendo.[39]

Como puede verse, el comunismo de Vallejo respondía a una necesidad de tipo metafísico.[40]

En Nicolás Guillén y Pablo Neruda el fenómeno es diferente. Los primeros poemas de Guillén estuvieron muy influidos por los del poeta español Federico García Lorca, cuyo *Romancero gitano* (1928) había tenido gran éxito en el mundo de habla española. Guillén iba a adoptar la balada, que era una forma aún viva en los países de habla española, en algunos de sus poemas de *Motivos de son* (1930) y *Sóngoro cosongo* (1931). He aquí un ejemplo:

> En esta tierra mulata
> de africano y español
> (Santa Bárbara de un lado,
> del otro lado, Changó).[41]

La poesía de Guillén procede de muchas fuentes populares, no sólo de la canción. Sus poemas llevan a veces el título de "sones"; de su asociación con el movimiento afrocubano extrajo una rica variedad de palabras y ritmos africanos. A menudo escribe sus poemas con la fonética estilizada del habla popular, y muchas veces en forma de diálogo:

> —¿Qué bala lo mataría?
> —Nadie lo sabe.
> —¿En qué pueblo nacería?
> —En Jovellanos dijeron.
> —¿Cómo fue que lo trajeron?
> —Estaba muerto en la vía,
> y otros soldados lo vieron.
> ¡Qué bala lo mataría!
> La novia viene y lo besa;
> llorando, la madre viene.
> Cuando llega el capitán
> sólo dice:
>   ¡Que lo entierren![42]

La tragedia del soldado anónimo lo eleva por un momento por encima de la multitud, cuyos comentarios cubren las primeras líneas del poema. Ha obtenido singularidad por el hecho de estar muerto, sólo las rudas palabras del capitán, cuyos pensamientos están explícitamente señalados en la conclusión del poema, lo devuelven al anonimato.

Guillén se apoya también ampliamente en la tradición folklórica y en especial en la canción tradicional, a fin de dar a las masas una voz en sus poemas, y especialmente a los elementos que escasamente habían aparecido hasta entonces en la poesía latinoamericana: boxeadores, negros, soldados, conscriptos, cantantes de bar. Pero también emplea otro estilo, un tono apocalíptico o profético que es característico de la estética comunista. En un poema vislumbra la entrada de las masas en la ciudad de los ricos:

> ¡Eh, compañeros, aquí estamos!
> La ciudad nos espera con sus palacios, tenues
> como panales de abejas silvestres;
>
> ¡Eh, compañeros, aquí estamos!
> Bajo el sol
> nuestra piel sudorosa reflejará los rostros húmedos de los vencidos
> y en la noche, mientras los astros ardan en la punta de nuestras llamas
> nuestra risa madrugará sobre los ríos y los pájaros.[43]

La ciudad espera la inundación de un caudal de hombres humildes que no son blancos ni negros, sino "sudorosos". Obreros identificados con la naturaleza (los ríos y los pájaros) y con las llamas devoradoras. En un poema suyo los humildes deambulan por la ciudad como "perros abandonados" hasta que llegue el momento en que el "perro blanco" y el "perro negro" combatan contra el enemigo común. La poesía de Guillén recoge el lenguaje popular y las formas poéticas y aun la psicología popular. En otro poema una mulata le pide a su hombre que vaya a ganar dinero, en otro un cantante de bar insulta a los turistas y les ofrece canciones "que no se pueden bailar".[44]

De los tres poetas fue seguramente Pablo Neruda quien intentó el experimento más total para crear una nueva forma después de ingresar en el Partido Comunista. Nacido en Chile en 1904, Neruda fue un caso de fertilidad precoz; ya su segundo libro, *Veinte poemas de amor y una canción desesperada* (1924), le ganó una justa reputación y reveló una fértil imaginación creadora. En los veintes fue altamente apreciado y honrado, fue designado cónsul de Chile, primero en Rangún y luego en Colombo y Java. Entre 1933 y 1947, publicó *Residencia en la tierra,* tres volúmenes de poesía que tratan por lo general de la muerte y el paso del tiempo. Estos poemas nos sumergen en un fluir heraclitano sin otra certidumbre que no sea la del olvido.

Muchos de los poemas de *Residencia en la tierra* demuestran que Neruda buscaba algo externo a su angustia personal y que el mundo de los objetos materiales le ofrecía cierta seguridad, aunque su desgaste le recuerda el tránsito del tiempo. Fue por medio de los objetos ordinarios como Neruda logró alcanzar y ponerse en contacto con otros seres humanos, como expresó en su significativo prefacio al primer número (octubre de 1935) de la revista madrileña *Caballo verde para la poesía,* de cuyo consejo editorial formaba parte. Ahí atacaba la poesía pura y se recreaba amorosamente en la "impureza" de "las ruedas que han recorrido largas, polvorientas distancias", de "los sacos de las carbonerías, los barriles, las cestas":

> De ellos se desprende el contacto del hombre y de la tierra como una lección para el torturado poeta lírico... La confusa impureza de los seres humanos se percibe en ellos, la agrupación, uso y desuso de los materiales, las huellas del pie y los dedos, la constancia de una atmósfera humana inundando las cosas desde lo interno y lo externo.

La poesía debe ser impura en esa forma, "gastada como por un ácido por los deberes de la mano, penetrada por el sudor y el humo, oliente a orina y a azucena".

El ataque de Neruda a la impureza era un ataque implícito a la cultura minoritaria y a cualquier alejamiento de la poesía de la vida ordinaria. Esta actitud se volvería más explícita en el tercer volumen de su *Residencia en la tierra,* escrito a comienzos de la guerra civil española. En el poema "Reunión bajo las nuevas banderas" declara que a partir de ese momento uniría su paso de lobo solitario al paso del hombre. Durante la guerra civil asistió a un Congreso de Escritores en España y al final de la guerra se adhirió al Partido Comunista. En 1943 regresó a Chile y en 1945 fue elegido senador. El cambio de credo político se acompaña de un cambio en el estilo poético: "El mundo ha cambiado y mi poesía ha cambiado", escribió en 1939.[45] Su nuevo credo le hace buscar una forma que exprese no sólo un tema personal sino una experiencia colectiva. Es más, la poesía debe ahora comunicarlo con un público ajeno al círculo estrecho de amantes de la poesía y críticos. El primer poema escrito de acuerdo con estos cánones fue el *Canto General,* publicado en 1950.* Cuando escribió este poema hizo una de las escasas declaraciones que se refieren a su obra y a sus intenciones literarias; fue en un Congreso Internacional de Escritores y Artistas de Santiago. En esas declaraciones condenaba la literatura hermética y la tendencia de muchos poetas a cultivar la oscuridad en vez de la claridad. Atribuye esa actitud a un sentimiento clasista, un deseo de guardar las distancias de los sectores menos cultivados. El problema en América, según Neruda, es llegar a la inmensa mayoría de analfabetos o semianalfabetos.

El *Canto general* es un poema épico gigantesco que cubre todo el desarrollo cultural, geográfico e histórico de Chile, el continente americano y la lucha de clases en escala mundial. "Mi primera idea —ha asentado— fue sólo un canto chileno, un poema dedicado a Chile. Quise extenderme a la geografía, a la humanidad de mi país, definir sus nombres y sus productos, la naturaleza viviente. Muy pronto me sentí complicado, porque las raíces de todos los chilenos se extendían debajo de la tierra y salían en otros territorios." [46] El poema se vale de efectos oratorios —reiteraciones y largos pasajes como una letanía—, pues está concebido para ser leído en voz alta y llegar así a amplios sectores populares.

> Escribo para el pueblo aunque no pueda
> leer mi poesía con sus ojos rurales.
> Vendrá el instante en que una línea, el aire
> que removió mi vida, llegará a sus orejas,
> y entonces el labriego levantará los ojos,
> el minero sonreirá rompiendo piedras,
> . . .y ellos dirán tal vez: "Fue un camarada".[47]

En este poema las anteriores preocupaciones de Neruda por la muerte han quedado atrás. La nueva fuerza deriva de su

*Neruda trabajaba en este poema desde 1938.

filiación al Partido Comunista, al que dedica la sección final del poema:

> Me hiciste construir sobre la realidad como sobre
> una roca.
> Me hiciste adversario del malvado y muro del
> frenético.
> Me has hecho ver la claridad del mundo y la
> posibilidad de la alegría.
> Me has hecho indestructible porque contigo no
> termino en mí mismo.[48]

Al *Canto General* siguieron tres volúmenes de *Odas elementales* (1954-1957), poemas en versos cortos —algunas veces el verso consta sólo de tres o cuatro sílabas— sobre las cosas "elementales" de la existencia: la alcachofa, la cebolla, el amor, el aire, la sopa de congrio, una flor, la fertilidad de la tierra, un libro, un hombre sencillo, la madera, etcétera.

> Ay, de cuanto conozco
> y reconozco
> entre todas las cosas
> es la madera
> mi mejor amiga.
> Yo llevo por el mundo
> en mi cuerpo, en mi ropa,
> aroma
> de aserradero,
> olor de tabla roja.[49]

Algunas veces esta sencillez puede convertirse en ingenuidad. En la primera *Oda elemental,* Neruda condena al poeta que emplea expresiones oscuras y lo opone al obrero, demasiado ocupado para especular sobre un mundo complejo. En el poema VIII de *Cien sonetos de amor* encontramos esta afirmación:

> Entre los espadones de fierro literario
> paso yo como un marinero remoto
> que no conoce las esquinas y que canta
> porque sí, porque como si no fuera por eso...*

* Por supuesto Neruda ha publicado muchos volúmenes de poemas

El ataque a lo literario está implícito en el título de *Poemas y antipoemas* (1954), de Nicanor Parra (Chile, 1914). Parra comparte con otros poetas izquierdistas una simpatía por la expresión popular. En *La cueca larga* (1955) imita hábil e ingeniosamente los versos cantados durante la danza. En *Poemas y antipoemas* preconiza de otro modo lo popular contra lo "literario". Son poemas escritos en un lenguaje ordinario, el idioma de la conversación; casi todos tienen forma de monólogo en que el poeta conversa de manera irónica y autodespectiva sobre la existencia, sus pequeños misterios y sus placeres absurdos. El absurdo es el tema central. Si el poeta eleva el tono es sólo para erguirse contra la falta de dignidad y nobleza en la vida. Uno de sus poemas más finos "Autorretrato", pone en boca de un maestro de escuela cuyo rostro y expresión desgastados revelan las huellas de los años sin alegría pasados en el ejercicio de la profesión:

> En materia de ojos, a tres metros
> No reconozco ni a mi propia madre.
> ¿Qué me sucede? —¡Nada!
> Me los he arruinado haciendo clases:
> La mala luz, el sol,
> La venenosa luna miserable.
> Y todo ¡para qué!
> Para ganar un pan imperdonable
> Duro como la cara del burgués
> Y con olor y con sabor a sangre.
> ¡Para qué hemos nacido como hombres
> Si nos dan una muerte de animales![50]

En "Los vicios del mundo moderno" Parra condena la totalidad de la existencia moderna, y sugiere que el hombre vuelva mejor a las cavernas. ¡Pero no! ¿Qué sentido tendría hacerlo? Ninguno. La vida carece de sentido, concluye desesperanzado.[51]

La revolución castrista marcó una nueva etapa de la poesía política. En una discusión pública publicada con el título de

después del *Canto General* y las *Odas elementales*, pero no ha habido ningún cambio notable en la técnica. Sus *Plenos poderes* (1962) y *Memorial de Isla Negra* (1964) en cinco volúmenes, marcan de hecho un retorno a formas y lenguaje ligeramente más complejos y evidentemente no destinados a la "gente sencilla".

Palabras a los intelectuales, Castro señalaba que dentro de la Revolución el artista tendría libertad de elegir sus formas de expresión. No habría ninguna intención de imponer el realismo socialista u otra doctrina oficial. De este modo, la Revolución cubana significaba la conciliación de la exploración vanguardista con el sentimiento político. Es únicamente en los últimos años cuando esta conciliación ha resultado más difícil. Por cierto, durante los primeros años de la Revolución cubana muchos poetas de otros países de América se inspiraban en esta libertad de expresión. De la Revolución cubana y el periodo de la guerrilla rural surge un nuevo tipo de poeta comprometido: el poeta guerrillero. El mismo Che Guevara escribe poesía. En Perú, Javier Heraud (1942-62), en Guatemala Otto René Castillo (. . . .) ejemplifican al poeta de la lucha armada. Ambos tenían gran talento y humanidad. En *Canto ceremonial para un oso hormiguero* (1968), el poeta peruano Antonio Cisneros resume los conflictos de los que no participaron en la lucha.*

Aunque no es un poeta joven, Ernesto Cardenal (1925), poeta nicaragüense, es bastante representativo de la preocupación política contemporánea de tipo no dogmático. En sus *Salmos* declara:

> Bienaventurado el hombre que no sigue las consignas del
> Partido
> ni asiste a sus mítines
> ni se sienta en la mesa con los gángsters
> ni con los Generales en el Consejo de Guerra.
> Bienaventurado el hombre que no espía a su hermana
> ni delata a su compañero de colegio.
> Bienaventurado el hombre que no lee los anuncios
> comerciales
> ni escucha sus radios
> ni cree en sus slogans.
> Será como un árbol plantado junto a una fuente.

No es fácil apreciar la importancia última de una escuela de literatura que está aún en proceso, pero ciertas conclusiones pueden ya extraerse de este breve esquema de la obra de

*Enrique Lihn también declara en *La musiquilla de las pobres esferas* que "la Revolución es el nacimiento del espíritu crítico".

los principales poetas comunistas latinoamericanos. El intento de Neruda de romper con una tradición "aristocrática" o exclusivista no se ha desarrollado. De cualquier manera, el intento hecho por él y sus seguidores, los poetas izquierdistas, de escribir poesía usando los ritmos y el vocabulario de la conversación ordinaria ha sido un esfuerzo afortunado. Han dado a la poesía de lengua española un nuevo tono —de inmediatez, simplicidad y reverencia por los objetos cotidianos— que ha tenido una influencia beneficiosa en la literatura moderna latinoamericana.

LA POLÍTICA Y LA TÉCNICA DE LA NOVELA

En la época en que los pintores se llamaban obreros, cuando los poetas hablaban el lenguaje de la gente ordinaria o intentaban dirigirse a ella más directamente, era inevitable que los novelistas también trataran de poner énfasis en la utilidad social de su arte. Como los poetas, muchos novelistas iban a desdeñar cualquier intento de escribir "bien" o producir literatura bella. La calidad de la obra, proclamaban abiertamente, les era indiferente. Lo que importaba era el valor social del contenido.

Jorge Amado declara en el prefacio a su novela *Cacau* (1933): "Intenté contar en este libro, con un mínimo de literatura y un máximo de honradez, la vida de los trabajadores de las plantaciones de cacao del sur de Bahía. ¿Será una novela proletaria? No es un libro hermoso, bien compuesto sin palabras que se repitan ... Por otra parte, no tuve ninguna preocupación literaria al componer estas páginas. Procuré contar la vida de los trabajadores de las plantaciones de cacao y basta." [52] El narrador es un obrero educado debido a su trabajo de linotipista, pero cuyo vocabulario es aún muy reducido.

El escritor argentino Roberto Arlt (1900-42) surgió de un medio pobre y sus libros fueron escritos mientras desempeñaba empleos de tiempo completo. En el prefacio a su novela *Los lanzallamas* (1931), al igual que Amado, despreciaba cualquier pretensión de "alta literatura". "Para hacer estilo son necesarias comodidades, renta, vida holgada. Pero, por lo general, la gente que disfruta tales beneficios se evita siempre la molestia de la literatura. O la encara como un excelente procedimiento para singularizarse en los salones." [53] Desdeñaba cualquier interés en lo que los críticos literarios pudieran pensar de su obra. ¿Por qué tenía que enviar sus libros a algún "señor enfático" que escribiría un artículo entre llamadas telefónicas, "para satisfacción de las personas honorables"? Y, así como los pintores mexicanos acentuaban su condición de obreros, Arlt destacaba el aspecto artesanal de su actividad. "Nos lo hemos ganado [el porvenir] con sudor de tinta y rechinar de dientes, frente a la Underwood que golpeamos con manos fatigadas, hora tras hora, hora tras hora." [54]

La novela de Graciliano Ramos *São Bernardo* (1934) se inicia con un intento cómico del narrador, un granjero, de construir un libro "por división del trabajo". El padre Silvestre emprendería el lado moral y proporcionaría las citas latinas; João Noguer se ocuparía de la gramática, puntuación y sintaxis; un redactor de periódico debía encargarse de la composición literaria, pero todos los intentos demostraron ser desastrosos. "Nadie habla así", protesta el narrador, a lo cual el editorialista replica: "Ése es el modo usual, señor Paulo. La gente discute, pelea, va a su trabajo naturalmente, pero componer palabras con tinta es ya algo diferente. Si escribiera yo de la manera en que hablo, nadie me leería." El narrador se ve, pues, forzado a emprender el trabajo por su cuenta y a su manera, tosca y desordenadamente. Graciliano Ramos nos lleva a la convicción de que lo que se dice es más importante que la manera de decirlo. Al darle a su protagonista un seudónimo y asegurarse así el anonimato pretende también establecer la verdad y sinceridad de la narración.

En manos de escritores conscientemente políticos de las décadas de los treinta y cuarenta, la novela se volvió a menudo un documento en que el relato de los hechos se consideró más importante que el estilo o la forma. El narrador de *Cacau* de Jorge Amado, por ejemplo, se pregunta si la inclusión de su historia amorosa con la hija del patrón no ha arruinado la historia que pretendía relatar. En otras novelas, casi todas las relaciones personales de esta especie son suprimidas o minimizadas a fin de destacar el tema social. No hay en esto ninguna actitud nueva. Antes de la época de los estudios sociológicos la novela en América Latina y en todas partes había frecuentemente servido de documento social y esto era en verdad un modo apropiado para dar a conocer los absurdos sociales. La novela antiesclavista cubana es un ejemplo; *La vorágine* de José Eustasio Rivera incluía muchas páginas escritas con la expresa intención de dar a conocer las condiciones de los obreros del caucho en la selva amazónica. *El roto* de Joaquín Edwards Bello (Chile, 1887) contenía estadísticas reales sobre las cifras de enfermedad y mortalidad entre las clases oprimidas chilenas:

> En siete años, la viruela consume más de 30 000 chilenos y la tuberculosis, en sus diversas manifestaciones, más de 60 000. La sífilis hace estragos mayores. En 1908, las policías de la República cogieron por las calles y caminos a 58 000 ebrios; en 1911 recogieron a 130 000.[55]

Tanto Rivera como Edwards Bello intentaban en las secciones documentales de sus novelas despertar un sentimiento filantrópico, pero con los novelistas de conciencia política la documentación tiene un propósito diferente. De 1930 en adelante apareció un amplio número de novelas que describían la lucha de clases en diferentes partes de América Latina entre diversos tipos de obreros y campesinos; en muchos casos los autores eran miembros o simpatizantes del partido comunista. Entre las novelas más conocidas se encuentran: *Nuestro pan* (1942) de Enrique Gil Gilbert (Ecuador, 1912), que trata de los trabajadores del arroz; *Viento negro* (1944) de Juan Marín (Chile, 1900), que se refiere a los mineros y marinos de Chile; *Cacau,* novela documental de los trabajadores de las plantaciones cacaoteras, y *Suor* (1934), descripción de los barrios miserables de Bahía, ambas de Jorge Amado; *Tungsteno,* novela de César Vallejo sobre los indios que trabajaban en las minas de tungsteno; *Mamita Yunái* (1941), de Carlos Luis Fallas (Costa Rica, 1909) y *Metal del diablo* (1946) de Augusto Céspedes (Bolivia, 1904). En *Mamita Yunái,* que apareció originalmente como serie de artículos periodísticos, Fallas trata del control norteamericano de las plantaciones bananeras, y denuncia la implacable explotación de los obreros por los grandes monopolios fruteros. *Metal del diablo,* de Céspedes, describe el desarrollo de las minas de estaño por los miembros de la familia

Patiño, que llegaron a ser millonarios y a dirigir los destinos de Bolivia.[56] Además, durante ese periodo se publicaron muchas novelas sobre la explotación de los indios. Las más notables fueron *Huasipungo* (1934) de Jorge Icaza y *El mundo es ancho y ajeno* (1941) de Ciro Alegría.

El común denominador de estas novelas y de muchas otras del mismo periodo fue el claro énfasis puesto en la explotación económica como fuente de todo mal. En este respecto es revelador comparar las primeras novelas indigenistas como *Aves sin nido* (1889) de Clorinda Matto de Turner en que se subrayaba la debilidad moral de la clase dirigente, con novelas como *Huasipungo* o *El mundo es ancho y ajeno,* en que el meollo de la trama lo constituye la expulsión de los indios de sus tierras con el fin de crear un proletariado fácilmente explotable. La explotación económica, junto con la opresión política, compone el nucleo central de la mayoría de las novelas mencionadas, pero le planteaba al escritor problemas de exposición literaria del tema. Si los personajes eran las víctimas deshumanizadas de una sociedad inhumana, ¿cómo podían despertar el interés o la simpatía del lector? *Huasipungo* es una buena ilustración de esta paradoja. La novela describe la acción brutal de un propietario que obliga a los indios a trabajar en una carretera y más tarde los expulsa de sus parcelas (huasipungos) a fin de preparar la explotación del terreno por una compañía extranjera. El tema central es la bestial explotación del hombre por el hombre, con ambos, explotadores y explotados, inmiscuidos en el mismo fenómeno. El sacerdote, el terrateniente y el extranjero han abdicado de su humanidad a fin de mantener su situación privilegiada, mientras que el indio se ve reducido a una condición de objeto. Todo elemento humano está excluido; el resultado es una deshumanización, a fin de cuentas fatal para las intenciones del novelista. El ambiente está presentado por el autor en términos enteramente repulsivos. Hasta el paisaje es desagradable, una meseta eternamente sacudida por el viento y la lluvia, con una soledad que espanta y oprime. Las casas parecen estar abandonadas:

> ...sólo dos cerdos negros hozan en el barro y hacen rodar unas latas viejas. Más allá, unos perros con el acordeón semidesplegado de sus costillares, por el anemia, se disputan un hueso de mortecina que debe haber rodado todo el pueblo...[57]

Las conversaciones entre los indios se limitan a gruñidos y exclamaciones, mientras que los explotadores pronuncian discursos desafiantes o lanzan insultos. No sólo los indios viven en condiciones animales; también se comportan como animales, como nos lo demuestra la siguiente escena de amor:

> Grita dando un salto felino. Ella suelta la leña, se acurruca bajo un penco como gallina que espera al gallo ... la agresividad macha ... la empieza a vapulear ... Por fin, ensangrentados y jadeantes, cayeron junto al fogón.[58]

La deshumanización, a fin de dirigir la atención del lector hacia la situación, sin implicar respuestas sentimentales, se ha usado a menudo con éxito. Pero en el caso de *Huasipungo,* la actitud de Icaza es demasiado ambigua tanto para despertar una simpatía total del lector hacia sus personajes, como para permitirle conocer la situación central sin una identificación emocional con los personajes. En otras palabras, Icaza parece estar demandando nuestra simpatía por los indios y a la vez nos priva de cualquier deseo de simpatizar con ellos. Un ejemplo nos lo proporciona la golpiza brutal que recibe el protagonista, Andrés, en que el lector ciertamente se ve obligado a simpatizar con la víctima, pero a la descripción de esa golpiza sigue este pasaje: "Allí se curó las heridas con una mezcla de aguardiente, orines, tabaco y sal." [59] La "extraña" mezcla de "orina" que Andrés usa para curar sus heridas inmediatamente lo aparta del lector culto. Ya no es la víctima sino una criatura exótica que se nos muestra como ejemplo de rareza de las costumbres primitivas. Así, la falta de una aproximación artísticamente coherente acaba por reducir a la novela su valor como relato de explotación.

Ciro Alegría reconocía las dificultades para escribir esta clase de novelas. Su obra *El mundo es ancho y ajeno* trata también de la expulsión de los indios de sus tierras comunales. En el prólogo a la decimosegunda edición de esta novela, declaraba su insatisfacción con la novela latinoamericana actual. Señalaba que por lo general la novela de temas sociales descuidaba al personaje individual y la novela sobre personajes individuales hacia lo contrario. En primer lugar, convirtió en protagonista a la comunidad entera, y de esta manera se aseguró la variedad de tipos. En segundo, reemplazó su interés en desarrollar sicologías individuales y mostró el desarrollo de la comunidad, cuya lucha contra el explotador blanco está dirigida primero por Rosendo, un anciano versado en las costumbres tradicionales de los indios y después por Benito Castro, un mestizo criado entre los indios, pero conocedor de la sociedad moderna ajena a la comunidad. La experiencia de Benito lo volvió políticamente consciente; por medio de él, el autor esboza la tesis de que el indio no puede permanecer en el pasado sino que debe reorganizar su forma de vida comunal tradicional, empleando todos los instrumentos que le pueda proporcionar la sociedad moderna.

Aunque Alegría reconocía las dificultades de presentar personajes en la novela social, él mismo no pretendió ir más adentro de la piel de un personaje como Rosendo Maquí, sino que lo presenta desde el exterior. Introducirse dentro de la piel de un personaje analfabeto requiere más que talento, especialmente si el escritor también desea testimoniar una conciencia política e histórica. Muchos novelistas por ende introdujeron a un hombre educado o a un personaje políticamente consciente que actuara como vocero del "mensaje". En *Cacau,* de Jorge Amado, el narrador es obrero, pero ha nacido en el seno de una familia empobrecida de la clase media y ha aprendido a leer y a escribir. Más tarde trabaja como tipógrafo, lo que explica cómo un trabajador en una plantación de ese tipo puede escribir tan fluidamente. Algunos escritores abandonaron tales convencionalismos ya que la verosimilitud no era su objetivo. En *El luto humano* (1943), José Revueltas (México, 1914) usa el monólogo interior a la manera de Faulkner, para expresar los sentimientos de unos campesinos pobres atrapados por una inundación y condenados a morir.

Todavía más difícil que la presentación sicológica convincente de un personaje elemental lo es la de su despertar político, a fin de que eso no resulte forzado. En las novelas de Jorge Amado, tal conversión ocurre a menudo al final de una serie de vicisitudes y aventuras. El lector se enfrenta a lo mejor de ambos mundos en una novela como *Jubiabá* (1935). Las aventuras picarescas del héroe transcurren en los coloridos y excitantes barrios negros de Bahía. De vago y aventurero que es al comienzo de la novela, llega a ser un activista político. También en sus *Capitães de areia* (1937), algunos delincuentes, cuyas vidas describe Amado con gran placer, se redimen eventualmente al desafiar a la policía y toman parte en el movimiento obrero. En *Terras do sem fin* (1943), crónica de la épica de las plantaciones de cacao, Amado pinta a los implacables forajidos que dominaron la selva y que después constituyeron un imperio tanto político como económico en sus dominios. La novela nos relata la lucha sangrienta entre dos de estos plantadores, lucha que termina con la muerte de uno de ellos. De esta manera, Amado elegía como protagonistas de sus novelas a hombres que no eran de ningún modo héroes de la lucha de clases y que, no obstante, encarnaban la conciencia histórica del periodo en que vivían. No fue el único escritor izquierdista que se sintió atraído por el vigor y el valor de los patriarcas colonizadores. El novelista ecuatoriano José de la Cuadra (1903-1941) en su novela *Los Sangurimas* (1934) nos relata una historia semejante. Tales novelas son el equivalente latinoamericano del *western* y cubren una etapa semejante en la historia del Sur del Continente.

Pero en cierto sentido la presentación de tales personajes no significaba nada nuevo, ya que su desarrollo se mostraba a través de acciones y aventuras. El problema de cómo un simple campesino podía cambiar por medio de su experiencia cotidiana, sin estar en contacto con un mentor políticamente consciente y sin que se le atribuyera una inteligencia extraordinaria, era un problema diferente. Al parecer sólo una novela latinoamericana, *Vidas sêcas* (1938), de Graciliano Ramos, logra este propósito. La novela se centra en dos periodos de sequía en el noreste de Brasil y en la huida de un vaquero, Fabiano, su esposa y sus dos hijos, de la sequía y el hambre. Todo el desarrollo de Fabiano tiene lugar entre esos dos acontecimientos. Después de la primera salida regresan a la vida que siempre habían conocido, pero a continuación de la segunda marcha, como resultado de sus experiencias, Fabiano decide abandonar el campo y emprender una nueva existencia en la ciudad. Este desarraigo significa una revolución real en el pensamiento de Fabiano y de su mujer: revolución no originada por un proceso largo y consciente, sino resultado de toda clase de dudas e impulsos contradictorios. Fabiano no es un ignorante sino un hombre que debe enteramente su aprendizaje a su experiencia como vaquero. Como don Segundo Sombra conoce su medio perfectamente y, en cuanto a capacidad humana, puede sobrevivir en ese medio. Pero aparte de las calamidades naturales que tiene que soportar existen calamidades humanas como el patrón o las autoridades, que en la figura del "soldado amarillo" persiguen a Fabiano hasta lograr que sea encarcelado. La sabiduría del campesino no es adecuada para luchar contra esas fuerzas cuando se combinan con un medio hostil para destruirlo. Así, al fin de la novela, Fabiano abandona el campo para siempre; la idea de un mundo mejor ha comenzado titubeantemente a penetrar en su mente.

Graciliano Ramos presenta el desarrollo de este hombre, no por medio de pensamientos, ni siquiera de un fluir de la conciencia, sino a través de una conducta. Su extraordinaria habilidad y visión se muestran en esta escena en la que Fabiano se enfrenta con su viejo enemigo, el "soldado amarillo" y suprime su primer impulso de matarlo. Fabiano ha estado cortando maleza para abrirse camino en el monte y lleva aún el machete en las manos:

> Al voltearse vio al soldado amarillo que, un año atrás, lo llevara detenido a la cárcel en donde fue golpeado y pasó la noche. Bajó el arma. Aquello duró un segundo. Menos: duró una fracción de segundo. Si hubiera durado más tiempo el amarillo hubiera caído al polvo de un machetazo. El impulso que movió el brazo de Fabiano fue muy fuerte, el gesto que había hecho había sido suficiente para cometer un homicidio si no hubiera sentido en el brazo otro impulso en dirección contraria. La hoja de metal se detuvo casi junto a la cabeza del intruso, encima de la gorra roja. Al principio el vaquero no comprendió nada. Vio sólo que estaba allí un enemigo. De repente advirtió que aquello era un hombre, y todavía más grave, el hombre que representaba a la autoridad. Sintió un choque violento, se detuvo, el brazo permaneció irresoluto moviéndose de un lado a otro.[60]

El conflicto de Fabiano está relatado enteramente en términos de su conducta. La realización consciente se produce sólo después de que el cuerpo ha reaccionado en dos diferentes direcciones, lo que aclara el pensamiento de Fabiano. Este análisis de la conducta que resulta de un conflicto logra ser más auténtico que un monólogo interior.

Graciliano Ramos logró estudios igualmente agudos de otros dos tipos de mentalidad, la del habitante solitario de la ciudad en *Angustia* (1936) y la mentalidad del explotador en *Sao Bernardo.* El último constituye una sutil consideración sobre cómo la explotación económica llega a afectar las aptitudes psicológicas de un hombre. El protagonista, Paulo Honorio, es un empresario cuya conducta refleja una contradicción interna entre el deseo de comportarse como ser humano y su situación de terrateniente y cacique político, que lo lleva a arrollar a todos los que viven a su alrededor. Sólo cuando su mujer se suicida advierte que ha vivido "como un cerdo", que sus logros como hacendado han sido vanos, que su afán de enriquecerse sólo lo ha llevado a sentirse culpable e infeliz. Puede únicamente concluir: "He arruinado mi vida." Como relato de las causas que conducen a un hombre a explotar a otros hombres esta novela no tiene rival.

Las novelas de Graciliano Ramos intentan adentrarse en la psicología de los miembros ordinarios o humildes de la sociedad y, en su propósito de entregarnos algo de la trama de la vida, pueden considerarse como "realistas". Sin embargo muchos escritores han llegado a pensar que la novela, como la pintura y la poesía, debe transformar sus técnicas a fin de que refleje un mundo fragmentado y deshumanizado. Muchas novelas de vanguardia nos muestran el mundo burgués de un modo grotesco y distorsionado. En uno o dos casos, esta distorsión fue salvaje por su intensidad. El escritor guatemalteco Rafael Arévalo Martínez (1884), por ejemplo, cuenta la extraña y ridícula aventura de un grupo de centroamericanos en las pesquerías de salmón de Alaska. Tras el humor, hay una nota de amarga crítica sobre la crudeza del trabajo y sobre la competencia de las empresas, lo que también constituye una crítica a la transformación que ha experimentado la pesca, al pasar de actividad individual a industria.[61]

En una escala mucho más ambiciosa, el novelista argentino Roberto Arlt, escribió dos novelas, *Los siete locos* (1929) y *Los lanzallamas* que narran las aventuras de Erdosain, y un grupo de locos que proyectan destruir el mundo capitalista. Los locos sacan conclusiones absurdas, aunque lógicas, de las lecciones que les ofrece el mundo circundante, en que ciencia e industria producen muerte y destrucción. Erdosain y sus colegas —el "astrólogo", el "prestidigitador", etcétera— se comportan de modo no menos fantástico que el habitante del mundo contemporáneo, de cuyas actividades se incluyen muchos reportajes en la novela. Arlt, pues, sólo exagera hasta el absurdo la "realidad" de su sociedad.

El ataque de Arlt se dirige contra la sociedad moderna en general. Pero hay un tipo de novela de tema político en la que se ha empleado una técnica no realista con singular éxito: la novela de la dictadura. Es verdad que ya en las novelas de este tipo del siglo diecinueve, como *Amalia* (1851-55), de José Mármol (Argentina, 1817-71), aparentemente realistas en lo que se refiere a la forma, se tendía a crear una impresión de pesadilla. En el siglo veinte la mayor parte de las novelas importantes que presentan una dictadura emplean una forma caricaturesca, rupturas en la cronología, y un mundo despersonalizado. Novelas como *El acoso* (1956) de Alejo Carpentier y *La fiesta del rey Acab* (1959) de Enrique Lafourcade (Chile, 1927), logran provocar con éxito el horror gracias a esos recursos. Es cierto también que de las dificultades siempre existentes para hacer un reportaje lineal de las atrocidades de un dictador puede surgir en el lector una repulsión hacia las víctimas, cuando es el crimen y no los cuerpos destrozados lo que nos debería repugnar.

Por ello la obra maestra del género, *El señor presidente* (1946) de Miguel Ángel Asturias, resulta mucho más efectiva que cualquier reportaje. De todas maneras, Asturias se interesa menos en denunciar una dictadura política que en mostrar los efectos de esa dictadura en la personalidad humana. Su novela pinta una sociedad en que el miedo al presidente constituye la única fuerza cohesiva y en donde todos los valores normales se han trastrocado: el presidente, la encarnación del mal, es objeto de culto mientras que los actos virtuosos son castigados. Uno de los temas de la novela es la pérdida de la gracia del favorito del señor presidente, Cara de Ángel, quien por salvar a Camila, la hija de un general en desgracia, peca contra las reglas presidenciales. Cara de Ángel se enamora de Camila y a partir de ese momento, como su lealtad no resulta muy clara para el presidente, está condenado a morir. Al final de la novela lo encontramos torturado, en confinamiento solitario, con la personalidad quebrada y destruida. El tema del efecto de la dictadura en la personalidad humana se asocia en esta novela con la artificialidad y despersonalización inherentes a la vida moderna. La civilización urbana comporta la invención del teléfono, los fusiles, los explosivos y los trenes, pero todos esos medios se convierten en instrumentos para cumplir más eficazmente la voluntad del dictador. Su voluntad se manifiesta aplastando y degradando la personalidad de sus súbditos, destruyendo los valores y las relaciones humanas hasta que no exista sino una relación: la de su dependencia de él. En semejante sociedad es imposible vivir una vida completa, pues el dictador rastrea implacablemente a quienes como su favorito Cara de Ángel intentan huir de él. Sólo unos cuantos personajes pueden tener un vislumbre de lo que significa una vida normal, y esos personajes, significativamente, viven en las regiones rurales, donde la naturaleza les confiere un sentido de personalidad y equilibrio. Al igual que sucede con muchos de los escritores izquierdistas de ese periodo, el fondo de la actitud de Asturias es naturalista. La vida a tono con la naturaleza es la vida buena; la vida de la ciudad, supuestamente más civilizada, ofrece mayores posibilidades al mal.

El señor presidente y *Huasipungo* forman un contraste interesante. Asturias, al tratar de alejarse de un mero reportaje de atrocidades crea el efecto de una pesadilla y, por consiguiente, comunica efectivamente el horror de la dictadura. Icaza intenta hacer un reportaje honrado, pero aleja la simpatía del lector.

Por lo expuesto en este capítulo, resulta evidente que en tanto que el compromiso político no produce por sí propio un gran arte, la expresión de convicciones políticas profundamente arraigadas sí puede hacer florecer ese gran arte. La pintura de José Clemente Orozco, los poemas de Vallejo, las novelas de Miguel Ángel Asturias y Graciliano Ramos han logrado universalidad debido a que profundizan por debajo de lo local e inmediato hasta llegar a sustratos básicos de la vida y la personalidad humana. Es notable que estos cuatro artistas hayan alcanzado la grandeza por medio de su intuición de zonas de experiencia en que se unen lo individual y lo social, y que en cada caso sean conscientes de la inmensa complejidad y ambigüedades de tal experiencia. También tienen en común el tema de la angustia humana, al que no puede ser ajeno el estatus social y político del individuo.

6. ¿COSMOPOLITA O UNIVERSAL?

Aunque en Latinoamérica es difícil permanecer al margen de la política, ha habido siempre escritores y artistas que han afirmado que el arte tiene escasa relación con las fronteras nacionales y que la labor del artista es alcanzar la maestría en los problemas formales que se le plantean y a la vez expresar los intereses superiores del hombre. En algunos países latinoamericanos, donde los artistas se sienten aislados, esta concepción ha tenido especial vigencia, pues, al participar en los experimentos de vanguardia o al perseguir una forma "universal" de arte, entran en contacto con un público más amplio. Como lo declaró el escritor mexicano Alfonso Reyes (1889-1959) en su discurso "En el día americano" (1932), "por sobre los intereses de clases, de partidos y de países, están los intereses supremos del hombre, y son éstos los que quedan a cargo del orden intelectual."[1]

Las raíces de Reyes estaban profundamente conectadas con la generación arielista, y por eso su visión de la posición de artista se encuentra muy cerca de la de Rodó. De ahí que rechace la teoría de que la expresión de los "intereses supremos del hombre" por el artista implica necesariamente indiferencia ante los problemas nacionales. En realidad es precisamente la disciplina desinteresada del artista lo que lo convierte en un miembro valioso de su propia sociedad, un árbitro potencial.

> ...El que los hombres de disciplina espiritual, de cultura y de técnica —desde el filósofo hasta el artesano—, los que se han castigado a sí mismos para adquirir un conocimiento o un adiestramiento verdaderos, los que han dado en consecuencia pruebas morales suficientes, empuñen algún día decididamente las riendas de la sociedad, para que el hombre americano sea más feliz y encuentre un orden permanente responsable a quien acudir en su eterna brega.[2]

En palabras que vienen a ser un eco de las de Rodó, Reyes expresó la esperanza de que aun en los momentos más ingentes de la lucha política, se encuentren algunos cuantos seres a quienes se les conceda el privilegio de aislarse y custodiar el tesoro de la cultura heredada, salvándola así para las generaciones del futuro. Ese tesoro de cultura heredada es el cuerpo entero de la tradición occidental a la que pertenecen los latinoamericanos y europeos. A la vez, de acuerdo con Reyes, el latinoamericano se encuentra en una situación especial y hasta privilegiada con respecto a esta tradición. El eclecticismo de su cultura, la experiencia de su historia, significan que hay ya en América Latina una práctica de convivencia internacional que los europeos no poseen.

> La experiencia de tratar con pueblos americanos que están tan cerca de nosotros, y la de estudiar todo el pasado de la cultura humana como cosa propia, es la compensación que se nos ofrece a cambio de haber llegado tarde a la llamada civilización occidental. Estamos en postura de hacer síntesis y de sacar saldos, sin sentirnos limitados por estrechos orbes culturales.[3]

Para el europeo, concluye Reyes, resulta más difícil tener una visión internacional, precisamente porque para él es más difícil advertir lo que existe más allá de su fronteras nacionales.

Los conceptos de Reyes tuvieron una influencia enorme en Hispanoamérica. Semejantes, aunque no idénticas, posiciones mantuvo en Brasil el crítico Tristão de Ataide (1893), quien consideraba que la cultura brasileña debía incorporarse a la tradición occidental. La creencia de Reyes en la superioridad potencial de la América Latina, en los cruces de culturas en un mundo en que las culturas nacionales no son ya suficientes, la han compartido muchos de los principales artistas y escritores latinoamericanos. La han sostenido tanto la corriente arielista como los grupos influidos por los movimientos de vanguardia europea, que a partir del dadaísmo han tenido una visión esencialmente cosmopolita.

El artista vanguardista de la primera mitad de este siglo se consideraba —al igual que Reyes— como parte de una fraternidad internacional; pero en tanto que Reyes tendía a acentuar la responsabilidad de los intelectuales, los vanguardistas se interesaban más en la libertad artística, la autonomía de la obra de arte y la naturaleza especial de la experiencia artística. A primera vista, parecía no haber conexión entre las corrientes que proclamaban cambios sociales y los experimentos de vanguardia. En verdad, sus enemigos frecuentemente acusaban a la vanguardia de evadirse de la realidad y de restringir los problemas del arte. César Vallejo, por ejemplo, declaraba:

> Casi todos los vanguardistas lo son por cobardía e indigencia. Uno teme que no le salga eficaz la tonada o siente que la tonada no le sale y, como último socorro se refugia en el vanguardismo. Es el "secreto profesional" que defiende Jean Cocteau; es "el reino que no es de este mundo" según el abate Brémond.[4]

A despecho de —o quizás debido a— tales críticas, la vanguardia, tanto europea como latinoamericana, se vio precisada a acentuar su papel revolucionario. Muchos argüían, es verdad, que su libertad frente a los dogmas y las exigencias de una táctica política al día los convertía en revolucionarios más auténticos. Otros señalaban que su revolución era más fundamental que una simple batalla política. Las barricadas de ideas valen más que las de piedras, sostenía el cubano Jorge Mañach (1898). En otra ocasión afirmó que a veces la rebelión simbólica del artista es la única rebelión posible:

> Nos emperrábamos contra las mayúsculas porque no nos era posible suprimir a los caudillos, que eran las mayúsculas de la política... Deformábamos las imágenes en los dibujos, porque lo contrario de esa deformación era el arte académico, y las academias eran baluartes de lo oficial, del favoritismo y la rutina y la mediocridad de lo oficial.[5]

Sin embargo la diferencia entre el militante y el hombre que desempeñaba su actividad revolucionaria en la vanguardia es más fundamental y gira en torno a la pugna de "libertad" contra "compromiso".

La "libertad" era el punto de partida esencial tanto del movimiento dadaísta como del surrealista, y de aquí que la vanguardia latinoamericana haya seguido las indicaciones de esos movimientos. Esta libertad era en sí misma una libertad radical; implicaba una revuelta contra todas las formas e ideas aceptadas, como se desprende de la siguiente descripción del movimiento dadaísta:

> Dada no sólo carecía de programa, sino que estaba contra todos los programas. El único programa de Dada era no tener programa... y, en ese momento de la historia fue justamente eso lo que le dio al movimiento su poder explosivo para desenvolverse en *todas las direcciones,* libre de restricciones estéticas o sociales... Esta definición negativa de Dada surgió del rechazo a todo lo que debía rechazarse. Tal rechazo emanaba del deseo de libertad intelectual y espiritual.[6]

Básica de la posición de Dada fue la idea de que en arte, o en cualquier otra actividad, nada podía ser "dado"; toda actividad o creación debían surgir de una elección espontánea. En verdad, la espontaneidad era una de las características del arte dadaísta y nada se deseaba tanto producir en el lector o el espectador como un "shock". El "azar" jugaba también un papel fundamental. "El azar nos parecía un procedimiento mágico por medio del cual uno podía trascender las barreras de la causalidad y la volición consciente, y por el que el ojo y el oído interiores se volvían más agudos, para que nuevas secuencias de pensamiento y experiencia hicieran su aparición." [7] El azar se convirtió en la "voz del inconsciente", una protesta contra "la rigidez del pensamiento lineal". "La convicción de que razón y antirrazón, sentido y sinsentido, proyecto y azar, consciente e inconsciente permanecían ligados como las partes necesarias de un todo. Tal era el mensaje central de Dada." [8]

Esta actitud se resolvía a menudo en un ataque anárquico; el artista se reía de la sociedad, interesado no tanto en el futuro de la sociedad como en la liberación del ser humano individual. "Pretendimos hacer surgir una nueva clase de hombre, de quien deseábamos ser contemporáneos, libre de la tiranía del racionalismo, la banalidad, los generales, patrias, naciones, comerciantes de arte, microbios, permisos de residencia, y del pasado." [9] Este tipo de revuelta anárquica fue común en Latinoamérica en los años veinte; la encontramos por ejemplo entre los modernistas brasileños y entre los argentinos del círculo *Martín Fierro.* Muy pronto, sin embargo, una nueva influencia llegó de Europa e introdujo conceptos más ambiciosos de libertad artística. Fue el surrealismo.

Los surrealistas interpretaban la libertad como una liberación psíquica que permitía al artista aprehender intuitivamente la "totalidad del ser". Su teoría se nutría en la ciencia relativamente nueva de la psicología. Uno de ellos declaró: "Freud ha mostrado que en esta insondable 'profundidad' existe una ausencia total de contradicciones, una nueva modalidad de las obstrucciones emocionales producidas por la represión, una atemporalidad y una substitución de la realidad psíquica por la realidad externa, todo sometido al principio único del placer." [10]

La palabra "atemporalidad" subraya la naturaleza religiosa de la experiencia surrealista, lo que se confirma en las palabras del papa del surrealismo, André Breton: "Todo nos hace creer que existe cierto punto del espíritu en que la vida y la muerte, lo real y lo imaginario, lo comunicable y lo incomunicable, lo alto y lo bajo, dejen de ser percibidos como contradicciones." [11]

Los métodos formales del surrealismo —escritura automática, yuxtaposición en la pintura de objetos generalmente disociados, importancia concedida a los elementos de sorpresa o azar— se utilizaron primordialmente como medios para traspasar conciencia y lógica a fin de penetrar en aquella "realidad psíquica". De aquí la importancia concedida a las ciencias ocultas, la cábala y el espiritismo, por su virtud de "multiplicar esos cortocircuitos". "Su propósito es y siempre será el de reproducir artificialmente ese momento ideal en que un hombre, bajo la influencia de una emoción especial, es poseído súbitamente por algo 'más fuerte que él', que lo lanza, a pesar de su cuerpo dependiente, a la inmortalidad." [12] Conceptos como el de "alquimia de la palabra", "el ocultismo profundo y verdadero del Surrealismo", el poeta como "mago", que abundan en los manifiestos surrealistas son testimonio de la naturaleza fundamentalmente "religiosa" del arte surrealista.

Como el dadaísmo, el surrealismo saludó a la Revolución, pero hizo hincapié en una liberación fundamentalmente interna antes que social:

> No es con declaraciones estereotipadas contra el fascismo y la guerra como lograremos liberar el espíritu, ni al hombre de las antiguas cadenas que lo esclavizan ni de las nuevas cadenas que lo amenazan, sino por la afirmación de nuestra fidelidad inquebrantable a los poderes de emancipación del espíritu y del hom-

bre que lentamente hemos reconocido y que lucharemos para que sean reconocidas como tales. "Transformar el mundo" ha dicho Marx; "cambiar la vida", dijo Rimbaud: para nosotros esas dos consignas son una sola." [13]

Es evidente que Breton consideraba como primordial la liberación espiritual interna.

Una segunda gran diferencia entre el artista militante de izquierda y el escritor de vanguardia, surrealista o dadaísta con principios revolucionarios, consistía en que mientras el primero tendía a considerar la cultura como parte de una superestructura nacional, el segundo consideraba el arte fuera del contexto nacional; los surrealistas latinoamericanos —como por ejemplo, Wifredo Lam (1902)— no se consideraban ya imitadores de Europa, sino parte de un movimiento internacional.[14]

De cualquier modo la adopción en América Latina de una posición de vanguardia definía la posición del artista hacia su propia sociedad, le gustara ésta o no. Proclamar interés en la experimentación artística implicaba inevitablemente un sistema de valores no-nacional y, de hecho, conducía al artista y al escritor a fortalecer sus lazos cosmopolitas. Al mismo tiempo, los cosmopolitas se justificaban sobre la base de que estaban situando a Latinoamérica en el mapa cultural universal. Sus revistas tenían un doble papel que cumplir: dar información o traducir la obra de los movimientos europeos de vanguardia y proporcionar un medio de expresión a la vanguardia nacional.

En Argentina esta doble labor fue realizada por la influyente revista *Sur,* fundada en 1931 por Victoria Ocampo y todavía en circulación hasta la fecha. *Sur* se apoyó en un grupo de talentos internacionales, que incluía al filósofo español Ortega y Gasset, al argentino Jorge Luis Borges, al norteamericano Waldo Frank, así como a prominentes escritores contemporáneos franceses e ingleses. En México la revista *Contemporáneos,* de vida mucho más breve, declaraba que su intención era la de establecer el contacto entre las "realizaciones europeas y la promesa americana"; publicó a varios escritores europeos al lado de poetas mexicanos. Recientemente la revista mexicana *El Corno Emplumado* —editada en español e inglés— ha realizado la misma función integradora con respecto a Norteamérica, colocando la obra de los poetas latinoamericanos y norteamericanos lado a lado. De esta manera, mientras el artista comprometido se esforzaba en profundizar las raíces nacionales de su arte, el vanguardista generalmente propendía a señalar la naturaleza internacional del arte y el derecho de América Latina a participar en la cultura occidental.

LA RISA DE LOS DIOSES

La adopción de una posición cosmopolita, sin embargo, dejó de significar que el artista aceptara solemnemente las formas y valores europeos. En verdad, el eclecticismo de las minorías culturales latinoamericanas facilita y tienta al artista a tomar una actitud escéptica e irónica con respecto a las ideas y movimientos que le llegan del exterior. Después de todo, el artista latinoamericano no vive una realidad europea o norteamericana. Puede compartir las actitudes de un *angry young man* o de un *beatnik,* pero no es uno de ellos. Cuando llegan tales movimientos se le presentan divorciados de su contexto nacional y para la fecha en que alcanzan al artista resultan aún más abstractos. Es más, el artista puede estar igualmente al lado de su realidad nacional. La afirmación de Lévy-Strauss de que en Brasil la cultura tiende a ser "un entretenimiento de ricos" no es una generalización que pueda aplicarse a toda Latinoamérica. No obstante, sigue teniendo validez para un sector del mundo artístico en cada país y es también cierto que es el público diletante de las clases altas quien más favorece un "estilo internacional". El eclecticismo y el desarraigo, sin embargo, aunque parecen un punto de partida dudoso, han producido en realidad una obra notable en años recientes: obra que no trata directamente la realidad nacional y que considera con cierto tono escéptico la cultura de Occidente. En el seno de la cultura occidental, y, sin embargo aparte de ella, ha surgido un grupo de escritores para quienes el arte representa la risa de los dioses.

Esta actitud es especialmente notable entre los escritores argentinos, y lo ha sido desde los días de Macedonio Fernández y Roberto Arlt, cuya novela *Los siete locos* constituía un ataque al mecanismo entero de la sociedad capitalista, no sólo en Argentina sino en todo el mundo. Tal ataque se realizó esencialmente con un espíritu de "juego" o "divertimiento". Y esta impresión se fortalece por el uso de juegos verbales, por la transcripción fonética del lenguaje popular, y el tono de parodia que corre por toda la novela. El tono de juego es mucho más evidente en la obra del escritor argentino Jorge Luis Borges (1899), aunque Borges dista mucho de compartir la posición política de Arlt. Los juegos de Borges no se refieren a la sociedad capitalista sino, sobre todo, a especulaciones metafísicas. El propósito de su obra es destrozar las nociones convencionales del lector sobre tiempo, espacio y realidad, y forzarlo así a advertir su contingencia. En espíritu se encuentra cerca del movimiento Dada en lo referente a la rebelión contra todas las convenciones y fórmulas. Es significativo que sus años de formación hayan transcurrido en Europa (en Suiza, precisamente) en el momento culminante del dadaísmo. Borges colaboró en la fundación de un movimiento vanguardista hispánico, el Ultraísmo, cuyo propósito era reducir la lírica a uno de sus elementos, la metáfora.

La obra característica de Borges —combinación de ensayo y cuento que desarrolló en los treinta y que llamó "ficciones"— surge de un concepto croceano del arte que considera que "la forma tiene una virtud en sí misma, independientemente de cualquier posible 'contenido' "; y también de un escepticismo profundamente arraigado hacia todas las formas intelectuales que el hombre ha experimentado. El propósito de la "ficción" es revelar que la forma es sólo forma y únicamente una de las posibles interpretaciones de la realidad. Borges admite abiertamente su tendencia "a estimar las ideas religiosas o filosóficas por su valor estético y aun por lo que encierran de singular y de maravilloso. Esto es, quizás, indicio de un escepticismo esencial".[15] También ha declarado que los cuentos incluidos en su *Historia universal de la infamia* (1935) son "el irresponsable juego de un tímido que no se animó a escribir cuentos y que se distrajo en falsear y tergiversar ... ajenas historias".[16] Tanto el título como la declaración son significativos. Nos encontramos muy lejos del concepto del mal que se encuentra en la novela de protesta social, donde el mal surgía en función de una situación social. El mal en la obra de Borges es universal y eterno: una especie de perversidad que posee el hombre independientemente del lugar en que haya nacido y del tiempo en que viva.

El propósito de la "ficción" consiste entonces en minar la confianza del lector en los hechos y en la realidad. Por esa razón Borges utiliza los nombres de investigadores reales, de autoridades auténticas, de enciclopedias auténticas y de auténticas obras de referencia para construir un andamiaje de "hechos". En la "ficción" "Tlön, Uqbar, Orbis Tertius" (1941), por ejemplo, narra cómo a través de diversas referencias llegó a descubrir un país imaginario. Más tarde descubre un volumen de una enciclopedia que describía el desconocido planeta Tlön "con sus arquitecturas y sus barajas, con el pavor de sus mitologías y el rumor de sus lenguas, con sus emperadores y sus mares ... con su controversia teológica y metafísica. Todo ello articulado, coherente, sin visible propósito doctrinal o tono paródico".[17] En una nota de pie de página Borges revela que la invención del planeta desconocido es obra de una sociedad secreta de idealistas, quienes a través de varias generaciones han infiltrado en nuestro planeta pruebas de ese mundo desconocido hasta que al final nadie sepa qué es real y qué no lo es. Este cuento convierte nuestra propia "realidad", nuestra "arquitectura" y nuestras "barajas" en algo igualmente ficticio. Borges constantemente desafía la autoridad de los hechos. En el cuento "Emma Zunz", por ejemplo, describe cómo Emma asesina a su jefe para vengar a su padre y cómo logra distorsionar los hechos a fin de que parezca que lo ha matado para vengar su honor después de haber sido violada. Todos los hechos que la policía "conoce" son verdaderos; sin embargo, desconocen los elementos esenciales que realmente permitirían entender el crimen.

De esto no se desprende que la concepción de Borges sea solipsista. Tal vez la declaración más próxima a su verdadera posición sea la siguiente:

> Negar la sucesión temporal, negar el yo, negar el universo astronómico, son desesperaciones aparentes y consuelos secretos. Nuestro destino ... no es espantoso por irreal; es espantoso porque es irreversible y de hierro. El tiempo es la substancia de que estoy hecho. El tiempo es un río que me arrebata, pero yo soy el río; es un tigre que me destroza, pero yo soy el tigre ... El

> mundo, desgraciadamente, es real; yo, desgraciadamente, soy Borges.[18]

"Desgraciadamente" es tal vez la palabra clave de ese párrafo. El destino del hombre convierte la vida en una tragedia, y en esta tragedia la única consolación y distracción es el ingenio humano para elaborar construcciones, jugar con la "eternidad". Poco nos sorprende entonces que las analogías preferidas de Borges sean el laberinto (a la vez complejo y simple), el libro (considerado tal vez como la simple permutación de unas cuantas metáforas) y la biblioteca (como el laberinto, monótono y sin embargo infinito).

La función del arte dentro de ese destino inflexible es la de liberación. Es un sueño voluntario en el que el hombre ejerce su libertad imaginaria y que lo acerca a la comprensión de la realidad, ya que la comprensión absoluta es imposible.

> Todas las artes aspiran a la condición de la música, que no es otra cosa que la forma. La música, los estados de felicidad, la mitología, las caras trabajadas por el tiempo, ciertos crepúsculos y ciertos lugares, quieren decirnos algo, o algo dijeron que no hubiéramos debido perder o están por decir algo; esta inminencia de una revelación, que no se produce, es, quizás, el hecho estético.[19]

El arte es un juego, y los juegos son importantes porque se basan en el azar (un elemento fundamental de la existencia) y porque requieren un ritual, un regreso a la fórmula mágica que induce a un sentimiento de atemporalidad.

En la superficie podría parecer que la obra de Borges está bastante lejos de cualquier "conciencia social", y que se aproxima mucho a la teoría de un arte como evasión de los horrores de la condición humana. Pero esa suposición no es del todo exacta. Borges ha tomado partido político en varias ocasiones; dos ejemplos son notables: su ataque al nazismo en 1944 y su oposición a Perón (1945-55). Perseguido y humillado por Perón, mantuvo una oposición consciente y digna. En realidad, tanto la posición política de Borges como sus declaraciones en torno a la cultura y al lenguaje político revelan una notable coherencia que está a tono con sus puntos de vista sobre el arte y su actitud general hacia la existencia. En todo caso, su actitud parte de un respeto profundamente arraigado por la cultura occidental y un odio hacia toda forma de barbarie que amenace a esa cultura. Combatió el nazismo en estos términos: "Para los europeos y americanos hay un orden —un solo orden— posible: el que antes llevó el nombre de Roma y que ahora es la cultura del Occidente. Ser nazi... es, a la larga, una imposibilidad mental y moral."[20] De manera semejante, su oposición a Perón se basaba en su profunda repulsión hacia un político que desdeñaba y perseguía a los intelectuales. Perón le asignó un cargo de inspector de pollos para humillarlo, pero, como señaló un crítico, la respuesta de Borges a ese incidente lo define perfectamente, pues él se sintió afectado únicamente por las implicaciones intelectuales que le parecían las más ominosas.[21]

Borges defiende la cultura occidental por pertenecer a ella, porque *es* una cultura y porque sus defectos derivan más de las limitaciones humanas que de fallas inherentes a esa misma cultura. Para los argentinos y uruguayos, la occidental es la única cultura de la que pueden proclamarse herederos, ya que han carecido de una cultura nativa. La defensa de Borges de la cultura occidental también lo lleva a subrayar la importancia de usar un español que sea generalmente comprensible, inteligible en todo el mundo hispánico, más que a afirmar las diferencias locales de lenguaje. "Cuando escribo no pienso como argentino o como español: Escribo con el fin de ser comprendido... Si una palabra tiene un sabor arcaico no la uso. Si una palabra es demasiado local y existe otra más amplia que puede usarse, prefiero esa palabra."[22] Declara que los escritores latinoamericanos no deberían acentuar las diferencias que los separan sino pensar en un idioma común que una a los pueblos de habla española de ambos lados del Atlántico. En este sentido no está muy lejos de la posición de los autores arielistas, ya que se considera defensor de una cultura común que una a todos los intelectuales contra la barbarie en cualquier tiempo y lugar. Posee, sin embargo, mucha menos fe que la generación arielista en el poder de la literatura y la educación para transformar a la humanidad; también su fe en Europa es menos ciega que la de los arielistas. El latinoamericano, cree él, no tiene necesidad de pensar que está imitando a Europa ya que es heredero de la tradición europea; por otra parte, por ser extranjero, su manejo de dicha tradición se torna más libre. Compara la posición del latinoamericano hacia Europa con la del judío, ya que aunque el judío vive, por decirlo así, dentro de la cultura occidental, no se siente sujeto por ninguna lealtad particular, y por ello puede inventar, puede cambiar, puede revolucionar. Tal es el caso, o al menos puede serlo en el futuro, de la América Española.[23] Con lo cual termina por convertir en una virtud el eclecticismo y el cosmopolitismo.

Un rasgo esencial de la visión artística de Borges es que se trata de un juego que puede desconcertar al lector y sacarlo de sus actitudes convencionales. Es el mismo propósito que anima mucho de lo escrito por su amigo Adolfo Bioy Casares (1914), quien expresa su posición idealista de la vida en novelas que siguen las normas de la novela policial o de ciencia-ficción. *Los que aman odian* (1946, escrita en colaboración con Silvina Ocampo), por ejemplo, es una parodia humorística de novela policial con "pistas" y "sospechosos" que desvían la atención del verdadero criminal. La obra más importante de Bioy Casares, *El sueño de los héroes* (1954) es un ejemplo de fusión de un trasfondo realista —las calles y los bares de Buenos Aires— y un protagonista verdadero, un obrero, con el propósito de contar una historia fantástica. En verdad, la combinación de un escenario real y de un mito universal, de Buenos Aires y los argonautas, recuerda al *Ulysses* de James Joyce. El protagonista, Gauna, se emborracha durante la celebración del carnaval de 1927, tiene un duelo a cuchillo y es salvado de la muerte por la intervención de "El brujo", un misterioso mago que declara: "Yo lo defendí contra un dios ciego, yo rompí el tejido que debía formarse. Aunque sea más delgado que hecho de aire, volverá a formarse cuando no esté yo para evitarlo."[24] Tres años después, los mismos acontecimientos se repiten, y sin la protección de "El brujo" Gauna es asesinado. El protagonista se asemeja al héroe de los antiguos mitos porque es víctima de fuerzas que no comprende. Todo intento de transformar la realidad está ausente de *El sueño de los héroes,* en donde el hombre es una figura trágica cuya única elección es la de realizar su destino.

Recientemente Julio Cortázar (Argentina, 1914) ha desarrollado esta teoría del arte como juego con un brillante "virtuosismo" en cuentos y novelas cuyos títulos descubren su intención. Uno de sus libros de cuentos se llama *Final del juego* (1956) y una de sus novelas, *Rayuela*. En ésta y en otras obras, Cortázar ha construido juegos de artificio que son como la vida y las teorías que el hombre crea sobre la vida. En *Los premios* (1960), un grupo de bonaerenses gana en la lotería un viaje en barco. Es un conjunto muy variado —maestros, familias decentes, un hombre de empresa— el que emprende el crucero. Una vez a bordo, se les ordena obedecer una serie de normas. No se les permite trasponer el puente; se les exige no manifestar ninguna curiosidad sobre el itinerario. Por otra parte, tienen libertad para divertirse a gusto. Rápidamente los pasajeros se dividen en dos grupos: quienes aceptan las reglas y se pliegan a ellas, y los "transgresores de las reglas" que hacen todo lo posible por atravesar el puente y por enterarse del lugar de destino. Finalmente uno de los "transgresores" es asesinado. El crucero tiene un fin abrupto, y ambos grupos deben regresar a Buenos Aires para ser absorbidos por la vida de la ciudad, como si todos los acontecimientos a bordo no hubieran ocurrido nunca. En una ingeniosa nota final, Cortázar desalienta al lector a buscar algún sentido a la novela, o considerar la nave como un símbolo. Cualquier interpretación puede ser válida. A pesar de esa advertencia, el lector tiende casi irresistiblemente a identificarse con los transgresores del orden y no con los personajes convencionales, ya que el autor presenta a los primeros a una luz bastante más simpática. Podemos, por ello, concluir legítimamente que el mismo Cortázar muestra una disposición más favorable hacia quienes tratan de desafiar lo "establecido" e imponen su propio orden: concepto que nos vuelve a conducir a la actitud vanguardista de los veintes.

En *Rayuela,* Cortázar lleva más lejos el juego de imaginación. En esta novela, o mejor dicho antinovela, el protagonista es un estudiante llamado Oliveira. Se describen en el libro una serie de acontecimientos, episodios, pensamientos, reflexiones y citas; se puede leer en el orden normal o en el que disponga Cortázar. En varios lugares las citas o los personajes afirman la necesidad de romper con la "literatura", ya que la literatura también es otro conformismo.

Cuántas veces me pregunto si esto no es más que escritura, en un tiempo en que corremos al engaño entre ecuaciones infalibles y máquinas de conformismos. Pero preguntarse si sabremos encontrar el otro lado de la costumbre o si más vale dejarse llevar por su alegre cibernética, ¿no será otra vez literatura? El solo hecho de interrogarse sobre la posible elección vicia y enturbia lo elegible.[25]

Cortázar concibe la novela como algo próximo a los procedimientos del Zen, la sacudida saludable:

Para mi inconformista fabricar alegremente un barrilete y remontarlo para alegría de los chicos presentes no representa una ocupación menor ... sino una coincidencia con elementos puros, y de ahí una momentánea armonía, una satisfacción que lo ayuda a sublevar el resto. De la misma manera los momentos de extrañamiento, de enajenación dichosa que lo precipitan a brevísimos contactos de lo que podría ser su paraíso, no representan para él una experiencia más alta que el hecho de fabricar el barrilete; es como un fin, pero no por encima o más allá.[26]

Y prosigue:

En un plano de hechos cotidianos, la actitud de mi inconformista se traduce por su rechazo de todo lo que huela a idea recibida, a tradición, a estructura gregaria basada en el miedo y en las ventajas falsamente recíprocas ... No es misántropo, pero sólo acepta de hombres y mujeres la parte que no ha sido plastificada por la superestructura social: él mismo tiene medio cuerpo metido en el molde, y lo sabe, pero este saber es activo y no la resignación del que marca el paso. Con su mano libre se abofetea la cara la mayor parte del día, y en los momentos libres abofetea la de los demás, que se lo retribuyen por triplicado.[27]

La concepción de Cortázar sobre el impacto del arte está cercana a la de Borges, pues como lo explica Morelli, uno de los personajes, el no conformista que actúa como tal conoce de ese modo intuitivamente otra clase de libertad que está más allá, "otra libertad más secreta y evasiva lo trabaja, pero solamente él (y eso apenas) podría dar cuenta de sus juegos".

Así como Borges acepta el destino, pero desea que su arte se convierta en una consolación, el juego de Cortázar es parte de una hiperbólica rebelión contra toda convención posible. Sus novelas rechazan cualquier sociedad, institución social o agrupación, con la única excepción de aquellas que son absurdas o se sujetan exclusivamente a las leyes del azar: los círculos bohemios de París, los *clochards* de París, los medios circenses de Buenos Aires, el manicomio. Todos los encuentros, actividades o acontecimientos, ocurran en París o Buenos Aires, están sujetos al azar. Oliveira y su amiga la Maga prefieren encontrarse por accidente, pues consideran que las personas que hacen citas son como quienes necesitan papel rayado para escribir. Oliveira inventa constantemente sus propios juegos —juegos con palabras, sistemas de comunicación y sentido nuevos— simbólicos o privados con los que desearía abolir el orden social establecido. *Rayuela* por consiguiente es una declaración drástica de anarquía personal en un mundo absurdo. La misma forma de la novela, en la cual Buenos Aires o París resultan intercambiables, es una crítica implícita al nacionalismo, y en ella se encuentra un largo pasaje que se burla tanto de la acción (una ilusión de moralistas) como del enfoque cultural de los problemas nacionales:

> Si algo había elegido desde joven, era no defenderse ante la rápida y ansiosa acumulación de una "cultura", truco por excelencia de la clase media argentina para hurtar el cuerpo a la realidad nacional, y a cualquier otra, y creerse a salvo del vacío que la rodeaba. Por lo demás le parecía tramposo y fácil mezclar problemas históricos, como el ser esquimal o argentino, con problemas como el de la acción o la renuncia. Había vivido lo suficiente para sospechar eso que, pegado a las narices de cualquiera, se le escapa con la mayor frecuencia: el peso del sujeto en la noción del objeto.[28]

Aunque el juego con ideas serias parece darse con más frecuencia entre los escritores argentinos, el elemento de juego en la narración no se confina a ese país. En México, por ejemplo, *Los albañiles* (1964), de Vicente Leñero (1933) usa los cánones de la novela policial, de manera semejante a la de Adolfo Bioy Casares, para plantear dudas sobre las nociones convencionales en torno al bien y el mal. En esta novela un velador es asesinado. Plomeros, albañiles, el ingeniero del edificio, aparecen declarando en torno a ese crimen, pero el autor siembra dudas en la mente del lector sobre la autenticidad o falsedad de esas declaraciones.* Cuando la novela termina, lo único que ha quedado claro es que todos, aun la policía, son potencialmente culpables. De esta manera, igual que Borges, Leñero usa una estructura que parece apoyarse en los hechos para transmitirnos el mensaje universal de que aun los "hechos" no constituyen la "verdad".

El movimiento de vanguardia generalmente tiende a ser anárquico; es, sobre todo, producto de la desesperación.** Esto resulta evidente en un buen número de movimientos vanguardistas que han surgido en años recientes, como los "tzánticos" de Ecuador y los "nadaístas" colombianos. Un poema de uno de éstos, J. Mario (1938),*** titulado "Poeta con revólver", afirma:

> Los dos semidioses, el ruso y el americano, harían bien en estallar sus bombas megatónicas en tus narices
> y que la tierra continuara girando en el espacio desocupada como una calavera
> para testimoniarle a los siglos cuán grande era el más pequeño de los hijos de Dios.[29]

Según parece los nadaístas han sido influidos por el Budismo Zen, pero su ataque anárquico a un mundo absurdo tiene también sus raíces en el dadaísmo: "Estamos aterrados de nuestra maldad, y solicitamos al Estado que abra para nosotros los manicomios, los presidios y los reformatorios, porque somos geniales, locos y peligrosos, y no encontramos otros sitios más decentes para vivir en la sociedad contemporánea." [30]

Al igual que sucedía con Dada y el surrealismo, el énfasis central de la vanguardia reside en una liberación interior como lo demuestra un editorial de la revista mexicana *El Corno Emplumado.*

* Al final uno acaba por sospechar que tal vez no haya habido ningún crimen.

** Sobre el reciente surgimiento de movimientos *beat* o de vanguardia tales como El Techo de la Ballena (Venezuela), La generación mufada (Argentina), el grupo Ventana (Nicaragua) y los tzánticos (Ecuador), véase: Stefan Baciu, "Beatitude South of the Border", *Hispania,* Vol. XLIX, no. 4, diciembre de 1966.

*** Pseudónimo de J. Mario Arbeláez.

> En ocho números hemos publicado poesía, prosa, teatro, cartas, arte y hablado acerca de una Nueva Era habitada por un Hombre Nuevo. Muchos preguntan todavía quién es este hombre nuevo y en qué nueva era vive. Uno puede inclusive sentir el cambio dentro de sí y resistirse como nosotros a veces a ponerle un nombre. Piscis/Acuarius. Una revolución espiritual que se compara históricamente con la revolución industrial: un salto desde la máquina hasta la mente y el corazón. El tiempo para un arte del pueblo que no es ya "un arte del pueblo", esto es, la vida cotidiana entendida como un hecho trascendente y por lo tanto vivido como una creación constante. Un cambio humano que ya no se queda dentro de grupos, que ya no está limitado por dogmas políticos ni religiosos. Un individualismo que a todos incluye. Un pan untado con la visión de la totalidad y dividido infinitamente. Un tiesto en que cada flor cortada descubre una nueva dimensión. El tiempo de mirar al sol de frente y sin parpadear.[31]

Las colaboraciones a la revista acentúan la "reforma agraria del espíritu". Fidel Castro es citado únicamente en lo que se refiere a su concepción de la literatura. Y aunque los escritores subrayan la hermandad de los artistas-parias, el eje se ha desplazado de París a Nueva York, al Zen y a los *beat* más que al surrealismo. El hecho de que *El Corno Emplumado* se publique en inglés y en español "cuando las relaciones entre los países de América son peores que nunca", parece reflejar la esperanza de que la revista será una muestra de que TODOS SOMOS HERMANOS.[32]

Sin embargo, aunque *El Corno Emplumado* destaca la hegemonía artística de los Estados Unidos, no ocurre lo mismo con otro movimiento de vanguardia contemporáneo: el Movimiento Concreto del Brasil. Este movimiento intenta convertir a São Paulo en el centro cultural del mundo. Si se considera el arte como una serie de "descubrimientos técnico-formales", entonces la poesía concreta ha triunfado en su afán de imponerse como movimiento artístico. El concretismo se inició en 1952 con la fundación de la revista *Noigandres* por Augusto de Campos, Décio Pignatari y Haroldo de Campos. "Noigandres" es una palabra usada en uno de los *Cantares* de Ezra Pound, quien junto con Apollinaire, Mallarmé y Cummings es uno de los padres espirituales del movimiento. Además de *Noigandres* se ha desarrollado la poesía concreta, definida como "un nuevo lenguaje, sintético, sustantivo, directo, comunicativo y estructuralmente coherente". Los modelos de este nuevo tipo de poesía son los ideogramas chinos y la teoría de la *Gestalt*. Los experimentos de Mallarmé, Pound, Joyce y Cummings convergen, según dicen, en "un nuevo concepto de composición, en una nueva teoría de la forma ... donde las nociones tradicionales como principio-medio-fin, silogismo, verso, tienden a desaparecer y a ser superadas por una organización poético-gestaltiana, poético-musical, poético-ideogramática de la estructura."[23]

El siguiente es un ejemplo de poema concreto[34] basado en la composición de *se nasce* (nacer) y *morre* (morir):

```
                  se
                  nasce
                  morre nasce
                  morre nasce morre
                          renasce remorre renasce
                                  remorre renasce
                                          remorre
                                               re
                              re
                          denasce
                  desmorre denasce
        desmorre desnasce desmorre
                              nascemorrenasce
                              morrenasce
                              morre
                              se
```

El poema no debe leerse como una sucesión de ideas sino percibirse como un todo, eso es "comunicar tiempo y espacio simultáneamente". La palabra se convierte en un elemento gestáltico de la estructura. De ahí se concluye que la poesía concreta no es "primordialmente un vehículo intencional de significados". A menudo está más cerca de las artes plásticas que de la literatura en el sentido tradicional; en realidad, de acuerdo con la definición "se basa en las relaciones visuales de varios elementos y sus relaciones en el espacio bidimensional dentro del cual está contenido". Es decir que el objetivo último de la poesía concreta no es muy diferente del de otros movimientos de vanguardia. "La rebelión de la poesía concreta no es contra el lenguaje. Es contra la falta de funcionalidad y la formulización del lenguaje. Es contra su apropiación por el discurso que lo convierte en una fórmula." [35] La poesía concreta no puede reemplazar al lenguaje discursivo, "pero pretende influir sobre el discurso, en la medida en que pueda revivificar y dinamizar sus células muertas, impidiendo la atrofia del organismo común: el lenguaje."

Así pues, aun en la poesía concreta hay una crítica social implícita, como en uno de los poemas de Décio Pignatari que utiliza los elementos de un anuncio de coca-cola.[36] La poesía concreta pretende estar mucho más al día, ser una forma de comunicación más directa y moderna y haber roto con el mito, el símbolo y la metáfora. Intenta "crear su propio objeto". En teoría, se basa en los descubrimientos de la cibernética y del lenguaje de comunicación utilizado por la publicidad. En los manifiestos de los poetas concretos, hay muchas referencias a la teoría de la comunicación y al uso de términos técnicos, como por ejemplo "conmutador". A diferencia de buena parte de la literatura de vanguardia, los poetas concretos manifiestan sus deseos de proporcionar una forma de comunicación más inmediata y efectiva. Condenan las actitudes aristocráticas del arte y subrayan el hecho de que su poesía habla el lenguaje del hombre actual, que es un producto de consumo para ser usado.

Muchos poemas concretos son ingeniosos y divertidos, como éste,[37] formado con las letras de la palabra "Velocidade", de Ronaldo Azeredo:

VVVVVVVVVV
VVVVVVVVVE
VVVVVVVVEL
VVVVVVVELO
VVVVVVELOC
VVVVVELOCI
VVVVELOCID
VVVELOCIDA
VVELOCIDAD
VELOCIDADE

No obstante, después de leer muchos manifiestos y declaraciones sobre la poesía concreta, es imposible escapar a la convicción de que el motivo principal es casi el mismo que originó la construcción de Brasilia y creó la Biennal de São Paulo. El deseo de convertir a Brasil en la capital del mundo es explícito. "En un terreno internacional, exportar ideas y formas. Es el primer movimiento literario brasileño que lleva la delantera en una experiencia artística mundial." [38] Aún más explícita es la declaración de Haroldo do Campos de que así como la industria brasileña ha avanzado de la importación de productos extranjeros a la manufactura de maquinaria propia, haciendo uso de la experiencia técnica extranjera, la poesía concreta ha logrado el mismo avance en el campo literario, "adquiriendo así la validez creadora no sólo en el ámbito nacional, sino como producto brasileño de exportación en el campo de las ideas".[39]

Es tal vez demasiado pronto para poder juzgar si las ambiciosas pretensiones de los poetas concretos logran justificarse. Desde luego hay que admitir que tienen la audacia de los hombres que han construido Brasilia, pero es también evidente que se imponen limitaciones extremas en aras de sus teorías.[40]

Fuera del Brasil, el poeta que más se ha interesado en la experimentación tipográfica es Octavio Paz. Entre sus últimas publicaciones. *Ladera Este* (1969), *Topoemas* (1968) y *Discos visuales* (1968) se encuentran toda clase de invenciones. Los discos visuales son combinaciones de poesía, movimiento y color. Y en el poema *Blanco* (1967), que se lee de muchas maneras, el poeta emplea distintos colores. Como señala el mismo Paz:

> La tipografía y la encuadernación de la primera edición de *Blanco* querían subrayar no tanto la presencia del texto como la del espacio que lo sostiene: aquello que hace posible la escritura y la lectura, aquello en que terminan toda escritura y lectura.

MUERTE, SOLEDAD Y UNIVERSALIDAD

Si la experimentación con el lenguaje y la forma ha logrado que los poetas se sientan parte de una hermandad universal, esto es también cierto para quienes reflejan en su arte experiencias humanas profundas. Aquí, en lugar de experimentos técnicos con validez autónoma, encontramos el intento de expresar mitos, símbolos y arquetipos fundamentales; en este aspecto, la influencia del surrealismo (condenado por los poetas concretos debido a su incapacidad para liberarse del enfoque neoaristotélico del lenguaje) ha sido decisivo. Al igual que los experimentadores de vanguardia, la preocupación por el subconsciente y por ciertas experiencias radicales ha implantado un nuevo cosmopolitismo.

"Experiencias radicales" es un término intencionalmente amplio, usado para cubrir todos aquellos terrenos comunes de la vida humana, desde el amor hasta la muerte, todo lo que surja de la condición humana pero que permanezca inmutable ante la acción del medio ambiente. La mayor parte de la poesía latinoamericana escrita en los últimos cincuenta años cabe dentro de esa categoría. Hasta poetas comunistas como Neruda o socialistas como Jorge Carrera Andrade (Ecuador, 1903) han escrito poesía sobre la percepción del mundo material referida a su experiencia en un nivel esencial. Muchos poetas contemporáneos importantes como João Cabral de Melo Neto (Brasil, 1920) y Carlos Drummond de Andrade (1902) han explorado minuciosamente la experiencia fenomenológica. En estos dos últimos poetas, en especial, hay una expresa conciencia de los límites del conocimiento humano, así como de las posibilidades y las limitaciones del lenguaje. En contraste con esa clase de "experiencia radical" se encuentra otro tipo de poesía latinoamericana en que la misma poesía se convierte en un "ejercicio espiritual", un modo de reconciliarse con la muerte y la soledad, o hasta un vehículo que permita al poeta establecer contacto con "el más allá". Esta concepción que da a la poesía un lugar previamente concedido a la religión ha tenido muchos adeptos en los últimos años, entre los cuales destacan como precursores los poetas que editaron en México la revista *Contemporáneos* (1928-31), quienes trataron predominantemente los temas de la muerte y la soledad.

El grupo *Contemporáneos* surgió durante el fervor posrevolucionario mexicano; las preocupaciones íntimas de los poetas que lo integraban, así como su interés por figuras literarias como T. S. Eliot, lo hacía parecer como un grupo casi contrarrevolucionario.[41] Los títulos de los libros más importantes publicados por esos poetas son significativos: *Nostalgia de la muerte* (1938) de Xavier Villaurrutia (1903-50),

Muerte de cielo azul (1937) de Bernardo Ortiz de Montellano (1899-1949), *Muerte sin fin* (1939) de José Gorostiza (1901) no dejan lugar a duda sobre la preocupación de estos poetas. Pero también la poesía cobra un papel especial en este mundo capturado por la muerte. La poesía, dice José Gorostiza, es "un juego de espejos, en el que las palabras, puestas unas frente a otras, se reflejan unas en otras, hasta lo infinito y se recomponen en un mundo de puras imágenes donde el poeta se adueña de los poderes escondidos del hombre y establece contacto con aquel o aquello que está más allá".[42] Este contacto con "lo que está más allá", es como el "breve contacto" de Cortázar, pues el momento de percepción es sólo eso, un instante. La poesía no escapa de la temporalidad porque también es parte de ella. En *Muerte sin fin,* Gorostiza nos dice que todo vuelve a su caos originario:

> En que nada es ni nada está,
> donde el sueño no duele,
> donde nada ni nadie, nunca está muriendo.[43]

La visión del poeta de su destino humano inevitablemente lo pone en contra de la sociedad, que tiende a negar o a ignorar el significado de la muerte y el tiempo. Salvador Novo (1904), por ejemplo, encuentra que sociedad e historia son "una versión reiterada de la misma mascarada".

> Y yo lloré inconsolablemente
> porque en mi gran sala de baile
> estaban todas las vidas
> de todos los rumbos
> bailando la danza de todos los siglos
> y era sin embargo tan triste
> esa mascarada.

Lo que lo lleva a destruir las convenciones e ideas preestablecidas con el fin de descubrirse a sí mismo:

> Y duró mucho el incendio
> más vi al fin en mi corazón únicamente
> el confetti de todas las cenizas
> y al removerlo
> encontré

una criatura sin nombre
desnuda,
enteramente, enteramente desnuda
sin edad, muda, eterna.[44]

De ahí se desprende que la concepción de Novo de su sociedad —el México posrevolucionario— sólo puede ser crítica, y lo demostrará una vez más en sus *Poemas proletarios.* Esos poemas constituyen un cáustico enjuiciamiento a los defectos de la Revolución, cuyas absurdas proclamas y gestos grandilocuentes están reñidos con la ineluctable realidad del tiempo.

Crece el tiempo en silencio
hojas de hierba, polvo de las tumbas
que agita apenas la palabra.[45]

El vocabulario común de los *Contemporáneos* —"azar", "juegos", "nocturno", "sueños", "muerte", "tiempo"— nos demuestra que el mundo en que se movían no distaba mucho del de Borges.

Sin embargo la poesía mexicana no ha permanecido encerrada dentro de preocupaciones sólo personales. Tanto los poetas de *Contemporáneos* como los que le sucedieron, los del grupo *Taller,* intentaron restablecer la comunicación con los demás y con la sociedad, sin ignorar los temas de la muerte y de la soledad, pero proclamando su universalidad. Torres Bodet (1902), por ejemplo, uno de los poetas de *Contemporáneos,* aunque afirma que la poesía es esencialmente la expresión de un hombre y por ello, personal, asienta que el poeta, como hombre, participa del dolor del ser humano. Todos los hombres forman parte de una totalidad y ningún poeta se puede permitir observar sólo parte de esa totalidad.

Este vínculo de todos los seres humanos a través de la tragedia común de su destino es el tema de buena parte de la obra de Octavio Paz (1914), el más importante poeta vivo de México, cuyo *El laberinto de la soledad* (1950) es un notable ensayo interpretativo de la naturaleza de México y el mexicano. Paz no puede ser acusado de evasionista; sin embargo, sus temas esenciales son la soledad y el intento del hombre para derribar esa soledad con alguna forma de comunión. Al igual que Borges considera la poesía como un "sueño" por medio del cual el hombre destruye la frontera eléctrica de la vida. Se dirige a la poesía en estos términos:

> Llévame, solitaria,
> llévame, entre los sueños,
> llévame, madre mía,
> despiértame del todo
> hazme soñar tu sueño...[46]

Independientemente de su soledad y su angustia, Paz establece la posibilidad de la poesía como comunión, como la manera de reintegrar la totalidad del ser: "La experiencia poética es una revelación de nuestra condición original. Y esa revelación se resuelve siempre en una creación: la de nosotros mismos." [47]

El ejercicio de la creación es una contradicción, afirma Paz, en una sociedad burguesa que insiste en considerar al hombre como una mercancía. Sin embargo, las nuevas sociedades revolucionarias no son mejores, ya que lo consideran como instrumento. El poeta debe, por consiguiente, permanecer al margen de la sociedad y estar en rebelión contra sus valores.

> Muchos poetas contemporáneos deseosos de saltar la barrera de vacío que el mundo moderno les opone, han intentado buscar el auditorio perdido: ir al pueblo. Sólo que ya no hay pueblo: hay masas organizadas, y así, "ir al pueblo" significa ocupar un sitio entre los "organizadores" de las masas. El poeta se convierte en funcionario.[48]

Tal hombre no puede, según declara Paz, ser un poeta real ya que la poesía no es una expresión de ideas y opiniones sino que se alimenta "del lenguaje vivo de una comunidad, de sus mitos, sus sueños y sus pasiones, esto es, de sus tendencias más secretas y poderosas. El poema funda al pueblo porque el poeta remonta la corriente del lenguaje y bebe en la fuente original. En el poema, la sociedad se enfrenta con los fundamentos de su ser, con su palabra primera." [49] Su poema *Piedra de sol* (1957) es una demostración de ese concepto de la poesía en que la naturaleza dual de la existencia se expresa en términos de figuras míticas, como Venus y Quetzalcóatl, que representan "los dos aspectos de la vida".

> arco de sangre, puente de latidos,
> llévame al otro lado de esta noche,
> adonde yo soy tú somos nosotros,
> al reino de pronombres enlazados,
> puerta del ser.[50]

Paz es profundamente pesimista en lo que se refiere a la sociedad actual, en que las condiciones objetivas para realizar la totalidad del ser son enteramente desfavorables. "Puesto que la sociedad está lejos de convertirse en una comunidad poética, en un poema vivo y sin cesar recreándose, la única manera de ser fiel a la poesía es regresar a la obra. La poesía se realiza en el poema y no en la vida." [51]

Lo que lo conduce a un nuevo universalismo. El sentimiento de soledad y perplejidad del poeta se vuelve común a todos los hombres. "La situación es terrible, pero también propicia a una nueva tentativa de comunión. La palabra del poeta puede ser palabra común, porque brota de una situación que nos afecta a todos." Por eso Paz cree que el exilio del poeta ha cesado o está a punto de cesar. Tal convicción de que el aislamiento del poeta es compartido hoy día por todos los hombres ha sido difundida por Paz así como por otros poetas que la han aplicado a la situación de la América Latina y al latinoamericano en relación con el resto del mundo. Opina Paz que en la actualidad la América Latina forma un bloque junto con los países subdesarrollados y que la lucha de clases real en los tiempos modernos se efectúa entre éstos y los países privilegiados.

MITOS Y SÍMBOLOS UNIVERSALES EN LA NOVELA

El sentimiento de una experiencia latinoamericana compartida con el resto de la humanidad ha contribuido a modificar la problemática de la novela; de fenómenos puramente locales se ha pasado a la expresión de temas universales. El afán por descubrir formas novelísticas específicamente americanas y desarrollar un idioma literario regional casi ha desaparecido. Los novelistas como los poetas usan las técnicas comunes a la literatura occidental y tratan de desarrollarlas, más que proclamar la inauguración de una tradición específicamente americana.

La tendencia "universalista" es evidente en la mayor parte de las novelas contemporáneas. Paradójicamente, a menudo se une con la observación precisa y profunda de la realidad local. Pero la realidad local está firmemente ligada a la experiencia humana universal, por medio de una red de situaciones típicas o de mitos arquetípicos. De ahí que la familia argentina descrita por Eduardo Mallea (1903) en *Los enemigos del alma* (1950) encarne el mundo, la carne y el demonio. Un simbolismo cristiano corre a lo largo de la novela paraguaya, *Hijo de hombre* (1959) de Augusto Roa Bastos (1917). Aun cuando los mitos americanos son empleados en las novelas por Carlos Fuentes (México, 1929) y Miguel Ángel Asturias, tales mitos son a menudo una versión indoamericana de arquetipos universales. Uno de los ejemplos más interesantes de este uso del mito nos lo ofrece la novela brasileña *Grande Sertão: veredas,* publicada en 1956, de João Guimarães Rosa (1908-1968), que combina exactamente los dos tipos de mitología: el diablo, la encarnación de la maldad, y el escenario americano, en este caso el noreste de Brasil. El protagonista, Riobaldo, es un bandido que recuerda su vida tormentosa y que interpreta todo lo que no entiende como obra de las fuerzas del bien o del mal, aunque eventualmente llega a comprender que el mal es solamente un nombre para designar los impulsos interiores. La novela tiene la forma de un largo monólogo, cuyo virtuosismo lingüístico nos recuerda el de James Joyce.

Otro aspecto de esta tendencia universalista es que los escritores viven cada vez más en ciudades cuyos hábitos y formas de vida son los de las grandes ciudades del mundo contemporáneo. Sólo los títulos de muchas novelas y libros de cuentos recientes nos ofrecen una clara indicación del predominio de este escenario: *Montevideanos* (1959) de Mario Benedetti (Uruguay, 1920); *En una ciudad llamada San Juan* (1960) de René Marqués (Puerto Rico, 1919); *La ciudad junto al río inmóvil* (1936) de Eduardo Mallea. En contraste con la novela de la vida rural, que profundizaba en las diferencias regionales, la novela o el cuento urbanos expresan los problemas comunes de todos los habitantes de la ciudad, y, particularmente, su libertad y desarraigo de un ambiente en que los lazos familiares tienden a desaparecer y los contactos humanos se limitan a los compañeros de empleo o a los encuentros casuales. En América Latina, especialmente en países con alta proporción de inmigrantes, como ocurre en Argentina, Uruguay y Chile esta soledad se acentúa por el hecho de que muchos de los pobladores urbanos son provincianos recién llegados del interior. No es, pues, sorprendente que el tema de la soledad humana y el exilio sean uno de los rasgos comunes de la novela argentina y uruguaya, especialmente pronunciados en la obra de Eduardo Mallea y de Juan Carlos Onetti (Uruguay, 1909).

En las novelas y cuentos de Onetti los temas universales de la soledad, las trabas para la comunicación de los seres humanos, la imposibilidad del conocimiento y la comunicación con los demás, la mutabilidad de la persona humana, su sujeción al tiempo y al espacio, son realizados en una especie de *no man's-land* urbano carente de color local. Onetti declara que sólo desea "expresar la aventura del hombre", pero es una aventura singularmente desalentadora, en que el mundo moderno juega su parte. *El astillero* (1961) por ejemplo, trata de un hombre de edad madura que coloca sus últimas esperanzas en un astillero desierto y arruinado en donde no hay barcos ni hombres, sólo una empresa que comienza a trabajar en aras de una esperanza ilusoria. El astillero vacío, el protagonista desilusionado, quien sin embargo continúa ejecutando los gestos vacíos de la vida, el trabajo, las relaciones (fallidas) claramente intentan expresar la situación del hombre en general y el absurdo de los ritos de la existencia humana.

Los cuentos del escritor uruguayo Mario Benedetti dependen mucho más que las obras de Onetti del escenario local montevideano; sin embargo también en ellos se plantea un dilema universal: el del hombre atrapado en una red de trabajo impersonal, en que sentimientos tales como el amor, la caridad o aun la esperanza carecen ya de sentido. En uno de los cuentos de *Montevideanos,* por ejemplo, "Sábado de gloria", un empleado de gobierno despierta una tarde del sábado, saboreando su temporaria libertad, sólo para descubrir que su mujer está enferma. Como es fin de semana, se le dificulta conseguir un doctor y la mujer muere poco después de llegar al hospital. El cuento de Benedetti refleja la inhumanidad de la ciudad moderna, la desesperanza de sus habitantes cuando se enfrentan a la muerte. La ciudad acentúa de esta manera la inhumanidad del hombre, y, como lo muestra el escritor chileno Manuel Rojas (1896) en *Hijo de ladrón* (1951), también acentúa su violencia. En uno de los incidentes centrales de esta novela, que relata los vagabundeos de un joven delincuente, se describe una repentina explosión de ira cuando la fauna de los arrabales destroza las tiendas, los tranvías y todos los otros símbolos de la vida urbana en una especie de orgía de destructiva violencia. Ninguna explicación se da a esta violencia salvo la de ser el producto inevitable de la vida de la ciudad.*

El predominio del escenario de la ciudad subraya la moderna ansiedad de la América Latina por compartir el dilema de todos los seres humanos contemporáneos y no sentirse irrevocablemente separados por la cultura y la nacionalidad. La ansiedad corresponde a la nueva situación del escritor latinoamericano. Nunca antes, ni siquiera en la culminación del movimiento modernista, los escritores habían vivido y viajado tanto en y por el extranjero. Sin embargo, jamás se había planteado de una manera tan angustiosa el problema de la identidad nacional.

UNIVERSALIDAD Y COSMOPOLITISMO EN LAS ARTES PLÁSTICAS

En literatura, la vanguardia cosmopolita se enfrentó a la oposición de una escuela establecida de escritores regionalistas. No ha sido éste el caso de las artes plásticas. Con la excepción de México, pocos países latinoamericanos contaban con una fuerte tradición de pintura nacional. Los pintores, sin el problema de las barreras lingüísticas, han encontrado por lo general más fácil trabajar en el extranjero y desarrollar su pintura al lado de las corrientes trazadas por los maestros extranjeros. Una crítica latinoamericana, Marta Traba, ha ex-

* Las obras de Onetti y Manuel Rojas que se comentan aquí han sido elegidas meramente por su carácter representativo de la novelística de estos autores. En la bibliografía se encontrarán referencias a otras novelas de ambos escritores.

presado con toda claridad esta situación respecto a los pintores colombianos:

> No creo que haya un "arte colombiano" sino un arte que se realiza en Colombia. La diferencia entre uno y otro concepto es muy clara. Si decimos "arte colombiano" estamos implícitamente dando un calificativo común a una serie de obras, y admitiendo que ellas están ligadas entre sí por principios estéticos particulares, por principios "colombianos". Sin embargo, sabemos muy bien que tales principios no existen ni pueden ser enunciados en manera alguna.[52]

Marta Traba considera que las artes plásticas en Colombia no son el producto de una cultura nacional ni reflejan un espíritu nacional, pues éstos no existen. Lo que no significa que sean simples imitaciones del arte europeo. Por el contrario, al igual que Borges, piensa que los pintores latinoamericanos tienen el derecho a trabajar en los movimientos occidentales y que —como al mismo tiempo son extranjeros— pueden manejar sus materiales con mayor libertad:

> Los europeos están demasiado sugestionados por la fuerza de sus grandes tradiciones como para atreverse a ponerlas en tela de juicio... Los latinoamericanos parecemos, al lado de aquellos hombres responsables, saltimbanquis de un tinglado de titiritero ... Pero esto también tiene sus ventajas. Hay algo en nosotros de disperso, de errante y andariego que nos hace perder peso y nos lleva muchas veces a estupendas autocríticas inclementes. Caminamos sin lógica por los terrenos de la cultura, sin peso y descargados de historia, pero nos moviliza una extraña mezcla de nuestro real desamparo estético y nuestra alegría secreta de ver las cosas por hacer.[53]

Todo esto significa que el desarrollo en la pintura o escultura latinoamericanas no se alimenta de una fuente nacional, sino de la respuesta de los pintores a los movimientos internacionales. Se piensa menos en términos de pintura colombiana, venezolana o brasileña que en términos de escuelas o movimientos plásticos: expresionismo, abstraccionismo, pintura concreta, etc. Hay algunos críticos que consideran esto como una situación enteramente provechosa, y que el siguiente paso podría ser "la presentación de estos artistas, libres ya de sus lazos continentales".

Entonces el internacionalismo que ha cambiado el arte latinoamericano afectará la identidad de los propios artistas, más allá de sus presentes niveles de energía e imaginación Por ejemplo, Matta es un artista, no un artista chileno; Enrique Castro Cid, aunque nacido en Chile renunció a participar en *Magnet* de Nueva York porque deseaba exponer en Nueva York como artista no como producto nacional. Seguramente esta actitud va a extenderse, con el avance de la conciencia crítica en América Latina, y empiezan a ser ya cosa del pasado las exposiciones de arte nacional o continental, patrióticas y paternalistas, que ahora se consideran como etapas de tránsito en el desarrollo del arte.[54]

Lo cual puede ser cierto, pero la elección de estilo del pintor o escultor a menudo lo define, así como a sus relaciones con el resto del mundo. Y aun la búsqueda de objetivos técnicos puede desarrollarse en una especie de mística, como lo prueban estas palabras del constructivista uruguayo Torres-García, cuando se refiere a la esencia del arte como algo "que se construye de acuerdo con la ley de las limitaciones y esa ley, que gobierna todas las cosas, debe inevitablemente llevarnos a una concepción de lo universal". Muchos de los pintores cosmopolitas, como muchos de los poetas contemporáneos se preocupan en hacer participar al espectador o lector en una experiencia radical y, por ello, universal. Pero a pesar de todo sigue siendo cierto que el estilo internacional en las artes puede reflejar igualmente la situación nacional. Nada ilustra esto mejor que la comparación de tres grandes realizaciones latinoamericanas contemporáneas que combinan arquitectura y plástica: La Universidad Nacional Autónoma de México, la Universidad Nacional de Caracas y la ciudad de Brasilia. La primera constituye un intento de expresar un ideal nacional y por consiguiente sus edificios son ultramodernos (representativos de la Era Tecnológica); sin embargo están decorados con motivos precolombinos, como el edificio de la biblioteca, o el estadio, que reproduce deliberadamente un estilo de arquitectura precolombina. La Universidad de Caracas, construida durante la dictadura de Pérez Jiménez, es una obra cosmopolita, en la que las artes y la arquitectura están efectivamente ligadas y en la que participaron pintores y escultores extranjeros y venezolanos, como Fernand Léger y Alexander Calder. Brasilia, por otra parte, construida con un estilo internacional, es la obra de artistas nacionales y tiene rasgos originalmente brasileños.[55]

En cierto sentido el estilo internacional en las bellas artes proporciona una respuesta a la necesidad que tiene el artista de un público. La obra del expresionista abstracto colombiano, Alejandro Obregón o del chileno Matta (1911) pueden encontrarse en cualquier gran capital del arte sin necesidad de una glosa o explicación. Esto ofrece un ámbito más amplio al creador. Aun en México, hasta ahora el país más nacionalista en su enfoque del arte, hay pintores cuya obra ha roto con la escuela figurativa que era hasta hace poco la dominante. Uno de ellos es el guatemalteco Carlos Mérida, que prefirió usar modelos geométricos derivados de las fuentes precolombinas. El notable pintor mexicano Rufino Tamayo (1899) emplea un simbolismo personal perturbador y usa el color para lograr dimensiones de sueño o pesadilla en su pintura. Al mismo tiempo sugiere la riqueza y la extrañeza de México así como expresa una experiencia humana radical. Y bajo la influencia del artista alemán Mathias Goeritz se ha manifestado una tendencia creciente hacia la abstracción aun en edificios públicos.[56]

Buenos Aires, siempre cosmopolita, cuenta también con varios movimientos importantes como Nueva Figuración, Madi y el op art.

En Cuba, donde existía una excelente tradición de pintura vanguardista antes de la Revolución, se ha producido un desarrollo interesante. Mientras el pintor surrealista Wifredo Lam continúa en París, la mayoría de los otros pintores destacados, Amelia Peláez, Víctor Manuel, Mariano y Portocarrero permanecieron y han trabajado en Cuba después de la Revolución. Gracias a su influencia no sólo hay ahora una floreciente escuela de pintura mural y de caballete, sino también un alto nivel en el diseño de carteles, portadas de libros, y hasta de cajas de galletas.

Pero la situación del artista en Cuba es excepcional. Los últimos años en América Latina se caracterizan por un creciente interés de una burguesía nacional en las obras de hispanoamericanos. A diferencia de la literatura de vanguardia, las artes plásticas están altamente cotizadas. Ya se observa, quizás por esta razón, un movimiento de parte de los jóvenes hacia formas más populares del arte. En Perú, como en Cuba, se han formado talleres en que se producen carteles y, en Chile, los "comandos artísticos" tomaban parte activa en la campaña electoral en pro de Allende.

7. EL ESCRITOR COMO CONCIENCIA DE SU PAÍS

Entre los escritores latinoamericanos de las generaciones más recientes ha renacido la idea de que el artista tiene una responsabilidad esencial hacia la sociedad. A la vez insisten en su libertad. La libertad puede significar, por supuesto, una entre múltiples posibilidades de interpretación. La más simple la encontramos cuando el escritor declara no querer pertenecer a ninguna organización política. La libertad en este caso significa libertad para adoptar una actitud crítica, sea quien sea el que esté en el poder: privilegio importante en un país como México, donde los ideales revolucionarios del gobierno son impecables, en tanto que la práctica resulta diametralmente opuesta. El escritor puede usar la palabra libertad en el sentido vanguardista de libertad de creación o imaginación, o puede usarla, en el sentido existencialista, como posibilidad de elección. Junto con estos diferentes conceptos de libertad ha desarrollado una actitud hacia la sociedad que no es ni de "minoría selecta" ni tampoco la del combatiente que milita en pro de una clase social en especial. El escritor se considera cada vez más como un hombre con una conciencia; su sentido especial de captación le permite testimoniar la verdad tal como la ve, lo que significa enfrentarse a sus circunstancias propias y nacionales con insobornable honestidad.

Gran parte del espíritu inicial de este autoexamen provino de la influencia del pensador español José Ortega y Gasset, cuyos estudios de la sociedad española sirvieron de método a los latinoamericanos. En realidad, de acuerdo con dos pensadores mexicanos modernos, Samuel Ramos (1897-1959) y Leopoldo Zea (1912), Ortega tuvo un efecto revolucionario sobre el pensamiento latinoamericano. Como Ramos declaró:

> Entre tanto la filosofía parecía no caber dentro de este cuadro ideal del nacionalismo, porque ella ha pretendido siempre colocarse en un punto de vista universal, humano, rebelde a las

determinaciones concretas del espacio y el tiempo, es decir, a la historia. Ortega y Gasset vino también a resolver el problema, mostrando la historicidad de la filosofía en *El tema de nuestro tiempo*.[1]

Leopoldo Zea certifica el éxito de Ortega en la América Latina:

> ...la filosofía de Ortega encontró en la América Hispana un fácil y rápido eco. El hispanoamericano, a través de la obra de Ortega, pudo afianzar su ya vieja preocupación por la cultura y el hombre en esta América, y, al mismo tiempo, sentirse justificado como miembro de la cultura en sentido más universal. El hispanoamericano afianzó su labor de "toma de conciencia", la cual le ha ido descubriendo lo que pueden ser sus características circunstanciales, al mismo tiempo que su relación con otros pueblos y culturas. Ortega le ofreció un doble instrumental: el de su preocupación por las circunstancias españolas, que podían también ser hispanoamericanas, y el de la filosofía contemporánea, cuyo método mostraba cómo era posible deducir de lo circunstancial y concreto lo universal, o viceversa.[2]

Los libros más influyentes de Ortega fueron *Meditaciones del Quijote* (1914), en que asentaba que una discusión sobre la naturaleza de España debía comenzar por el "Yo y mi circunstancia", y *El tema de nuestro tiempo* (1923), en que planteaba las dificultades de la especulación tradicional filosófica y el imperativo de partir de una situación individual humana.

La influencia de Ortega penetró en Latinoamérica principalmente a través de México y la Argentina. En México el profesor español José Gaos preparó a una generación de pensadores que se aproximaron al problema de lo que es el mexicano, o el latinoamericano, de un modo completamente original, discutiendo a partir de su propia experiencia y observaciones. En Argentina Ortega dictó algunos cursillos y conferencias y la revista *Sur* (cuyo título él sugirió) dio gran difusión a sus ideas. Sea directamente bajo la influencia de Ortega o no, en las dos o tres últimas décadas han aparecido en América Latina un buen número de estudios interpretativos que examinan los problemas nacionales a partir de la "circunstancia" específica del autor. Los más notables son *El laberinto de la soledad* (1950), del escritor mexicano Octavio Paz; *Historia de una pasión argentina* (1937) de Eduardo Mallea; *Guatemala, las líneas de su mano* (1955) de Luis Cardoza y Aragón (Guatemala, 1904); *Lima, la horrible* (1964) de Sebastián Salazar Bondy (Perú, 1924-1965), y *Radiografía de la pampa* (1933) de Ezequiel Martínez Estrada (Argentina, 1895-1964). En Brasil el ensayo de interpretación *Retrato do Brasil,* de Paulo Prado (1869-1943), apareció inicialmente en 1928 y ha sido seguido por muchos otros que incluyen: *Interpretação do Brasil* (1947) de Gilberto Freyre (1900), *Raízes do Brasil* (1936) de Sérgio Buarque de Holanda (1902) y *A cultura Brasileira* (1943) de Fernando de Azevedo (1894).

Todos esos estudios, y muchos más, demasiado numerosos para ser citados, interpretaciones de una realidad nacional, rechazan las fórmulas preconcebidas y a menudo se inician con una serie de reflexiones personales del autor. Octavio Paz comienza *El laberinto de la soledad* recordando sus experiencias en los Estados Unidos y sus observaciones sobre los mexicanos de Los Angeles. Luis Cardoza y Aragón inicia su análisis de Guatemala con una descripción de su regreso al país después de la revolución que derrocó al dictador Ubico. En *Historia de una pasión argentina,* Eduardo Mallea relata su propia búsqueda de raíces en la niñez y la adolescencia. Aun cuando el autor no parta de un episodio personal, los ensayos son fruto de reflexiones "personales". No pretenden ser ni una panacea para los males nacionales ni un programa de acción, sino sencillamente muestran la manera en que el autor considera su país. El énfasis en lo personal y lo concreto da a los mejores de estos ensayos una vivacidad de que carecen en su gran mayoría los análisis de la generación arielista.

Un segundo rasgo general de estos ensayos es la importancia que dan a las características psicológicas de ciertos tipos nacionales o el predominio de un mito nacional. Esto nuevamente diferencia al ensayista moderno de la generación arielista, que tendía a examinar cada país y el continente de acuerdo con características raciales o bajo la influencia del medio, o como una combinación de ambas. El ensayista contemporáneo tiende a destacar algún fenómeno de importancia nacional. Así, por ejemplo, Octavio Paz analiza el carácter del *pocho* (el habitante mexicano de Los Angeles) como ejemplo de una manera defensiva de retener una identidad nacional. Salazar Bondy examina la "viveza criolla" que él interpreta como una mezcla de inescrupulosidad y cinismo. En *Raízes do Brasil,* Sergio Buarque de Holanda analiza tipor brasileños como el "hombre afable" (*o homem cordial*).

Al lado de este examen de ciertas características y tipos de importancia nacional está el de ciertas actitudes reveladas en localismos o clichés idiomáticos. Octavio Paz, por ejemplo, discute el verbo mexicano obsceno *chingar* y su relación con la afirmación mexicana de masculinidad o "machismo". El escritor uruguayo Mario Benedetti en *Literatura uruguaya, siglo* XX (1963) examina la importancia de la palabra *falluto,* como una mezcla de traición e hipocresía. Salazar Bondy analiza las palabras peruanas *huachafo* y *huachafería,* que denotan esnobismo, cursilería y mal gusto. Tales conceptos son importantes porque revelan las actitudes más profundas del pueblo que los emplea. Octavio Paz comenta sobre el verbo *chingar*:

> La idea de romper y de abrir reaparece en casi todas las expresiones. La voz está teñida de sexualidad pero no es sinónima del acto sexual; se puede chingar a una mujer sin poseerla. Y cuando se alude al acto sexual, la violación o el engaño le prestan un matiz particular. El que chinga jamás lo hace con el consentimiento de la chingada. En suma, chingar es hacer violencia sobre otro. Es un verbo masculino, activo, cruel: pica, hiere, desgarra, mancha, y provoca una amarga, resentida satisfacción en el que lo ejecuta.[3]

O Salazar Bondy sobre *huachafo*:

> Juez excesivamente pegado a la letra para presumir, huachafo; madre que selecciona los futuros yernos por el apellido (sin que el propio tenga alcurnia), huachafa; hombre o mujer que en cualquier ocasión procuran exhibir cultura o cosmopolitismo, huachafos.[4]

O Mario Benedetti sobre *falluto*:

> El falluto no es sólo el hipócrita. Es más y es menos que eso. Es el tipo que falla ... en la recepción de la confianza, el individuo en quien no se puede confiar ni creer, porque —casi sin proponérselo, por simple matiz de carácter— dice una cosa y

hace otra, adula aunque carezca de móvil inmediato, miente aunque no sea necesario, aparenta —sólo por deporte— ser algo que no es.[5]

Todos estos términos implican una falta de autenticidad, ya sea de parte de quienes los emplean o a quienes describen. En verdad, en todos los ensayistas contemporáneos el examen de lo "inauténtico" o "hipócrita" ocurre con mucha frecuencia. Para Eduardo Mallea el peor tipo de argentino es quien pretende ser lo que no es. El dramaturgo mexicano Rodolfo Usigli (1905) acompaña la edición de 1944 de su obra *El gesticulador* (1937) de un ensayo sobre la hipocresía del mexicano, que, según declara, tiene sus orígenes en el México colonial:

> El sistema colonial que protegió la hipocresía y la mentira en indios, mestizos y hasta en los inoculados criollos, privando a aquellos de su idioma, y de sus dioses, y frustrando a los otros de los mejores empleos y prebendas, es la primera fábrica de la verdad mexicana.[6]

La falta de autenticidad también se encuentra en la raíz de los males brasileños. Buarque de Holanda critica la incapacidad brasileña para entrar en contacto con la realidad, lo que atribuye a la herencia de la educación jesuítica.[7]

Indudablemente esta preocupación por la "autenticidad" debe mucho, directa o indirectamente, a la influencia de la psicología y del interés de los psicólogos en tomar conciencia del propio ser. Tal vez más que de Freud hay una indudable influencia de Jung, quien piensa que los conflictos y dificultades sociales tienen origen en la psiquis individual. De acuerdo con Jung, la falta de autoconciencia es muy peligrosa, ya que conduce a la neurosis o aun a las psicosis tanto en el nivel individual como en el social.

Las sociedades, como los individuos, pueden seguir el camino errado, especialmente cuando los individuos tratan de representar el "ideal colectivo". El esclarecimiento de Paz sobre el ideal colectivo de los mexicanos evidentemente tiene mucha relación con su convicción de que tanto la nación como el individuo deben tomar conciencia de sí mismos y lograr así una autoafirmación. El "complejo de inferioridad" de Adler y su teoría sobre las corrientes de poder dentro del individuo también han influido en los análisis de varios autores sobre el carácter nacional. Por ejemplo, Samuel Ramos en su *El perfil del hombre y la cultura en México* (1934) descubrió en los mexicanos un complejo de inferioridad que es responsable de muchas características nacionales. En otros ensayistas se presenta una tendencia, derivada de la psicología moderna y del psicoanálisis, a interpretar la personalidad nacional a través de mitos e ideales colectivos, como el del *machismo.*

Junto con esta preocupación por la autoafirmación está la implicación casi universal de que los latinoamericanos se engañan deliberadamente a sí mismos o tratan de engañar a otros sobre su propia naturaleza. La "máscara" es un apoyo vital que algunos ensayistas justifican como medio para preservar la libertad interior y la individualidad; así Buarque de Holanda cree que la *bonhomie* brasileña, la hospitalidad y el amor por la vida social son en cierta forma "una organización de defensa frente a la sociedad ... Equivale a un disfraz que permitirá a cada quien conservar intactas su sensibilidad y sus emociones." [8] Luis Cardoza y Aragón considera el silencio guatemalteco y la introspección como el producto de una larga herencia histórica. Para Rodolfo Usigli los mexicanos mienten con el único fin de ocultar su complejo de inferioridad. Los temerarios choferes de taxi, por ejemplo, ilustran "la necesidad romántica del mexicano de jugarse siempre la vida —y con ella otras que no son suyas— para superar su complejo de inferioridad".[9] Usigli piensa también que el mexicano se distingue por su hipocresía: característica que se remonta a los tiempos coloniales, en que los mexicanos aprendieron a mentir para sobrevivir. Según Octavio Paz el disimulo es la esencia del carácter mexicano: "El mexicano excede en el disimulo de sus pasiones y de sí mismo. Temeroso de la mirada ajena, se contrae, se reduce, se vuelve sombra y fantasma, eco. No camina, se desliza; no propone, insinúa; no replica, rezonga; no se queja, sonríe." [10] Al igual que Usigli, Paz considera que se trata de un producto de los tiempos coloniales. La colonia ha terminado; no así el miedo ni la sospecha.

El argentino Ezequiel Martínez Estrada, en su *Radiografía de la pampa,* considera la historia argentina como una serie de intentos hechos por "civilizadores" para vencer la barbarie del país; pero tales intentos fueron sólo un velo y por consiguiente falsificaron la realidad. Ellos introdujeron "los males de la apariencia, de la parodia, que podrían durar vigentes mayor o menor cantidad de años, pero que al cabo habían de caer, como el disfraz heroico del coreuta al fin del espectáculo, dejando visible la piel del cabrío".[11] Eduardo Mallea descubrió dos argentinas, una "invisible" y una superficial de hombres que han sustituido lo auténtico por las apariencias. Esos hombres a menudo fueron quienes ocupaban los puestos gubernamentales más importantes o las altas posiciones de la jerarquía social:

> Para ese mundo lo importante era el gesto. Con el gesto se compra, con el gesto se vive, y era el gesto lo que había que valorizar. Aun cuando hablaba, la palabra de este mundo adquiría el valor de un gesto; aun el silencio tenía el valor de un gesto, porque los que lo guardaban, los que se obstinaban en un juego de oportunos mutismos, reservas, reticencias, no querían otra cosa más que no correr el riesgo de librar un posible defecto personal al juicio ajeno. Desarrollado hasta lo increíble, el temor al ridículo había llegado a constituir una inhibición cuya forma externa era una discreción extremada.[12]

Para el peruano Salazar Bondy la misma arquitectura y el plano de la ciudad de Lima revelan un amor por lo externo. Los limeños han creado un código social que protege el conformismo y aísla a quienes se desvían de las normas: "Aparentar, adular, complacer, uniformar, constituyen aquí reglas de urbanidad. El exceso, positivo o negativo, y la demasía, aunque fuera la creadora y avasallante del genio, se tienen por ejemplos de vulgaridad o demencia." [13] Mario Benedetti encuentra que el uruguayo tiende a encubrir sus virtudes como si se avergonzara de ellas:

> Creo que hay en él una disponibilidad de afecto y una capacidad de saber escuchar a los demás, y eso, en medio de un internacional diálogo de sordos, puede significar algo constructivo. Pero ese mismo pueblo, no sé si por legado del masoquismo tanguero, o por cierto excesivo ritual del machismo, ha llegado a sentirse inhibido, por sus virtudes que . . . le provocan algo de cortedad y hasta vergüenza. Ese desequilibrio, esa falsa postura, me parece uno de los rasgos más patéticos y más frustráneos del hombre uruguayo.[14]

Luis Cardoza y Aragón descubre en la actitud guatemalteca de autodefensa una tendencia a tratar de ser lo que no se es. El guatemalteco es un ser solitario que realmente no logra comunicarse con los demás. "No salimos de nosotros y si lo hacemos no es para entablar el diálogo, sino para estallar por encima del monólogo mismo. Gritamos, vaciamos los revólveres en el aire, nos desahogamos para oírnos mejor: nos dirigimos a nosotros mismos. Por inseguridad, no aceptamos la contradicción, la discrepancia." [15] El guatemalteco prefiere no poner a prueba su identidad en la conversación.

Estos estudios sobre el carácter tienen muchos puntos en común. Casi en cada caso la inautenticidad o la falsa actitud se atribuyen al miedo a exponerse, a la censura social, y, finalmente a los muchos años de acondicionamiento. Las raíces históricas de estas actitudes son por consiguiente importantes.

La historia para esta generación moderna de ensayistas no consiste en acontecimientos políticos ni militares. A ellos primordialmente les interesan las relaciones entre la estructura social y la conducta, entre la sociedad y su cultura. La obra monumental de Fernando de Azevedo, *A cultura Brasileira,* por ejemplo, atribuye el indebido énfasis literario en la cultura brasileña a los aún perdurables efectos de la educación jesuítica del periodo colonial, sistema que describe al detalle.[16] Ezequiel Martínez Estrada, en su *Radiografía de la pampa,* atribuye la falta de autenticidad de la vida argentina a la decisión de algunos hombres del pasado, como Sarmiento, de imponer conceptos europeos de "progreso" en el país.[17] Salazar Bondy encuentra que el peruano vive enajenado por el excesivo peso del pasado colonial sobre el presente. "El pasado está en todas partes, abrazando hogar y escuela, política y prensa, folklore y literatura, religión y mundanidad." [18] Pero ese pasado pintoresco es falso, un mito deliberadamente sostenido que Salazar Bondy expone como parte del mecanismo de la aristocracia limeña en el poder. Octavio Paz en *El laberinto de la soledad* muestra cómo la creatividad mexicana fue deformada por la imposición de formas muertas y de un dogma religioso ajeno durante el periodo colonial y aún después. Una gran parte del análisis sobre Guatemala de Luis Cardoza y Aragón se refiere a la base histórica de la estructura social.[19] El colombiano Otto Morales Benítez (1920) en *Muchedumbres y banderas* (1962) estudia las actitudes y estructuras sociales heredadas de la colonia, la tensión entre la necesidad de libertad y autoexpresión y la imposición de "el colonialismo intelectual ... económico-social".[20]

Resulta evidente que la "inautenticidad" observada por la mayor parte de los ensayistas en el comportamiento de algunos o de todos sus compatriotas resulta una herencia del pasado. Una y otra vez, la acusación recae sobre la élite colonial o en los políticos e intelectuales latinoamericanos que no tenían la menor relación con la realidad. Estas críticas forman el meollo de varios estudios de Leopoldo Zea, quien ha hecho posiblemente el análisis más completo de las relaciones de México con la cultura europea.

La historia mexicana ha sido la expresión de una lucha dialéctica entre lo inauténtico y lo real. Sin embargo, en los tiempos modernos, la cultura europea ya no puede considerarse como la única expresión de universalidad. Zea emplea aquí un concepto clave usado por casi todos los ensayistas que han tratado este tema en las dos o tres última décadas: el concepto de conciencia. Zea considera que hasta ahora México ha pasado una etapa de su desarrollo en que existía la acción pero faltaba la conciencia de sí; por ello la acción ha sido "espontánea, concreta y circunstancial". Esto comienza a modificarse y México entra en una etapa nueva de conciencia de su realidad.

Un análisis semejante del argentino fue hecho en 1936 por Carlos Erro (1899) en su *Tiempo lacerado,* en que declara que los latinoamericanos no han participado en la creación de la cultura que aceptaron. Pero el tiempo del "desengaño" había llegado. Ese desengaño era necesariamente la primera etapa del camino a la autenticidad. Se trata de un concepto similar al de "conciencia" empleado por otros escritores. Mario Benedetti al hablar de la tendencia uruguaya a la "evasión" y a su inhabilidad para "enraizarse" en la realidad, también cree que la *conciencia* es básica para el cambio de actitud. Aunque Benedetti habla primordialmente de escritores y artistas extiende su declaración hasta comprender al Uruguay en general. "Tengo la impresión de que los uruguayos, y en primer término los escritores, estamos aprendiendo a mirar hacia la América Latina, a sentirnos partícipes en su destino."[23] Hasta ese momento los uruguayos no habían hecho sino mirar a Europa, sólo para encontrar que la rica tradición europea se convertía sencillamente en otra influencia más en el Uruguay. "No pueden saber cuánto cuesta cambiar de sueños, y cuánto reconocer la propia frustración. En eso estamos."[24]

En cierto sentido Benedetti deduce sus conclusiones de la literatura o de la vida artística. Este es un rasgo común entre los ensayistas. Octavio Paz, por ejemplo, hace del aislamiento artístico, de la "soledad", la condición humana básica de la que todos los mexicanos debían ser conscientes a fin de poder vivir auténticamente. "La soledad, que es la condición misma de nuestra vida, se nos aparece como una prueba y una purgación, a cuyo término angustia e inestabilidad desaparecerán. La plenitud, la reunión, que es reposo y dicha, concordancia con el mundo, nos esperan al fin del laberinto de la soledad."[25] Eduardo Mallea hace una afirmación semejante referente a la Argentina:

> No se va a ninguna parte sin desterrarse. El camino de la creación es el camino del destierro; y hay una hora de rechazar esto y otra de aceptarlo; hay una hora de optar para quedarse atado a la ficción circundante o por desterrarse y un destierro así, en nuestra tierra, es descender a vivir con el país invisible, con la sensibilidad invisible, a vivir con el pueblo profundo.[26]

Tanto Paz como Mallea tratan la idea de "creación" en oposición a sistemas y dogmas que asfixian la creación. Consideran a las naciones y a los individuos como organismos creadores cuya verdadera naturaleza puede expresarse sólo cuando los dogmas son rechazados, las máscaras dejadas de lado y la soledad y la angustia plenamente enfrentadas. En Argentina este énfasis en la creación surge de la crítica de las limitaciones del racionalismo, hechas no sólo por Ortega y Gasset, sino también por el crítico norteamericano Waldo Frank, quien tuvo una influencia considerable sobre el grupo de *Sur,* y por el ensayista Carlos Erro.

Los escritores de simpatías izquierdistas más decididas hacen hincapié en la cultura como reflejo ideológico de la clase gobernante. Para ellos la *toma de conciencia* significa reconocer los orígenes clasistas de ciertas actitudes. Por ejemplo, David Viñas (1929) en *Literatura argentina y realidad política* (1964) estudia la literatura argentina como expresión ideológica de una clase; Salazar Bondy ha estudiado la ciudad de Lima como expresión del pensamiento y la ideología de la aristocracia limeña.

La búsqueda de autenticidad inevitablemente implica la relación con otras culturas. Pero en tanto que los nacionalistas de los años veinte intentaron rechazar a Europa y encontrar valores en la tierra, el negro o el indio, los artistas de la presente generación advierten lo infructuoso de ese rechazo total. En tanto que el artista del siglo diecinueve imitó las formas europeas cuando su propia realidad nacional era enteramente diferente, los de la presente generación tienen una confianza mayor en su propia cultura, especialmente ahora que los europeos no están del todo persuadidos de que la suya sea la única cultura. Leopoldo Zea expresa estas ideas de la siguiente manera: "El hombre de Occidente toma ahora conciencia de la limitación de sus puntos de vista ... sobre lo humano. Pero también la van tomando otros hombres que hasta ayer tenían que justificar su humanidad ante el mundo que se la regateaba." [27] Para Octavio Paz hay un común denominador de soledad que comparten todos los hombres. El ensayista argentino Héctor Murena (1920) concibe a América como "la repetición del drama de la extranjería del hombre en el mundo, y América es una nueva tentativa del hombre para vencer el silencio mundial, para poblar la tierra inerte de la materia con la viva palabra del espíritu ... América es la hija de Europa y necesita asesinarla históricamente para comenzar a vivir".[28] Aunque tal vez haya un mayor sentido de identificación humana con Europa, lo cierto es que la vieja reverencia por Europa ha terminado, aun en escritores —como Borges— calificados generalmente de europeizantes. El ensayista moderno siente una nueva libertad frente a la cultura europea, lo que en parte es fruto de su autoconfianza acerca de América, una América que actualmente incluye a los Estados Unidos.

La cuestión de las relaciones entre Norteamérica y Latinoamérica es indiscutiblemente la más delicada de todas, el punto en que la acentuación sobre la búsqueda de autenticidad puede derrumbarse. Por una parte los Estados Unidos son la potencia imperialista por excelencia: hecho que los recientes acontecimientos en Guatemala, Cuba y República Dominicana confirman. Por otra parte, la cultura norteamericana resulta sin lugar a dudas muy atractiva para los latinoamericanos. En primer lugar, se trata de una cultura *americana* vigorosa, viva y original. Los días de Rodó y su concepción de Norteamérica como una civilización puramente materialista han pasado a la historia. Es más, en muchos aspectos la posición ante la sociedad del escritor norteamericano es muy semejante a la del latinoamericano; existe el mismo sentimiento de exilio, el mismo inconformismo, la misma lucha por la creación de un arte original y, sin embargo, universal. Sin duda la cultura norteamericana sale ganando al compararla con la mediocridad artística de la Unión Soviética. El contraste entre la cultura norteamericana y la soviética tiende a fortalecer las posiciones de quienes, como Octavio Paz, consideran el arte como un producto de la inconformidad del hombre ante la sociedad. Por consiguiente, aunque los ensayistas señalan aún las diferencias entre la América del Norte y la del Sur, la distancia ha disminuido desde la generación arielista. Por ejemplo, el peruano Luis Alberto Sánchez (1900) y el argentino Héctor Murena reconocen las semejanzas entre esta literatura y la europea.[29] El colombiano Eduardo Caballero Calderón (1910) ha ido más lejos al sugerir en *Americanos y europeos* (1957) que con la industrialización de Latinoamérica, la América del Norte y la del Sur serán muy semejantes. En México, por otra parte, las diferencias entre la América Latina y los Estados Unidos son muy marcadas. *El laberinto de la soledad* de Octavio Paz subraya diferencias fundamentales entre el mexicano y el norteamericano en su actitud ante la vida. Paz concibe una división del mundo, no entre Oriente y Occidente, o entre Europa y América, sino entre los países subdesarrollados y las naciones avanzadas, concepto tal vez influido por Toynbee, quien ha tenido considerable resonancia en México.*

No es necesario afirmar que la propia posición del artista en lo referente a la toma de conciencia de su sociedad se considera vital. De toda la humanidad, el artista y el intelectual son, por muchos conceptos, los individuos más capa-

* Por ejemplo Leopoldo Zea dedicó *El Occidente y la conciencia de México* (1953) a Toynbee.

ces de poseer un alto grado de responsabilidad ética que les permita alcanzar la autocomprensión y por ello entender sus propias posiciones como mexicanos, ecuatorianos o bolivianos. Alfonso Reyes ha dicho que el hombre capaz de disciplinarse en el ejercicio de una vocación o un oficio es el que podrá dirigir la sociedad americana, "porque sólo hay responsabilidad plena donde hay plena conciencia".[30] La importancia específica del escritor estriba precisamente en que trabaja en libertad, sin sujetarse a un dogma. Es el único que, de acuerdo con Octavio Paz, es capaz de "inventar palabras nuevas e ideas nuevas para estas nuevas y extrañas realidades que nos han salido al paso." [31] Para Eduardo Mallea también la conciencia nacional y personal son inseparables: "Cada día más el mundo, el mundo sensible, era mi obligación, pero el mundo a través de mí y de mi pueblo." [32] Según el escritor colombiano Hernando Téllez (1908) de todos los hombres es el artista quien tiene mayores posibilidades para trascender el condicionamiento del ambiente: "Ese acto de libertad espiritual gracias al cual ha sido posible henchir el lenguaje de ciertas significaciones y hacer gravitar sobre un esquema verbal un universo de belleza, anula la servidumbre del artista ante los poderes que lo cercan." [33] Héctor Murena se refiere al "no conformismo del artista", lo que lo convierte en un permanente rebelde y por lo tanto en una fuerza activa dentro de la sociedad. Para Mario Benedetti la parte más creativa y vital de la sociedad la constituye la intelectualidad, que define como: "aquella parte de una nación que aspira a pensar con independencia".[34] Para Eduardo Mallea el acto de creación es el acto más verdaderamente espiritual posible, lo que separa la verdadera existencia del vivir inauténtico.[35] El artista paga por conseguir su libertad y su facultad de creación; el precio es el sentimiento de absoluta soledad, según Octavio Paz, o de exilio, según Mallea.

Se siente uno inclinado a concluir que muchos de estos ensayistas tratan sólo de racionalizar su propio aislamiento. Puede ser verdad, pero tal "verdad" no constituye la comprensión del fenómeno real. Por más que sean contradictorias, vagas y autoengañosas algunas de esas actitudes, han sido indudablemente muy valiosas para los propios artistas. El concepto de autodisciplina profesional del artista, su responsabilidad para testimoniar honradamente su propia circunstancia y la de su país, han transformado indudablemente el panorama literario, especialmente en la novela y aun en el teatro y en el cuento. Lo más valioso de todo es el fortalecimiento del "Yo y mi circunstancia" del artista, que le ha permitido pasar indemne entre las Scilas y Caribdis de la imitación europea y el regionalismo.

LA NOVELA Y LA BÚSQUEDA DE AUTENTICIDAD

Durante los últimos veinte años, la novela latinoamericana ha alcanzado un prestigio internacional gracias a la obra de Juan Carlos Onetti, José Lezama Lima, Alejo Carpentier, el premio Nobel Miguel Ángel Asturias, Mario Vargas Llosa, Julio Cortázar, Gabriel García Márquez, Guillermo Cabrera Infante y muchos otros. A diferencia de la generación criollista, muchos de estos escritores viven fuera de sus países, sin dejar de interesarse vivamente por sus problemas. Como los ensayistas, consideran que la tarea más importante del intelectual es la de conservar su independencia y adoptar una actitud crítica. Como un gran número de sus obras se ha traducido al extranjero, la actitud es apoyada por el prestigio internacional. Además de esto, es la primera generación de escritores que verdaderamente goza de un público en la propia Latinoamericana, y probablemente García Márquez se ha convertido en el primer novelista que vive enteramente de su obra.

A diferencia de los escritores comprometidos de generaciones anteriores, este grupo de novelistas no tiene un dogma artístico. Mario Vargas Llosa incluye su propia obra dentro de la corriente realista, aunque emplea un enorme número de recursos técnicos, desde la superimposición de diferentes planos de tiempo y el monólogo interior, hasta un estilo narrativo tradicional. Julio Cortázar utiliza la parodia, los juegos lingüísticos y una forma abierta. Gabriel García Márquez entronca en el mito y la fantasía. Lo que une a la generación es una intensa preocupación por la América Latina, que se traduce en formas complejas, o de búsqueda, o de viaje frustrado.

Tal vez el prototipo de la novela de búsqueda de la época presente, en que el protagonista emprende la propia búsqueda individual así como la de lo más auténtico de la vida nacional, sea *La bahía de silencio* (1940) de Eduardo Mallea. En muchos aspectos los acontecimientos narrados en la novela siguen fielmente el modelo de los intelectuales aventureros de la generación arielista, en cuyas vidas los principales acontecimientos eran la fundación de una revista, una historia de amor (casi siempre con una mujer intelectual), las interminables discusiones sobre el futuro de su país, la visita a Europa, al lado de algunos episodios que relatan los triunfos y fracasos de ciertos intelectuales. Todo esto había aparecido ya antes en las novelas de Gallegos, Reyles y Gálvez. En *La bahía de silencio,* Tregua, el protagonista, sigue este modelo y al igual que los intelectuales de la generación arielista, sus sucesivos experimentos tienden a desembocar en la frustración. Colabora en la fundación de una revista, *Basta,* que fracasa debido a las divisiones entre los directores. El sostenedor financiero retira su apoyo recomendando a los colaboradores volver a la soledad personal. La experiencia de Tregua en Europa le hace desesperar de los intelectuales europeos, a quienes encuentra negativos: "Yo pensaba en mi tierra y en el aliento de sus hombres dignos y profundos. Ellos se iban a levantar alguna vez, pero no como éstos, sino llenos de esa voluntad de construcción inteligente y honestamente combatiente." [36] La tercera parte de la novela trata del regreso de Tregua a Buenos Aires y narra sus relaciones con Gloria, una joven extraña y atormentada y, finalmente, su admiración por una mujer casada, que simboliza la autenticidad de la "nueva Argentina" y para quien escribe la novela. La diferencia entre *La bahía de silencio* respecto de las novelas de la generación arielista consiste en que en ella las inevitables frustraciones no se consideran como fracasos sino como experiencias esenciales para quien desea lograr la conciencia invaluable. De sus amigos y de la mujer a quien admira dice Tregua:

> Todos ellos, y usted misma, han llegado a ese sitio que lame sin corroerlo el mal de la furia, de la persecución y de la adversidad. Todos ellos, y usted, quién sabe cuántos otros en este mundo, han llegado a esa bahía, a ese lugar de espera, a esa bahía donde concentran su silencio y donde su fruto se prepara sin

miedo a la tormenta, el ciclón, el vil tiempo. ¡Qué hermosa y qué profunda es la bahía! Ahí están los que, de su fracaso, han hecho un triunfo.[37]

La bahía de silencio no es sino la autoconciencia a que el ensayista ha llegado como una condición necesaria para su regeneración. Mallea es uno de los pocos novelistas contemporáneos que adoptan las situaciones de la generación arielista con sólo ligeras modificaciones. Casi todos los otros novelistas han roto con esa presentación relativamente lineal y prefieren presentar la búsqueda en un contexto histórico o a través de un personaje que es un tipo de importancia nacional, o combinando ambos métodos. En realidad una de las características de la novela moderna latinoamericana es la enorme atracción del tema histórico. Sin embargo, la preocupación por el tema histórico no debe considerarse como un deseo de evadirse del presente. Como ocurre con los ensayistas, es éste un modo de comprender el origen de actitudes nacionales, y nuevamente el propósito central es el de una búsqueda de autenticidad. Así Carlos Droguett (Chile, 1915) en *100 gotas de sangre y 200 de sudor* (1961) trata de presentar la conquista española, no bajo una idílica luz romántica sino como una "terrible conjunción de Apocalipsis y de Juicio Final." La mayor parte de las novelas históricas son fundamentalmente novelas de búsqueda en las que la elección del escenario histórico tiene una importancia especial en relación con la historia nacional.

Uno de los prototipos de esta clase de novela histórica es *Las lanzas coloradas*, de Arturo Uslar Pietri (Venezuela, 1906), publicada en 1931. Uslar Pietri presenta la primera desafortunada campaña de Bolívar para liberar a la América del Sur, a través de la experiencia de Fernando Fonta, un joven aristócrata criollo quien, casi contra su voluntad, se encuentra del lado de Bolívar. Un hombre civilizado, poco entusiasta de la guerra, pero que muere combatiendo por sus ideales. Contra él combate el antiguo administrador de su hacienda, Presentación Campos, quien encarna la barbarie que, después de la Independencia, va a dominar la vida de Venezuela. La novela, por consiguiente, no se conforma con ser una mera recreación histórica, sino que hurga en los orígenes del caos político y social de la vida venezolana. El novelista cubano Alejo Carpentier (1904), en *El siglo de las luces* (1962), también elige el periodo de fines del siglo dieciocho y principios del diecinueve para situar su novela. Como en *Las lanzas coloradas* de Uslar Pietri, hay en ésta una polaridad entre los cultivados y aristocráticos descendientes de la oligarquía criolla y el "hombre nuevo", en este caso Víctor Hugues, un revolucionario europeo que se convierte en un cínico dictador de la Guayana. Hugues está basado en un personaje histórico real y su carrera ejemplifica la manera en que las recién formadas repúblicas latinoamericanas degeneraron del idealismo revolucionario inicial al autoritarismo y la corrupción. *El siglo de las luces* es una de las novelas "históricas" más ambiciosas, ya que Carpentier intenta dar nombre a la zona del Caribe y presentarla como una unidad. La acción pasa de Cuba a las islas de habla inglesa y francesa y al Continente en ese empeño de crear una unidad: hecho que la historia después de la Conquista ha negado trágicamente.

La aproximación histórica ha alentado a los escritores de la "novela-río". El novelista brasileño Erico Verissimo (1905), por ejemplo, ha trazado la historia de la provincia de Rio Grande do Sul en una obra colosal de muchos volúmenes, *O tempo e o vento* (1948-63), que cubre desde el siglo dieciocho hasta nuestros días. El novelista ecuatoriano Alfredo Pareja Díez-Canseco (1908) eligió en *Los nueve años* (1956) sólo nueve años de la historia de su país, pero los trata en profundidad. El tema se centra en la lucha contra una dictadura en Ecuador y su fin, entre la década de 1920 y 1930.

Aun las novelas preocupadas con la denuncia de la explotación, con un mensaje político abierto, han tendido en los años recientes a presentar sus tesis en un escenario histórico importante. Un ejemplo notable de este enfoque es *Hombres de maíz* (1949) de Miguel Ángel Asturias, que comienza en un momento indeterminado cuando los mestizos empiezan a apoderarse de la tierra comunal de los indios y traza el desarrollo de la degradación del indio hasta nuestros días. El novelista boliviano, Augusto Céspedes, en *Metal del diablo* (1946) presenta el destino trágico de su país, siguiendo la historia de un magnate del estaño, muy cerca del modelo de una figura histórica, y cuya carrera se inicia hacia 1890. Otra de las novelas de Céspedes, *Sangre de mestizos* (1936), consiste en una serie de apuntes sobre la guerra del Chaco en los años treinta, en la que tomó parte. David Viñas (1929), otro novelista cuyas simpatías se dirigen hacia la izquierda, trata un incidente histórico, como el tema central de *Los dueños de la tierra* (1958). Al igual que *Metal del diablo,* esta novela entrevera personajes históricos con ficticios. El protagonista, Vicente Vera, es un joven intelectual, un partidario de Yrigoyen, presidente de la República Argentina, que lo envía a la Patagonia a mediar en un conflicto entre agricultores y peones. Los primeros son los verdaderos "señores de la tierra" y fácilmente oscurecen la situación real a Vicente, que desconoce la región y no tiene deseos ni capacidad para actuar decisivamente. Cuando el ejército es llamado para ayudar a los terratenientes a suprimir la huelga de trabajadores, Vicente permanece casi sin enterarse de la situación real; bajo las circunstancias más humillantes, comprende su impotencia y puede tomar solamente actitudes débiles. De esta manera, la novela no sólo constituye una crítica a Vicente, sino también a través de él, a la impotencia y las limitaciones del régimen de Yrigoyen. *Los hombres a caballo* (1968), otra notable novela política de Viñas apareció una vez publicado este libro.

Alrededor de los años cuarenta se inició un gran cambio en la novela hispanoamericana. Los novelistas abandonan la forma realista en la cual los acontecimientos se encadenan según un proceso de causa y efecto. En su afán de autenticidad, los escritores ponen en cuestión todas las formas tradicionales y emprenden una embestida contra la retórica y el lugar común. Se consideran las relaciones del hombre con su pasado, con la sociedad y su medio ambiente como infinitamente complejos, y esta conciencia de lo complejo de la existencia se refleja en la estructura y en el lenguaje de la novela. En vez de la narración lineal, unívoca, encontramos en la novela contemporánea simultaneidad de tiempos, la interconexión de pasado, presente y futuro (como en *La casa verde* de Mario Vargas Llosa), o el tiempo al revés (como en *Retorno a la semilla* de Alejo Carpentier). Igual transformación se opera en el lenguaje. Por medio de la parodia, la imitación burlesca, la invención de palabras, los novelistas ponen en cuestión la retórica establecida. Según el novelista mexicano Carlos Fuentes:

La corrupción del lenguaje latinoamericano es tal que todo acto de lenguaje verdadero es en sí mismo revolucionario. En América Latina, como en ninguna parte del mundo, todo escritor auténtico pone en crisis las certidumbres complacientes porque remueve la raíz de algo que es anterior a ellas: un lenguaje intocado, increado.

Una novela que demuestra cómo el escritor transforma la visión de su país y de su historia por medio del lenguaje y de la estructura es *Pedro Páramo* de Juan Rulfo. El protagonista epónimo Pedro Páramo simboliza a ese México que vive sólo en la memoria. El narrador, uno de los muchos hijos de Pedro Páramo (en cierto sentido todo México desciende de Pedro Páramo) se dirige al pueblo de Comala para buscar a Páramo y descubre que ha muerto. Su vida puede ser reconstruida únicamente a través de la memoria y de las conversaciones de los muertos que aún se mantienen en el aire del pueblo. Por este medio nos enteramos de la vida de Pedro Páramo, de sus muchas aventuras amorosas, de su dominio total sobre la población. La novela termina con su muerte ocurrida poco después de la Revolución; en ese momento, perdido todo su poder, simplemente se derrumba, como se ha derrumbado el México que representa. La técnica de la novela no sólo le confiere a la historia un aire de irrealidad sino que también permite al lector vencer cualquier posible reparo que tenga contra el protagonista. Páramo no es el hombre malo de una novela de protesta social, sino un ser humano de una especie ya extinta. De esta manera la novela trasciende cualquier polémica estrecha y el lector mexicano puede comprender más que culpar su pasado. Pero como muchos novelistas contemporáneos, Juan Rulfo va mucho más allá de una mera relación histórica. El verdadero tema de la novela es la ilusión. Los habitantes de Comala viven en la esperanza de un mundo mejor —en el futuro, en el cielo, en el pasado— en cualquier tiempo menos en el presente. Las ilusiones pueden ser muy nobles pero nunca influyen en las acciones; siguen la explotación, la miseria, los asesinos. En Comala, el hombre busca el paraíso y sólo encuentra el infierno, como ha señalado Octavio Paz. La visión, a pesar del maravilloso humor de Rulfo, es desoladora. Los mismos pasos de Juan Preciado expresan la soledad y la incomunicación:

Ahora estaba aquí, en este pueblo sin ruidos. Oía caer mis pisadas sobre las piedras redondas con que estaban empedradas las calles. Mis pisadas huecas, repitiendo su sonido en el eco de las paredes teñidas por el sol del atardecer.

Fui andando por la calle real en esa hora. Miré las casas vacías; las puertas desportilladas, invadidas de yerba. ¿Cómo me dijo aquel fulano que se llamaba esta yerba? "La capitana, señor. Una plaga que nomás espera que se vaya la gente para invadir las casas. Así las verá usted."

El mismo estilo de la novela, las frases entrecortadas, las escenas breves como relámpagos en la oscuridad refuerzan el ambiente de desolación. Así, aunque trate de un periodo histórico, los males de la humanidad provienen no tanto de las condiciones sociales sino también de las eternas características humanas.

Más directamente preocupado por las consecuencias de la Revolución está Carlos Fuentes, el novelista mexicano. Su novela *Las buenas conciencias* (1959) es la historia de un joven de la clase media, Jaime Cevallos, y de su familia a partir de los años que precedieron a la Revolución. Después de una rebelión inicial, Jaime se convierte en parte del nuevo mecanismo oficial:

Así estaba ordenado el mundo en que vivía. Cristo quería a los justos, habitaba las buenas conciencias, pertenecía a los hombres de bien, a la gente decente, a las buenas reputaciones. ¡Que cargara el diablo con los humildes, con los pecadores, con los abandonados, con los rebeldes, con los miserables, con todos los que quedaban al margen del orden aceptado! [38]

En *La muerte de Artemio Cruz* (1962) Fuentes explora la conciencia de uno de los nuevos hombres surgidos de la Revolución mexicana. Al iniciarse la novela, Cruz está en su lecho de muerte; ciertos episodios de su pasado fluyen durante sus últimos momentos. Así el lector tiene una visión del fracaso moral de ese individuo, hijo ilegítimo de un hacendado, repudiado por la familia, cuyo idealismo se ve destruido por la revolución, de la que se retira como un cínico decidido a enriquecerse explotando las fallas de un sistema que conoce a la perfección. Artemio Cruz es la encarnación del mexicano hipócrita y falso, uno de aquellos que según Octavio Paz, Samuel Ramos y otros, debe "chingar". A pesar de ello Fuentes no lo condena. La estructura misma de la novela representa la complejidad del hombre. Desde el principio, Artemio está moribundo y, por lo tanto, no puede cambiar –únicamente puede recordar y debatir consigo mismo. El autor divide a su personaje en tres partes – en un 'yo' que es el ego, en un 'tú' que representa una especie de conciencia moral y en un 'él' que acciona. De esta manera, Fuentes logra encarnar en su propio Artemio Cruz la escisión entre el ideal y la práctica que los ensayistas señalaban como uno de los principales defectos de México.

Artemio Cruz se pudre pero no se transforma. Es interesante que esta característica se encuentre con bastante frecuencia entre los personajes de la novela contemporánea. Es el tema de casi toda la obra de Juan Carlos Onetti, el uruguayo. En *La casa verde* de Mario Vargas Llosa los personajes aparecen como moscas atrapadas en la red de sus propias circunstancias y su propia historia. La historia, ya sea del individuo o de la nación, ha dejado de ser un proceso dinámico para presentarse como una corrupción inevitable, la pérdida del paraíso, la imposibilidad del regreso a la perfección.

LA GENERACIÓN DE LOS PARRICIDAS

Para la mayoría de los escritores latinoamericanos el pasado es algo que hay que rechazar, un periodo que la presente generación debe denunciar y superar. Esta actitud se refleja notoriamente en el número de novelas modernas que tratan de las relaciones entre las distintas generaciones y la frecuencia en que la vieja generación se expone como ejemplo de ineficacia, inescrupulosidad y fracaso. Frecuentemente se manifiesta esto en actitudes parricidas o casi parricidas. Ernesto Sábato hace terminar *Sobre héroes y tumbas* en un holocausto, en el que Alejandra asesina a su padre y luego se incinera en la misma habitación. La "línea de héroes" se ha roto definitivamente. Martín, el nuevo tipo de argentino, abandona Buenos Aires rumbo al Sur para emprender, según se sugiere, una nueva fase en la historia de la nación. En *Gracias por el fuego* (1964), de Mario Benedetti, el "viejo" representa la corrupción de la sociedad uruguaya. Enormemente rico, controla la prensa, tiene ramificaciones en las finanzas, trata de dominar y explotar a su familia como ha hecho con la nación. Uno de sus hijos, que representa a una generación más honesta y autoconsciente, intenta matarlo, pero fracasa y se suicida, ejemplificando el trágico fracaso de su generación para resolver los males que conforman la sociedad uruguaya. En la novela de José María Arguedas sobre la vida peruana, *Los ríos profundos* (1958), un anciano —esta vez un tío del personaje central— es un hacendado corrupto e inescrupuloso cuya figura está presente en la obra. En *La muerte de Artemio Cruz,* Carlos Fuentes contrasta la corrupción del padre con la integridad del hijo, que muere combatiendo en la guerra civil española. La novela del ecuatoriano Pareja Díez-Canseco, *Los nueve años,* se inicia con la rebelión de Pablo un joven adolescente, en contra de su padre corrupto, oficial del ejército.

Los ejemplos pueden multiplicarse. En casi todos los casos, la generación de mayor edad representa la corrupción, la mano muerta sobre el presente. Aun cuando en *El paredón* (1962) de Carlos Martínez Moreno (Uruguay, 1917) esto no sea así, la falta de comunicación entre las dos generaciones resulta una barrera insuperable. En esta novela, el padre representa al liberal fuera de moda que ha dominado la vida uruguaya en el pasado. La novela se inicia con la derrota de su partido; el hijo, totalmente desilusionado con el liberalismo, va a Cuba, en donde, momentáneamente, encuentra la energía y el sentido de que carecía en su propio país.

En la moderna novela chilena, el conflicto de generaciones está referido a la decadencia de una clase social. En *Coronación* (1959) de José Donoso (1925), dos de los personajes centrales —una mujer muy anciana, trastornada, y su hijo de edad madura, incapaz y perezoso— forman parte de la clase superior. Una joven campesina se emplea para cuidar a la anciana. Su presencia pronto perturba la casa; madre e hijo se obsesionan por ella, mientras ésta se enamora de un joven criminal que con su ayuda asalta la casa. Este asalto a la casa simboliza la irrupción de nuevas fuerzas en la vida chilena. La escena culminante de la novela, en que la mujer agonizante es coronada sarcásticamente por sus sirvientas, es un comentario irónico sobre la degeneración de una clase que una vez poseyó verdadero poder. A lo largo de la novela, la vejez y la impotencia se asocian con la clase gobernante y el vigor y la virilidad con la juventud de las clases trabajadoras. Otra novela chilena, *El peso de la noche* (1964) de Jorge Edwards (1931), trata también de un conflicto intergeneracional. Esta vez, sin embargo, la crisis ocurre enteramente dentro de una misma clase social, los personajes representan tres generaciones de una familia singular de la clase alta. La señora Cristina, cuya enfermedad y muerte dominan la novela, representa a la vieja generación que ha vivido siempre en conformidad con un código tradicional. Católicos y conservadores, han impuesto su orden sin ponerlo jamás en duda. La segunda generación, representada por un hijo, Joaquín, es más atormentada. Joaquín se ha rebelado, pero su rebelión es fútil y se convierte en un dipsómano que intenta infructuosamente hallar satisfacción en las relaciones personales. La tercera generación, representada por Francisco, el sobrino adolescente de Joaquín, vive una vez más el conflicto entre la religión y el código moral imperante y su propia existencia. Mientras que la rebelión de Joaquín resulta temporal (pues al morir la señora Cristina vuelve el "orden"), la de Francisco es más auténtica y definitiva.

LA DIMENSIÓN GEOGRÁFICA

Si la historia suele emplearse para poner en crisis ciertos valores del pasado, la geografía se plantea interrogantes sobre la identificación nacional. Al colocar a sus personajes en un medio extranjero, el novelista moderno ilumina las relaciones de América Latina con otras culturas. Buena parte de *Rayuela* de Julio Cortázar, por ejemplo, ocurre en París; los personajes latinoamericanos revelan una actitud típicamente burlona frente a la cultura a la que pertenecen y a la que tratan con gran irreverencia. Uno de los cuentos de *Los aborígenes* (1964) de Carlos Martínez Moreno, sucede en Roma y confronta a un embajador latinoamericano, educado en la zona atrasada de su país, y que escribe ahora un estudio sobre "los aborígenes", con su astuto chofer italiano, cuya forma de vida es tan antigua como la ciudad misma. Lo viejo y lo nuevo están presentados en una yuxtaposición sorprendente.

El escenario europeo ha sido usado ampliamente por escritores de las generaciones anteriores, y la novela que trata de "exiliados" latinoamericanos en París tiene ya una larga historia, desde tiempos del novelista chileno del siglo diecinueve, Alberto Blest Gana (1830-1920). Lo que resulta nuevo en los años recientes es la aparición de los Estados Unidos en la novela latinoamericana. Algunos novelistas plantean ahora el choque de culturas sobre el escenario norteamericano. La historia de un caballo de raza chileno en California, por ejemplo, es el tema de *Caballo de copas* (1957) de Fernando Alegría (Chile, 1918) y los primeros capítulos de *Gracias por el fuego,* de Mario Benedetti, transcurren entre uruguayos que viven en Nueva York, y cuyo sentimiento de identificación nacional se debilita por el contacto con una nación mucho más poderosa y enteramente distinta de la suya.

Aunque las novelas no transcurran en los Estados Unidos, los norteamericanos aparecen a menudo como personajes. Se les encuentra en las novelas de protesta social en la figura del odiado explotador, el siniestro yanqui bebedor de whisky de ya larga tradición en la novela hispanoamericana. Lo que es sorprendente es la aparición del "buen americano" en algunas novelas recientes. En *Viento fuerte* (1950) de Miguel Ángel Asturias, el demonio norteamericano que dirige las plantaciones bananeras de Guatemala está contrapesado por el buen norteamericano que trata de ayudar a los indios a luchar contra la explotación. *La muerte de Artemio Cruz* está dedicada a C. Wright Mills, "verdadera voz de Norteamérica, amigo y compañero en la lucha latinoamericana".

La presencia revolucionaria de Cuba es tal vez demasiado reciente para que haya penetrado en la literatura moderna. *El paredón* (1962) de Carlos Martínez Moreno contrasta efectivamente la desilusión sin objetivos de la clase media uruguaya con el entusiasmo de los cubanos en los primeros días de su revolución. Tanto la fuerza como los defectos de la revolución castrista se registran fielmente. La impresión es ambigua, pero constituye indudablemente un testimonio fiel de la mezcla de entusiasmo y asombro con que fue saludada la Revolución cubana por el resto de los intelectuales latinoamericanos de la clase media.

La dimensión geográfica es empleada de manera diferente por Gabriel García Márquez (Colombia, 1928), pues todos sus cuentos y novelas ilustran la lejanía de algunas partes de América Latina de las corrientes principales de la civilización. En *La hojarasca* (1955), *El coronel no tiene quien le escriba* (1961), *La mala hora* (1962) y en su obra maestra, *Cien años de soledad* (1967), así como en muchos de los cuentos de *Los funerales de la Mamá Grande* (1962), el aislamiento de un pequeño pueblo es un rasgo especial del drama de sus habitantes. En *Cien años de soledad,* el pueblo de Macondo es fundado por la familia Buendía lo más lejos posible del mar del que han venido, en una región que los pantanos y la selva hacen inaccesible. La inaccesibilidad de Macondo significa que allí todo sigue un ritmo diferente al del resto del mundo. Las invenciones e innovaciones europeas —los dientes postizos, el hielo, el imán— son introducidos caprichosamente por unos gitanos errabundos. El lugar está tan desconectado del mundo que Aureliano Buendía descubre que la tierra es redonda sin advertir que se trata de un conocimiento general. La lejanía crea además una especie de inocencia moral. Los Buendía se casan con sus tías, o con niñas de doce años, y Remedios Buendía camina desnuda pues no hay ningún sentimiento de que todas estas cosas sean moralmente reprobables. Macondo, como Latinoamérica, permanece obstinadamente diferente del resto de la civilización y cuando el mal aparece llega de fuera. Una guerra civil de cien años produce la ruina y la destrucción, una compañía bananera introduce la explotación y la opresión. A éstas se añaden algunas extrañas calamidades naturales, una lluvia de cuatro años, una plaga de insomnio, un gran vendaval. Escrita como una fantasía y sin modelos alegóricos visibles, *Cien años de soledad* es, evidentemente, el mito de un mundo subdesarrollado en relación con el poder de las metrópolis.

EL PROBLEMA DEL BIEN Y EL MAL

El tiempo en que los latinoamericanos observaban la situación de sus países en términos de soluciones políticas o sociales ha pasado hace ya mucho. La ambigüedad del relato de Carlos Martínez Moreno sobre la Revolución cubana es sintomático de una generación cuyas preocupaciones son tanto éticas como políticas, lo que de modo alguno significa que se hayan desvanecido las preocupaciones por la justicia social; esta preocupación existe, aunque cada vez se considera más el mal como un elemento del corazón humano. Un síntoma de esa nueva corriente es el amplio uso de un simbolismo cristiano, religioso en general, en la novela moderna. Como ya hemos señalado, este simbolismo puede ser un recurso para dar significación universal a un incidente local. La figura de Cristo aparece una y otra vez en la novela moderna, no como símbolo de la religión organizada —que en América Latina ha sido siempre repudiada por su alianza con el orden establecido—, sino como símbolo de verdadera humanidad y justicia.

El más notable empleo de simbolismo cristiano en este sentido lo ofrece la novela paraguaya *Hijo de hombre* (1959) de Augusto Roa Bastos. En ella la cruda lucha entre la élite en el poder y los oprimidos se transforma en una visión poética del Paraguay entre el levantamiento de campesinos de 1912 y la guerra del Chaco de los años treinta. El pueblo de Itapé está dominado por un Cristo crucificado al que una vez al año bajan de la cruz y hacen desfilar en procesión por el pueblo. El Cristo, tallado por un leproso, ejemplifica una posición desafiante ante las autoridades; no es un símbolo de sufrimiento pasivo sino "una víctima que debe ser vengada". La historia nos describe el heroísmo de la gente sencilla que generación tras generación lucha contra los desalmados y prepotentes representantes del Estado; es gente que inventa sus propios mitos y sus propias formas de rebelión. Uno de los incidentes culminantes de la novela —la crucifixión de un jefe de policía asesinado en lugar del Cristo— es un comentario feroz sobre el ideal cristiano. Rebelión y opresión son los dos extremos entre los que oscila el Paraguay.

> Alguna salida debe haber en este monstruoso contrasentido del hombre crucificado por el hombre. Porque de lo contrario sería el caso de pensar que la raza humana está maldita para siempre, que esto es el infierno y que no podemos esperar salvación.[39]

Una novela colombiana, *En Chimá nace un santo* (1936), de Manuel Zapata Olivella (1920), narra la historia del culto de un santo que empieza cuando un cojo escapa milagrosamente de morir en un incendio. El cojo, durante toda su vida, y aun después de muerto, se convierte en el objeto de una devoción fanática en quien los más pobres y oprimidos depositan sus esperanzas. Las autoridades, tanto del Estado como las eclesiásticas, suprimen violentamente el culto, y en ese momento se encuentran acosados por la furia de los campesinos, que por primera vez han comprendido su propio poder.

En varias otras novelas aparecen los conflictos entre la cristiandad organizada con el verdadero sentimiento cristiano o humano. *El Cristo de espaldas* (1953) de Eduardo Caballero Calderón refiere los esfuerzos solitarios de un sacerdote en un pueblo conservador de Colombia para impedir la ejecución sumaria de un hombre inocente que pertenece a una facción política en desgracia. El sacerdote salva al hombre pero debe abandonar el pueblo en que intenta vivir según los mandamientos de Cristo, lo que allí es interpretado como una rebelión política. En la novela peruana *Los ríos profundos,* de José María Arguedas (1911-69), el narrador es un muchacho a quien su padre ha puesto en un internado católico. La escuela es un microcosmos de la sociedad exterior; la jerarquía eclesiástica apoya a los terratenientes y trata de ahogar la simpatía natural del narrador por los indios entre quienes ha crecido y por quienes tiene un profundo afecto. El amor del adolescente por la música indígena, las canciones y los mitos representan lo auténtico de su experiencia, en contraste con los esquemas impuestos por el cristianismo que alimentan las divisiones en el pueblo, así como ciertas actitudes sexuales inhumanas. *Todas las sangres* (1964), del mismo autor, confronta la perfecta dignidad de los indios con la violencia, crueldad y materialismo de los blancos.

Otros autores prefieren ir más atrás del cristianismo y plantear los problemas en términos de la lucha eterna entre el bien y el mal. *El señor presidente* de Miguel Ángel Asturias convierte al dictador en un demiurgo contra quien Lucifer (en la persona de su secretario "Cara de Ángel") se rebela. La lucha es la eterna lucha entre las fuerzas de la luz y las de la oscuridad. La monumental novela brasileña *Grande Sertão: veredas* (1956), de João Guimãraes Rosa, es el soliloquio —a la manera del *Ulysses*— de un bandido del noreste de Brasil que cree haber vendido su alma al diablo. El diablo, sin embargo, resulta ser sólo una metáfora: "Los hombres venden sus vidas por su propio gusto y sin necesidad de que haya ningún comprador." La historia del bandido se convierte así en una historia de la existencia humana, con sus tentaciones, sus caminos errados, y la búsqueda de autenticidad.

La conclusión que debe extraerse de esta búsqueda tanto del ensayista como del novelista, es su necesidad de una "autenticidad" y de soluciones éticas más que políticas.[40]

Sin embargo, el problema no se encuentra invariablemente situado en forma de una búsqueda o transmitido en los términos del mito. Muchas novelas recientes han adoptado técnicas con las que presentan un problema de importancia nacional dentro de los límites de una situación precisa o limitada. A menudo, el novelista prefiere plantear sus novelas en una comunidad cerrada, y esta técnica de acotamiento parece reflejar el pensamiento de muchos escritores para quienes los problemas nacionales y sociales de los que tratan pueden, de hecho, no tener solución a la vista. La atmósfera de claustrofobia de esas novelas situadas en pueblos, comunidades o internados aislados, contrasta con los lienzos abigarrados de la novela histórica. *El Cristo de espaldas* de Eduardo Caballero Calderón, por ejemplo, tiene lugar en un pueblo colombiano casi sin contacto con el mundo exterior. Esto permite a las autoridades –el alcalde y el juez– ahogar toda oposición del pueblo; inmisericordemente han atrapado al hombre que está en la oposición. Muchos novelistas y cuentistas colombianos enfatizan el aislamiento de los pueblos, en el cual se nutren el fanatismo, la violencia y las formas más raras de misticismo, debido a la falta de contacto con el mundo exterior.

La novela colombiana de aislamiento más destacado es *El coronel no tiene quien le escriba* (1961) de Gabriel García Márquez (1928), en donde el protagonista es un coronel retirado que vive en una aldea remota, esperando noticias de una pensión que le adeudan desde hace varias décadas. El pueblo está gobernado por sus enemigos políticos, que han asesinado a su hijo; en realidad no tiene ni amigos ni aliados, nadie puede apoyarlo abiertamente. Anciano, hambriento y sin ninguna posibilidad de cambio, presenta, sin embargo, una actitud de desafío al mundo. El símbolo de su orgullo y rebelión es un gallo de pelea que ha pertenecido a su hijo y que ahora se rehúsa a vender, aunque le falta el pan para sobrevivir. Al final del libro, continúa solo y hambriento. Cuando su esposa le pregunta qué van a comer hasta la próxima pelea de gallos, él sólo responde: "mierda". Esta novela de García Márquez es muy breve, poco más larga que un cuento. Pero en ella se expresa más acerca de la situación colombiana que en muchas novelas políticas abiertamente de protesta social. Lo hace con sólo presentarnos a su heroico personaje que simboliza la tenacidad de los mejores elementos de la América Latina y a la vez el cerco en la vida de su comunidad.

El escenario clásico para una novela de aislamiento sería por supuesto la celda de una prisión. La novela de José María Arguedas *El sexto* (1961) se basa en sus propias experiencias de cárcel. Sin embargo, novelas como ésta poco difieren de la "novela de denuncia", de los relatos sobre condiciones sociales injustas de las décadas anteriores. El efecto de encarcelamiento se puede lograr de un modo igualmente efectivo por otros medios. En *Los ríos profundos* del mismo autor, el internado crea el sentimiento de restricción, claustrofobia y el consecuente surgimiento de malas pasiones en oposición con la vida del pueblo y del campo de los alrededores, con sus "ríos profundos" y sus montañas. Un contraste semejante lo encontramos en *La ciudad y los perros* (1963) del novelista peruano Mario Vargas Llosa (1936). Esta novela ocurre en una academia militar de Lima. Los "perros" del título son los cadetes, un grupo de los cuales forman un círculo para resistir las embestidas de los alumnos mayores. El dirigente del grupo, el Jaguar, es por naturaleza un bravucón que dirige su banda y atormenta al Esclavo, un cadete que detesta pelear. Cuando uno de los camaradas del Jaguar roba un cuestionario de exámenes, el Esclavo lo denuncia y poco después es asesinado mientras el alumnado está en maniobras. El mundo de los "perros" es un mundo sórdido de homosexualidad y perversiones, traición y torturas. La "ciudad" representa un mundo más libre, civilizado y delicado. Sin embargo es para ingresar a ese mundo para lo que se entrenan los cadetes, quienes al salir de la escuela lo hacen con hábitos y actitudes que les han infiltrado con una mezcla de disciplina y brutalidad. Entre la ciudad y la academia existe una relación simbiótica, pues los padres, pertenecientes a la clase media, gente sin disciplina y sin principios, interna a los hijos en la escuela como una manera fácil de evadir sus propias responsabilidades paternales. A la vez, logran que otra generación sea educada como ellos para repetir una vez más un ciclo de vida miserable. Lo que sobresale en la novela de Vargas Llosa es que para él, como para García Márquez, la situación parece no tener solución. El verdugo y la víctima, la ciudad y la academia, los muchachos y los oficiales, existen en relación unos con otros. Sólo el individuo aislado pone en duda la bondad de las normas, pero es impotente para lograr ningún cambio.

A veces este aislamiento se expresa en formas simbólicas abstractas: en el barco de *Los premios* de Julio Cortázar, por ejemplo; en el cuarto de hotel o el interior de la pirámide en que se debaten los personajes de *Cambio de piel* de Carlos Fuentes. También en las novelas de Mario Vargas Llosa se deduce que el individuo no puede alterar el mundo exterior. En *La Casa Verde,* verbigracia, flujo y vitalidad, río y selva se anteponen a instituciones y sistemas: el convento o la casa verde, la cárcel o la isla de Fuschía.

La declaración de impotencia más extrema la encontramos en *Los premios* de Julio Cortázar. Ahí, como ya hemos visto en el capítulo sexto, los pasajeros de un crucero se dividen en dos grupos, uno integrado por los "infractores de reglas", otro por los "celadores del orden". Aunque el autor parece tener mayor simpatía por los primeros, al final del crucero todos regresan a sus vidas ordinarias como si aquel viaje no hubiera existido nunca. Igual que en la novela de Vargas Llosa se deduce que el individuo en realidad no puede alterar el mundo exterior; su rebelión es asunto personal, que surge de una preocupación por el propio valor e integridad personales.

Aislamiento, incomunicación, búsqueda, he aquí las condiciones de la novela contemporánea. Se trata aquí de temas universales, pero también fundamentalmente de la literatura de un continente subdesarrollado y explotado. El intelectual en un país marginal sufre una doble angustia: la autenticidad puede expresarse en la literatura pero queda ausente de la vida nacional. El hombre se defiende, entonces, por medio de la ironía, de la parodia. La novela contemporánea abunda en bromas, en chistes y juegos de palabras. La obra de Cortázar, por ejemplo, es fundamentalmente una obra de irreverencia. El lenguaje imita la pomposidad, el fárrago, la solemnidad (como en la "conversación entre españoles" de *Rayuela*) para luego destruirlas. El pastiche y la parodia forman la médula de *Tres tristes tigres* del cubano Guillermo Cabrera Infante, cuya novela demuestra gran ingenio. Y en *La traición de Rita Hayworth* (1968) el autor argentino Manuel Puig se burla del lenguaje cursi de la pequeña burguesía de las ciudades provincianas. Aquí, por ejemplo, una muchacha escribe en su diario:

> Mi barrio está quedo en la noche, estas humildes cortinas de cretona me dejan ver la calle a través de sus flores tan extravagantes como descoloridas. Papá dice que en la fábrica no se puede pasar cerca de las máquinas donde imprimen la cretona por el olor de esas tintas ordinarias, sin agregar que todos los desperdicios los usan para cretona. Todo es cuestión de destino en la vida, a una tela tan ordinaria, yo no me explico para qué le hacen dibujos tan locos de flores que si existen deben ser de especies tropicales muy raras, pero los colores salen todos borroneados y una tela tan finita que se transparenta lo que hay del otro lado; la calle y la casa de enfrente.

Aquí a través del lenguaje se transparentan las preocupaciones "refinadas" de la señorita de provincia.

Pero el novelista no sólo destruye sino también construye. O por lo menos descubre las formas ocultas de la verdad. De ahí la gran importancia del mito en la novela moderna, porque el mito es la forma más poderosa de expresión en una sociedad cohibida. *Pedro Páramo* y *Rayuela* son novelas cuyos temas centrales son el mito de la búsqueda de perfección. En las obras de Onetti y de Mario Vargas Llosa nos encontramos con la angustia de los que han perdido el paraíso. En *Cien años de soledad* de Gabriel García Márquez encontramos todo un mundo mítico con migraciones, fundación de pueblos, plagas y destrucciones. La gente vive de sueño, se crean leyendas que influyen más que la vida misma, más que la naturaleza. Las novelas de Alejo Carpentier se basan en mitos eternos —la vuelta a los orígenes en *Los pasos perdidos,* la búsqueda de la utopía en *El siglo de las luces.* El mito da la clave a la verdadera visión del mundo, sea de los indios de *Hombres de maíz,* sea de los pequeños burgueses de *La traición de Rita Hayworth,* cuya cultura está totalmente formada por el cine.

La riqueza y la variedad de la novela y el cuento latinoamericano de las dos últimas décadas hace difícil la generalización. No obstante, queda una impresión fundamental al comparar la novela contemporánea con la de los veintes y los treintas: la de que en esta última se daba casi siempre por sentado que en el momento en que las clases oprimidas perdieran la paciencia y comprendieran el valor de su fuerza, se encontrarían en el umbral de una era de revolución y, finalmente, de justicia social. Por eso muchas novelas de ese periodo terminaban con el levantamiento de los oprimidos: levantamiento que podía fracasar, pero que, como generalmente se indicaba, era el primer paso hacia la victoria. Tal final se encuentra sólo muy ocasionalmente en la novela moderna. *Todas las sangres,* de José María Arguedas, sería un ejemplo. Pero son ya una rareza. En la novela moderna, la revolución ha dejado de ser una panacea; en los casos más optimistas es sólo el primer paso esencial. Lo que el novelista contemporáneo consigue es poner en cuestión por medio de la estructura y el lenguaje los valores de las clases dirigentes. La autenticidad se expresa ahora en el rechazo de todo esquema ideológico predeterminado y la presentación de lo complejo de la existencia.

EL TEATRO

Muchos autores sostienen ideas románticas sobre el teatro como género debido al contacto inmediato que se establece entre el autor y el público. En años recientes en América Latina ha surgido un gran entusiasmo por el drama, a pesar de la carencia de un teatro comercial de importancia, excepción hecha de Argentina y México. Las universidades a menudo desarrollan un importante papel en el aliento de grupos teatrales. Chile, por ejemplo, posee una compañía de teatro profesional subvencionada por la Universidad de Santiago. Aun así, si se piensa en la importancia que se concedió al teatro durante la colonia y su popularidad durante todo el siglo diecinueve en ciudades como Buenos Aires, Río de Janeiro y México, la aparición de un drama de importancia nacional es muy reciente y esporádica, y no ha logrado reemplazar ni a la novela ni al cuento como vehículo de expresión para el escritor con un mensaje social. En la década de los cuarenta las obras escritas por los latinoamericanos tendían a ser sólo de dos tipos: o dependían muy estrechamente del dialecto regional, o eran obras con temas "universales".

En México durante, los años treinta, Rodolfo Usigli hizo el primer intento serio por crear una dramaturgia contemporánea trascendente. Usigli, muy influido por Bernard Shaw, ha declarado que un país sin teatro es un país sin verdad. Sus obras fundamentalmente se refieren al desenmascaramiento de la hipocresía, pero también constituyen un comentario directo a situaciones políticas concretas. Sus tres comedias "apocalípticas", por ejemplo, son sátiras sobre el régimen del presidente Calles, en que tras una fachada democrática y revolucionaria se encubría la corrupción y el fraude. Una de sus obras más importantes, *El gesticulador* —tratada anteriormente—, estudia con profundidad la pasión del mexicano por el mito colectivo. César Rubio, un maestro universitario fracasado que acaba de volver a su provincia después de muchos años pasados en la ciudad de México, parece estar condenado a una vida de humillaciones y frustración hasta que comienza a personificar a un dirigente revolucionario muerto que tenía su mismo nombre. El mito que crea demuestra ser más poderoso que la verdad y persiste aún después de que el protagonista ha sido asesinado por un enemigo político. La obra demuestra la falta de autenticidad de la vida mexicana, uno de los temas principales también de la novela contemporánea. Usigli ha escrito otros dos ambiciosos dramas históricos referentes a la identidad nacional: *Corona de sombra* (1943), que transcurre durante el Imperio de Maximiliano, y *Corona de luz* (1956), que ocurre poco después de la Conquista y relata los orígenes del culto a la Virgen de Guadalupe, lo que determina el momento, como señala Usigli, en que México comenzó realmente a separarse de España. Todas las preocupaciones principales de los novelistas modernos están presentes en la obra de Usigli: la búsqueda de autenticidad, el enjuiciamiento del pasado histórico, la preocupación por la identidad de México y sus relaciones con otras civilizaciones (los Estados Unidos y España.)

La preocupación por la integración nacional es también el rasgo de las obras del dramaturgo puertorriqueño René Marqués, que en *La carreta* (1953) examina el destino de un inmigrante de Puerto Rico en Nueva York y la consiguiente falta de integración. Al igual que Usigli, a Marqués le interesa el hombre que vive una mentira o traiciona sus principios revolucionarios. En *La muerte no entrará en palacio* (1957) hay un conflicto de generaciones semejante al que aparece en muchas novelas modernas; la generación mayor representa la corrupción en la persona de un déspota que está dispuesto a vender su país a una potencia extranjera y son las hijas del dictador quienes representan el "nuevo espíritu" que, sin embargo, no puede sobrevivir. Muchas de las obras de Marqués reflejan una desesperación que es el equivalente teatral a la novela del aislamiento. En una de ellas, *Los soles truncos* (1958), dos ancianas viven en una casa aislada del mundo exterior. Ahí, en medio de su soledad, intentan preservarse de la invasión de lo moderno que, sin embargo, está destinado a triunfar.

El teatro se interesa también en examinar las bases morales tanto de un contexto latinoamericano como universal. Las obras del talentoso dramaturgo salvadoreño Walter Beneke (1928), especialmente *Funeral Home* (1959), tratan de la enajenación del hombre moderno y de su inhumanidad frente a sus semejantes. La obra sucede durante una Navidad en una funeraria y es un comentario irónico sobre la idea cristiana de salvación y su inaplicabilidad a una situación humana real.

Carlos Solórzano (Guatemala, 1922), crítico de teatro latinoamericano y dramaturgo, ha señalado la ausencia de una tendencia general en el drama de las dos últimas décadas, así como el hecho de que las obras carezcan de tesis.[41] En vez de ello sólo existe la presentación de un problema que tiende naturalmente hacia un desenlace que no constituye ninguna solución definitiva. El teatro, como la novela, ha desdeñado la intención de proporcionar soluciones.

El teatro latinoamericano no ha logrado alcanzar el nivel de la novela, y el intento del dramaturgo de actuar como conciencia de la sociedad se basa primordialmente en modelos prestados por la dramaturgia europea. Pero en los jóvenes talentos latinoamericanos hay un vigor y una espontaneidad y un amor natural por el espectáculo que ha servido de punto de partida a experimentos valiosos. Una de las corrientes más interesantes ha dado lugar al surgimiento de un drama no realista. El vigoroso teatro experimental ha transformado la escena en Chile, Argentina, México y Brasil. Los dramaturgos son demasiado numerosos para mencionarlos aquí, pero merece destacarse la obra de Juan José Arreola (1918) Elena Garro (1922) y Emilio Carballido (1925) en México; la de Oswaldo Dragún (1929) en Argentina; las del uruguayo Carlos Maggi (1922), el cubano Virgilio Piñera (1912), el peruano Julio Ortega, y las de Luis A. Heiremans (1928-) en Chile, por el especial interés que ofrecen. En estos países la labor de los grupos teatrales vinculados a las universidades ha sido de fundamental importancia.[42] Sin embargo son pocas las obras de latinoamericanos que han traspasado las fronteras del Continente. El cubano José Triana tuvo uno de los primeros éxitos internacionales con *La noche de los asesinos* y más recientemente se han estrenado obras de Carlos Solórzano en Nueva York y una obra, *El tuerto es rey,* del novelista Carlos Fuentes, en Francia. En cambio, los directores y escenógrafos latinoamericanos, entre los cuales destaca, por ejemplo, el argentino Víctor García, han alcanzado una reputación internacional.

En Brasil, el Teatro Arena de São Paulo ha logrado representar obras que combinan un tema social con una técnica libre y experimental. *Arena contra Zumbi,* por ejemplo, es la historia de una rebelión de esclavos, contada en bailes y música de tipo bossa nova, e incluye referencias a la política actual.

Al contrario del teatro, el cine ha llegado en ciertos países de América Latina, en México y Argentina sobre todo, a convertirse en el teatro de las masas. Esta misma popularidad hacía difícil el desarrollo de un cine artístico. En México, la presencia del director español Luis Buñuel actuó como estimulante, aunque hasta la fecha no ha surgido un director de categoría internacional. En Argentina, el primer director notable fue Leopoldo Torre Nilson; en años recientes se ha producido un gran ascenso en el nivel de las películas, a pesar de las dificultades de censura que han impedido la exhibición de una de las películas argentinas más importantes:

el documental *La hora de los hornos.* En Brasil, en donde el *Cinema Novo* alcanzó un verdadero auge, la situación política amenaza con la extinción de un movimiento que ha producido directores tales como Glaubêr Rocha y Nelson Pereira dos Santos, y películas como *Dios y el Diablo en la tierra del sol, Los fusiles* y *Mucanaima.*

El cine posrevolucionario cubano (y en especial los documentales de Santiago Álvarez) demuestran que un cine de masas no es necesariamente un cine de mala calidad. Lo que ha impedido el desarrollo de un cine artístico en América Latina no ha sido la falta de talento sino las trabas que imponen la producción comercial o el control por el Estado.

8. EL ESCRITOR Y LA SITUACIÓN NACIONAL

Durante siglo y medio las repúblicas latinoamericanas han seguido diferentes caminos. México ha vivido una revolución social, Paraguay no ha conocido sino una cadena de dictaduras, la población de Argentina evidentemente se ha transformado debido a la inmigración europea. Estos factores han repercutido indudablemente en la cultura y especialmente en la literatura que, fuera de ciertos rasgos comunes a toda América Latina, tiene características específicamente argentinas, mexicanas o paraguayas. Estas variantes locales no son necesariamente políticas. El alto índice de analfabetismo, la presencia de una amplia población campesina, la inexistencia de vida editorial son sólo algunos de los muchos factores sociales que también pueden afectar la calidad y la cantidad de la obra literaria. Esto no significa necesariamente que los países socialmente atrasados no produzcan buena literatura sino, sencillamente, que en esos lugares la labor del artista se realiza en condiciones más difíciles y de mayor aislamiento. Por ejemplo, un libro de poemas como *Trilce* (1922) de César Vallejo, escrito en gran parte en la cárcel, tiene que ser diferente, tanto en la forma como en la intención, de un libro de poemas escrito para un público de masas como el *Canto general* (1950) de Pablo Neruda. En *Trilce,* Vallejo no muestra el menor interés por el problema de la comunicación, y, por consiguiente, se lanza a experimentar en un modo extremo; en el *Canto general* Neruda tiene que restringir en lo posible su lenguaje; el poema se vuelve por ello menos denso, más inmediatamente comunicable que los de Vallejo.

El propósito de este capítulo es señalar algunas condiciones locales, con referencia a las regiones en que prevalecen y su efecto sobre las artes, especialmente la literatura.

LA OPRESIÓN POLÍTICA

La mayor parte de los países latinoamericanos han conocido la opresión política en el presente siglo, y, en muchos, tal situación ha sido endémica. Las largas dictaduras –como la de Estrada Cabrera (1898-1920) y la de Jorge Ubico (1931-44) en Guatemala; la de Rafael Leonidas Trujillo (1930-60) en la República Dominicana; la de Juan Vicente Gómez (1908-35) en Venezuela y el largo reinado de la familia Somoza en Nicaragua entre otras– han reducido a desiertos culturales los países que han asolado. En otros países latinoamericanos ha habido periodos más breves, aunque igualmente devastadores, de opresión. La dictadura de diez años de Perón en Argentina, por ejemplo, obligó a muchos intelectuales a exiliarse. La ascensión al poder de Getúlio Vargas en Brasil fue acompañada por arrestos masivos de escritores y otros intelectuales, junto con obreros, campesinos y dirigentes sindicales, especialmente durante los años críticos de 1936 y 1937.

La literatura contemporánea abunda en testimonios personales de hombres que han sido encarcelados y perseguidos por los dictadores. El *Canto general* de Pablo Neruda, por ejemplo, incluye un ataque violento contra González Videla, de quien el poeta tuvo que huir en 1949. Graciliano Ramos y Jorge Amado fueron arrestados en 1936 por órdenes de Getúlio Vargas; Ramos escribió un excelente testimonio sobre sus experiencias en una de las colonias penales fundadas por el dictador. Por lo menos tres novelistas peruanos, José María Arguedas, Gustavo Valcárcel (1921) y Juan Seoane (1898) han escrito novelas basadas en su experiencia como prisioneros políticos. *El sexto* (1961) de Arguedas es producto de un periodo de prisión bajo la dictadura del general Benavides; *La prisión* (1951) de Valcárcel es un documento sobre el implacable doblegamiento de la personalidad que ocurrió en las prisiones peruanas durante el régimen de Manuel Odría. *Hombres y rejas* (1936) de Juan Seoane es el grito crudo y patético de un hombre injustamente encarcelado durante diez años. En Venezuela, la prisión durante la dictadura de Gómez fue descrita por Antonio Arráiz (1903) en *Puros hombres* (1938). La literatura de prisión es común a toda Latinoamérica y hay algunas obras maestras en el género.

En muchos países, sin embargo, el problema de la dictadura y la opresión es más amplio que las consecuencias físicas inmediatas que de ella resultan. El escritor sufre el tormento más lento de la frustración, la falta de libertad para escribir como desea y un medio intelectual aplastante. Nacer y crecer bajo una dictadura latinoamericana es, para decirlo con palabras de Miguel Ángel Asturias, como nacer en una tumba.[1] Protestar significa la muerte o en el mejor de los casos el exilio; aun presentar una protesta en forma literaria a menudo se convierte en un acto de frustración. Los libros son prohibidos, o sencillamente no se publican. No obstante, a pesar de todas estas condiciones desalentadoras, los escritores continúan escribiendo. Con frecuencia son provincianos cuyas carreras iniciales siguen muy de cerca la descripción hecha por Mario Monteforte Toledo (Guatemala, 1911) de los escritores guatemaltecos:

> Empiezan a significarse muy jovenes en publicaciones escolares y en pequeñas revistas de aparición esporádica. La aceptación de alguna de sus obras en las páginas editoriales de los diarios de la capital inicia un reconocimiento en mayor escala y un encadenamiento de sucesos que por lo general los convierte en periodistas profesionales. Más de la mitad de los jóvenes escritores se inscriben en la Universidad, sobre todo en las facultades de derecho y humanidades, donde forman "generaciones" o grupos literarios y editan revistas que casi nunca llegan a los diez números.
>
> Todos son autodidactos y se aficionan al oficio leyendo con avidez en bibliotecas privadas o a la sombra de algún intelectual que fomenta sus inquietudes. Muchos de los que proceden de provincias leyeron así a los clásicos sólo excepcionalmente y en los casos de verdaderos profesionales de las letras, se encuentran escritores que poseen algún idioma extranjero con suficiente dominio. Igualmente raros son los que conocen la literatura, los problemas socio-económicos y la historia del país.[2]

A pesar de todo, este pobre adiestramiento intelectual es la primera etapa de una carrera que termina en conflictos con la voluntad de un dictador para quien cualquier tipo de actividad intelectual resulta peligrosa, o, como en muchos casos, en una ignominiosa derrota por el medio. Tal derrota ha sido registrada por el novelista paraguayo Gabriel Casaccia (1907) en su novela *La babosa* (1952) donde traza la lenta degradación de un escritor en un oscuro pueblo paraguayo. El protagonista, un hombre de extracción humilde, que ha publicado un libro de poemas en sus años universitarios, se casa con la hija de un abogado acomodado y de esa manera tiene los medios para escribir. Pero es incapaz de resistir al aislamiento intelectual y a la mediocridad de la vida del pueblo, por lo que termina como un sórdido alcohólico.

Esa soledad intelectual es un rasgo común de la vida de los pequeños pueblos de toda América Latina, pero bajo una dictadura la situación se agrava debido a la incomunicación con el mundo exterior que inevitablemente se produce en los periodos de opresión política. De ahí se comprenderá que los intelectuales en tales países conozcan con retraso las corrientes artísticas del exterior y con más retraso aún las adopten; y, como frecuentemente también encuentran dificultades para viajar, permanecen encerrados en actitudes anacrónicas. En Paraguay, por ejemplo, el Romanticismo era aún la escuela literaria que prevalecía a comienzos de siglo y el Modernismo no se impuso sino hasta 1923 con la aparición del periódico *Juventud*.[3]

El escritor puede superar esta soledad de varias maneras. Los modernistas, por ejemplo, convirtieron el aislamiento en una virtud y se enorgullecían de ser incomprendidos. Sin embargo, la carrera de varios poetas menores de Centroamérica muestra el triste fin que esperaba a quienes no llegaba el reconocimiento exterior. El poeta nicaragüense Solón Argüello (1880-1920) se unió a las fuerzas de Zapata y murió asesinado; su compatriota Ángel Salgado (1894-1920) murió prematuramente de tuberculosis. Luis Ángel Villa (Nicaragua, 1886-1907) se suicidó; y uno de los poetas centroamericanos más interesantes, Alfonso Cortés (1889), ha estado en un asilo para enfermos mentales desde 1927. En Honduras, Juan Ramón Molina (1875-1909) se suicidó. Sólo aquellos modernistas que, como el guatemalteco Enrique Gómez Carrillo (1873-1927), el peruano José Santos Chocano (1875-1934) y el nicaragüense Rubén Darío (1867-1916) lograron obtener una reputación internacional, tuvieron la posibilidad de vivir con éxito.[4] Es interesante ver que los tres fueron lo suficientemente cínicos como para colaborar con los dictadores y aun adularlos.*

* La amistad de José Santos Chocano con el dictador guatemalteco Estrada Cabrera estuvo a punto de costarle la vida a la caída de éste. Gómez Carrillo es el autor de una defensa aduladora de Estrada Cabrera, *La verdad sobre Guatemala,* Hamburgo y París, 1907.

Las generaciones posteriores han desdeñado por lo general la actitud de torre de marfil en favor de una posición más militante. Muchos se unieron a los partidos de izquierda y algunos han dado la vida en la lucha política. Otros se exiliaron, sea por razones políticas o porque no veían otra manera de desempeñar su labor literaria. Buenos Aires y México están llenos de distinguidos exiliados paraguayos y centroamericanos, como el paraguayo Augusto Roa Bastos (1917), los guatemaltecos Luis Cardoza y Aragón (1904), Augusto Monterroso (1921) y Carlos Solórzano (1922) y el nicaragüense Ernesto Mejía Sánchez (1923). Un crítico hondureño ha apuntado que la alternativa a que el escritor centroamericano debe enfrentarse es: "ora fugándose de las fronteras... ora perdiéndose en las montañas".[5] Esta huida a las montañas puede no ser meramente física. La poesía de la naturaleza, así como la lírica religiosa y mística se produce siempre en periodos de dictadura, pues, de hecho, representan un "coto literario" permitido. Lo mismo ocurre con el folklore y las leyendas, género muy rico, por ejemplo, en Honduras.[6] Sin embargo es significativo que aun esos campos se encuentren limitados, especialmente por la interpretación que el escritor pueda hacer de lo "popular". La República Dominicana, por ejemplo, ha sido la única de las islas del Caribe de lengua española en mantenerse fuera del movimiento literario afroantillano, a pesar de que en la población abundan los negros y mulatos. En parte eso es atribuible a factores históricos y especialmente a la vieja contienda entre la República Dominicana y Haití, país predominantemente negro; pero la actitud despectiva hacia lo negro reflejaba también la política racista de Trujillo. Mientras que en Cuba el afrocubanismo se desenvolvió como una auténtica necesidad de integrar a todas las razas en una cultura nacional, los dominicanos prefirieron ignorar ese aspecto de su cultura. La excepción la constituye el poeta vanguardista Manuel del Cabral (1907) quien, no obstante haber negado en el prólogo a uno de sus libros de poemas la existencia de un arte americano y de una poesía negra, publicó *Doce poemas negros* (1935). Pero aun esos poemas acentúan, como ha señalado un crítico, "lo primitivo del negro en forma negativa".[7] En algunos países oprimidos (por ejemplo Nicaragua), ha aparecido recientemente una corriente literaria que asocia los conceptos de vanguardia con la rebelión. El más importante poeta nicaragüense, Ernesto Cardenal, ha sido encarcelado por razones políticas. Se trata de un escritor profundamente religioso que escribe en un estilo semejante al de Whitman y en cuya poesía se funden los temas políticos y religiosos.

Parecería que la experiencia humana en los países de largas dictaduras pasa inadvertida a no ser por los testimonios de los exilados. Pero esto no es del todo cierto. Dos escritores notables, Augusto Roa Bastos y Miguel Ángel Asturias, el primero paraguayo, el segundo guatemalteco, han logrado obtener una reputación continental y hasta internacional a pesar de las restricciones que sufrieron en el pasado. La carrera de ambos es semejante. Los dos vivieron en sus países durante periodos de gobierno relativamente liberales, lo que les permitió emprender estudios e iniciar su obra. Ambos trabajaron durante varios años como comentaristas radiofónicos y como periodistas antes de marchar al exilio. Su obra enfoca de una manera parecida los problemas de la creación novelística en torno a un país oprimido; ambos han abandonado la técnica documental, usando la fantasía (leyendas y mitos) para presentar las fuerzas subconscientes que alientan en el espíritu de sus compatriotas. Ambos han percibido que sólo pueden interesar al público internacional (por lo general ignorante sobre sus países de origen), presentando un cuadro completo de la nación con toda su complejidad y su riqueza.

El señor presidente (1946) de Miguel Ángel Asturias cubre todos los estratos de la población, desde el mendigo hasta el presidente, y muestra cómo todos ellos viven en garras del terror, bajo amenazas de muerte. *Hombres de maíz* transcurre durante un largo periodo histórico y traza el despojo de los indios y la comercialización de la agricultura. De la misma manera, *Hijo de hombre* (1959) de Roa Bastos cubre la historia del Paraguay, desde mediados del siglo diecinueve hasta poco después de la guerra del Chaco. En *Hombres de maíz* e *Hijo de hombre* la perspectiva histórica ayuda a los autores a solucionar el problema de presentar un cuadro de la vida nacional que no sea absolutamente negro. Al mostrar un proceso de lucha durante un largo periodo, se crea el sentido de continuidad en el esfuerzo humano y en el combate. No obstante, ambos escritores muestran también la otra parte: el desperdicio de material humano en que, más aún que el sacrificio físico, consiste la tragedia de vivir bajo una dictadura. La novela de Asturias, *El señor presidente* y el cuento de Roa Bastos "La excavación" presentan una pesadilla de frustración en la que quienes se rebelan contra el *statu quo* son asesinados ignominiosamente.[8]

La obra de escritores como Roa Bastos y Asturias y el repentino florecimiento cultural en los breves periodos de liberalización, viene a demostrar el trágico desperdicio de potencial humano inherente a una dictadura. Y sin embargo los dictadores no han sido los peores enemigos de los artistas. Estrada Cabrera y Trujillo, por ejemplo, llegaron a hacer absurdos y desencaminados esfuerzos por subvencionar las artes. En realidad la cultura nacional de un país como El Salvador —que no vive bajo una dictadura, pero que ha sido gobernado por una oligarquía egoísta e insensible— puede a la larga sufrir más que su vecina Guatemala, en donde a los periodos de oscuridad han seguido breves momentos luminosos.

EL PROBLEMA DE UN PAÍS PEQUEÑO: EL CASO DE URUGUAY

Aunque no existieran dictaduras en los países antes mencionados, habría siempre un problema serio al que los escritores tendrían que enfrentarse: el de la falta de auditorio. Las repúblicas centroamericanas, las islas del Caribe y muchos de los países del continente tienen poblaciones demasiado pequeñas como para poder proporcionar un público considerable, especialmente a causa del analfabetismo imperante. Costa Rica, Nicaragua, Panamá y Paraguay poseen cada uno menos de dos millones de habitantes. Bolivia, la República Dominicana, El Salvador, Guatemala, Honduras y Uruguay, menos de cuatro millones de habitantes. Evidentemente ninguno de esos países puede esperar contar con un gran teatro comercial, o ediciones de libros publicados por editoriales comerciales. Ya en sí esto representa una restricción para el artista. Como ha señalado un autor: "Vender una novela en Costa Rica es un trabajo de Hércules. Las ediciones rara vez pasan de mil ejemplares, y aunque tenemos buenas editoriales, éstas no se franquean como en Europa y algunos países de América, debido a lo limitado del mercado nacional."[9] Los escritores resuelven esos problemas haciendo publicar sus obras por las editoriales del gobierno, o escribiendo cuentos que aparecen en revistas y periódicos. Por ello, en Uruguay, Costa Rica y muchos otros países pequeños el cuento y no la novela resulta el género más favorecido.

Otro problema serio al que se enfrentan los pequeños países es la fuga de escritores que emigran con el propósito de buscar en otros países el estímulo del que carecen en el suyo. Uruguay ha sufrido mucho a este respecto; algunos de los principales escritores uruguayos —como Florencio Sánchez (1875-1910) y Horacio Quiroga (1876-1937)— han abandonado sus países para ir a vivir en la Argentina. El Salvador ilustra aún otro de los problemas culminantes de un pequeño país: las dificultades para quienes desean convertirse en escritores profesionales. Como en un país pequeño el talento es limitado, el hombre de letras actúa a menudo como político, periodista o diplomático. Los tres grandes nombres de la literatura salvadoreña —Francisco Gavidia (1875-1955), Alberto Masferrer (1858-1932) y Arturo Ambrogi (1875-1936) han sido hombres de letras con actividades multifacéticas en la vida pública.[10] El escritor en tales países pequeños tiene también un tipo especial de responsabilidad, ya que actúa por fuerza como puente entre su propio medio provinciano y los amplios movimientos culturales del mundo. El cosmopolitismo es por consiguiente un aspecto vital del papel del escritor en la sociedad. Cuando en esos pequeños países falta la nota cosmopolita, la literatura queda empobrecida y regida por un estrecho aldeanismo. En Costa Rica, por ejemplo, existen algunos escritores de cuentos encantadores —Claudio González Rucavado (1865-1925), Carmen Lyra (1888-1949), Ricardo Fernández Guardia (1867-1950), Manuel González Zeledón (1864-1936)— cuya obra parece limitarse por ese inconveniente.[11]

De los pequeños países, Uruguay ha sido el más afortunado en la creación de una cultura propia. Esto, en parte, se debe al estímulo de la vecina Buenos Aires y también al hecho de que Montevideo es un gran puerto internacional. Existen otros factores importantes: alejado de los demás países latinoamericanos, Uruguay tiene realmente un alto índice de alfabetización (el 97% de la población). La clase media compone una proporción substancial de los habitantes, incluye unos 250 000 empleados de gobierno, cifra enorme para un país tan pequeño. Estos dos factores: alto nivel de alfabetización y clase media numerosa, permiten a Montevideo sostener un clima intelectual bastante más estimulante que el de las capitales de algunos países mayores. Posee buenas empresas editoriales, una revista literaria de primera categoría (*Número*); ha habido corrientes uruguayas originales tanto en literatura como en pintura (por ejemplo, el constructivismo)[12] y el nivel de la crítica literaria es elevado. Sin embargo, como hemos advertido, la pequeñez del país ha tenido un efecto decisivo en la actitud de los escritores, quienes, sintiéndose estrangulados por la escena local, han tenido naturalmente que mirar más allá de las fronteras nacionales. José Enrique Rodó, el intelectual latinoamericano dirigente durante la primera década de este siglo, se vio, seguramente constreñido por el raquitismo de la cultura uruguaya, a considerarse fundamentalmente un latinoamericano. Una poetisa uruguaya, Juana de Ibarbourou (1896), ha recibido el nombre de "Juana de América". Horacio Quiroga, el cuentista uruguayo, pasó la mayor parte de su vida adulta en Argentina; en uno de sus relatos "La patria", trata despectivamente, como si fuera otra locura del hombre, el afán de trazar fronteras nacionales, lo que indudablemente reflejaba su propio sentimiento cosmopolita.*

Ante tal situación uno podría esperar que la literatura uruguaya fuera tan cosmopolita como lo es buena parte de la Argentina, pero no es ése el caso. La poesía, es verdad, tiende a tratar temas universales, lo que se demuestra especialmente en el caso de "Juana de América", cuyos mejores poemas cantan a la naturaleza en general y no a la naturaleza uruguaya. Los otros grandes poetas —Julio Casal, (1889-1954), Emilio Oribe (1893), Carlos Sabat Ercasty (1887), Sara de Ibáñez (1910), Idea Villariño (1920)— han explorado también zonas del sentimiento y la experiencia que tienen escasa relación con un sentimiento nacional. Pero la expresión de una

* Hasta la fecha, los intelectuales uruguayos son todo menos provincianos. Se puede mencionar la obra de críticos como Ángel Rama, Mario Benedetti o Emir Rodríguez Monegal.

naturaleza específicamente "uruguaya" se destaca en la novela y en el cuento.[13] Hasta la década del cuarenta el marcado interés por los aspectos específicamente uruguayos de la experiencia se demostraba al escribir sobre las zonas rurales. La tradición del gaucho sobrevive en los cuentos de Fernán Silva Valdés (1887) y Pedro Leante Ipuche (1899). Sin embargo, dos escritores llegados a la escena hacia 1930, Francisco Espínola (1901) y Enrique Amorim (1900-60) rompieron los esquemas del gauchismo para mostrar la pobreza y los conflictos de la población rural en toda su sombría intensidad. Mientras que Espínola trata sobre las relaciones emocionales de gente muy sencilla, Amorim, un prolífico novelista, cubre los conflictos sociales más importantes de la vida del campo: el encuentro entre el criollo y el inmigrante en *El caballo y su sombra* (1941), la alienación del habitante del campo por la ciudad en *El paisano Aguilar* (1934). Y en *La desembocadura* (1958) ejemplifica la historia del país en la figura de un vigoroso colonizador con una familia legítima y otra ilegítima, que testimonia la transformación y la destrucción de la salvaje y solitaria vida que tanto ha amado.

En años recientes, sin embargo, es evidente que la esencia del problema uruguayo ha dejado de estar en el campo. El Uruguay moderno es un país de empleados y burócratas, y los riesgos que éstos confrontan no son los de la violencia y la opresión, sino de la autocomplacencia y de una preocupación excesiva por la seguridad. De ahí que dos escritores contemporáneos, Mario Benedetti y Carlos Martínez Moreno, escriban cuentos y novelas acerca de empleados de oficina y miembros de la clase media, cuyos problemas son más típicos del país que los del campo. El protagonista de *El paredón* (1962) de Carlos Martínez Moreno, por ejemplo, es un periodista cuya visita a Cuba pone de manifiesto la gris indiferencia y la desesperación callada de sus compatriotas. Los personajes adquieren un tinte trágico solamente por haber sido empleados al servicio del Estado cuyo único propósito en la vida consiste en esperar un aumento de sueldo.[14] Tanto en la novela de Benedetti *La tregua* (1960) como en el cuento de Martínez Moreno "La paloma", las vidas de los personajes adquieren un tinte trágico solamente por haber sido atrapadas en la trampa de la rutina. En "La paloma", un empleado retirado vive sólo en espera del día en que su paloma vuelva a ganar el primer premio de la estación.[15]

Con estos escritores modernos, como se ha observado, la preocupación por la situación uruguaya crea de hecho una literatura de considerable relevancia nacional, pues los personajes y los problemas según los describen Benedetti y Martínez Moreno tienen íntima semejanza con personajes y situaciones de la novelística europea. De este modo, por un interesante desarrollo circular, una buena parte de la literatura uruguaya contemporánea, preocupada sólo de experiencias locales, parece estar más cerca de una corriente internacional que la literatura de otros países pequeños de Latinoamérica. Sin embargo, uno de los escritores uruguayos contemporáneos más importantes, Juan Carlos Onetti (1909), difícilmente encaja del todo en un contexto uruguayo, pues ha vivido muchos años en Buenos Aires y esa ciudad es el escenario de varias de sus novelas. Sus obras tratan de gente torturada y aislada que habita en una brumosa tierra de nadie desprovista de rasgos precisos. El protagonista de *El astillero* (1961), por ejemplo, es el gerente de un astillero en el que ningún barco es reparado y el vacío que existe en ese lugar de trabajo es igual al vacío de su vida. Los temas de Onetti y sus escenarios no son de ninguna manera regionales o locales; sin embargo, es significativo el hecho de que su mayor interés resida en la degeneración y la soledad derivadas de la incapacidad para la comunicación. Para él la madurez es sinónimo de decadencia y el proceso mismo de la vida es un corrosivo. Tal concepción no es la de un hombre que vive en un país pleno de promesas, sino más bien resulta la visión de un hombre que se siente víctima de acontecimientos que no puede manejar. En último caso tal es también el dilema de un pequeño país en el mundo, en que el tamaño es cada vez más importante, pues en tal situación el entendimiento puede llevar sólo al desencanto y al conocimiento de las limitaciones.

EL PROBLEMA DE LA NACIONALIDAD: PANAMÁ Y PUERTO RICO

Panamá y Puerto Rico son dos pequeños países en que el problema de la identidad nacional es particularmente agudo. Panamá, como nación, no es más vieja que su canal. Por ello no es de sorprender que sus escritores e intelectuales se sientan movidos por la necesidad de señalar que su país tiene una identidad distinta. Para el intelectual de Puerto Rico existe el problema de reconciliar el pasado del país como parte del mundo de habla española con su presente situación de dependencia de un país anglosajón.

Los escritores más importantes de Panamá —como Guillermo Andreve (1879-1940) y el poeta Ricardo Miró (1883-1940)— se han preocupado principalmente de la creación de un sentimiento de conciencia nacional. Miró, por ejemplo, escribió poemas para los estudiantes en los que celebraba la tierra nativa: poemas que destinaba a ser leídos y aprendidos en la infancia. A pesar de tales esfuerzos conscientes por crear una literatura nacional, fue necesario el aliento de un premio nacional —el premio Ricardo Miró— para que los novelistas y cuentistas contaran con el estímulo necesario para hacer una contribución al desenvolvimiento de un fuerte sentimiento de nacionalismo panameño. Muchos novelistas panameños contemporáneos han logrado publicar sus primeras obras gracias a este premio literario.[16]

Por ello no es de sorprender que la novela panameña se haya concentrado en los temas de protesta. Por ejemplo, Joaquín Beleño Cedeño (1922), ganador del premio Miró, describió en *Luna verde* (1951) las injusticias cometidas en la zona del canal. Y la mejor poesía —la de Demetrio Korsi (1899-1957)— logra captar la turbulencia cosmopolita de la zona:

> Yo conozco los blancos, los negros, los mestizos;
> a cada cual le sé su vida y milagros.[17]

Tal es también el caso del descollante escritor panameño Rogelio Sinán (1904) quien, a despecho del uso de la fantasía y de las técnicas de vanguardia y de su apariencia cosmopolita, plasma brillantemente la extraña naturaleza de su país natal. Su novela *Plenilunio* (1947) nos conduce a las profundidades de un mundo de violencia sexual, turbulencia, riqueza material y mezcla de razas y nacionalidades, que constituye a grandes rasgos la atmósfera de la zona del canal. La vida de los personajes de esta novela refleja la tensión entre el mundo panameño y el norteamericano, así como la repercusión de los acontecimientos internacionales en la región del Istmo.

En Puerto Rico el problema principal al que se enfrentan los escritores modernos es la amenaza a la cultura tradicional por parte de los Estados Unidos. Un crítico ha descrito la situación en los siguientes términos:

> Los modos de ser norteamericanos, mediante los múltiples contactos con la isla —por la escuela, los libros y revistas, los viajes que muchos puertorriqueños realizan por Estados Unidos, por los profesionales nuestros que allí se forman, por las relaciones comerciales y, más adelante, por el cine y en menor grado, por la radio y televisión, ejercen en nuestro medio el influjo preponderante; a pesar de que con el nuevo régimen se multiplican las escuelas en el país y en 1903 surge nuestra Universidad, pierde eficacia el sistema pedagógico general, al pretenderse, anteponiendo las conveniencias políticas a las culturales, impartir la enseñanza a nuestras juventudes en la lengua inglesa, quedando orillado con este arreglo nuestro vernáculo español a un plano de segunda importancia.[18]

El dinero de los Estados Unidos se ha derramado en la Universidad de Puerto Rico, haciendo de ella una de las mejor equipadas del continente americano. La mayor parte de los intelectuales, a pesar de ello, están profundamente preocupados e interesados en la preservación de la tradición hispánica en la isla. No es accidental que Puerto Rico produzca algunos de los mejores y más acuciosos hispanistas, y que en *La Torre,* la revista trimestral de la Universidad, predominen artículos sobre la literatura española.

Como la mayoría de los países latinoamericanos, Puerto Rico cuenta entre sus escritores con muchos que han tratado la naturaleza y la vida rural. Los más importantes de ellos han sido el poeta Virgilio Dávila (1869-1943) y el novelista Enrique A. Laguerra (1906). Y, pese a que Puerto Rico es predominantemente una isla blanca, con sólo un escaso elemento negro en su población, puede enorgullecerse de un destacado poeta de la escuela afroantillana: Luis Palés Matos (1890-1959), cuyas evocaciones frecuentemente humorísticas de África se deben entender como un comentario indirecto de la civilización blanca "supercerebralizada" y, por lo tanto, de la cultura anglosajona como un todo.[19] La poesía de Palés Matos, sin embargo, es un fenómeno aislado en la literatura puertorriqueña, porque hay menos justificación ahí que en otros países del Caribe para considerar la tradición africana como una parte importante del carácter cultural nacional.

Los escritores contemporáneos de Puerto Rico se han preocupado directamente del problema de la identidad. El más importante de ellos es René Marqués, cuentista y dramaturgo. Su obra de teatro *La carreta* (1953) se refiere al importante tema de la emigración hacia los Estados Unidos. El personaje principal es un campesino que vuelve a Puerto Rico tras vivir en Nueva York, sólo para encontrar que ya no puede llevar la misma vida que antes. Uno de los cuentos más conmovedores de Marqués, "En la popa hay un cuerpo reclinado", es, en un nivel inmediato, la trágica historia de un matrimonio en el que un hombre sometido asesina a su mujer y después se castra; pero, en un nivel más profundo, refleja también la conciencia de la dominación y la emasculación de Puerto Rico por una cultura ajena y materialista.[20]

EL PROBLEMA DE LA VIOLENCIA: VENEZUELA Y COLOMBIA

Venezuela y Colombia tienen una población de ocho y quince millones de habitantes respectivamente; ambos países han tenido que enfrentarse al problema de integrar regiones separadas y muy diversas entre sí, y de establecer el peso de la ley sobre vastos territorios, incluyendo las escarpadas zonas montañosas y partes de la cuenca amazónica. En ambos países, con poblaciones rurales atrasadas y altos niveles de analfabetismo (58% en Venezuela y 37% en Colombia) dichas zonas rurales han estado bajo las garras del caciquismo, y han conocido frecuentes estallidos de violencia. El intelectual culto en las principales ciudades de Venezuela y Colombia tiene muy poco en común con su compatriota del interior, donde reina el caos y la barbarie. De hecho, es perfectamente posible para el artista o escritor vivir enteramente en el corazón de la civilización urbana, identificado del todo con Europa y con la cultura europea. Tal fue el caso de los poetas de la generación modernista que cultivaron una elegancia y un refinamiento que ya en sí era una forma de desafío. Los colombianos José Asunción Silva (1865-1896), Porfirio Barba Jacob (1883-1942) y Guillermo Valencia (1873-1943), y los venezolanos Manuel Díaz Rodríguez (1871-1927) y Pedro Dominici (1872-1954) tenían en común esa actitud de desdén o desafío al medio ambiente.

Muchos modernistas, así como otros escritores importantes de las primeras décadas de este siglo, se reclutaban entre las altas capas de la sociedad y reflejaban naturalmente actitudes de clase. Dos escritores venezolanos importantes, Rufino Blanco Fombona (1874-1944) y Teresa de la Parra (1891-1936) pertenecían a las clases altas. Esta última, una novelista latinoamericana sobresaliente, expresó en *Ifigenia* (1924) cuyo subtítulo es: *Memorias de una señorita que se fastidiaba,* la frustración de una joven de educación europea que vive en la provinciana y atrasada Caracas. El afecto de Teresa de la Parra por su país se asociaba con la nostalgia del ingenio azucarero en que transcurrió su infancia y que recordó en *Las memorias de Mamá Blanca* (1929). El encanto de esta novela dimana de su nostalgia por una forma de vida patriarcal ya en declinación cuando ella la describía. Al circunscribir deliberadamente su arte a la experiencia de las clases medias urbanas o provincianas, un escritor podía trabajar con moldes artísticos tradicionales y no tenía necesidad de inventar nuevas formas. Existen muchos escritores venezolanos y colombianos de tipo tradicional, de los cuales el más conocido es el colombiano Tomás Carrasquilla (1858-1940), cuyas novelas y cuentos son familiares en tema y estilo a quien conozca la tradición literaria hispánica. Muy raramente se aleja de la vida y costumbres de la ciudad provinciana de Antioquia, cuyas costumbres y relaciones humanas se nos revelan como muy semejantes a las de cualquier pueblo español tradicional. El uso frecuente de relatos populares da también a su obra un tono familiar. Los lectores de Carrasquilla como los de Teresa de la Parra pudieran creer que la vida en Venezuela y Colombia difería muy poco de la vida española. Estos escritores nos permiten algunas veces vislumbrar el torbellino oculto bajo una urbanidad aparente, pero no explorar otras situaciones debido a que la literatura europea de su generación no ofrece modelos adecuados para ellas.

Cierto es también que algunos escritores de esta generación veían las cosas de modo diferente. La verdadera situación en Colombia y Venezuela se describe eficazmente en, por ejemplo, "Que pase el aserrador",[21] relato del colombiano Jesús del Corral (1871-1931), donde la acción tiene lugar en una mina de propiedad extranjera. Dentro de la mina, el trabajo y la vida social prosiguen como en cualquier otro lugar, pero la mina es un mundo privado con una realidad en sí, conectado con el mundo real que la circunda sólo por una canasta que pende de una cuerda en una barranca. Al otro lado de la barranca se desarrolla la guerra civil. La situación en la mina se asemeja casi exactamente a la de las clases superiores de Colombia y Venezuela, que vivían en un sitio civilizado mientras el país era sacudido por la turbulencia.

Aún así no fue sino hasta la década de los veinte cuando los escritores en esos dos países comenzaron a describir la realidad de su mundo local: un mundo de violencia y caos hasta entonces generalmente desconocido en sus literaturas nacionales.[22] La novela precursora fue *La vorágine* (1924) de José Eustasio Rivera (Colombia 1888-1928). El novelista empleaba todavía formas convencionales —la fuga romántica del héroe que huye de la civilización— pero con la diferencia de que, mientras en las tradiciones del romanticismo decimonónico el héroe frecuentemente escapa a un mundo de ensueños, Arturo Cova se encuentra con la implacable realidad de la selva, que lentamente destruye su personalidad y sus sentimientos humanos. La novela de Rivera muestra con fuerza devastadora el terror del artista frente a las hasta entonces inimaginables experiencias en las selvas y los llanos de su país. En escritores posteriores el miedo y el horror, que son las emociones predominante en *La vorágine,* se substituyen por un sentimiento de fascinación. Eduardo Zalamea Borda (1907-1963), en especial, expresa las maravillas de la vida primitiva de Colombia en sus *Cuatro años a bordo de mi mismo* (1934), novela situada en las casi desérticas salinas de la Guajira.

En la novela venezolana, una mezcla de atracción y repulsión hacia lo primitivo caracteriza sus mejores obras. La tensión entre las dos actitudes es el eje de tres novelas importantes de Rómulo Gallegos (1884): *Doña Bárbara* (1929), *Cantaclaro* (1934) y *Canaima* (1935). En cada una de ellas el héroe es un civilizado que se entrega a combatir contra la peligrosa ilegalidad del país; y en los tres casos hay un momento en el relato en que quien respeta la ley comete o proyecta actos de violencia. La barbarie del medio impone su poder sobre los personajes de Gallegos. De la misma manera, en *Las lanzas coloradas* (1931) de Arturo Uslar Pietri, que tiene lugar durante el periodo de la Independencia, los dos personajes principales, un terrateniente criollo y un capataz mulato, representan respectivamente la civilización y la barbarie. Por eso el bestial capataz que lucha contra las fuerzas de Bolívar no es presentado del todo como una figura despreciable. En una novela cuya acción transcurre en tiempos más recientes, *El mar es como un potro* (1943)* de Antonio Arráiz, el mar y el potro simbolizan la fuerza bárbara y viril del héroe, el contrabandista Dámaso Velázquez, que es agudamente comparado con el cobarde contador que se enamora de la mujer de Velázquez, a la que al final asesina. Los temas de caos, violencia y barbarie no se prestan fácilmente a la forma literaria tradicional y no pueden constreñirse a los límites estrechos de una novela cuidadosamente estructurada, como lo ilustran las novelas rudas y desordenadas de Rómulo Gallegos.

Una generación posterior de novelistas ha tratado de resolver el problema de otra manera. En una novela satírica, *La misa de Arlequín* (1962), Guillermo Meneses (1911) emplea la fantasía y el absurdo para exponer los males del gobierno militar y la connivencia de la clase media con sus opresores. La novela termina con una "danza de coroneles", una fantasía que expone la corrupta situación política en el país. Otro novelista contemporáneo, Miguel Otero Silva (1908), intenta analizar en perspectiva la violencia y el desorden, mostrándolos como parte de un desarrollo histórico.

* El título origial fue *Dámaso Velázquez*

Dos de sus novelas, *Casas muertas* (1955) y *Oficina número 1* (1961), ejemplifican la historia del país al pintar dos comunidades opuestas. En la primera novela, el escenario es una población mortecina, símbolo de la vieja Venezuela, cuya economía era predominantemente rural; la estructura social, feudal y la tradición hispánica. Pero la ciudad ha muerto; sus habitantes, incapaces de ganarse la vida, esperan inertemente la muerte o emigran. Por otra parte, *Oficina número 1* muestra una comunidad del todo diferente, situada en un campo petrolero. Un lugar violento y despiadado que representa a pesar de todo el germen de un nuevo futuro. Aunque la riqueza de los campos petroleros no ha logrado proporcionar aún un nivel de vida y cultura aceptable para la mayoría de los venezolanos, Otero Silva ve en ella los fundamentos necesarios para un estado moderno.

Los cambios ocurridos en la situación social de Venezuela desde que Gallegos comenzó a escribir están ilustrados en las novelas de Salvador Garmendia (1928) –*Los pequeños seres* (1959), *La mala vida* (1968), *Los habitantes* (1968) y *Día de ceniza* (1969)– que se ocupan de la vida de seres marginales, desempleados u oficinistas de la más baja clase media. Un realismo irónico y despiadado es el rasgo característico de su estilo con el que a menudo obtiene gran intensidad. De Venezuela también es una excelente novela de la violencia urbana, *País portátil,* de Adriano González de León.

El problema de la violencia es también el tema central de la novela colombiana moderna, particularmente a partir de 1947, cuando, consecutivamente a la elección de un presidente de la República conservador con una minoría de votos, estalló la guerra civil. Durante ese periodo de violencia y carnicería brutales murieron de ciento cincuenta mil a doscientos mil colombianos y, por ello, no es de sorprender que muchas de las novelas referentes a este tema se distingan por su contenido polémico. *Viento seco* (1954) de Daniel Caicedo es posiblemente el mejor ejemplo. Sin embargo son muchas las novelas colombianas que podrían enlistarse por su excelente tratamiento del tema de la violencia –aunque menos directa o abiertamente polémicas–, como *El Cristo de espaldas* (1953) y *Siervo sin tierra* (1954) de Eduardo Caballero Calderón, *El coronel no tiene quien le escriba* (1961) y *La mala hora* de Gabriel García Márquez, *El día señalado*

(1964) de Manuel Mejía Vallejo (1924) y *En Chimá nace un santo* (1963) de Manuel Zapata Olivella. La acción de todas estas novelas transcurre en pueblos aislados donde hombres y mujeres son víctimas de la sequía, el hambre o el fanatismo; y de olas absurdas de violencia, lo que crea una atmósfera específicamente medieval. En las novelas y cuentos de García Márquez, por ejemplo, los hombres son visitados por misteriosas plagas y maldiciones, como la lluvia de pájaros muertos que cae en un pueblo en "El día después del sábado" (1962). Y esta atmósfera medieval se ve reforzada por la abundancia de novelas en que los siervos buscan un señor o protector cuando están amenazados por ataques de hostiles merodeadores. Esta relación feudal entre protector y siervo ocurre en *Viento seco* de Caicedo y en *Siervo sin tierra* y *Manuel Pacho* (1946) de Caballero Calderón. En esta última, el protagonista del mismo nombre es tan extraño como el protagonista de un romance medieval. La historia se refiere a un adolescente que, desde la fronda de un árbol de mango donde está escondido, presencia la masacre de su madre, de su abuelo putativo y del resto de su enorme familia. Cuando los bandoleros se alejan, el muchacho baja del árbol, mete el cuerpo de su abuelo en un saco y lo lleva al pueblo más próximo a reclamar su herencia. Cuando llega al lugar de destino varios días después, el cuerpo del anciano está en plena putrefacción. El hecho de que la última etapa del viaje se realice en avión señala la situación de países como Colombia, en donde coexisten la mente medieval con las formas más modernas de comunicación.

Venezuela y Colombia ilustran el fenómeno de la supervivencia de estructuras sociales y formas de vida que tienen mucho en común con la Europa medieval. El rasgo esencial, particularmente de la literatura contemporánea colombiana, es la manera en que los novelistas han hecho un esfuerzo imaginativo para explorar creativamente una situación en que lo arcaico sobrevive al lado de los más modernos instrumentos e invenciones. Ambos países han visto en años recientes el surgimiento de corrientes de poesía *beat* cuyos propósitos combinan la revolución social con la revolución poética: en Colombia, el movimiento Nadaísta; en Venezuela, el grupo de vanguardia reunido en torno a la publicación de la revista *El Techo de la Ballena.*

La obra maestra de la literatura colombiana es *Cien años de soledad,* de Gabriel García Márquez. Se ha señalado en otro lugar que ésta es la novela que, en forma legendaria, expresa el aislamiento y el subdesarrollo del continente. Pero también narra una serie de hechos estrechamente vinculados con la vida colombiana: la guerra civil, la explotación bananera, la violencia. Mas que la novela realista, la obra de García Márquez nos da una percepción del verdadero horror de la violencia. Para este autor, el horror no reside únicamente en los hechos sino en el rápido olvido de los acontecimientos. Así, durante una huelga bananera, el ejército mata a miles de personas en la plaza de Macondo. José Arcadio Segundo es el único que logra escapar de un tren cargado de muertos que se aleja del pueblo. Al volver a la ciudad descubre que la gente no sabe nada de la masacre. Le contesta la primera mujer con que se encuentra:

> "Aquí no ha habido muertos", dijo. "Desde los tiempos de su tío, el coronel, no ha pasado nada en Macondo." En tres cocinas, donde se detuvo José Arcadio Segundo antes de llegar a la casa le dijeron lo mismo: "No hubo muertos." Pasó por la plazoleta de la estación y vio las mesas de fritangas amontonadas una encima de otra, y tampoco allí encontró rastro alguno de la masacre. Las calles estaban desiertas bajo la lluvia tenaz y las casas cerradas, sin vestigios de vida interior. La única noticia humana era el primer toque para misa.

INTEGRACIÓN RACIAL Y NACIONAL EN LAS REPÚBLICAS ANDINAS

Los escritores de las repúblicas andinas comparten un problema común: el de vivir en países con dos culturas, una derivada de la tradición hispánica, la otra del pasado indígena. Bolivia, Ecuador y Perú se dividen en regiones geográficas muy distintas, que van de la alta meseta andina a las selvas tropicales. A la vez, como las formas de vida indígena se preservan en las regiones más remotas, las diferencias regionales y raciales coinciden a menudo. A pesar de estas semejanzas cada uno de los países andinos tiene una cultura propia. Perú es el país con la más tajante división entre lo hispánico y lo indígena; la población de Bolivia es casi enteramente india o mestiza; mientras que en Ecuador ha existido tradicionalmente una fuerte rivalidad entre Quito y Guayaquil, entre la montaña y la región de la costa. Además de esos problemas, Ecuador y Bolivia son países pequeños que en el pasado no han tenido sino un medio intelectual bastante pobre. De aquí que hallemos entre los modernistas —como en Centroamérica— una cantidad de suicidios y muertes prematuras o un exilio semipermanente como lo ejemplifican figuras tan distinguidas como el poeta boliviano Ricardo Jaimes Freyre (1868-1933) y el novelista y ensayista ecuatoriano Gonzalo Zaldumbide (1885).

El mayor problema que han encarado y al que aún se enfrentan las repúblicas andinas es el del indio. Un pensador peruano, Manuel González Prada (1848-1918), fue uno de los primeros en advertir que la cultura y la política de un país con mayoría indígena no podía confinarse a la minúscula minoría blanca o mestiza que residía en la capital. En Bolivia y Ecuador, escritores como Alcides Arguedas (1879-1946) y Pío Jaramillo Alvarado (1889) llegaron a la misma conclusión.[23] Hasta los años veinte, como se ha dicho ya en el capítulo segundo, la mayor parte de los pensadores creía que el problema podía resolverse por medio de la educación, y con la exposición de las injusticias cometidas contra el indio. Las novelas de ese periodo —como *Aves sin nido* (1889) y *Raza de bronce* (1919)— son primordialmente obras de protesta destinadas a despertar la conciencia de la minoría dirigente. Pero a ese inicial enfoque filantrópico siguieron actitudes más radicales que iban desde las teorías de idealismo racial del boliviano Franz Tamayo (1879-1956), quien sugería que el indio era la verdadera fuerza de la nacionalidad boliviana y de la energía nacional y que destruir su forma de vida significaba destruir las únicas fuentes de vida y energía que la naturaleza le ofrecía al país, hasta el socialismo del peruano José Carlos Mariátegui (1895-1930), quien creía que el ayllu o comuna indígena podía constituir una sólida base para un tipo específicamente peruano de comunismo moderno.[24]

La influencia de ensayistas y pensadores en lo que respecta a la justicia social se vio pronto reflejada en la novela. Así como *Aves sin nido* de Clorinda Matto de Turner y *Raza de bronce* de Alcides Arguedas son, ante todo, protestas contra el trato injusto al indio, las novelas posteriores se lanzaron a denunciar la explotación económica. En muchas de ellas el incidente central no es ya el rapto de la joven india por el patrón blanco o mestizo sino la expulsión de los indios de sus tierras para dar lugar a una forma más comercial de explotación. *Plata y bronce* (1927) del ecuatoriano Fernando Chávez (1902), *Altiplano* (1945) del boliviano Raúl Botelho Gosálvez (1917), *Todas las sangres* (1964) y *Yawar Fiesta* (1941) del peruano José María Arguedas (1911-69), *Tungsteno* (1931) del peruano César Vallejo (1892-1938), se refieren a la proletarización del indio, como hemos señalado en el capítulo cuarto. También observamos que dos de las más conocidas novelas indigenistas –*Huasipungo* (1934) del ecuatoriano Jorge Icaza (1906) y *El mundo es ancho y ajeno* (1941) del peruano Ciro Alegría (1909)– se centran en el intento premeditado de un patrón para desposeer a los indios de su tierra a fin de poder convertirlos en mano de obra más fácilmente explotable. Ambos novelistas describen la rebelión de los indios frente a esos proyectos.

Las implicaciones culturales de la teoría sugerida por Franz Tamayo y otros escritores bolivianos, o sea la de que el indio es la verdadera fuerza de energía nacional, está también expresada en la novela, especialmente en las del peruano José María Arguedas. Arguedas considera que el temor al indio y su consiguiente rechazo como ser humano ha producido una alienación en el blanco y el mestizo peruanos, quienes prefirieron adoptar una cultura ajena antes que reconocer que existe una auténtica cultura peruana, la indígena. Ese conflicto de culturas "verdadera" y "ajena" es el tema de su obra maestra, *Los ríos profundos* (1958), ya examinada. El joven protagonista, sumergido en la atmósfera "inauténtica" de un internado católico, sólo siente disgusto por esa cultura importada de Europa; sus emociones reales surgen de la experiencia de la vida entre indios y cholos (mestizos), el amor instintivo que siente por los indios y por la música y las costumbres indias entra en conflicto con los esquemas que la sociedad civilizada trata de imponerle.

Otro problema importante que enfrentan los escritores en las repúblicas andinas es la estrechez de la vida en y cerca de la capital, fuera de la cual deben habitar si quieren descubrir y entender la vida del país como un todo. Como se ha observado, uno de los primeros escritores en lograr esto fue el ecuatoriano Luis Martínez (1869-1909) en su novela precursora *A la costa* (1904), en la que el héroe abandona Quito, la capital, para convertirse en gerente de una plantación costera. Esa novela tuvo poca repercusión inmediata y no fue sino hasta 1930 cuando apareció una serie de autores que seguían la tradición de Martínez. Ese año, un grupo de escritores de Guayaquil —Demetrio Aguilera Malta (1909), Joaquín Gallegos Lara (1911) y Enrique Gil Gilbert (1912)— publicaron una colección de cuentos, *Los que se van,* que exploraba la vida entre los estratos sociales bajos de la sociedad ecuatoriana, especialmente entre los *montuvios* (habitantes de la zona costera de Guayaquil). Con esos escritores se inició la novela realista ecuatoriana.[25] Los dos novelistas importantes de la región son Alfredo Pareja Díez-Canseco (1908) y José de la Cuadra (1903-41), cuya obra maestra *Los Sanguarimas* (1934) es el relato salvaje de una contienda en una familia mestiza.

En Bolivia este viaje de exploración ha llevado a los escritores a regiones remotas.[26] Algunos han expuesto las condiciones de las regiones en las minas, por ejemplo *Metal del diablo* (1946), de Augusto Céspedes (1904). Otros se han dirigido a la región tropical poco conocida de El Chaco, escenario de la terrible guerra contra el Paraguay. La mejor de esas obras, *Sangre de mestizos* (1936), del mismo Céspedes consiste en una serie de escenas de esa guerra, en que el medio natural era tan amenazante como el enemigo humano. Esta obra supera el exotismo, uno de los peligros incidentales del escritor regionalista, al mezclar en el relato los acontecimientos del Chaco con otros de Quito. De este modo Céspedes señala que la región no forma parte sólo de un fenómeno remoto y extraño sino que es una zona de importancia nacional. Con una técnica semejante a la picaresca, el ecuatoriano Adalberto Ortiz (1914) logra un sentido de unidad regional en *Juyungo* (1943) y los escritores peruanos Ciro Alegría y José María Arguedas, mueven sus personajes del campo a la ciudad y de la ciudad al campo de tal manera que los incidentes regionales se relacionan siempre con el escenario general de la nación.[27]

Un tercer problema de las repúblicas andinas —escasamente tratado por los escritores si no es hasta fechas muy recientes, a pesar de haber sido ya percibido por César Vallejo, el gran poeta peruano— es el de las actitudes psicológicas derivadas de presiones sociales. *La ciudad y los perros* (1963) del peruano Mario Vargas Llosa es una de las pocas novelas que exploran la educación de una casta. El escenario, una academia militar en Lima, es extremadamente importante, ya que es allí a donde se envía a los muchachos de todas las regiones del Perú a educarse y sobre todo a "disciplinarse". La relación entre víctima y victimario en la escuela es un microcosmos de la sociedad en general. Al exponer la debilidad de la escuela, Vargas Llosa expone también los males de la sociedad peruana. En una segunda novela, *La casa verde,* Vargas Llosa entrevera la vida de numerosos personajes en dos regiones muy diferentes, la región de la selva en las márgenes del río Marañón y el poblado de Piura. Pero aquí nuevamente trata un problema psicológico, el del machismo en todas sus facetas. *La casa verde* es un burdel y es también la selva. Como en *La ciudad y los perros,* Vargas Llosa se abstiene de expresar juicios sobre sus personajes, y se conforma con mostrarlos en situaciones contradictorias y conflictivas, inextricablemente ligadas en una maraña existencial de causa y efecto. La excelente novela política de Vargas Llosa, *Conversación en la Catedral* (1969), apareció cuando este libro estaba en la imprenta. Constituye un profundo análisis de la vida peruana en la época de Odría.*

Como se desprende de esta breve exposición, la novela de las repúblicas andinas trata ampliamente de la injusticia social. El sufrimiento y la injusticia son los temas del más grande poeta de la región andina, César Vallejo, aunque por lo general la poesía ha tratado menos estas cuestiones. Algunos buenos poetas como el peruano José María Eguren (1874-1942) y Carlos Germán Belli (1927), el boliviano Ricardo Jaimes Freyre y el ecuatoriano Jorge Carrera Andrade (1903), han creado un universo poético que mantiene escasa relación con los asuntos nacionales. Jaimes Freyre extrajo sus mitos y

* Hay que destacar la influencia de *Amaru*, una de las mejores revistas de América Latina, dirigida por Adolfo Westphalen; la modesta revista de poesía, *Harevic* y la imprenta *La rama florida* de Javier Sologuren (1922) que ha ayudado la publicación de las obras de los jóvenes.

símbolos de la mitología escandinava, Eguren del mundo feérico, y Carrera Andrade, cuya carrera diplomática lo ha llevado a los más apartados rincones del mundo, se interesó en el haikú japonés y escribió *Microgramas* (1940), una imitación de ese tipo de lírica. En otros poemas se expresa con una imaginería de virtuoso para describir las maravillas del mundo ordinario. Su poesía, y la de muchos otros poetas de los países andinos, ilustra el hecho de que el escritor no es menos nacional en su obra si mantiene abiertas las líneas de comunicación entre su propia cultura nacional y la cultura occidental. Belli, el notable poeta contemporáneo del Perú, sigue la tradición de Vallejo. Sus poemas son declaraciones de angustia personal o exploraciones del propio yo en que amplía los significados usuales y las asociaciones tradicionales de palabras para crear un mundo de símbolos propios.

Como en muchos países latinoamericanos donde la estructura social no ha mantenido el paso con el ritmo del mundo moderno, los poetas han aprovechado cada vez más su poesía como instrumento de crítica social. En Ecuador, el grupo de los "tzánticos" combina las técnicas de vanguardia con el compromiso social. En Perú la más importante poesía reciente es poesía social. Entre los poetas peruanos contemporáneos de este tipo merecen atención los siguientes: Alejandro Romualdo (1926), cuyos libros incluyen *Poesía 1945-64, Edición extraordinaria* (1958) y *Como Dios manda* (1967); Washington Delgado (1927), autor de *Días del corazón* (1957), *Para vivir mañana* (1957) y *Parque* (1965); Javier Heraud (1942-62) que murió en la lucha guerrillera y cuya poesía ha sido publicada póstumamente; y Antonio Cisneros, autor de *Comentarios reales* (1964), quien obtuvo el premio de poesía Casa de las Américas con su *Canto para un oso hormiguero* (1968).

EL PROBLEMA DE LAS RAÍCES: ARGENTINA Y CHILE

Aunque entre Argentina y Chile existen grandes diferencias, ambos países se enfrentan al problema de la identidad nacional; buena parte de lo que hemos dicho a este respecto al referirnos a Uruguay es aplicable a estas grandes naciones. El elemento indígena virtualmente no existe, y el grupo originario español ha sido ampliamente modificado por una inmigración recibida en escala colosal. Los inmigrantes en Argentina y Chile han presentado un serio problema cultural, ya que muchos, provenientes de familias europeas poco cultivadas no han tenido la suficiente preparación para desempeñar ningún papel en el país de adopción. Lejos de constituir un avance cultural son una amenaza a los niveles culturales ya existentes. A su vez, el inmigrante tiene ambiciones materiales muy concretas; esto lo convierte en un miembro dinámico de la comunidad, ávido por avanzar socialmente. Sus hijos están por lo general mejor educados que él; y entre la segunda y las siguientes generaciones de inmigrantes se cuentan ya muchos profesionistas.

El mayor de estos dos países, Argentina, constituye un fenómeno paradójico. Aunque tiene una extensa zona rural, contiene una de las regiones más densamente pobladas de la América Latina. Buenos Aires cuenta con una población de cuatro millones y medio de habitantes y el 62.5% de la población total del país es urbana. Aun en el campo hay un amplio grado de organización social, con buenas comunicaciones, lo que significa que los argentinos muy rara vez se encuentran alejados de la civilización como ocurre con las poblaciones rurales de Colombia y Venezuela. Sin embargo, a despecho del carácter esencialmente urbano de la mayoría de la población, la pampa sigue siendo una realidad, y esos dos polos, la pampa y la ciudad, son tan diversos que un comentarista ha declarado que es imposible considerarlos como un todo.[28]

La clase media en Argentina se rige fundamentalmente por esquemas europeos. Hay un alto nivel de alfabetización y la proporción de estudiantes universitarios es una de las más altas del mundo. Desgraciadamente, el país no ha sido capaz de emplear a esos intelectuales con plena efectividad, y por consiguiente existe un gran número de técnicos, profesionistas e investigadores que emigran, principalmente a los Estados Unidos. A pesar de esta fuga de cerebros, hay una magnífica industria editorial, buen teatro (aunque las producciones teatrales más interesantes son realizadas por pequeñas compañías no comerciales), muchas galerías de arte y revistas literarias. Buenos Aires es una ciudad con un gran potencial cultural y con una buena tradición artística. Es también una ciudad que ejerce un papel importante en toda la

América Latina, atrayendo a artistas y escritores de los países más pequeños y pobres. La editorial Losada y la Sudamericana por ejemplo, han hecho una contribución importante a la cultura latinoamericana al publicar novelas y cuentos de los más promisorios escritores del continente.

El factor sobresaliente en la cultura argentina es su naturaleza de élite. En ningún otro país latinoamericano la literatura ha seguido siendo tan exclusivamente el feudo de unos cuantos afortunados, cuyos valores refleja. Esto es sorprendente, pues a comienzos de siglo muchos intelectuales prominentes pertenecían a grupos socialistas y anarquistas, y hacia los años veinte, el grupo Boedo, que admiraba a Gorki, no cesaba de insistir en que el arte no debía ser el privilegio de una minoría. Boedo contaba entre sus filas a muchos novelistas interesantes y bien dotados, entre ellos Álvaro Yunque (1890), Roberto Mariani (1893-1945), Elías Castelnuovo (1893), Max Dickmann (1902), Lorenzo Stanchina (1900) y Roberto Arlt (1900-42). Y aún hoy algunos escritores como Bernardo Verbitski (1907), David Viñas y el poeta García Robles continúan esta corriente de literatura comprometida. Sin embargo sigue siendo cierto que los escritores argentinos más conocidos representan una cultura de élite. Leopoldo, Lugones, Ricardo Güiraldes, Jorge Luis Borges, Eduardo Mallea, Ernesto Sábato, se mantuvieron o se mantienen al margen de cualquier escuela literaria social o realista, y algunos de ellos pertenecen a una corriente francamente conservadora. Esta tradición indudablemente debe mucho de su fuerza a la confusión de valores que siguió a la llegada del gran aluvión de inmigrantes a principios de siglo. El año culminante, 1910, se hizo público que el 40% de la población había nacido en el extranjero; era ése el año del centenario de la Independencia argentina. Es significativo que también en ese periodo los escritores comenzaron a volver los ojos al pasado y a idealizar la forma de vida gaucha o los valores de los colonizadores. Dos de los tributos más importantes al centenario —las *Odas seculares* (1910) de Leopoldo Lugones y *Los gauchos judíos* (1910) de Alberto Gerchunoff, elogiaban las virtudes del trabajo honrado de la tierra. Con el desarrollo de la industrialización de la Argentina y el aumento de la población urbana, los escritores tendieron cada vez más a idealizar un modo de vida que había desaparecido o estaba en proceso de desaparecer: la vida gauchesca.

En las novelas de Benito Lynch (1885-1952), por ejemplo, el gaucho simple y honrado y la muchacha campesina honesta se encuentran en conflicto tan pronto como entran en contacto con los hombres de la ciudad o de Europa. Tras la simple anécdota está la confrontación de dos actitudes de vida totalmente diferentes y antagónicas. La idealización del gaucho tuvo su más fina muestra en *Don Segundo Sombra* (1926) de Ricardo Güiraldes. Como ya hemos visto, ésta es la historia de cómo un muchacho llega a la madurez después de vivir como vaquero bajo la tutela de don Segundo Sombra, quien sintetiza el espíritu y los hábitos de la pampa. Pero aunque Güiraldes cante sus virtudes y trace de él un ennoblecido retrato, no le oculta al lector que el mundo de don Segundo está por desaparecer. Hacia mediados de los veintes, la mayor parte de los argentinos ya no vivían de la tierra, y muchos de los hacendados habían dejado de estar en contacto con ésta. Los aristocráticos y sofisticados terratenientes de *Zogoibi* (1926) de Enrique Larreta o *Las águilas* (1943) de Eduardo Mallea, abundaban seguramente más que los don Segundo Sombra. Ciertamente ya en los veintes era difícil para el escritor identificar la cultura argentina con la del gaucho.

De 1920 en adelante muchos escritores son conscientes de que una gran ciudad como Buenos Aires, abierta a las influencias de todo el mundo civilizado, una ciudad poliglota y cosmopolita, no podía limitar su concepción de una tradición nacional cultural a la cultura popular del siglo diecinueve. Un buen número de publicaciones fundadas en este periodo actuaron como medio para introducir la cultura europea. La más notable de ellas ha sido *Sur,* fundada en 1931 por Victoria Ocampo, admiradora de la literatura francesa así como de la inglesa y norteamericana. Durante todos estos años *Sur* ha publicado lo mejor de la cultura contemporánea de todo el mundo y ha impuesto el tono a la vanguardia argentina.

El cosmopolitismo deliberado de *Sur* y de un importante sector de la literatura argentina desde los veintes hasta nuestros días, se atribuye a diversos factores, los más importantes de los cuales son el sentimiento de alienación y de ansiedad de los intelectuales por afirmar un nivel cultural. Pero antes que nada hay que señalar la incapacidad de una élite –aislada y desarraigada de una cultura nacional y europea– para identificarse con la tradición gauchesca o con la del inmigrante urbano.[29] De aquí el que se recurra a valores estéticos en la creencia de que con ellos se trascienden las fronteras nacionales y raciales. En segundo término algunos escritores argentinos han visto en la inmigración una amenaza a los niveles culturales. Muchos inmigrantes de la primera generación hablaban poco español, su vocabulario era pobre y su gramática imperfecta. Numerosos artistas argentinos se alarmaron ante el riesgo de que el español de la Argentina fuera a degenerar en un vulgar dialecto; el único recurso posible en esa situación era imponer un alto tono al lenguaje literario, escribiendo, no en dialecto, sino en un "español general". Los intelectuales que tomaron esta actitud incluyen al ensayista español Amado Alonso (1896), al poeta Arturo Capdevila (1889) y, sobre todo, a Jorge Luis Borges. El espíritu que informa sus obras revela muy claramente la preocupación de la élite para mantener abiertos los vasos comunicantes con Europa e identificarse con una cultura que trascendiera las fronteras nacionales.

Esa actitud hacia el lenguaje tiene su paralelo en cierto conservadurismo en el estilo. Los principales poetas argentinos –Baldomero Fernández Moreno (1886-1950), Enrique Banchs (1888) y Ricardo Molinari (1898)– han hecho pocos intentos por romper o modificar las formas hispánicas ya existentes. Fernández Moreno se apoya notablemente en las formas tradicionales españolas de poesía popular; Banchs prefiere el soneto; Molinari, después de un periodo inicial revolucionario, combina el verso libre con las formas tradicionales. Esto es interesante, ya que Molinari es contemporáneo de Vallejo y Neruda, quienes atacaron violentamente el lenguaje literario y las formas literarias que habían heredado. Molinari es mucho más ambiguo en su actitud. Siente la necesidad de conservar los vínculos con la tradición hispánica y a la vez el afán de rebelión.

Desde 1950 ha habido dos tendencias principales en la poesía argentina, la influida, bastante tardíamente, por el surrealismo, y la "poesía hiperartística" de la revista *Poesía Buenos Aires.*

Tal vez la mejor síntesis del artista argentino la ha hecho Borges, quien cree que la relación del argentino con la cultura occidental es semejante a la del judío, que hereda esa cultura pero permanece en calidad de testigo irónico. La propia obra de Borges ejemplifica esta actitud, pues nos lo revela como un hombre de inmensa y ecléctica cultura para quien los sistemas filosóficos son juegos con la eternidad.

La fascinación que el idealismo filosófico tiene para Borges y su generación es también significativa. Borges carece de una filosofía definida. Es un escéptico cuya obra no es sino una interrogación constante a los sistemas y a todos los esquemas de la realidad que normalmente se consideran como garantizados. Un buen ejemplo de esto es el cuento "Tlön, Uqbar, Orbis Tertius" en el que unos eruditos crean un planeta imaginario, algunos de cuyos objetos comienzan a invadir el mundo "real". El cuento es una alegoría precisa y extraña de la relación entre "creación" y "realidad" y muestra la fascinación que la primera entraña para Borges. En muchos de los escritores de este tipo, el mundo cotidiano se presenta como un mundo de apariencias. Este idealismo persistente se refleja en la popularidad que en Argentina tienen géneros como la literatura fantástica y policial con una entonación metafísica o fábulas como las de Marco Denevi (1922). Los juegos narrativos sumamente complejos de Julio Cortázar representan intentos de arrancar al lector de su complaciente aceptación de cualquier tipo de rutina. En el ensayo ha habido también una constante indagación por debajo de la realidad superficial, en busca de otra "esencial", como en *Historia de una pasión argentina* (1937) de Eduardo Mallea o *Radiografía de la pampa* (1933) de Ezequiel Martínez Estrada.

Cuando la turbulenta ciudad de Buenos Aires o los problemas sociales del inmigrante han llegado a la literatura argentina ha sido por lo general a manera de fondo para un tipo de relato que plantea problemas metafísicos, como sucede en muchos de los cuentos de Borges o las novelas de Bioy Casares. La ciudad ha sido también protagonista de una novela joyceana, *Adán Buenosayres* (1948), de Leopoldo Marechal (1900-70). Cuando los problemas sociales penetran en la literatura de élite, casi siempre van asociados con el tema del derrumbe de las viejas estructuras sociales. La decadencia de las viejas familias terratenientes, la desaparición de su forma de vida, la degeneración de la élite tradicional, son los temas de varias novelas de Eduardo Mallea (en especial de *Las aguilas*); de *Sobre héroes y tumbas* (1961), de Ernesto Sábato y de *La caída* (1956), de Beatriz Guido (1924). Estos escritores testimonian la muerte de la vieja Argentina, pero tanto los confusos personajes de Sábato como los pesimistas de Mallea revelan que la naturaleza de la nueva Argentina no resulta todavía muy clara.[30]

Los novelistas de la nueva generación, ya escriben en otro plan. La irreverencia, la ironía, la invención de Cortázar, han ejercido una gran influencia sobre ellos. Juegos de palabras, burla, humor son armas para atacar la retórica del pasado y el convencionalismo de la sociedad. El más destacado es Manuel Puig autor de una serie de novelas cuyo repertorio imaginario se toma de las culturas de masas. *La traición de Rita Hayworth* (1968) y *Boquitas pintadas*.

En chile la actitud aristocrática, tan marcada en la cultura argentina, está muy atenuada porque muchos de los principales poetas y novelistas han surgido de sectores humildes de la población. La extracción de muchos de ellos es obrera. El padre de Pablo Neruda era conductor de ferrocarril; Manuel Rojas ha trabajado como linotipista y pintor de casas; Nicomedes Guzmán es hijo de un buhonero. Hasta escritores de familias opulentas, como Joaquín Edwards Bello (1887), tienen a menudo una visión profundamente humanitaria.

En consecuencia la literatura chilena ha sido frecuentemente documental y didáctica. Muchas novelas exponen las malas condiciones y dificultades de la vida en regiones lejanas. Mariano Latorre (1886-1955), Federico Gana (1868-1926), Marta Brunet (1901), Luis Durand (1895-1954) y Rafael Maluenda (1885) tratan de la vida campesina. Baldomero Lillo (1867-1923) retrata la vida de los mineros, Edwards Bello la del lumpemproletariado de la ciudad, mientras que en *Paralelo 53 Sur* (1936) Juan Marín (1900) describe la vida en el extremo sur de Chile. Esta simpatía por los pobres y los oprimidos ha caracterizado siempre a la poesía chilena, lo que la distingue señaladamente de la de los otros países latinoamericanos, donde, en términos globales, la poesía se ha mantenido incomunicada con los problemas sociales. Nicanor Parra (1914), Gabriela Mistral (1889-1957) y sobre todo Pablo Neruda (1904) han dedicado poemas a la "gente sencilla". Neruda ha declarado que su comunismo se ha nutrido del sufrimiento del pueblo y sus esperanzas en un cambio.[31] Esto no quiere decir que todos los escritores chilenos vean al mundo a través de los ojos de los humildes. Pero lo cierto es que los escritores de este país aun cuando traten temas personales o sicológicos, tienden a anclar muy firmemente a sus personajes en un contexto social. Eduardo Barrios (1884-1963), María Luisa Bombal (1910) y José Santos González Vera (1897-1970) tratan especialmente de problemas, motivaciones y sensaciones individuales y sin embargo, invariablemente muestran a los individuos en su papel social. Hasta un escritor como Pedro Prado (1886-1952), cuyos intereses eran antes que nada estéticos, escribió una novela, *Un Juez rural* (1924), basada muy de cerca en sus propias experiencias como miembro de la profesión legal. Pero tal vez ese punto se aclare con la comparación de *Gran señor y rajadiablos* (1948) de Eduardo Barrios con la novela argentina *Don Segundo Sombra.* Ambas tratan de un medio semejante, pero mientras en la última el principal desarrollo del héroe ocurre en la vastedad de la pampa, en *Gran señor y rajadiablos* Barrios presenta un personaje que es un vigoroso patriarca al antiguo estilo, columna vertebral de la vida social y política de la comunidad social en que vive. La novela chilena jamás se aleja de la sociedad.

Hay también una diferencia importante entre las novelas argentinas que son crónicas de la decadencia de una familia aristocrática y las novelas chilenas sobre el mismo tema, pues las últimas tienden a mostrar la relación que se establece entre las clases mientras la historia se presenta vista por los ojos de la clase que sucumbe. *Coronación* (1957) de José Donoso describe una clase de sirvientes vigorosa e inmoral que irrumpe en la vida de los miembros envejecidos y decadentes de la clase alta. *El peso de la noche* (1964) de Jorge Edwards muestra los valores básicos de la clase alta y sus relaciones amorosas con los miembros más humildes de la sociedad.

Tal vez el hecho de saber que Chile es el único país sudamericano que ha producido un auténtico estudio de sicología de las multitudes nos ayude a entender la conciencia de las relaciones de clase. Se trata de la novela de Manuel Rojas, *Hijo de ladrón* (1951), examinada en páginas anteriores. Una de las escenas centrales la constituye un conflicto callejero en que una serie de pequeños incidentes desencadena una ola de violencia, destrucción y saqueo. La descripción de Rojas de cómo se origina un motín y el curso que sigue es precisa y aguda. Muchas novelas chilenas, especialmente las de Juan Marín, describen huelgas y actos de violencia en el trabajo.

No obstante, paradógicamente, aunque los escritores chilenos parecen ser particularmente conscientes de la miseria de la ciudad superpoblada, también se cuentan entre los que más han descrito la naturaleza virgen de América. Muchos poemas de Gabriela Mistral transmiten el sentimiento de soledad que hasta los árboles y rocas parecen sentir en sus remotos lugares, lejos de los ojos humanos. Pablo Neruda ha descrito en su autobiografía la vida en casas hechas de madera fresca de selvas vírgenes, cuyos insectos y vida salvaje aún carecen de nombre. Uno de los puntos más altos de la literatura chilena es el pasaje del *Canto general* en que Neruda describe la flora y la fauna de la América virgen, revelando un fervor religioso ante la belleza de la vida natural aún no violada.

> Mas, húmedo como un nenúfar,
> el flamenco abría sus puertas
> de sonrosada catedral,
> y volaba como la aurora.[32]

Semejante sentimiento ante la belleza y el enigma de la vida primitiva lo encontramos en la novela *Jemmy Button* (1950) de Benjamín Subercaseaux (1902), que narra la historia de tres salvajes llevados por un barco británico de la Tierra del Fuego al Londres victoriano y los conflictos entre el pensamiento primitivo y el civilizado.

Los contrastes de la geografía chilena han sido reflejados en una literatura en que la conciencia de lo primitivo e indómito se une a la angustiada autointerrogación de poetas como Enrique Lihn (1923) y Nicanor Parra, y de novelistas que describen las relaciones de clase y el comportamiento de los hombres en medio de la masa.[33]

Brasil, México y Cuba son países que por diferentes motivos tienen sus ojos conscientemente fijos en el futuro. En México y Cuba, países que han realizado revoluciones radicales tanto desde el punto de vista político como social, las preocupaciones por la reforma y la reconstrucción constituyen parte de la vida en todos sus niveles. En Brasil, país en el que no ha habido una revolución social, el "futurismo" es un concepto muy arraigado en los intelectuales que son conscientes de la enorme potencialidad de su país.

El rasgo más característico del Brasil es que tiene todos los problemas de los otros países latinoamericanos en escala mayor. Su extensión es enorme y su población muy numerosa (cuenta con setenta y cinco millones de habitantes); sus regiones naturales abarcan desde la selva amazónica hasta la pampa; São Paulo es la ciudad más avanzada de Latinoamérica; sin embargo, el Brasil tiene también algunas de las tribus más primitivas del mundo. La mezcla racial es la más variada de toda Latinoamérica, pues con amplia población tanto de negros como de indios, Brasil ha sido también cubierto por una ola de inmigración europea y asiática que ha modificado apreciablemente al elemento portugués original. Los problemas económicos y sociales son igualmente colosales. El Noreste azotado por la sequía, los males del monocultivo regional; la concentración de riqueza en unas cuantas manos; la inversión inadecuada de capital y la tendencia a aplicar medidas totalitarias cada vez que la demanda de reformas tiene la fuerza suficiente como para empujar al país a una transformación social radical.[34]

A pesar de todo, aunque los problemas brasileños son los mismos del resto de la América Latina, su desarrollo político relativamente tranquilo durante el siglo diecinueve, su extensión y su riqueza, han creado un medio propicio para la cultura. Gracias al patronato del monarca en el siglo pasado se fundaron instituciones educativas y culturales. Antes de terminar el siglo había una excelente escuela de filosofía en Recife; Río de Janeiro podía enorgullecerse de un floreciente mercado editorial, y existía un público bastante amplio y patrocinio privado para el desarrollo de las artes. En realidad, hacia los años setenta Río era, con considerable ventaja sobre las otras, la ciudad más refinada y culta de Latinoamérica. En tiempos más recientes, São Paulo ha rivalizado con Río y, como vimos en el capítulo tercero, se ha convertido en el centro de la vanguardia tanto literaria como plástica. Es, en particular, una de las grandes capitales pictóricas del continente, y algunos de sus prósperos habitantes poseen colecciones importantes de los pintores brasileños de vanguardia. Pero Río de Janeiro tiene mayor vida editorial. Allí se encuentran las editoriales, José Olympio, Sabiá y Civilização Brasileira, que han contribuido notablemente al desarrollo de la literatura brasileña, alentando a los escritores nacionales.

Un rasgo predominante en la vida cultural brasileña en los últimos cuarenta años es la tensión entre la necesidad de raíces y la urgencia de contemporaneidad, entre quienes desean destacar las características regionales o locales y quienes anhelan convertir al Brasil en la avanzada de la cultura mundial. Esta tensión ha dado lugar a polémicas y discusiones, aunque tampoco es sorprendente encontrar las dos tendencias en el mismo escritor. Es significativo que el Modernismo se iniciara en São Paulo en 1922 con una exhibición de pintura brasileña que mostraba influencias del fauvismo; ahí, en los inicios de ese movimiento cultural específicamente brasileño lo "moderno" y lo "nacional" aparecieron juntos. Esta conjunción de dos tendencias también ha ocurrido en la literatura. Muchas revistas del periodo modernista tuvieron títulos "nacionalistas" como *Pau Brazil* y *Verde-Amarêlo,* los colores de la bandera brasileña. Y dentro del Modernismo hubo también un culto por lo primitivo. Oswald de Andrade lanzó su *Manifiesto Antropofágico* en 1928; la novela *Mucanaíma* (1928) de Mário de Andrade (1893-1945) es la historia de un emperador nacido en la selva amazónica, un noble salvaje que visita São Paulo y en el que se pretendía crear un "personaje brasileño compuesto". El poema *Cobra Norato* (1931) de Raul Bopp (1898) concierne al regreso de un poeta a sus raíces en la selva de Brasil. Inicialmente Jorge de Lima (1895-1953) escribió poesía sobre temas negros, identificándose con un sector de la comunidad, antes de dedicarse a escribir poesía religiosa y metafísica. Es decir, que en el Modernismo se daba una combinación de actitudes de vanguardia y de búsqueda de raíces entre los elementos más primitivos de la nación y en la naturaleza selvática. Al mismo tiempo Oswald y Mário de Andrade y otros cantaban a São Paulo y la declaraban la "ciudad del futuro".[35]

Una polaridad similar se observa en los novelistas del noreste de Brasil que tratan de los sertanejos, trabajadores del azúcar, plantadores de cacao y pescadores, pero muchos de ellos crean personajes sencillos y hasta primitivos, arrancados de su medio por el magnético llamado de la ciudad –como el vaquero de *Vidas sêcas* (1938) de Graciliano Ramos (1892-1953) o los miserables sertanejos de *O quinze* de Raquel de Queirós. Sin embargo en la novela del Noreste, el contraste entre el campo y la ciudad, entre las formas tradicionales de vida y el modernismo tiene una importancia que difiere de la disyuntiva entre búsqueda de raíces y de contemporaneidad de los escritores modernistas. Para Graciliano Ramos, por ejemplo, la ciudad es la fuerza única que puede estimular a los campesinos a destruir el ciclo eterno del trabajo extenuante y el hambre. En las novelas del "Ciclo de la caña de azúcar" de José Lins do Rego (1901-57) –previamente estudiadas– las plantaciones y la ciudad son interdependientes, como los dos platillos de una balanza. El dinero de las plantaciones alimenta el comercio y los burdeles de la ciudad. Pero es en la ciudad donde tienen lugar las luchas políticas y económicas, y donde Ricardo, el muchacho de la plantación, aprende lo necesario para poder volver a la plantación como contador. Por otra parte, Carlos Melo, el sobrino del terrateniente que se educa en la ciudad, está descrito como un individuo incapaz para la vida de la plantación. La ciudad puede ofrecer horizontes más amplios, pero también corrompe; en realidad en el volumen final de esta serie de novelas, la ruina de la plantación se debe en parte a la influencia corruptora de la ciudad.* En muchas novelas de Jorge Amado, la ciudad es el lugar donde los pobres agudizan su inteligencia en la lucha de clases y donde tienen lugar las rivalidades políticas de la jerarquía feudal.

* Esta es una esquemática simplificación. En las novelas, la situación se presenta en toda su complejidad y en relación con una situación económica variante. De cualquier manera, mientras que el viejo patriarca Ze Paulino tiene poca relación con la ciudad, el hijo y el nieto son en parte individuos urbanos; son ellos quienes, de diferente manera, contribuyen a la ruina de la hacienda.

La búsqueda de raíces y la necesidad de contemporaneidad se presentaron juntas en dos bellas obras recientes: la novela *Grande Sertão: veredas* (1956) de João Guimarães Rosa y el poema *Vida e morte Severina* (1954-5) de João Cabral de Melo Neto (1920). *Grande Sertão: veredas,* cuya acción transcurre entre los bandidos del noreste, está escrita en un estilo joyciano que logra captar la psicología de la vida de la región. *Vida e morte Severina* sigue la forma de una pastorela tradicional de Pernambuco y trata del problema universal de la muerte, el sufrimiento y la vida de los que luchan

> a de tentar despertar
> terra sempre mais extinta
> a de querer arrancar
> algum roçado da cinza.[36]

Igual combinación de nativismo y contemporaneidad distingue las artes plásticas contemporáneas, especialmente la pintura de Cândido Portinari (1903) y también la música, por ejemplo las *Cânçoes brasileiras* de Heitor Vila-Lôbos (1887-1959). Tal vez también debido a que la ciudad con sus promesas de cambio y modernismo está tan cerca del escenario primitivo de Brasil, los escritores han sido intensamente conscientes de la frustración y angustia producidas por la vida urbana, conciencia que llega a su culminación en *Angustia* (1936) de Graciliano Ramos. Esta novela relata la historia de un hombre obsesionado por su vecina. Le habla por encima de la verja, la contempla a través de una grieta en la pared de la alcoba, oye sus conversaciones y sollozos a través de las frágiles paredes. Finalmente, enloquecido por su proximidad y su lejanía emocional, la mata. La novela resulta una alegoría de la vida urbana. El otro extremo de la barbarie de la ciudad es la civilización, que representa la obra de Clarice Lispector (1925). Dos grandes poetas brasileños —Manuel Bandeira (1886-1968) y Carlos Drummond de Andrade (1902)— han tratado esta falta de comunicación en la vida humana. Para Drummond de Andrade no sólo la comunicación humana es difícil, sino que hasta los más humildes objetos encontrados en la vida cotidiana nos resultan ajenos y enigmáticos. Sus poemas son comentarios irónicos sobre la inadaptación del hombre a la Tierra.

Brasil es demasiado grande y variado, demasiado paradójico, para poder ser captado en una sola obra. La desesperación de muchos escritores brasileños por la misma extensión y diversidad de su país encuentra una expresión irónica en Drummond de Andrade, quien recomienda a todos aquellos obsesionados por los problemas brasileños a "olvidarse de Brasil", ya que

> Tão majestoso, tão sem limites, tão despropositado
> êle quer repousar de nossos terríveis carinhos.[37]

Brasil cuenta con una rica tradición de poesía pura, cuyo exponente más alto es Cecilia Meireles (1901) y de poesía religiosa como la publicada por Jorge de Lima, Augusto Federico Schmidt (1906-65) y Murilo Mendes (1902). Indudablemente el poeta de mayor influencia es João Cabral de Melo Neto (1920), cuya habilidad técnica y destreza verbal ha transformado la poesía brasileña. Como en todas las otras naciones de la América Latina los movimientos más recientes de poesía (asociados con las revistas *Proceso, Praxis* y *Noigandres)* tienden a combinar vanguardia y compromiso social.

México, al contrario de lo que ocurre en Brasil ha pasado por una revolución social que ha destruido las viejas estructuras. El mayor número de sus escritores simpatiza fundamentalmente con la situación posrevolucionaria, con algunas reservas y críticas. Es el único país latinoamericano que cuenta con algo parecido a un público de masas y en el que las artes —música, pintura, ballet, cine, escultura, poesía, novela— no sólo se practican sino que florecen. La guerra civil española tuvo un efecto específico en la cultura mexicana, ya que muchos intelectuales republicanos se instalaron en el país y contribuyeron a la fundación de casas editoriales y grupos de teatro, así como a fortalecer los cuerpos de investigadores en escuelas y universidades.

Existen, sin embargo, infinidad de problemas en el país. Aún ahora el 43% de la población adulta es analfabeta, y muy relacionado con el problema del analfabetismo está el problema del indio y el campesino. Aunque los gobiernos del México posrevolucionario han tratado de integrar al campesino a la vida nacional, repartiendo la tierra y emprendiendo campañas de alfabetización, este proceso no ha llegado a ser completo. De una cifra estimada en cuatro millones de indígenas la mitad vive aún en condiciones de extrema pobreza.[38] Los criterios por los cuales los mexicanos modernos juzgan a los indios son culturales y lingüísticos. Debido a que el indio habla un lenguaje distinto al español, su integración es difícil, lo que se agrava por el hecho de que la mayoría, al vivir lejos de los centros de civilización, tiene sólo contactos superficiales con cualquier modo de vida distinto del suyo. Sin embargo, los obstáculos para la integración derivan no sólo de parte del indígena sino del hecho de que muchos mexicanos son indiferentes al problema. No obstante el devoto trabajo de antropólogos, maestros y sociólogos, el indigenismo a menudo ha resultado tan sólo una pose intelectual y no se prosigue de manera práctica. Pero a pesar de las barreras de parte del indio y de la indiferencia del resto de la población, la sociedad mexicana y la visión del indio están modificándose como lo muestra el bello estudio de un pueblo chamula, *Juan Pérez Jolote* (1952) de Ricardo Pozas (1910) y el monumental estudio de Fernando Benítez sobre *Los indios de México* (1968, 69, 70).

El principal problema que los intelectuales posrevolucionarios mexicanos han tenido que encarar es el de la disparidad entre las promesas de la revolución y su realización. La distribución de la tierra ha sido esporádica e imperfecta, la mayoría de las empresas depende aún del personal y el capital extranjero y los mismos mexicanos parecen menos interesados en el desarrollo industrial que en el profesional. Hay también una disparidad entre las proclamas "revolucionarias" y el hecho de ser un país capitalista de libre empresa. Antes de la revolución, la sociedad mexicana era semejante a la de la mayoría de países latinoamericanos. Había una pequeña élite intelectual, cuyos miembros escribían para sí y encontraban difícil la publicación; un teatro que acogía compañías extranjeras y una masa enorme de población analfabeta al margen de la civilización. Pero ya en el siglo diecinueve algunos hombres de letras como Guillermo Prieto (1818-97), Ignacio Ramírez (1818-79) e Ignacio Manuel Altamirano (1834-93) mostraron una profunda preocupación social que ha sido heredada por las siguientes generaciones.

Uno de los rasgos destacados de la vida intelectual mexicana es el hecho de que la generación de José Vasconcelos (1889-1959) —intelectuales formados en el grupo del Ateneo— apoyaron la revolución. Esta adhesión fue importante y tuvo un profundo efecto en las generaciones más jóvenes. Esos pensadores no sólo contribuyeron a formar la ideología del México posrevolucionario sino que también dieron el ejemplo de cooperación con la obra de la revolución que la mayoría de los intelectuales ha seguido. Vasconcelos, en particular, fue el iniciador de muchos proyectos artísticos que desde entonces han fructificado. Su obra, como lo señala Octavio Paz, "no fue la del técnico sino la del fundador".[39] Es posible que instituciones como el Instituto Nacional Indigenista, el Museo de Antropología e Historia (en el cual la historia se considera como parte del presente vivo y no como una colección de reliquias), el Ballet Folklórico y la Orquesta Sinfónica Nacional no hayan alcanzado la forma notable que ahora tienen sin su obra precursora. Desde luego no existe otro país en la América Latina en que sus habitantes, sin excepción de clases, se sientan tan orgullosos de su historia y tradiciones populares como México.

La pintura mural es de todas las artes la que primero expresó el espíritu de la Revolución mexicana. La obra de Diego Rivera (1887-1957), David Alfaro Siqueiros (1898) y José Clemente Orozco (1882-1949), comentada en el capítulo tercero, no necesita examinarse aquí; sólo tal vez para señalar que pese a sus defectos los pintores mexicanos han creado un estilo verdaderamente original de pintura que ha influido a muchos artistas del mundo occidental.[40] México ha sido también uno de los precursores de la moderna integración de plástica y arquitectura, como lo demuestran los edificios públicos de la Universidad Nacional Autónoma de México y diversos conjuntos de edificios de habitación popular. Los murales de los tres grandes pintores, Rivera, Orozco y Siqueiros, iniciaron esa integración.

El muralismo mexicano inicial tendía a ser didáctico; sin embargo, aun en su momento de mayor auge e influencia, hubo quienes discreparon de la concepción de que el artista debía enseñar o predicar. Carlos Mérida (1891) y Rufino Tamayo (1899), por ejemplo, son pintores cuya obra muestra al artista en busca del propio camino individual. Aunque Mérida ha realizado murales para varios edificios públicos, su obra, a diferencia de la de los primeros muralistas, es abstracta. A partir de 1940 una de las influencias dominantes del escenario artístico mexicano ha sido Mathías Goeritz, nacido en Alemania, autor de las impresionantemente sobrias torres de Ciudad Satélite, cerca de la capital mexicana y quien, en colaboración con Rufino Tamayo y Carlos Mérida (y también Henry Moore) proyectó y decoró el Museo Experimental El Eco, que incluye murales, escultura y arquitectura y hasta un "poema plástico".[41] Se debe advertir que la pintura mexicana, a pesar de haber sido el primer movimiento artístico que se identificó con el espíritu de la revolución, ha mostrado en años recientes la tendencia a romper con su inicial didactismo nacionalista y a buscar un estilo más internacional.

Al contrario de los muralistas, los poetas y novelistas mexicanos se mostraron, en conjunto, lentos en colaborar con la revolución, pues los escritores en el periodo posrevolucionario inmediato tuvieron poco contacto con el nuevo público. La poesía mexicana de este siglo permaneció durante largo tiempo encerrada en los temas de la muerte y la soledad,[42] mientras que la novela posrevolucionaria –aunque trate sobre la Revolución– tiende a mostrar horror ante sus aspectos brutales. Esto es natural. Los novelistas mexicanos provienen por lo general de la clase media y los de la generación revolucionaria, testigos directos de la lucha –por ejemplo, Mariano Azuela (1873-1952) y Martín Luis Guzmán (1887)–, muestran en sus obras su horror a la violencia y a la barbarie desencadenadas por la revolución. Las novelas semiautobiográficas de José Rubén Romero (1890-1952) –especialmente *Apuntes de un lugareño* (1932)– pintan la alteración de la vida apacible de un pueblo debido a la llegada de la revolución. No obstante, estas novelas no sólo implican una crítica a ciertos aspectos del gran cataclismo que transformó la sociedad mexicana; las novelas de la revolución introducen también algo nuevo en la literatura latinoamericana, el protagonista multitudinario. Novelas como *Los de abajo* (1916) de Mariano Azuela y *Campamento* (1931) de Gregorio López y Fuentes (1893) muestran la parte desempeñada en los grandes acontecimientos del país por la muchedumbre anónima.

La primera ola de relatos testimoniales de la revolución fue seguida por muchas novelas que exponían el fracaso o el hundimiento de las esperanzas revolucionarias. *El indio* (1935) de López y Fuentes muestra el fracaso de los revolucionarios en la integración del indio a la vida nacional, y *El resplandor* (1937) de Mauricio Magdaleno (1906) demuestra que los nuevos amos políticos pueden ser tan inescrupulosos como los anteriores. El sentimiento de desencanto se hizo especialmente agudo durante e inmediatamente después de la presidencia de Plutarco Elías Calles (1924-1928) con la aparente propensión al retorno de una dictadura y un gobierno militar. Los escritores de ese periodo denunciaron enérgicamente el peligro. *La sombra del caudillo* (1929) de Martín Luis Guzmán y *¡Mi general!* de Gregorio López y Fuentes expresan una actitud crítica hacia los dirigentes militares que trataron de interferir en los asuntos políticos; ambos escritores exponen los peligros resultantes cuando los hombres que disfrutaron del poder y la gloria en el campo de batalla no pueden conformarse con un papel menor en tiempos de paz. Un ataque aún más abierto a la hipocresía y demagogia del régimen de Calles se lo debemos a Rodolfo Usigli en *Tres comedias impolíticas* (1933-35) y en *El gesticulador* (1937).

La amenaza de un retorno a la dictadura en el periodo de Calles fue afortunadamente evitada. Con la llegada al poder de Lázaro Cárdenas en 1934, muchas de las promesas de la revolución se realizaron por fin. Los gobiernos subsecuentes han sido moderadamente reformistas; ofrecen cierta seguridad social y bienestar a las masas, y permiten a la vez la libre empresa y la inversión de capitales extranjeros. Los escritores e intelectuales han propendido a dirigir sus críticas menos al sistema y más al carácter del pueblo mexicano, descubriendo en él faltas colectivas y culpándolo por las trabas que opone a las medidas revolucionarias del Estado. El primeros de esos ensayos analíticos apareció durante el régimen de Calles. Esta serie ha continuado hasta el presente e incluye: *El perfil del hombre y la cultura en México* (1934) de Samuel Ramos; *Epílogo sobre la hipocresía del mexicano* (1938) de Rodolfo Usigli; *La propensión mexicana al resentimiento* (1939) de Agustín Yáñez (1904); *El laberinto de la soledad* (1950) de Octavio Paz; *Conciencia y posibilidad del mexicano* (1952) de Leopoldo Zea, y muchas otras obras más. Estos estudios se orientan por el derrotero marcado por Alfonso Reyes: que los hombres debían buscar a América en sus corazones "con una sinceridad severa, en vez de tumbarse paradisiacamente a esperar que el fruto caiga solo del árbol".[43] Aunque los escritores mencionados difieren entre sí en el enfoque que adoptan para estudiar los procesos del México moderno, todos convienen en señalar defectos en las actitudes sociales y políticas del mexicano, que actúan como un freno al progreso y que a menudo son producto de circunstancias históricas del país y de los conflictos interraciales.

Este análisis crítico del carácter mexicano y su medio ambiente no se confina a estudios eruditos sino que también se refleja en la literatura, tanto en el teatro (especialmente en las obras de Rodolfo Usigli) como en la novela. En este campo los relatos iniciales sobre la revolución, que trataban los acontecimientos al estilo de una historia de aventuras, han dado lugar a estudios más sutiles y evocadores. En la literatura mexicana contemporánea ya no se concibe la revolución como la irrupción de una fuerza ciega, como en Azuela; o como el triunfo de la barbarie, como en Guzmán; ni siquiera como el movimiento de una masa anónima, como en *Campamento* de López y Fuentes. Tal cambio de actitud corresponde al surgimiento de una nueva generación para la cual el régimen dictatorial de Porfirio Díaz y la revolución son acontecimientos del pasado histórico y no algo directamente vivido.

El cambio de actitud ha significado un cambio en los procedimientos estilísticos. Los primeros escritores revolucionarios —Azuela y Guzmán— observaban la revolución a través de sus propios ojos o de los de algún personaje central que narraba los acontecimientos con toda su brutal inmediatez. En las obras de la nueva generación se recuerda la violencia, como por ejemplo en *La muerte de Artemio Cruz* (1962) de Carlos Fuentes, donde un personaje agonizante rememora su ya remoto pasado; o más distantemente aún, como en *Pedro Páramo* (1955) de Juan Rulfo, donde todos los personajes están muertos y existen sólo como voces en el aire de un pueblo desierto. En *Los recuerdos del porvenir* (1963) de Elena Garro, la persecución de los católicos en tiempos de Calles se presenta como si ese periodo perteneciera ya sólo a las brumas de la leyenda. Otros escritores presentan la revolución abiertamente en forma de memorias personales, como son las encantadoras reminiscencias de Andrés Iduarte (1907): *Un niño en la revolución mexicana* (1951). También la amargura ha desaparecido de las evocaciones literarias del periodo prerrevolucionario, bajo el régimen de Díaz. En *Al filo del agua* (1947) de Agustín Yáñez, la trágica estrechez de la vida en un polvoso pueblo de provincia parece menos trágica al final de la novela cuando la revolución aparece como un viento refrescante. Juan Rulfo puede presentar al cacique Pedro Páramo con cierta simpatía y comprensión, ya que éste y su especie han muerto para siempre.

Al presente y no tanto ya al pasado se dedica hoy la crítica más amarga. Carlos Fuentes, en especial, concuerda con los ensayistas al atribuir las debilidades del México moderno al carácter mexicano y especialmente a la necesidad del mexicano de imponerse violentamente sobre los demás a fin de demostrar su machismo. El Artemio Cruz de Fuentes es la encarnación de tales características. Gracias a las condiciones del México posrevolucionario, Cruz se convierte en uno de los jefes máximos de la política nacional y logra manejar la prensa y la industria. En *La región más transparente* (1958) Fuentes introduce al lector en una galaxia completa de personajes que han hecho su fortuna en la turbulenta era posrevolucionaria: banqueros, poetas, sablistas, actrices. En esta novela y en *Las buenas conciencias* (1959) expone a una sociedad en garras de hombres sin escrúpulos para traicionar a sus seguidores y compañeros y elevarse hasta la cúspide del organismo social manejando ideales que luego traicionan. Fuentes previene a sus lectores contra la aceptación del hecho de que la parte ganadora sea por fuerza impecable. Él y su generación no pueden pensar ya en términos de blanco y negro. De la misma manera, Rosario Castellanos (1925), cuya novela *Balún Canán* (1957) describe las relaciones entre indios y terratenientes blancos o mestizos, no muestra un lado "bueno" y otro "malo" sino a dos razas que mutuamente se excluyen, ninguna de las cuales es deliberadamente malvada.[44] La dificultad de atribuir la culpa y la inocencia en lo que se refiere a acontecimientos violentos ha sido también tratada de modo impresionante por Vicente Leñero

(1933). *Los albañiles* (1964) es una novela policial sobre el asesinato de un velador. Varios personajes, incluyendo a la policía, "confiesan" mentalmente este crimen. La intención de Leñero es mostrar que la división tajante entre "culpa" e "inocencia" es inválida.[45]

La más joven generación de novelistas sigue a Fuentes en lo que se refiere a la complejidad de la técnica narrativa que adoptan. José Agustín, Salvador Elizondo, Juan García Ponce, escriben para un público cultivado y no hacen concesión alguna al regionalismo o al color local. El suyo es el mundo urbano de la clase media; sus protagonistas viven las vidas enajenadas de los habitantes de cualquier gran ciudad.

El rechazo de muchos novelistas mexicanos a identificar el orden establecido con el bien moral se relaciona con la convicción, enérgicamente expresada por Octavio Paz, Alfonso Reyes y otros pensadores, de que el artista debe mantenerse libre de compromisos. Ésta, innecesario resulta decirlo, es una concepción del arte opuesta a la de los muralistas posrevolucionarios; pero para los artistas que viven en la atmósfera ambigua del México contemporáneo la obtención de esta libertad se ha vuelto indispensable. En la novela esta libertad se manifiesta en la insistencia del autor en mantener una posición crítica frente a los hechos exteriores. Y en poesía ha significado la afirmación del derecho a tratar todos los temas posibles. Para Octavio Paz, el poeta debe ser un extranjero en la sociedad burguesa, ya que rechaza totalmente sus valores. La poesía pone al hombre en contacto con otro mundo, el mundo de la imaginación, y con la unidad subyacente que la sociedad oculta. Para una humanidad desgarrada y enajenada, esclavizada cada vez más a la máquina, la poesía representa una posibilidad de salvación.[46] Gran parte de la poesía de Paz cumple esta función, especialmente en su espléndida *Piedra de sol* (1957), que fusiona mitos griegos y aztecas para revelar la unidad de todo lo existente en el ciclo eterno de la procreación y la muerte.[47] La reciente antología hecha por Paz y otros, *Poesía en movimiento,* ilustra notablemente la continuidad de la tradición poética mexicana, de López Velarde en adelante.

Desde la fundación de *Taller* (1938), revista en la cual colaboraron Octavio Paz, Alí Chumacero y Efraín Huerta, y que "intentaron reunir en una sola corriente poesía, exotismo y rebelión", se ha publicado en México una serie de revistas que fomentan la poesía, como la desaparecida *El Hijo Pródigo*. Estas revistas mexicanas se caracterizan por su amplitud de criterio; abarcan tendencias muy diferentes —el neobarroquismo de Marco Antonio Montes de Oca y Homedo Aridjis, la poesía coloquial de Jaime Sabines, la ironía de Gabriel Zaid y Eduardo Lizalde y la poesía reflexiva de José Emilio Pacheco. Como en la novela, la única tendencia que une a los escritores es su compartida definición de la literatura como el desafío a las normas de la sociedad.[48]

La cultura mexicana es demasiado dinámica y variada para ser considerada en tan breve espacio. Su rasgo predominante es la continua existencia a través de los años de grupos de escritores e intelectuales apasionadamente interesados en el país y su futuro, que mantienen el derecho a la crítica. Esta actitud crítica se inicia a principios del siglo diecinueve, con el novelista y periodista Fernández de Lizardi (1776-1827) y permanece como una tradición coherente hasta la fecha.

La Revolución cubana también ha tenido un profundo efecto en la vida cultural de la nación, aunque los cambios en la vida política y social de Cuba son todavía demasiado recientes para poder formular un juicio válido.

Hasta 1959 la cultura cubana era muy semejante a la de las otras islas de habla española del Caribe. Los poetas prerrevolucionarios tendían a identificarse con las corrientes contemporáneas europeas y con el cultivo de la poesía "pura". Mariano Brull (1891-1956), Eugenio Florit (1903), José Lezama Lima (1912), Eliseo Diego (1920) y Cintio Vitier (1921) son excelentes poetas, pero no se interesaban primordialmente en los temas nacionales. La novela, en cambio, se inclinaba mucho más hacia lo social. Las novelas de Carlos Loveira (1882-1928), Carlos Montenegro (1900) y Enrique Serpa (1899) y los cuentos de Lino Novás Calvo (1905) con frecuencia se desenvuelven en un medio de parias sociales o de gente ordinaria e implican una crítica social al sistema político.[49]

El único movimiento verdaderamente original en la cultura prerrevolucionaria de Cuba es el afrocubano. Es verdad que la inspiración llegó del auge de lo negro en el París de los años veinte, pero la alegría que los poetas cubanos de esta escuela imprimieron a los ritmos primitivos y desinhibidos del canto y la danza negra, fue logro de algo específicamente cubano y no europeo. En la poesía de Nicolás Guillén (1902) el afrocubanismo se manifestó como una respuesta a la civilización deshumanizada, industrial y capitalista de los Estados Unidos. No es accidental que Guillén titule uno de sus libros de poemas *Sones para turistas* (1937) o que, en sus poemas, frecuentemente se burle del turista norteamericano cuya presencia considera un símbolo de la dependencia económica de Cuba respecto de los Estados Unidos.[50]

La revolución castrista de 1959 transformó la estructura económica de Cuba. La mayor parte de la clase alta y muchos miembros de la clase media abandonaron la isla. Se ha emprendido una vigorosa campaña contra el analfabetismo. Han surgido nuevos escritores para proveer la demanda del público, alentados a escribir y auspiciados para publicar por la Unión de Artistas y Escritores y por los premios ofrecidos anualmente por la Casa de las Américas, que actúa como un catalizador cultural. La producción de libros ha aumentado enormemente y en la actualidad es posible adquirir ediciones económicas de muchos clásicos cubanos y latinoamericanos.

Estos cambios no se reflejan todavía en ninguna nueva obra de importancia.[51] Un grupo de escritores de la vieja generación —el poeta vanguardista José Lezama Lima, Nicolás Guillén y el novelista Alejo Carpentier (1904)— dominan la escena literaria. Carpentier comenzó su carrera en el movimiento afrocubano y su prestigio descansa sobre todo en la novela *Los pasos perdidos* (1953). Ha escrito también numerosas novelas que recrean el pasado histórico del Caribe; las más sobresalientes son *El reino de este mundo* (1949), que trata del levantamiento de esclavos en Haití al final del siglo dieciocho, y la admirable *El siglo de las luces* (1962), la primera novela que trata el Caribe como una unidad. Lezama Lima ha publicado recientemente su obra más importante, la novela *Paradiso* (1966). Esta novela, concebida en tono mayor, es indudablemente una de las obras contemporáneas más interesantes de la literatura hispanoamericana. Su tema principal es la percepción de la realidad en el más amplio sentido por un adolescente, a través de la experiencia sexual, sensual e intelectual y la formación de una vocación y una conciencia artística. Entre los nuevos nombres que han surgido desde la revolución están los poetas Heberto Padilla (1932), Roberto Fernández Retamar (1930), Antón Arrufat (1935), Fayad Jamís (1930) y Pablo Armando Fernández (1930). Entre los prosistas, Guillermo Cabrera Infante (1929), Virgilio Piñera (1912), Onelio Jorge Cardoso (1914), Rogelio Llopis (1928), Edmundo Desnoes (1930) y Severo Sarduy (1937). Dos figuras de gran importancia entre los nuevos escritores cubanos son Pablo Armando Fernández y Guillermo Cabrera Infante. El debut literario de este último data de la época de Batista, cuando la prosecución de su obra literaria tropezaba con dificultades políticas. Sus mejores páginas se refieren a los sufrimientos y brutalidad del periodo precastrista. Actualmente vive en el exilio, donde ha publicado *Tres tristes tigres,* panorama de La Habana prerrevolucionaria, escrito con gran virtuosismo lingüístico. Pablo Armando Fernández ha escrito un digno y conmovedor tributo a los muertos de la Revolución cubana en *Libro de los héroes* (1963), poema que trata de perpetuar la memoria de un nuevo tipo de héroe ciudadano. La más interesante manifestación nueva de la prosa la constituye la aparición de la literatura de testimonio, de la que el mejor ejemplo es *Cimarrón,* memorias de un esclavo prófugo, compiladas por el poeta Miguel Barnet (1940).

Aunque es aún difícil trazar las corrientes generales, vale la pena destacar dos rasgos. Uno de ellos es la casi exclusiva concentración de los narradores sobre los últimos días del régimen de Batista y las relaciones entre cubanos y norteamericanos. Un segundo rasgo es el evidente intento de salvar el abismo entre intelectuales y la población común, usando un lenguaje simple y expresiones coloquiales. Fernández Retamar, por ejemplo, habla de las palabras simples, cotidianas de su poesía en *Carta a los pioneros* (1962). En la novela —y película— *Memorias del subdesarrollo* (1967), de Edmundo Desnoes (1930), se encuentra el conflicto del intelectual de origen pequeñoburgués frente a la realidad revolucionaria y sus dificultades para aceptar la nueva forma de vida.

Pero junto a estos intentos subsiste una literatura intensamente personal. Entre los más jóvenes —Nancy Morejón, Belkis Cuza Male, Pedro Pérez Sarduy, por ejemplo—, se encuentra en forma velada el conflicto que les causa el aislamiento de Cuba de otras culturas.

Es difícil hacer el balance de la cultura posrevolucionaria cubana actualmente pero resaltan dos tendencias.

En primer lugar es obvio que la política cultural no ha podido satisfacer a un grupo substancial de escritores, que se han exiliado. En segundo lugar, es muy probable que la contribución cubana haya sido mayor en áreas no tradicionales de la cultura, la canción popular, el ensayo-testimonio y el cine.

9. NARRADOR, AUTOR SUPERESTRELLA: LA NARRATIVA LATINOAMERICANA EN LA ÉPOCA DE LA CULTURA DE MASAS

La novela latinoamericana del *boom* (es decir, de finales de los años cincuenta y comienzo de los sesenta), en tanto que enaltece la idea del autor como "fundador" o "creador" de un universo texto original, lo antepone a otras dos figuras paradigmáticas: la del cuentista narrador, cuya destreza se deriva de una cultura oral, y la del superestrella generada por la producción de una cultura de masas. Estas tres figuras —narrador, autor, superestrella— corresponden a tecnologías radicalmente distintas de la narrativa, las cuales se relacionan con las funciones de la memoria, la historia y la repetición como modos de inscribir la vida social e individual. No se trata aquí, sin embargo, de categorías ideales. La singularidad del desarrollo desigual de América Latina ha permitido la persistencia de una cultura oral en áreas rurales y barrios de población marginal en las ciudades; ha mantenido por siglos una serie de limitaciones estructurales relativas a la alfabetización y al desarrollo de una cultura de imprenta (*print culture);* y, en la actualidad, ha tratado de facilitar la integración de la población latinoamericana al proceso de "modernización" capitalista a través de los medios de comunicación masiva, especialmente el cine, la radio, la televisión y las fotonovelas. Fue precisamente la rapidez de este salto de una tradición colectiva aprendida por la transmisión oral a la experiencia serializada de los *mass media,* junto con la persistencia del dinamismo de esta cultura oral y la producción de una literatura escrita elaborada como forma de resistencia cultural, lo que explica la interacción entre memoria, historia y repetición que propongo estudiar en algunas novelas del *boom.*[1] Quiero demostrar, además, que las figuras del narrador, autor y superestrella sirven como alegorías de formas de construcción social.

De estas figuras, el narrador pertenece a los estratos más arcaicos de la cultura; evoca una época cuando el poder era ejercido a través de la palabra. Como historiador extraofi cial de una cultura predominantemente oral auditiva, el narrador o cantor de cuentos deriva su función y autoridad de saber las tradiciones, de su destreza inventiva en contar éstas dentro de formas rituales; y de la cercana coordinación entre la memoria individual del narrador y la memoria colectiva de los oyentes.[2] No es simplemente, como Walter Benjamin sugirió, que "el narrador toma el material que cuenta de la experiencia— de su experiencia o de la experiencia narrada por otros—, y, en su lugar, hace de ella la experiencia de los que oyen su narración". Además, la historia narrada sirve para reproducir los valores comunales del grupo y enseñar ciertas formas de conducta social.[3] Por esto, una cultura oral es a la vez fuertemente conservadora y (mientras persista la comunidad) fuertemente resistente a cualquier tipo de escritura. Depende del desarrollo de memoria y del contacto directo entre las generaciones. El aviso de Platón de que la escritura atrofia la memoria y que sólo sirve para recordar hechos, encuentra su confirmación en la historia de Macondo: cuando por causa del insomnio se pierde su memoria, es la escritura la que la reemplaza. En América Latina, la cultura oral estuvo al margen de los cánones de la cultura dominante durante la época colonial; en el siglo XIX y comienzos del XX —época del liberalismo— fue considerada como signo de barbarie; en las novelas de la tierra de los años veinte, treinte y cuarenta de nuestra época fue recuperada como un elemento de lo folklórico y popular, y por lo tanto como índice de lo auténtico.

Con el desarrollo de una cultura de imprenta la memoria colectiva y la memoria individual se separan. La historia escrita ahora registra los hechos acontecidos, haciendo de la memoria individual algo puramente idiosincrático y ajeno a la posteridad. Pero la cultura oral sobrevive gracias a su autoridad genealógica y su función ritual, en particular en el seno de las clases bajas y de los grupos o razas marginadas, proveyéndoles lazos frágiles con el pasado. La literatura escrita, sin embargo, comienza a dividirse de la historia; ambas toman funciones distintas, pues como observa Sansón Carrasco en el *Quijote* (parafraseando a Aristóteles): "es una cosa escribir como poeta y otra como historiador: el poeta puede decir o cantar cosas no como sucedieron pero como debieron haber sucedido, mientras que el historiador tiene que escribirlas no como debieron haber sucedido sino como sucedieron, sin añadir o quitar nada de la verdad". La imprenta ofrece un nuevo tipo de inmortalidad, tanto al narrador como a los personajes que va narrando. Así Shakespeare promete, por ejemplo, que:

> His beauty shall in these black lines be seen
> And they shall live, and he in them still green.

Para los países dependientes y colonizados del mundo, esta separación entre historia y literatura ha de tener grandes consecuencias, ya que la historia constituye lo que Foucault ha llamado "un discurso de poder", cuyas reglas para excluir y seleccionar están organizadas por la metrópolis como medio de establecer y mantener su hegemonía cultural. Así a los latinoamericanos les fue asignado el papel de hijos que nunca madurarían, por los filósofos de la Ilustración, o de bárbaros, por el historiscimo liberal del siglo XIX; y su continente como tierra del futuro fue relegado al silencio por Hegel. No exageramos al decir que mucha de la literatura latinoamericana fue generada por este problema de anacronismo —el sentido de exclusión o marginación de la "Historia". Un problema, además, que se agudizó, ya que por un lado la emancipación intelectual y el poder de generar un discurso nacional propio era esencial a la lucha por la liberación, pero por otro lado los intelectuales latinoamericanos hasta hace poco tenían que "pensar lo que otros habían hecho". Así es que para 1967 Carlos Fuentes, en su ensayo *La nueva novela hispanoamericana,* todavía habla de una brecha entre las aspiraciones universales del escritor y una realidad nacional que ofrece "como actualidades los temas ya tratados por Balzac, Zola, Tolstoi, Howells o Dreiser. . . [exponiendo] al escritor a un provincianismo de fondo y a un anacronismo de forma".[4] O, más recientemente José Revueltas, en su cuento "Hegel y yo", confronta a Hegel (en el personaje de un estudiante cojo) —"Hegel con toda su filosofía de la historia y su

Espíritu Absoluto. . ." —con un miembro del lumpemproletariado latinoamericano en quien el Espíritu Absoluto nunca estuvo:". . . forrado de piel, una piel de cochino bien curtida, reluciente, olorosa".[5]

No nos sorprende, entonces, que la noción del autor como héroe cultural (entre otros lugares en el ensayo del mismo Fuentes) viene a ser vista como una especie de salvación del anacronismo. No me refiero solamente al concepto restringido del autor dada por Foucault cuando habla de"la persona a quien se le puede atribuir legítimamente la producción de un texto, libro u obra",[6] sino también a la noción del autor como iniciador o fundador de un nuevo "cosmos" o "estado" dotado con la posibilidad de generar su propio discurso. Quiero sugerir que en la novela del *boom* se duplica el concepto del autor, ya que no sólo designa al escritor de una novela, sino a la novela misma funcionando como modelo sobre el cual se refleja el proyecto utópico de la formación de una nueva sociedad en las márgenes de la vieja.

Dependiendo de la creación literaria original y del poder creativo individual, este concepto del autor confronta durante la década de los sesenta un tipo distinto de tecnología narrativa—la cultura de masas elaborada para integrar al pueblo dentro de una sociedad orientada hacia la industrialización y el consumismo. La producción de esta cultura de masas se diferencia tanto de la cultura escrita como de la oral. Se basa en una forma de producción en serie en que *el* autor o autores y su posibilidad de originalidad formal ya no tienen importancia. Los productos de la cultura de masas obedecen al principio de repetición mecánica: sólo hace falta una pequeña variación en su contenido para que aparezcan como algo nuevo. Esto explica porqué el sistema de "estrellas" (o por lo menos de los actores de telenovela o fotonovela) cobra tanta importancia: constituye lo que es "memorable". Daniel Boorstein señala en su libro *The Image:*

> What the entertainment trade sells is not a talent, but a name. The quest for celebrity, the pressure for well-knowness, everywhere makes the Worker overshadow the work. And in some cases, if what there is to become well known is attractive enough,

there need be no work at all. For example, the Gabor sisters in the fifties become "film personalities" even though they had made almost no film at all. How thoroughly appropriate too that one of them should have become the 'author' of a bestselling "book".[7]

Pero hay otra razón para la importancia de la estrella en una cultura de masas, y es la aparente unificación que ofrece de una sociedad que cada día se hace más serializada y atomizada:

> The agent of the spectacle, put on stage as a star, is the opposite of the individual; he is the enemy of the individual in himself as obviously as in others. Passing into the spectacle as a model for identification, the agent has renounced all autonomous qualities in order to identify himself with the general law of obedience to the course of things.[8]

En el momento más alto de su desarrollo, la novela latinoamericana impacta contra una cultura *pop* internacional que llamaba la atención de la juventud como fuerza de liberación ante la opresión de la familia y la cultura tradicional. Ya algunas formas de esta cultura, como el cine y la novela policiaca, habían fascinado a Borges (en cuyas ficciones juega un papel central la figuración de la repetición) y otros intelectuales del vanguardismo latinoamericano. Ninguno de los novelistas del *boom* ha podido evitar su influencia. García Márquez, Roa Bastos, Vargas Llosa, Cabrera Infante, Fuentes—todos escribieron guiones de cine quizás sin entender que *auteur* y autor no son la misma cosa. Fuentes dedica su novela *Cambio de piel* a Shirley McLaine y la intercala con fotos de artistas del cine; Manuel Puig parodia la literatura popular y el cine; Cabrera Infante y Luis Rafael Sánchez parodian canciones y espectáculos populares; en *La tía Julia y el escribidor* Vargas Llosa parodia la radio o la telenovela; Cortázar se adueña de Fantomas y los *comics*.

Paso ahora a considerar con más detalle este juego entre narrador/autor (como patriarca fundador) estrella y memoria/historia/repetición en las telenovelas del *boom*.[9]

Cuando Don Segundo Sombra se aleja en su caballo del *gaucho*, representa simbólicamente el paso de un aprendizaje basado en la experiencia directa y la transmisión oral a un sistema de conocimiento basado en el libro y la lectura. Es interesante medir la distancia entre la síntesis ideal que ofrece Güiraldes de la oposición experiencia/libro y una alegoría de los años sesenta—"Los funerales de la Mamá Grande" de García Márquez— en donde el mundo en desaparición de la cultura oral sólo puede ser representado en términos de lo maravilloso y lo grotesco. El cronista que emprende contar los funerales (antes que los historiadores se adueñan del tema) se dedica al trabajo de rescatar solamente lo que él sabe que su público *quiere recordar:* nada de motivos o de discursos, sólo el esplendor del espectáculo. No le importa la exactitud descriptiva; su preocupación más bien es testimoniar el esplendor y la importancia de la ocasión y enumerar a los participantes, no tanto como individuos sino como tipificaciones de esta cultura ("la reina de la ahuyama verde, la reina de guineo manzano, la reina de la yuca harinosa", etc.). Lo que muere con la Mamá Grande, sin embargo, no es simplemente una cultura sino una forma de poder—el poder que emana del cuerpo y por extensión del territorio de la persona suprema, el poder matriarcal. Lo que reemplaza a la Mamá Grande es el poder abstracto, menos inmediato, de un presidente: "calvo y rechoncho, el anciano y enfermo presidente de la república desfiló frente a los ojos atónitos de las muchedumbres que lo habían investido sin conocerlo y que sólo ahora podían dar un testimonio verídico de su existencia". Lo que el cronista quiere registrar no es la figura remota e insignificante de este presidente, sino lo que desaparece con su llegada: un mundo carnavalesco dedicado a la producción de lo inútil, lo grotesco y lo maravilloso, un mundo que tiene que ser rescatado y registrado antes de ser relegado al olvido por un "discurso del método" generado por el nuevo sistema de poder abstracto, universal. Esta valoración de lo que no tiene ni valor de uso, ni valor de cambio, caracteriza también a la economía sobre la cual el discurso de *Cien años de soledad* se funda. Macondo es una sociedad surgida de la negación de la ética capitalista del trabajo y del estímulo al libre juego de las facultades e idiosincracias humanas fuera del reino del trabajo alienante. La separación de juego y trabajo corresponde a una separación de los principios de placer y realidad, de lo imaginario y lo real. Sin embargo, ya que Macondo es una utopía del juego y no de praxis épica, no puede representar la apoteosis de la historia, la cual, en todo caso, se está escribiendo en otro lugar. Por lo tanto, sus vidas pasan sin ser registradas por "la historia", excepto en un texto cerrado en sí que se encuentra también fuera del sistema de valores de uso o de cambio. Macondo viene a ocupar así un espacio ideal en donde las virtudes individuales de heroísmo o atrevimiento intelectual florecen virtualmente sin las limitaciones impuestas por el estado burgués o las contaminaciones de una instrumentalidad económica. *Cien años de soledad* representa a la vez el proceso de fundación de una nueva sociedad desconocida por la cultura occidental, su *pathos* y su imposibilidad última. Los límites de Macondo trazan una alegoría social, significando que las energías frustradas en la realidad latinoamericana pueden ser liberadas en la ficción. La ficción crea el espacio mágico donde se pueden quebrar todos los tabúes sobre los cuales se funda la sociedad. Sin embargo, es una ficción extraña. En la misma forma en que la alquimia fundía ciencia y religión, teoría y práctica, antes de su separación en la época moderna. *Cien años* busca en su estrategia narrativa reencontrar la perspectiva del cronista oral para quien las cosas como son y como pueden o deben ser no son todavía distintas. Por lo tanto, lo anacrónico adquiere un signo positivo en la novela, ya que es la manera de generar la utopía en que se puede desplegar la singularidad de América.

Esta analogía entre padre fundador (de Macondo) y autor (de *Cien años)* tiene otra dimensión. La historia de Macondo no es sólo algo *contado;* también es una *crónica* escrita, anteponiendo al cronista entre las figuras del narrador de la cultura oral y el autor de la cultura del libro. Melquiades vive aparte de la familia pero comparte su vida. Actúa como la memoria de los Buendía. Pero el momento en que su crónica puede ser leída y descifrada por un lector es también el momento en que se crea una nueva relación y se destruye el mismo proceso de valoración de lo anacrónico en que se basa la novela. Detrás del cronista aparece el autor.[10]

EL AUTOR Y EL FUNDADOR

En su apogeo, la novela europea aspiraba a ser la historia del individuo en la sociedad. En contraste, la novela latinoamericana del *boom* presenta al héroe como un inventor o fundador al margen de la sociedad o fuera de ella. En *Juntacadáveres* y *El astillero* de Onetti. *La casa verde de* Vargas Llosa, *Los pasos perdidos* de Carpentier. *Cien años de soledad* de García Márquez. *La muerte de Artemio Cruz* de Carlos Fuentes, y en ciertas alusiones y secciones de *Rayuela* se puede descubrir el *topos* narrativo común de la fundación de una sociedad (aunque sea sólo El Club de Serpientes en *Rayuela)* sin precedente, fuera del sistema de cambio, jerarquía y poder que condenó a las sociedades latinoamericanas al anacronismo y a la dependencia. Para precisar este *topos* mejor, miremos al caso de la isla de Fushía en *La casa verde* y algunos aspectos de novelas de Onetti y Fuentes.

Los episodios de la isla de Fushía en *La casa verde* están entrelazados con otros y enmarcados dentro del viaje en barco hacia la colonia de los leprosos donde Fushía terminará sus días. El despliegue narrativo/temporal de estos episodios ha sido ya comentado por muchos críticos; quiero considerar aquí solamente su significación alegórica como momento de fundación. Al componer su novela de fragmentos anacrónicos en que el presente narrado constantemente dialoga con o comenta el pasado, Vargas Llosa puede iluminar el surgimiento y la caída de Fushía a través de una irónica presencia del lector. Y no sólo presciencia: la isla de Fushía alude también a una serie de preconceptos literario-culturales, en especial la isla de Robinson y la *utopía* misma como isla. La isla de Robinson es un modelo distorsionado de la producción europea. (Robinson se suple de herramientas obtenidas del naufragio); la isla de Fushía representa un modelo distorsionado de la economía latinoamericana, ya que Fushía no puede adentrarse en el sistema de intercambio "legítimo" organizado por Julio Reátegui y se ve obligado a robar a las comunidades indígenas. Es decir, Fushía es un pirata y parásito y no un empresario en el sentido capitalista.

La isla de Fushía es a la vez diabólica y bendita. Se nos presenta como un paraíso terrenal lleno de pájaros y ganado, cercado sin embargo por siniestros árboles *lupuna* que la marcan como lugar tabú para los indios. La transición entre el estado de naturaleza y el estado de cultura se desarrolla en horas. Fushía quema la maleza, mata los pájaros y provee a los indios y 'cristianos' del lugar su primera comida cocinada:

> El fuego iba limpiando la isla y despoblándole: de entre la humareda salían bandadas de pájaros y en las orillas aparecían maquispas, frailecillos, shimbillos, pelejos que chillando saltaban a los troncos y ramas flotantes: los huambisas entraban al agua, los cogían a montones, les abrían la cabeza a machetazos y el banquete se están dando, Lalita, ya se les pasó la furia y ella yo también quiero comer, aunque sea carne de mono, tengo hambre.

Los tabúes de las *lupunas* y de la comida desaparecen al instante. Con la destrucción de la naturaleza y la "invención" de comida cocida se establece una nueva comunidad. La isla de pájaros toma los primeros pasos hacia la colonización humana. La aparición del *paucar* —pájaro que significa la sociabilidad— marca el próximo paso en este proceso: la construcción de la casa. La rapidez vertiginosa con la que la isla de Fushía nace y cae se puede contrastar directamente con la empresa robinsoniana. Robinson se esfuerza para mantener un cuidado informe del tiempo; sabe cómo sublimar el deseo de satisfacción inmediata, invirtiendo su trabajo en actividades que darán beneficios futuros. Lo que Defoe llama "his indefatigable pains and industry" se calcula en meses y años. Robinson nombra *Friday* (viernes) a su esclavo, manteniéndose así en perfecta sincronía con la estructura metropolitana del tiempo.

Si Robinson busca "sincronizarse" con la metrópolis. Fushía, por contraste, es un ser impaciente, anclado a la inmediatez. No puede fundar una comunidad permanente. Su isla es un punto de transición, un paso hacia el futuro. No tiene en sí un valor o una permanencia para él, como tampoco lo tiene el trabajo productivo (Fushía piensa que el esfuerzo de los huambisas en sembrar yuca es "pura mierda"). El valor se determina no por el trabajo invertido sino por el cambio: Lalita, su amante blanca, tiene valor, las "chunchas" no: el caucho tiene valor (es intercambiable), la yuca no. Así, esta fundación de una sociedad al margen o fuera del sistema resulta sin embargo sujeta al fin a la lógica de valores de cambio impuesta por el sistema.

Dentro de la estructura de la novela, la narración de la caída de la isla de Fushía sigue directamente a la descripción de su fundación, y la narración de su degeneración precede al episodio en que Fushía descubre la isla. Cuando Fushía abandona la isla para viajar a la colonia de leprosos, el proceso de transición repentina entre naturaleza y cultura aparece en inversión. Dentro de pocas semanas:

> Sólo encontraron residuos de objetos herrumbosos, convertidos en aposentos de arañas y las maderas apolilladas minadas por las termitas. Salieron de las cabañas, recorrieron la isla y aquí y allá se inclinaban sobre leños carbonizados, latas oxidadas, añicos de cántaros.

Los árboles crecen, devoran y aprisionan a la isla nuevamente en un proceso parcialmente análogo al proceso de colonización.

Fushía, como fundador, se encuentra en un extremo opuesto al empresario capitalista primitivo representado por Robinson. Más que productor es consumidor; su necesidad de satisfacción inmediata representa un sacrificio de la posibilidad de permanencia. Su capacidad aminora con su virilidad. Tampoco puede organizar una verdadera comunidad de los vestigios marginales de la sociedad que reúne su isla: los indios drogados de la sierra, Lalita, un desertor, los huambisas. Con excepción de estos últimos, son seres que volverán poco a poco a una sociedad en la cual la vida y la memoria colectiva han desaparecido. La lepra de Fushía y la caída de su colonia son castigos morales impuestos por el autor a un personaje que representa el deseo de la burguesía sin su capacidad de sublimación, fuente de su capacidad productora y explotadora.

Este cierre "natural" que oculta un mensaje ideológico es común en la narrativa del *boom*. La situación de Fushía en *La casa verde* encuentra paralelos en el fracaso (político-moral) de Artemio Cruz. En la empresa final de *El astillero,* Larsen se ve obligado a canibalizar lo que fue un negocio próspero y a observar la reversión del astillero al estado de naturaleza. Mira herramientas "atravesados por los tallos rencorosos de las ortigas"; piensa en la naturaleza como algo motivado y dirigido hacia la destrucción de lo humano, simbolizado por estas herramientas que recuerdan los propósitos humanos para los cuales fueron inventados. En constraste al pasivo, derrumbado y abandonado paisaje industrial, la naturaleza aparece llena de energía. En su recorrido del astillero, Larsen encuentra un salvavidas cuya madera es "impudrible", aunque se ha podrido su cubierta de caucho manufacturado. Por todas partes es testigo de una batalla desigual "las costras de orín, toneladas de hierro, la ceguera de los yuyos creciendo y enredándose". En ambas versiones de su fin, las últimas impresiones de Larsen son del secreto crecimiento del musgo, de la continuidad implacable de una forma de vida en que lo humano está fuera de lugar:

> 1) Sorda al estrépito de la embarcación, su colgante oreja pudo discernir aun el susurro del musgo creciendo en los montones de ladrillos y el del orín devorando el hierro.
>
> 2) Pudo imaginar en detalle la destrucción del edificio del astillero, escuchar el siseo de la ruina y del abatimiento. Pero lo más difícil de sufrir debe haber sido el inconfundible aire caprichoso de septiembre, el primer adelgazado olor de la primavera que se desliza incontenible por las fisuras del invierno decrépito.

Fredric Jameson ha llamado "strategies of containment" (estrategias de contención) aquellos momentos en que la dinámica interna de una novela relista no puede ser en su totalidad adecuadamente incorporado en la narración. El dilema del rito de la fundación en las novelas del *boom* es que proyecta un modelo de la empresa histórica que se limita a la vida biológica de un hombre (la designación masculina por la especie también viene a ser significativa en este sentido). El novelista propone rescatar del olvido no a personas concretas sino a energías, deseos y sueños barridos en las contracorrientes de la historia. Pero son energías, deseos, sueños que todavía crecen en el individuo. En este sentido, aunque no son coextensivos con la ideología, una ideología de la empresa humana se pone en juego en estas novelas. Hay, además, contradicciones ideológicas que surgen cuando se hace del individuo la fuente de toda empresa o creación. En *La casa verde,* por ejemplo, la identidad individual está socavada por los cambios y las migraciones repentinas de los personajes que les hacen tomar nuevos roles o posiciones—efecto necesario al propósito "totalizador" de la narración. Sin embargo, la empresa en sí sólo puede ser narrada como individual. Donde, en estas novelas, se trata de una comunidad fundada "fuera" del sistema, como es el caso de Macondo o de la isla de Fushía, es una comunidad "procreada" como una empresa individual masculina en que lo femenino y los antiguos modos de vida colectiva son menospreciados. Aparecen sólo fragmentos de estas formas de vida: el arpa de Anselmo en *La casa verde,* último lazo tenue con la comunidad ancestral de que proviene: el puesto de enganche en *El astillero,* último recuerdo de la época del gaucho. En esta forma, la empresa individual —discontinua y fragmentaria en esencia— emerge del vacío creado por, a la vez, el fracaso del capitalismo dependiente neocolonial y la desaparición de comunidades precolombinas, rasgos de los cuales, sin embargo, persisten en la imaginación y cultura popular, enfrentados a un sentido de racionalidad modelado sobre la metrópolis colonizadora. A la vez, la misma idea de "personaje" parece desplomarse en tanto que el novelista trata de mantener cierto grado de verosimilitud en su representación de una sociedad dependiente, sujeta a una casualidad parcialmente exógena.[11] Lo que caracteriza a Larsen, Artemio Cruz y Fushía es una discontinuidad radical entre su presente y pasado, o aún más, una desintegración total de su personalidad. Esto se debe, en parte, en que el proyecto totalizador de la novela no puede circundar la historia de América Latina como un desarrollo continuo contenido en el microcosmos del personaje individual.

Los personajes que representan la energía empresarial en estas novelas no tipifican a una burguesía nacional, como es el caso, por ejemplo, de los Buddenbrooks. Son Petrus y no Larsen, Reátegui y no Fushía quienes pertenecen al sistema. Larsen y Fushía sugieren una ausencia —la ausencia en la realidad histórica latinoamericana de una clase dominante dinámica y autodeterminadora. De allí que Carlos Fuentes acuse a la burguesía mexicana de ser "totalmente ajena a cualquier idea de grandeza histórica, desconoce las maneras de consagrarse públicamente y posee una buena conciencia infinita que le hace considerar sus pequeños valores como eternos y perfectos".[12] Su personaje, Artemio Cruz, está dividido entre una energía autónomo que pudo haber llevado al desarrollo de una nación independiente y la debilidad de una burguesía dependiente que se ha acomodado con el sistema.

El "desacuerdo con el mundo" (en palabras de Vargas Llosa) del novelista parece ser así menos con la noción de la empresa individual en sí que con su frustración en una sociedad dependiente. Marginalizado por la historia, el novelista reta la universalidad de la ideología metropolitana, demostrando las instancias donde se quiebra. Sus personajes toman posesión de su destino sólo en el momento de la muerte, entre ruinas o en el vacío humano de la selva.

El novelista del *boom,* por lo tanto, se sitúa ante la puerta del olvido. Por algo escoge García Márquez como epígrafe de su primera novela las palabras de Creón en *Antígona* cuando manda que Polinice sea enterrado sin ningún signo de luto o recuerdo que perpetúe su memoria. La inscripción que generaciones enteras no lograron hacer en el libro de la historia ya reaparece, no como crónica, sino como un sueño de autorrealización que sólo puede tener lugar en el espacio de la obra de arte. Aquí, como en el "territorio despótico" de Deleuze y Guatarri, todo emana del cuerpo del autor y es sólo a él a quien pertenece la inmortalidad. La culminación de este ciclo de novelas no puede ser otra que *Yo el Supremo* de Roa Bastos, en donde diez años después de *Cien años de soledad* se perfila sardónicamente una versión de este "supremo yo". Haciendo eco del epígrafe de *La hojarasca,* del doctor Francia, que en vano ha inspirado a ser el "autor" de un nuevo tipo de Estado, declara que la putrefacción atacará no sólo a los que están enterrados fuera de la ciudad, "sin una cruz o signo que perpetúe sus nombres", sino también a los que yacen "debajo de enormes montones de tierra o aquellos más necios todavía que ordenan la construcción de mausoleos pirámides en donde guardar su tesoro de carroña". La novela de Roa Bastos merece ser mencionada porque cuestiona la analogía creador/fundador en que se basan las novelas que hemos comentado. Francia, aunque un "yo" supremo, nunca logra fundar un discurso propio; por lo tanto, el "yo" del dictador no encuentra coincidencia con el "él" de la historia. Comentando su propia novela, Roa Bastos describe al "Supremo" de esta manera: "busca y ensaya la instauración de la Escritura del Poder, desconfiando del poder de la escritura". Rebelándose contra la noción del autor en las novelas del *boom,* Roa Bastos crea un "compilador" que ya no aspira a ser creador único sino a usar lo ya creado o expresado, poniendo en cuestión de esta forma "el concepto de la propiedad individual de los bienes intelectuales y artísticos".[13]

Yo el Supremo cierra un ciclo para comenzar otro. Pero no tipifica lo sucedido en el caso de los novelistas del *boom.* Escritores como Vargas Llosa, García Márquez y Fuentes, que se habían preocupado por llegar a un público, pronto tuvieron que confrontar, en la década de los sesenta, una nueva cultura: la cultura de masas que se apropiaba los géneros y las formas de la narrativa tradicional—novela amorosa, gótica, detectivesca; teatro melodramático. Muchas novelas escritas a mediados de los años sesenta, por lo tanto, trataron de incorporar la cultura de masas como tema, generalmente en forma de una parodia de su lenguaje y géneros. Las novelas de Vicente Leñero, Manuel Puig, Cabrera Infante, pero también las obras posteriores de Fuentes y Vargas Llosa ejemplifican esta nueva estrategia.

DE AUTOR A SUPERESTRELLA

Los escritores europeos comenzaron a confrontar los problemas surgidos del desarrollo de una cultura de masas en el siglo XIX cuando la *avant garde* en Francia se separó fastidiosamente de la literatura del mercado para parodiar sus proyectos. En Inglaterra, Hardy y Conrad, hacia 1890, ya luchaban contra el hecho de que la literatura popular se había apoderado del "plot" novelesco, estereotipando en el proceso al personaje e imitando la voz narrativa "impersonal" que había permitido a novelistas anteriores inmolarse en su propia creación. De aquí en adelante el autor serio tiene que ser también un autor ensimismado, cohibido: "the selfconscious narrator". En *Ulysses* de Joyce, su héroe Bloom solicita anuncios periodísticos para ganarse la vida, y su esposa, Molly, se piensa una estrella en embrión. La ironía no está en que perpetúan el mito de Ulises sino en su distanciamiento de éste. Sin embargo, la utilización del mito por Joyce es significativa, ya que es el mito anacrónico que pueda organizar en un nivel más alto el caos de impresiones triviales y respuestas automatizadas que componen la vida diaria en la época de cultura de masas. Como señala Fred Jameson, la cultura de masas se caracteriza por la repetición. El esfuerzo varguardista de hacer algo nuevo, radicalmente original, es en realidad, según Jameson, "an effort to produce something which resists and breaks through the force of gravity of repetition as a universal feature of commodity equivalence".[14] En contraste, el "texto" de cultura de masas, sea en forma de música, fotonovela o película, es siempre una repetición, ya que no existe original ninguno.

Esta propuesta de una relación dialéctica entre la estrategia del vanguardismo y la cultura de masas moderna ayuda a situar a un escritor como Cortázar, cuya producción entera es una lucha contra los efectos ahogantes del gesto automatizado y la palabra banalizada. Sin embargo, de acuerdo con la línea que vamos trazando aquí quiero considerar más bien las respuestas de escritores como Fuentes y Vargas Llosa (y marginalmente Manuel Puig) al problema de la cultura de masas —respuestas mucho más ambiguas que la de Cortázar. Tanto Fuentes como Vargas Llosa se remontan una y otra vez a un narrador ideal: Balzac para Fuentes, Flaubert para Vargas Llosa, Vargas Llosa, en particular, escribe de Flaubert:

> Pienso que el transtorno que significó para la cultura en general y para la literatura en particular el nacimiento de la sociedad industrial, el desarrollo veloz de la alta y media burguesía, es tan importante para explicar el anacoretismo de Flaubert como su situación familiar. En todo caso, es evidente que las condiciones estaban dadas, para que, a partir de esta actitud de desesperado individualismo ante la vocación, lúcidamente asumida como una ciudadela contra el mundo, surgiera una estética de la comunicación o del suicidio de la novela. . .[15]

Según Vargas Llosa, Flaubert soluciona su problema produciendo una novela a la vez crítica y popular: "Sin renunciar a su pesimismo y desesperación, convirtiéndoles más bien en materia y estímulo de su arte, y llevando el oculto de lo estético a un límite de rigor así sobrehumano, Flaubert escribió una novela capaz de congeniar la originalidad y la comunicación, la sociabilidad y la calidad". Balzac ofrece una piedra de toque similar para Fuentes. Ante la experiencia de la cultura de masas, Fuentes y Vargas Llosa reaccionaron tratando de acomodar formas y estrategias tradicionales de la novela a la destitución del autor por la estrella. El atentado de Vargas Llosa es el menos acorazonado. En *La tía Julia y el escribidor* combina a un escritor joven, Mario —proyección del propio novelista—, con un "Balzac" de la telenovela, un escritor que pone el mapa de Lima sobre la pared para guiarle en su *Comidie humaine* contemporáneo. Pero en la telenovela no es el autor quien es idolizado por las masas, sino la estrella que encarna el papel principal; así la concepción de *La tía Julia* suena falsa desde el comienzo. La capacidad inventiva del "escribidor" es eventualmente derrotada por un sistema que es insaciable en su deseo por más y más material violento, necesario para dar nueva vida a la situación formulada y para producir un enigma melodramático lo suficientemente excitante como para asegurar que los oyentes sintonicen el próximo episodio. Para cumplir con esta necesidad, el "escribidor" abarca temas más y más peligrosos, desde el incesto al canibalismo; al fin reta el tabú supremo al confundir voluntariamente los personajes. Pero a pesar de esta transgresión constante de la moral establecida en la radionovela, el deseo de Mario de casarse con su tía encuentra las dificultades tradicionales. El melodrama de la radionovela no tiene efecto directo en la moral social. La parodia de *La tía Julia* cae fuera del blanco. En realidad, la integración del código de la narrativa tradicional en la radionovela serial, y especialmente el enigma (al final de un capítulo o episodio), le permite precisamente tratar temas "tabúes" y a la vez diluir, contener y regulizar éstas. Lo que está en juego en la novela de Vargas Llosa es el problema de la creatividad en una época de cultura de masas; pero es una creatividad todavía concebida en términos de una profesión de autor balzaciano, ahora reproducida en forma paródica para las "masas".

En contraste, Carlos Fuentes tiene muy presente, desde el comienzo de los sesenta, la aparición de la estrella como una amenaza para el "autor" tradicional. Su *Zona sagrada* puede ser vista como una alegoría del efecto distorsionante del "estrellazo" sobre la profesión de autor. Las estrella de cine, Claudia, exclama continuamente a su hijo (el narrador) "Yo duro"; él, por el contrario, no resiste al tiempo. Pero Claudia es, en realidad, otra versión del autor. Es a la vez Circe y Penélope; su hijo, el narrador "Mito", desea unirse con ella. Desde su "zona sagrada", el espacio del narrador, Mito contempla la siempre cambiante, siempre fija cara de la estrella: "la idea platónica del ser humano". Su historia es el atentado de poseer esta imagen como símbolo y fetiche a la vez. En uno de los capítulos finales, Mito se viste con la ropa de su madre, deseando ser ella, sólo para encontrar que esta pantomina lo ha convertido en un impostor, en un perro, dedicado a la destrucción de la "bruja". Como el troglodita en "El inmortal" de Borges, a quien el narrador da el nombre de

Argos (el perro de Ulises), el perro/narrador de *Zona sagrada* es también una figura "homérica", siendo una reencarnación de Telémaco. La Claudia de *Zona sagrada* asegura haber sucedido a Pancho Villa como símbolo de México; sin embargo la fuerza alegórica de la confrontación entre estrella y narrador queda oscurecida en la novela por el juego de referencias mitológicas. El problema es que el mismo Fuentes se mantiene encerrado dentro de la esfera de la estrella ante la cual el narrador puede adoptar sólo actitudes de contemplación, narcisismo y auto-inmolación.

Hay otro lazo importante con la cultura de masas. Si la época de reproducción mecánica de la cultura envuelve el fenómeno de la repetición es porque tanto la memoria como la historia ya no sirven como índices del destino público o individuo. La repetición impone un patrón o hábito en la mente del consumidor, facilitando así su absorción de material nuevo y reintegrando su impulso original al consumo. La repetición de la sociedad moderna sirve para conducir a deseos y necesidades dentro de los confines estrechos de las relaciones capitalistas, y por tanto, para *reprimirlos*. En este sentido es fundamentalmente diferente del ritual en sociedades tradicionales, cuya función, según Levi-Strauss, es "conjugar", unir. La repetición de la cultura de masas (especialmente en el caso de oír la radio o mirar la televisión solitariamente) se dirige a un individuo aislado y agudiza su aislamiento al unir especularmente sus deseos íntimos a la imagen en la pantalla o al objeto de gusto. Lo que Fuentes trata de hacer en *Zona sagrada* es rescatar la repetición como la única forma de inmortalidad que ofrece la cultura de masas y elevarla al plano de un "mito" en que Claudia y su hijo toman respectivamente los roles de Penélope/Telémaco, Circe/las bestias, etc. Mientras una estética vanguardista como la de Cortázar trata de producir un efecto de desautomatización, negando así la repetición, Fuentes trata de sublimarla.

Esta ambigüedad fundamental ante la cultura de masas puede ser ejemplificada en una novela un poco más compleja, *Cambio de piel*. Su narrador, Freddy Lambert —"portador de la palabra posible y los personajes portadores de las palabras devenido imposible"[16] —no es sino un anacronismo tomado de una versión anterior de la novela, *El sueño*. Fue sólo en forma de una reflexión posterior también que al mismo Fuentes se le ocurrió incorporar a *Cambio de piel* dentro del marco de las teorías de McLuhan. "Hay algo más en *Cambio de piel,* algo que sólo ahora entiendo, al leer a Marshall McLuhan, y es una cierta participación en el nuevo mundo circular, o de integraciones simultáneas y explosivas que ha venido a sustituir al mundo lineal, individual, del punto de vista y las motivaciones".[17] El "global village" de McLuhan requiere un nuevo tipo de narrador y un nuevo tipo de novela, la cual, como señala Fuentes en otra ocasión, requiere también el sacrificio del mismo novelista. Ya que es imposible la novela burguesa "de" México (porque la visión totalizadora no puede incluir todas las imágenes de una cultura de masas multinacional y porque la época de la tecnología reconoce la estrella en vez del héroe, la repetición en vez de la historia), la vieja forma de la novela —su "piel"— es reemplazada por el "happening". Los Beatles, en vez de Balzac, vienen a ser el modelo cultural. La novela que Fuentes concibió alrededor de 1965 como *El sueño* incluía todavía personajes "existenciales" con memorias propias o historias de familia. Sólo en el transcurso de su escritura vinieron a parecer estas historias anacrónicas, porque como explica el autor:

> . . .vivimos en sociedades modernas maltratadas, inundadas de objetos, de mitos y aspiraciones de plástico, aluminio, y tenemos que encontrar los procedimientos, las respuestas, al nivel de esa realidad; tenemos que encontrar las nuevas tensiones, los nuevos símbolos, la nueva imaginación, a partir del Chicle Wrigleys y la telenovela y el frug y el bolero y los muchachos de antes no usaban gomina. Antes que en la cultura, el mexicano o el bonaerense o el limeño actuales somos contemporáneos de todos los hombres *en la mercancía y las modas*. (subrayado mío).[18]

Esto explica por qué Fuentes, a la vez que logra captar algunos aspectos de la "sociedad del espectáculo", también sucumbe a la atracción de su universalismo estelar. Explica por qué en *Cambio de piel* se sobrepone a una novela original de inspiración existencialista una alegoría de su propia destrucción. Explica también su empleo un tanto gratuito de fotografías— del pequeño niño judío rodeado por los nazis en Varsovia, del gabinete del doctor Caligari, de estrellas del cine de los años treinta. De paso, podemos anotar, además, cómo el mismo Fuentes se hace fotografiar con estrellas de cine y cómo le gusta dedicarles sus libros.[19] Debemos, sin embargo, preguntarnos por qué están estas fotografías en *Cambio de piel:* ¿son simplemente un gesto a una imagen mecánica cuya importancia él recoge sin saber cómo incorporarla a la ficción? Hay algo más: al final de la novela, después del derrumbe de la pirámide de Cholula, que aplasta a los personajes más viejos y deja al narrador entre el grupo carnavalesco de los *monjes,* éste revela los contenidos de su baúl, que incluye una serie de fotografías de todos los lugares visitados por los personajes de la novela. Incluye también una serie de películas viejas: *El Golem, Nosferatu, El ángel azul, Vampyr, Das Rheingold y Caligari*— precisamente las películas mencionadas en el libro de Kracauer, *De Caligari a Hitler,* que estudia la relación entre la película y el totalitarismo. El narrador de *Cambio de piel* se llama Freddy Lambert y al final se encuentra, como Caligari, en un manicomio. El lector, sin embargo, tendrá poca dificultad en reconocerle como una reencarnación tardía del personaje balzaciano Lucien Lambert, que se volvió loco después de hundirse en filosofías de lo "irracional". Se espera, por lo tanto, que el lector aprecie también lo "irracional" representado por una cultura de la juventud ("youth culture")—el "happening", el erotismo sin culpabilidad contrapuesto a la misión racionalizadora de la sociedad moderna que contamina, todo de la vieja generación en la novela. Porque el "cambio de piel" del título describe no sólo el asunto de la novela, sino un cambio radical en la visión que tiene Fuentes de la literatura; su última parte tiene un carácter ajeno, como si perteneciera a otra obra. El derrumbe de la pirámide que aplasta a algunos de los personajes también representa una quiebra, con características tradicionales de la novela— el "plot" que tiene la forma de un viaje, los personajes cuyo presente está dominado por su pasado—, una quiebra que libera nuevas energías del mismo acto de destrucción. Pero Fuentes sólo refleja, en vez de sublevarse contra lo que pasa en una sociedad corporativa: la pseudoliberación del sujeto de su pasado está destinado a organizar sus energías y deseos más eficazmente alrededor del consumo. En todas las novelas tardías de Fuentes —*Cambio de piel, Terra Nostra y La cabeza de la hidra*— aparece un autor/narrador loco, marginado y/o transformado. En *La cabeza de la hidra* el personaje central manipulado viene a ser Diego Velázquez, y éste un personaje creado por Timón de Atenas. Parecería que Fuentes puede concebir al autor en la sociedad moderna sólo identificándole con una figura anacrónica o con manipuladores de la realidad.

Aparte de esta respuesta de mandarín —el esfuerzo de abstraer la novela por completo del mundo en una reacción similar a la "poesía pura" de una generación anterior—, la época de cultura de masas admite sólo o una amalgama híbrida de formas anteriores de la narración (historia oral, biografía) o la parodia. Cabe mencionar, sin embargo, las posibilidades creadas por otros dos escritores —Cortázar y Puig— que pretenden estetizar al objeto de consumo de la cultura de masas.

Tomemos primero brevemente el caso de Cortázar. En su *nouvelle* clave, *El perseguidor*, presenciamos una transferencia de la noción de creatividad del narrador al artista de *jazz*, modelado sobre la figura de Charlie Parker. La experiencia del *jazz* sólo viene a ser una manera de manifestar la unificación utópica de elementos que siempre han sido separados en la cultura burguesa: artista y espectador, autor y lector, cultura dominante y culturas dominadas. Para Cortázar los objetos prefabricados *(ready-made)* y los productos de la cultura de masas siempre pueden ser modificados —"enajenados"— de tal forma que pierden su carácter de mercancía. Con la radicalización de Cortázar en los sesenta su esfuerzo de estetificación se extiende no sólo al arte sino a la política. Sin embargo, a pesar de su politización de la estética de vanguardia, la confrontación de Cortázar con la cultura de masas es solamente con formas ya *superadas* en cierto sentido. Por ejemplo, escoge a Fantomas, un héroe ya consagrado por los surrealistas, para combatir a los "vampiros" multinacionales; no podría hacer lo mismo con una figura más del momento actual como James Bond. *Fantomas* tiene como subtítulo *Una utopía realizable;* nos presenta en forma de un *comic strip* una conspiración de la CIA para destruir las bibliotecas del mundo. Entran en la acción, por lo tanto, los "autores", con nombres como Octavio Paz, Alberto Moravia, Susan Sontag, etc. Como héroe de una época individualista, Fantomas por sí mismo ya no sirve para derrotar a las corporaciones multinacionales; necesita la ayuda tanto de los escritores como de las masas, cuyas miles de voces comunican su adhesión a la causa humana. Aquí lo utópico consiste precisamente de esta comunicación ideal entre Fantomas, los escritores y las masas anónimas. Sin embargo, los primeros tienen nombre propio, mientras que las masas son representadas sólo como *acentos*— "una voz argentina". De esta forma, se perpetúa la jerarquía de *élite* masa creada y reproducida por los efectos de la cultura de masas.

Todos estos autores generan una dimensión alegórica, ya duplicando la situación de autor en sus personajes, ya como en el caso de Fuentes y Cortázar, haciendo un juego de diferencia e identidad entre las figuras del narrador y la estrella. La originalidad de Puig en *La traición de Rita Hayworth* es que, aprovechándose de esta dimensión alegórica, logra captar directamente la serialidad de la cultura de masas, su efecto de hablar a cada persona por separado y no en grupo. Su narración es una compilación de discursos hablados o escritos— monólogos interiores, cartas, diarios, *memorabilia,* conversaciones, ejercicios de escuela. El cine (como la religión) no sólo provee ideas de lo bueno/malo, bello/feo, correcto/incorrecto; también sirve a los personajes de la novela como un punto común de referencia, por ejemplo, entre Toto y sus padres. De esta forma el cine comienza a desplazar la función de la religión. La estrella del cine detiene una especie de tipo ideal del cual el niño Toto deriva sus ideas de lo mortal y lo inmortal, la mujer, su idea del hombre deseable, el hombre, su idea de la mujer deseable. Así se va creando un nuevo *folcklore* que afecta al lenguaje, los patrones de conducta y las creencias. Todo esto está puesto en escena en un pueblo de provincia en los años entre 1933 y la dictadura de Perón —periodo en que el *glamour* de Eva Perón fue una forma de manipulación política. Evita llega a ser un tipo ideal no sólo porque poseía lo deseado —la belleza, la riqueza, el poder— sino también como símbolo de la generosidad, de lo que se ofrece al espectador/consumidor pasivo. En *La traición* el tema del peronismo en sí es secundario. El momento histórico narrado, sin embargo, es importante en la historia del cine argentino; abarca los años de la Segunda Guerra Mundial, cuando Nelson Rockefeller saboteó eficazmente la industria nacional del cine privándola del celuloide. De allí que sea el cine de Hollywood el que servirá a los sueños de Toto y su madre, un cine transnacional, en el que predomina el espectáculo. El racismo, el esnobismo, el machismo cotidiano, la dependencia, indican la insuficiencia y miseria de la vida, que el cine anega, no en la acción, sino en la contemplación narcisista.

A diferencia de la estrategia vanguardista de recuperar al lenguaje y las formas del proceso de automatización generado por la cultura de masas, *La traición de Rita Hayworth* "estetifica" lo banal, ennobleciéndolo de cierta nostalgia, convirtiéndolo en objeto de contemplación. La novela, en este sentido, permanece dentro de los límites de la conciencia de la clase que describe, esa pequeña burguesía latinoamericana fragmentada por el desarrollo capitalista, cuyas esperanzas se reducen al mejoramiento individual y a la integración social.

CONCLUSIONES

Lo que hemos bosquejado aquí no es una historia o un desarrollo, sino un momento de transición. Antes de los años cincuenta, la presentación idealizadora de un héroe intelectual capaz de dominar una realidad bruta era común en la novela latinoamericana. En las novelas del *boom* que he mencionado, sin embargo, el novelista y el supuesto narrador se separan de la empresa social representada, cuya frustración y fracaso se contraponen al éxito del novelista como autor de un texto/espacio "original", creador de una "realidad alterna". El final de *Los pasos perdidos* —cuando el narrador abandona su esfuerzo de redescubrir la colonia en la selva— alegoriza claramente esta separación, separación que permite al artista salirse de los anacronismos a que la situación de su país ha sido sujeta. Por una serie de razones muy complejas relacionadas con la desintegración de ciertos recursos tradicionales de la novela como el concepto de personaje; con el nuevo énfasis en la creatividad del lector; y con la destrucción de formas sociales hasta entonces perdurables en América Latina, el proyecto totalizador de construir esta "realidad alterna" se vuelve problemático o imposible a finales de los años sesenta. Los novelistas no sólo tienen que confrontar una cultura masificada y multinacional que destruye cualquier noción tradicional de cultura nacional, sino que muchas veces se encuentran ellos mismos convertidos en estrellas por los medios masivos de comunicación. Por lo tanto, el efecto de esta situación se ve no sólo en los esfuerzos de los escritores establecidos de la vanguardia para producir un texto "inconsumible", sino también en el encuentro de los escritores del *boom* con la fascinación irresistible de la estrella y la *imagen*. Lo cual sucede con la novela en una época en la que la imagen viene a ser el portador de la ideología y el significado todavía no es del todo evidente.

Traducción de
JOHN BEVERLEY Y ELISEO COLÓN,
University of Pittsburgh

10. MODERNIZACIÓN, RESISTENCIA Y REVOLUCIÓN: LA PRODUCCIÓN LITERARIA DE LOS AÑOS SESENTA

Ahora que el escándalo que acompañó al "boom" de la literatura latinoamericana se ha disipado, queda en evidencia una crisis de la producción literaria. Los síntomas pueden registrarse en ciertas novelas que son atravesadas por ideologías conflictivas (*Cambio de piel* de Carlos Fuentes, por ejemplo), o que se frustran totalmente como sucede con *El zorro de arriba y el zorro de abajo* de José María Arguedas. En otros casos se notan marcados cambios entre los primeros trabajos de un autor y aquellos realizados posteriormente, como es el caso de Cortázar y de Mario Vargas Llosa o revisiones radicales a anteriores posiciones téoricas como las realizadas entre la primera y la segunda edición de *El arco y la lira* de Octavio Paz o entre la versión final de *La nueva novela hispanoamericana* de Carlos Fuentes y la primera versión, publicada en forma de artículos. Esta crisis se registra con más intensidad en la narrativa, sin embargo; quizás porque se vio atacada en su esencia. Lo mimético, el personaje novelesco, la linealidad de la narración empezaron a perfilarse no como elementos esenciales de la narrativa sino como aspectos ideológicos de la literatura que ayudaron a "naturalizar" el orden burgués, reproduciendo por lo tanto su ideología hegemónica. Más que un conflicto entre la tradición y la modernidad, estas diferencias patentizan la transición de un humanismo liberal que se centra en el concepto del "personaje autónomo", a un tecnicismo que se presenta con dos caras, una modernizante y la otra revolucionaria. De un lado los escritores realistas, trataban de conservar el concepto del personaje a toda costa, tratando de adecuar un sujeto libre y autónomo con una nueva realidad cada vez menos apta a organizarse alrededor de un sujeto. Del otro lado, una vanguardia[1] iconoclasta enfatizaba cada vez más la potencialidad de la literatura para transformar al hombre, desorientando y así despertando las percepciones. Los recursos del juego de palabras, de simultaneidad, de la liberación del significante, se anteponían a la verosimilitud; y el juego reemplazaba al texto mimético. Es mi intención, en este ensayo, señalar algunas versiones y variantes de estas ideologías estéticas de los años sesenta para luego explorar las distintas producciones literarias que de allí resulten.

UNA REALIDAD ESQUIVA

Uno de los constantes motivos de las declaraciones de los novelistas del "boom" era la liberación de la literatura latinoamericana de una realidad ya codificada y del peso del pasado. La nueva novela, según declaración de Mario Vargas Llosa, "deja de ser 'latinoamericana', se libera de esa servidumbre. Ya no sirve a la realidad, ahora se sirve de la realidad".[2] Para Carlos Fuentes, el escritor latinoamericano no necesita compartir en anacronismo de los países dependientes puesto que puede liberarse por la literatura.[3] Severo Sarduy defiende el texto autorreferencial como el único verdaderamente revolucionario.[4] Esta molestia general con el "referente", y con una literatura-reflejo, no se limita a los escritores vanguardistas. Al contrario, es entre ciertos escritores realistas que buscan formas de incorporar la realidad histórica en la literatura que se nota más directamente la existencia de un problema.

Según el escritor realista, la esencia de la obra literaria se debe a una correspondencia con una realidad objetiva. Como explica José Revueltas:

> La Estética no constituye un sistema creado de valores (lo Bello, lo Sublime, lo Noble, etc.), sino la reflexión histórica y socialmente cambiante en el cerebro humano, de los sentimientos y emociones objetivos que contiene la realidad exterior.[5]

Para el realista, la literatura no sólo refleja verdaderamente la historia gracias a la mediación transparente del texto, sino que, al revelar relaciones y vínculos, ocultos normalmente por la discontinuidad de la experiencia individual, permite adquirir un conocimiento crítico, consciente y dialéctico de la realidad. La escritura realista es cognoscitiva y se dirige racionalmente al entendimiento del lector. Es únicamente en sus vertientes más recientes que la crítica de izquierda se ha dado cuenta de que la coherencia y la verosimilitud de los textos realistas clásicos no representan normas eternas sino los soportes ideológicos que determinan un cierto tipo de producción.[6]

Hay más. En América Latina, la aceptación de una teología hegeliana siempre produce contradicciones, puesto que la historia se presenta no como un desarrollo inevitable y continuo sino como un proceso deformado o frustrado. No sólo eso. En ciertos escritores este concepto de la historia, ya no como progreso a un mundo mejor sino como un callejón sin salida, impacta en la propia narrativa. El caso más patente es el de José María Arguedas y *El zorro de arriba y el zorro de abajo* (edición póstuma, 1971). En una novela anterior, *Todas las sangres,* Arguedas había logrado una estructura basada en la oposición entre el capitalismo costeño y el feudalismo serrano, organizando la narrativa en torno a ciertos personajes representativos. Cuando se puso a escribir *El zorro de arriba y el zorro de abajo,* las comunidades serranas en que había basado su visión utópica ya estaban mermadas por la emigración a la costa. La cultura tradicional, fuente para él de ciertos valores más humanos que los del capitalismo, estaba prostituida por el contacto con los valores de un capitalismo crudo y primitivo. El éxodo de la sierra y la destrucción de las comunidades afectó profundamente a Arguedas como persona y como escritor. Le era imposible plasmar las formas de esta nueva realidad. El diario personal que continuamente interrumpe la narración de "los zorros" no solamente habla del suicidio como única solución sino también patentiza la frustración de la novela. Arguedas atribuye esta dificultad de seguir narrando a su propio defecto como novelista y sobre todo a su falta de profesionalismo. Según sus propias palabras, "temo que para seguir con el hilo de los 'zorros' algo más o mucho más he debido aprender de los cortázares, pero eso no sólo significa haber aprendido la 'técnica' que dominan, sino el haber vivido un poco como ellos". No obstante, está consciente de que las técnicas utilizadas como simple experimento podían constituir una trampa para el escritor social, "un falso desvío para resolver ciertas dificultades, especialmente para los que buscan el orden de las cosas a lo pueblo y no a lo ciudad o a lo ciudad recién parida, a lo cernícalo y no a lo jet".[7]

Con Revueltas, el problema se patentiza en una forma diferente. Como escritor y como militante, tenía conceptos hegelianos de la sociedad y un anhelo de soluciones racionales. Por otro lado, la historia posrevolucionaria mexicana y la concientización de los obreros le ofrecían un panorama desesperante. Sintetiza su frustración en una escena bastante reveladora de su novela, *Los errores* (1964) en la cual un observador situado en un plano superior mira un embotellamiento de tránsito en la ciudad de México como si pasara en un planeta inferior. Y en cierta manera, este observador desesperado es análogo a Revueltas ante sus propios personajes. Bastante tradicional en su utilización del punto de vista omnisciente, nunca se enfrenta abiertamente con el problema de la escritura. Sin embargo la misma forma de sus narraciones es el correlato del encarcelamiento que padecen mental y físicamente muchos de sus personajes. La novela *El apando,* que escribió Revueltas ya desde la cárcel en 1969, puede servir de ejemplo. El título se refiere a la vez al encarcelamiento solitario, a las drogas (que encarcelan al hombre en un ciclo de necesidad y de consumo) y también al útero que encierra el feto y metafóricamente alude a la conciencia encarcelada por el ciclo de reproducción biológica. En el nivel literal, *El apando* trata de los esfuerzos de un grupo de prisioneros para conseguir la droga que los liberará momentáeamente, a pesar de la vigilancia de los guardias. Se proponen esconder la droga en el útero de una mujer, la madre del prisionero más miserable. Se establece mediante esta situación una analogía entre el útero, la droga y la cárcel y, en última instancia, entre éstas y la producción del propio texto. La posición del lector ante *El apando* es análoga a la del prisionero ante la droga o los seres humanos ante el sexo y la reproducción biológica. Mucho más integrada que *Los errores* y que otras novelas anteriores del propio autor, *El apando* es una metáfora de una frustración cuyo término no se deja vislumbrar. Y quizás esta frustración se debe a un realismo que se restringe a una visión hegeliana de la conciencia y de la historia.

Hay un contraste evidente en el caso de Roa Bastos cuya novela, *Hijo de hombre* todavía trataba de establecer una continuidad histórica entre distintos momentos de la lucha del pueblo paraguayo mediante ciertos símbolos duraderos —el Cristo, el vagón del ferrocarril (testigo mudo de una revolución derrotada) y un camión de guerra del Chaco—. Es interesante, sin embargo, que en su novela más reciente, *Yo el Supremo,* el mismo autor abandona un concepto hegeliano del desarrollo de la conciencia y de la historia para plantear la historia como problema, como discurso constituyente del sujeto. No es mi intención analizar esta novela sino ofrecerla como la ilustración de la posibilidad de un nuevo realismo basado no en una historia ya modificada según una teleología hegeliana sino como un discurso producido por cierto momento histórico.

PRAXIS REVOLUCIONARIA Y LITERATURA

Era natural a principios de los años sesenta esperar que Cuba proporcionara una estética revolucionaria. La revolución cubana no había tenido antecedentes en América Latina y las palabras de Fidel Castro a los intelectuales en las cuales prometía "todo dentro de la Revolución" parecían prometer una época de experimento fructífero tanto en el campo político como en el campo cultural. Era natural también considerar el realismo (asociado con el realismo socialista ruso) como un anacronismo, como algo ya superable por una sociedad dinámica e innovadora. En *El socialismo y el hombre en Cuba,* Che Guevara había demostrado que el realismo pertenecía al siglo XIX mientras que la estética vanguardista, producto del hombre enajenado contemporáneo no podía servir en una sociedad posrevolucionaria. Una nueva estética tenía que producirse como resultado de una nueva *praxis.* Si no aparecía inmediatamente con la Revolución se debía al pecado original de los intelectuales que todavía no eran revolucionarios. En nuevo arte tenía que esperar la formación de nuevos hombres.

Los cubanos consideraban la insurrección armada como el catalizador más efectivo en la formación del hombre nuevo. Che Guevara escribió al respecto en su diario boliviano: "Es uno de los momentos en que hay que tomar decisiones grandes: este tipo de lucha nos da la oportunidad de convertirnos en revolucionarios, el escalón más alto de la especie humana, pero también nos permite graduarnos de hombres: los que no puedan alcanzar ni uno de estos dos estados deben decirlo y dejar la lucha".[8] En esta jerarquía de valores revolucionarios, las otras formas de *praxis* abiertas a los intelectuales fueron pocas veces definidas en forma específica y tendieron a ser subordinadas a la lucha armada, como se expresa en la declaración del Congreso Cultural de La Habana en 1968.

> El intelectual puede servir a la lucha revolucionaria desde diversos frentes: el ideológico, el político, el militar. La actividad del intelectual resuelve por diversos caminos: proporcionando la ideología de las clases revolucionarias, participando en la lucha ideológica, conquistando la naturaleza en beneficio del pueblo mediante la ciencia y la técnica, creando y divulgando obras artísticas y literarias y, llegado el caso, comprometiéndose directamente en la lucha armada.[9]

No sorprende que esto haya producido una conciencia culpable acerca de la verdadera responsabilidad del intelectual revolucionario. Dada la situación de insurrección armada en muchos países latinoamericanos en los años sesenta, para muchos escritores e intelectuales la participación en el *foco* era ineludible. Algunos de ellos —Javier Heraud (Perú), Otto René Castillo (Guatemala), Roque Dalton (El Salvador), Francisco Urondo (Argentina)— morirán participando en la guerrillera rural o urbana. La guerrillera se convirtió en un elemento temáticamente importante en la literatura de los sesenta— por ejemplo en *País portátil* (1969) de Adriano González León, en *Los fundadores del alba* (1969) de Renato Prada Oropesa y en *Libro de Manuel* (1973) de Julio Cortázar. Más indirectamente, la alta sublimación del guerrillero tendió a producir un abismo entre el hombre de acción y el intelectual que causó bastante desconcierto. La guerrilla y el escritor parecían representar destinos irreconciliables como expresa claramente un poema de Antonio Cisneros, al describir un encuentro con un antiguo amigo convertido en maoísta:

> Y habló de la Gran Marcha sobre el río Azul de las aguas revueltas sobre el río Amarillo de las corrientes frías. Y nos vimos fortaleciendo nuestros cuerpos con saltos y carreras en la orilla del mar, sin música de flauta o de vinos, y sin tener otra sabiduría que no fuesen los ojos. Y nada tuvo la apariencia engañosa de un lago en el desierto.
> Mas mis dioses son flacos y dudé.
> Y los caballos jóvenes se perdieron atrás de la muralla.
> Y él volvió esa noche al hotel de la calle Sommerand.
> Así fueron las cosas.
> Dioses lentos, difíciles, entrenados para morderme el hígado todas las mañanas.
> Sus rostros son oscuros, ignorantes de la revelación.
>
> ("II París 5e", *Canto ceremonial contra un oso hormiguero,* 1968).

El Congreso Cultural de la Habana dedicó varias sesiones a la discusión del papel del intelectual, resaltando la importancia de reducir la brecha entre la vanguardia cultural y la vanguardia revolucionaria. Las conclusiones raras veces llegaron a ser más específicas que la dicotomía de funciones propuesta por Mario Benedetti, según la cual "en el aspecto dinámico de la revolución, el hombre de acción sea una vanguardia para el intelectual y en el plano del arte, del pensamiento, de la investigación científica, el intelectual sea una vanguardia para el hombre de acción.[10] Cuando más tarde, *Fuera del juego,* la colección de poemas premiada de Heberto Padilla fue criticada por su ambigüedad y por su posición contraria al "compromiso activo que caracteriza a los revolucionarios"[11] ese fue el resultado lógico de una posición que partía de la definición de la praxis como la participación activa en la lucha armada o en el frente económico de Cuba.

Por otro lado, los escritores cubanos y latinoamericanos se veían mucho más revolucionarios, cuando eran considerados como representantes de un Tercer Mundo revolucionario. En ese aspecto, el ensayo *Calibán* de Roberto Fernández Retamar es paradigmático. En este ensayo, Fernández Retamar perfila la imagen deformada que la ideología metropolitana había proyectado sobre el Tercer Mundo y la progresiva liberación de esta ideología por parte del pensamiento latinoamericano, a partir de Martí y Rodó. Esta posición ecuménica no está exenta de problemas puesto que examina a ciertos pensadores de la crítica y se basa en una definición de la ideología como consciente y deformadora. En versiones más simplistas produce la convicción de que los pueblos del Tercer Mundo son puros y revolucionarios en contraste con el "primer mundo" corrupto y antirrevolucionario, convicción que fue promovida por algunos miembros de la izquierda europea. Sartre, por ejemplo, pidió humildemente ante el Congreso Cultural que le fuera permitido participar al lado de la relampagueante vanguardia revolucionaria del Tercer Mundo,[12] Y Christine Rochefort, reconoció la enfermedad de Occidente, declarando: "mi única salud es saberme enferma. Actualmente somos nosotros, los occidentales, quienes nos hemos convertido en subdesarrollados de la conciencia".[13] Una consecuencia un tanto absurda fue la crítica dirigida a aquellos escritores latinoamericanos que se expusieron a la peligrosa atmósfera de las naciones metropolitanas. Neruda, por ejemplo, fue criticado por el simple hecho de haber asistido a una reunión del club de escritores (PEN) en Nueva York y, cuando en 1971, Heberto Padilla fue puesto en libertad después de una confesión, el Congreso Nacional de Educación y Cultura condenó a aquellos escritores que habían tenido éxito en América Latina para luego establecerse en "las podridas y decadentes sociedades de Europa Occidental y los Estados Unidos para convertirse en agentes de la cultura metropolitana e imperialista".[14] En el plano político esta actitud fomentó la noción de una clase trabajadora metropolitana pasiva que colaboraba en la política de sus líderes; en el plano cultural, convirtió la crítica en una polémica *ad hominem*. En cierta medida, ejemplificó esta crítica, el ensayo del novelista colombiano, Oscar Collazos, "La encrucijada del lenguaje", que provocó respuestas inmediatas de Cortázar y de Vargas Llosa. Para explicar por qué *Cien años de Soledad* se consideraba más "auténtica" que *Cambio de piel* de Carlos Fuentes, Collazos se apodera de la vieja idea romántica según la cual el escritor es de alguna forma "fecundado" antes de "dar a luz" una obra de arte:

> La obra de un escritor se origina en una serie de experiencias individuales que lo marcan, que le dejan un pesado y alienante estado de preñez y que cada autor se debe a una realidad específica (cultural o social) que lo persigue. . . La creación es, en cierta medida, un desembarazo, un acto de liberación, el ejercicio de nuestra propia desalienación.[15]

Una explicación de la creación literaria que depende de la analogía establecida entre el nacimiento humano y la producción de la obra es necesariamente inadecuada. Sustituye un proceso natural por una teoría y suprime la cuestión de la especificidad de la obra de arte.

Al considerar estas teorías que tienen su origen en la definición cubana de la *praxis,* cabe notar las diferencias que operaban entre la situación del autor cubano, para quien la Revolución ya estaba en marcha, y el autor latinoamericano, muchas veces víctima de la represión o del aislamiento. En Cuba, durante los años sesenta, la isla entera estaba involucrada en el trabajo de la producción y ya no cabía la diferenciación entre "alta cultura" y cultura de masas o cultura popular que se había producido en los países de la esfera capitalista. En éstos, la represión directa junto con la penetración de los medios de comunicación ayudaban a preparar a la población para la aceptación de la sociedad de consumo. Al mismo tiempo, y a pesar del éxito de los escritores del "boom", el abismo entre la alta cultura y la de las masas estaba destinado a aumentar.

EL "BOOM" DE LA NOVELA Y LA IMAGINACIÓN LIBERAL

Durante los primeros años de la década del sesenta, muchos escritores que apoyan a la Revolución Cubana y las luchas de liberación nacional aceptaron la tesis según la cual se necesitaban nuevas técnicas para revolucionar la literatura. En eso, se representaban como los herederos de la vanguardia europea y de su incansable búsqueda de nuevas áreas de la experiencia. No obstante, en el contexto latinoamericano las declaraciones de los nuevos novelistas a menudo adquieren extrañas similitudes léxicas con el lenguaje de economistas desarrollistas. El novelista uruguayo Juan Carlos Onetti, hablará de la importación de técnicas de la metrópolis:

> . . .importar de allí lo que tenemos —técnica, oficio, seriedad— pero nada más que eso. Aplicar estas cualidades a nuestra realidad y confiar en que el resto nos será dado por añadidura.[16]

Por su parte, Carlos Fuentes contrastaría la universalidad de la cultura con el retraso de la tecnología latinoamericana, al declarar: "nuestra universalidad nacerá de esta tensión entre el haber cultural y el deber tecnológico".[17] Según el punto de vista de Mario Vargas Llosa, la nueva novela difiere de la novela "primitiva" precisamente por la diversificación de la producción. Compara específicamente el estado primitivo del desarrollo de la novela con los estados desiguales del desarrollo de América Latina donde "los rascacielos y las tribus, la miseria y la opulencia" coexisten. . .[18] Este vocabulario técnico y los términos de la contabilidad (haber cultural y deber tecnológico) sugieren la estructura de una economía de la producción literaria. Sería un error sin embargo creer que los autores sencillamente reflejan esta nueva etapa en sus obras. Al contrario, las novelas de estos autores liberales-existencialistas son interesantes en parte por el mismo intento que hacen de proyectar los personajes independientes y autónomos, consagrados por la novela clásica del siglo XIX, dentro de ambientes hostiles o fantasmagóricos. De esta manera la contradicción entre el individualismo y la sociedad dependiente se pone en evidencia. En contraste con la frustración del personaje, sin embargo, muchos de estos autores conservan una visión utópica de la libertad del escritor a quien, Fuentes por ejemplo, llega a considerar una especie de hombre nuevo, ejemplar en su creatividad:

> ¡L'imagination au pouvoir! Los estudiantes de Francia le dieron un contenido grave e inmediato a las palabras visionarias y rebeldes de los artistas: el hombre, cada hombre, es capaz de definir su propio destino como un artista define, creándola, su propia obra. Y como una obra de arte la responsabilidad individual es la instancia suprema de la responsabilidad colectiva, y, simultáneamente, lo es ésta de aquélla.[9]

La obra de Mario Vargas Llosa *García Márquez: Historia de un deicidio* (1971) que representa al escritor como Luzbel rebelándose en contra de la realidad y contra toda la sociedad para poder crear su propia realidad, ejemplificada esta visión del escritor-héroe. No obstante, en las novelas del existencialismo-liberal existe una disparidad entre los personajes, altamente individualizados, y una cadena determinista de acontecimientos y estructuras a la cual permanecen atados. Me refiero a *El astillero* (1961) de Onetti, a *La muerte de Artemio Cruz* (1962) de Fuentes, a *La casa verde* (1966) y *La ciudad y los perros* (1963) de Mario Vargas Llosa, a *El coronel no tiene quien le escriba* (1961) y *Cien años de soledad* (1967) de García Márquez y (quizás menos directamente) a *Rayuela* (1963) de Cortázar. En estas novelas, el individuo, esa fuerza motriz de la sociedad burguesa, se convierte en un héroe fantasmagórico o una excrecencia grotesca cuyo talento e ingenuidad están fuera de toda proporción respecto a las limitaciones del ambiente. Larsen, Artemio Cruz, Fushía, Aureliano Buendía, son *entrepreneurs* en potencia que no pueden contribuir a formar una sociedad capitalista y que están desprovistos del elemento esencial para el éxito: la posibilidad de invertir en un futuro estable. Indudablemente, aunque Vargas Llosa destacó la diversidad de las nuevas novelas, ellas tienen rasgos similares al situar a sus personajes en un atolladero que no les permite una salida hacia el futuro. Para personajes como Larsen (*El astillero*) que vive en los escombros de un astillero abandonado; para Fushía (*La casa verde*) que tiene que robar la goma para hacer negocios en una selva controlada por un sistema de intereses creados: para Artemio Cruz que conquista una fortuna personal pero a costa de toda relación auténtica, libre empresa sólo puede significar su inserción en un sistema ya dado e inmodificable. Explica la proyección de estas novelas hacia el pasado, única trayectoria permitida a los personajes.[20]

Para la generación que sigue a las del "boom", el concepto del personaje aparece como una gastada convención o, en el mejor de los casos, como un elemento problemático. Esta generación (por ejemplo Héctor Libertella de Argentina, José Agustín y Gustavo Sainz de México) tienden a crear un personaje disponible, libre de convenciones mediante un lenguaje moderno, desenfadado, que se antepone al lenguaje cuadrado, tradicional de otras generaciones. La rebelión de la juventud no era sencillamente una rebelión literaria, sin embargo, puesto que necesitaba la adaptación de nuevas costumbres que llegaban a provocar escándalo. En México, muchos de los jóvenes que manifestaron en Tlatelolco en 1968 empiezan, como demuestra Elena Poniatowska en *La noche de Tlatelolco,* manifestando su inconformidad por el traje o la moda. Eran estos mismos jóvenes que concurrían a los Vips, tomaban Coca Cola y promovieron el estilo internacional, actuando así a la vanguardia de la modernización. A pesar de tener sus mártires, la rebelión juvenil se limitó a un anarquismo individualista, y como se demostró en Chile, sus adeptos podían igualmente estar al servicio de una causa reaccionaria.

LA VERSIÓN DE LOS MANDARINES

Si el internacionalismo de la "onda" se reduce en muchos casos a la aceptación de un estilo de vida moderno, en otros escritores se encuentran teorías que se basaban en una supuesta revolución tecnológica. La idea de que era la tecnología la que estaba cambiando la faz del mundo era bastante difundida durante los años sesenta. Hasta el informe Rockefeller atribuyó las inquietudes de los pobres a la visión de una vida mejor proporcionada por la publicidad y los medios de comunicación. Era indudable también que las nuevas industrias y supermercados introducidos en los años sesenta cambiaron el aspecto de muchas ciudades latinoamericanas que empezaban a tener un rostro moderno. Como hacía notar Carlos Fuentes, la vida de muchos latinoamericanos empezaba a parecer a las del resto del mundo:

> estamos metidos hasta el cogote en la carrera de las ratas, estamos sometidos como cualquier gringo o francés, al mundo de las competencias y los símbolos de status, el mundo de las luces de neón y los Sears Roebuck y las lavadoras automáticas y las películas de James Bond y los tarros de sopa Campbell.[21]

Ya en los años cincuenta, Octavio Paz había sugerido que, en la época de las bombas atómicas, la situación de los latinoamericanos no era nada diferente a la de Europa. Más adelante, el mismo Paz empieza a desarrollar una teoría (semejante en ciertos aspectos a la de McLuhan) basada en la noción de una revolución tecnológica, de alcance universal.

> La técnica se interpone entre nosotros y el mundo, cierra toda perspectiva a la mirada; más allá de sus geometrías de hierro, vidrio o aluminio no hay rigurosamente nada, excepto lo desconocido, la región de lo informe todavía no transformada por el hombre.[22]

Para Paz ya no hay, como consecuencia de la tecnología, sistemas de referencias estables, sino un signo que flota libremente en un espacio vacío de todo significado previo. En lugar de un sistema de códigos más o menos fijos hay un "repertorio de signos dueños de significados temporales y variables, un vocabulario universal de la actividad, aplicado a la transformación de la realidad y que se organiza de esta o aquella manera ante esta o aquella resistencia".[23] En lugar de una tradición y de una teología, la tecnología ofrece un espacio en blanco para ser llenado, y un juego de signos constantemente susceptibles de nuevas configuraciones, en virtud de un contexto indeterminado.

De este modo la tecnología se convierte potencialmente en

una fuerza de liberación: "libera a la imaginación de toda mitología y la enfrenta con lo desconocido". El marxsismo se considera una teoría arcaica, limitada por el historicismo y ajeno al alcance del desarrollo intelectual contemporáneo. En cambio, la tecnología hace posible una política del presente, espontánea y creativa, y así unida a la estética.

Si la posición de Paz representa un desarrollo bastante consecuente de sus primeras ideas, la de Fuentes implica un cambio radical del historicismo de su primer época al determinismo tecnológico. Cuando da a publicar *La nueva novela hispanoamericana* en 1969, ya considera que la dicotomía capitalista/socialista ha sido reemplazada por "una suma de hechos —fríos, maravillosos, contradictorios, ineluctables, nuevamente libertarios, nuevamente enajenantes— que realmente están transformando la vida en las sociedades industriales: automatización, electrónica, uso pacífico de la energía atómica". Por lo tanto una nueva estética tiene que reemplazar al viejo realismo: "De la misma manera que las fórmulas económicas tradicionales del industrialismo no pueden resolver los problemas de la revolución tecnológica, el realismo burgués. . . no puede proponer las preguntas y respuestas límites de los hombres de hoy";[24] esto a su vez significa la adopción de un lenguaje "de la ambigüedad, de la pluralidad de significados, de la constelación de alusiones, de la apertura".[25] A este respecto, es interesante el hecho de que se establezcan como valores la "apertura" y la "pluralidad" que también constituyen términos positivos de sus ensayos políticos.

Fuentes adoptó una nueva estética en el proceso de escribir la novela *Cambio de piel*. Originalmente se tituló *El sueño* y la primera versión ya se encontraba terminada en 1965. La versión final, publicada en 1967, según palabras del propio autor "paralizó a la historia". "No hay progreso histórico, es lo que está diciendo la novela: no hay escatología, hay puro presente perpetuo. Hay la repetición de una serie de actos ceremoniales".[26] Por consiguiente se opone el rito a la idea del progreso y a la escatología cristiana. La novela misma se encuentra atravesada sin embargo por proyectos contrarios. Una narración tradicional a base de un viaje de cuatro personajes se transforma en un "happening" que forma parte del delirio de un narrador loco, Freddy Lambert, que se encuentra encerrado en un manicomio. Los protagonistas del "happening" dejan de ser personajes para convertirse en figuras transformables que son liberadas de la carga de identidad y por consiguiente de la responsabilidad ética. Son más que personajes, significantes cuyo significado es la "modernidad". El mismo nombre del narrador, Fraddy Lambert, alude a un personaje de Balzac, Lucien Lambert, quien se volvió loco tratando de conversar con los ángeles; así indirectamente alude a la alineación de la literatura en la sociedad capitalista. Al mismo tiempo su proyecto modernizante es ambiguo puesto que implica no solamente la destrucción del concepto clásico del personaje sino también la destrucción de un autor/creador de una obra permanente.

La transformación del personaje en figura es sintomática. Ya novelas como *Farabeuf* (1965) de Salvador Elizondo, *62 Modelo para armar* de Cortázar, *De dónde son los cantantes* y *Cobra* (1972) de Severo Sarduy se ocupan no de la realidad sino de la producción del propio texto. La escritura, como lo erótico, está puesta en oposición a la sociedad de consumo a la que ataca en sus propias bases. Quizás lo más problemático de esta nueva vanguardia sea la confusión entre la escritura y la revolución. Para Severo Sarduy, por ejemplo, "una revolución que no inventa su propia escritura ha fracasado. El papel del escritor es tan importante que yo preguntaría: ¿qué puede haber más que un escritor? ¿Cuál es el sentido de todos esos actos de 'confrontación' si no es por la escritura, puesto que la escritura es una fuerza que desmitifica, corrompe, mina y rompe los cimientos de cualquier sistema? La brecha epistemológica de la cual todo el mundo habla tanto, no se ha producido y no puede producirse —como sabemos por los esfuerzos de *Tel Quel* y de otros— a menos que se produzca y se nutra en la escritura".[27] Aun aceptando la premisa de Sarduy es difícil entender cómo tal subversión pueda ocurrir a menos que se generalizara a grandes sectores de la sociedad, factor que por lo demás queda excluido por el aislamiento de la vanguardia, un aislamiento cada vez más marcado. Se sospecha también que la burguesía puritana, dedicada a la producción, que parece ser el blanco de ataque de la vanguardia, ya ha cambiado tanto el rostro que no es fácilmente reconocible. En el siglo XIX, una de las armas de la burguesía era la imprenta y era lógico pensar en atacar su ideología por medio de la literatura. Hoy día, la imprenta es solamente uno y no el más importante de los recursos del capitalismo avanzado. Hay más. Los recursos mediante los cuales la vanguardia pensaba estimular las percepciones del lector —lo autorreferencial, la polisemia, la ironía— no se diferencian en sí de los de la publicidad. Como ya señaló Brecht no se trata simplemente de apropiarse de tales recursos, sino de transformarlos. Ante tal problema, el sectarismo de la vanguardia no representa un avance sino un paso atrás.

LA ESTÉTICA GUERRILLERA

La escritura de Cortázar representa un intento de politizar la estética vanguardista sin sacrificar la posición privilegiada del escritor frente a la liberación humana. Para escribir una obra importante, el escritor tiene que haberse liberado de ciertas actitudes negativas:

> El signo de toda gran creación es que nace de un escritor que de alguna manera ha roto ya esas barreras y escribe desde otras ópticas, llamando a los que por múltiples y obvias razones no han podido aún franquear la valla, incitando con las armas que les son propias a acceder a esa libertad profunda que sólo puede nacer de la realización de los más altos valores de cada individuo.[28]

Al mismo tiempo, como conserva Cortázar la distinción, ya tradicional, entre lenguaje literario y lenguaje instrumental o cotidiano, tiende a separar sus obras de ficción de las obras que tratan de la "realidad". De un lado produce textos como *Octaedro* (1974) y *62 Modelo para armar;* y del otro lado los libros de tópicos misceláneos como *La vuelta al día en ochenta mundos* (1967) y *Ultimo round* (1969). En *Rayuela* los distintos tipos de discurso se juntan. Sin embargo los recortes de periódicos, de cartas y los ensayos se separan en la segunda parte del libro. *Libro de Manuel* (1973), por el contrario, marca una ruptura con la práctica anterior. Los extractos de la prensa contemporánea que aquí se incluyen, y que generalmente se refieren a la represión, a la tortura o a las acciones guerrilleras, no están simplemente enfocados como discursos instrumentales o cotidianos. Su objetivo es reproducir la red a través de la cual la ideología dominante filtra la información. El propio Cortázar explica lo que significa este cambio de método.

> Si durante años he escrito textos vinculados con problemas latinoamericanos, a la vez novelas y relatos en que esos problemas estaban ausentes o sólo asomaban tangencialmente, hoy y aquí las aguas se han juntado, pero su conciliación no ha tenido nada de fácil, como acaso lo muestre el confuso y atormentado itinerario de algún personaje.[29]

Junto con los textos informativos, los recursos de la vanguardia —el *blague,* el juego de palabras, las discusiones ontológicas— son incorporados a la actividad guerrillera, la cual se presenta como la continuación de la poética de vanguardia, o la politización de los recursos literarios. El grupo de jóvenes y simpáticos guerrilleros que recurre a la provocación y al terrorismo por una intensa preocupación ética y que plantea y ejecuta el secuestro de un VIP latinoamericano en París corresponde a una visión marcusiana de la rebeldía:

> Lo que cuenta, lo que yo he tratado de contar es el signo afirmativo frente a la escalada del desprecio y del espanto, y esa afirmación tiene que ser lo más solar, lo más vital del hombre, su sed erótica y lúdica, su liberación de los tabúes, su reclamo de una dignidad compartida en una tierra ya libre de este horizonte diario de colmillos y dólares (p. 8).

Lo utópico y lo antiutópico quedan así plasmados en diferentes discursos: desde el lenguaje anónimo del capitalismo avanzado a la comunicación amistosa y amorosa que crea su propio lenguaje. En este sentido la novela va más allá del experimento de vanguardia para asociar la creatividad con una visión utópica de las relaciones humanas.

La posibilidad de la realización de una sociedad utópica se encarna en un grupo de amigos que no tienen otro lazo que la simpatía y el amor. De allí, quizás también se derivan los defectos de la novela puesto que el autor cae en una especie de maniqueísmo generacional según el cual los jóvenes son puros y los viejos podridos. La juventud es sin clase, internacional, creativa, lista a sacrificarse para el futuro, para Manuel.

Cortázar intenta un enfoque a la vez más concreto y más novedoso en *Fantomas contra los vampiros multinacionales* (1975), un texto entre tira cómica y folletín. Aquí trata en cierta forma de popularizar la política vanguardista (cambiar al hombre y la sociedad) utilizando a un héroe de la literatura popular. Hay que notar, sin embargo, que Fantomas no es cualquier protagonista sino un personaje popularizado por los folletines de principios de siglo y por el cine mudo y un héroe consagrado por los surrealistas. Tiene poco que ver, por lo tanto, con la cultura de masas contemporánea. Contra un complot de la CIA y de las corporaciones multinacionales para quemar bibliotecas y destruir libros, un grupo de intelectuales que incluye al propio Cortázar, a Susan Sontag, a Octavio Paz y a Alberto Moravia tratan de reaccionar apoyados por Fantomas. La alta cultura moviliza así la cultura popular en su ayuda. El hecho de que la alta cultura está representada por personas y la cultura popular por un héroe de folletín ya crea una jerarquización elitista de valores. Sin embargo, la resistencia se debe menos a Fantomas y los intelectuales que a las miles de voces anónimas oídas por teléfono, o sea a la comunicación humana que rompe la fuerza impersonal de la tecnología y el capitalismo. Un gesto de Fantomas, quien ofrece un caramelo a un niño, subraya la importancia de estas relaciones interpersonales. Con el objeto de destacar el nexo entre la fábula y la realidad, Cortázar incorpora elementos autobiográficos. La fábula de Fantomas es un sueño que le viene después de escuchar los testimonios horripilantes ante el Tribunal Rusell y al final del sueño tenemos un documento del mismo Tribunal. La inclusión de este material extraliterario establece lazos entre la fantasía utópica y la realidad. La consecuencia, sin embargo, es una disparidad de tono entre el discurso juguetón de la fábula y el relato de la tortura. En forma tentativa, *Fantomas* significa el intento de romper con el aislamiento de la literatura del contexto político y el lenguaje de la vida cotidiana. Al mismo tiempo, conserva una jerarquía de valores que da prioridad a la alta cultura.

LA ESCRITURA COMO RESISTENCIA

En un momento en que la cultura popular está en vías de desaparecer ante la cultura de masas y en que la alta cultura está cada vez más marginada, cabe preguntar si se ofrece alguna posibilidad de una cultura literaria generalizada que resistiera a las fuerzas opresivas. El problema había surgido en Chile durante el gobierno de la Unidad Popular cuando era urgente encontrar formas de contrarrestar la influencia de los medios de comunicación reaccionarios. Según los análisis hechos por Armand Mattelart y otros de la organización de la industria de la cultura de masas y de su forma de reproducir la ideología, hubiera sido necesario encontrar no solamente nuevos contenidos sino nuevos modos de producir la cultura. La proposición de Mattelart de "devolver el habla al pueblo" era bastante mal recibida por ciertos escritores que se adherían todavía a la supuesta autonomía del arte. La caída de Allende significó que esta discusión que hubiera podido ser fructífera quedara en una etapa embrionaria.[30]

No obstante, aquí y allá en América Latina se nota la publicación de algunos textos que aunque no pueden considerarse "alta literatura" en el sentido tradicional marcan unos intentos por sobrepasar los viejos límites entre lo culto y lo popular. Me refiero a textos como *Operación Masacre* (Buenos Aires, 1964) de Rodolfo Walsh, a *Historia de un náufrago* (1970, escrita en 1965) de García Márquez y a *La noche de Tlatelolco* (1971) de Elena Peniatowska (que llegó a su edición vigésima quinta en 1975). Estos textos no sólo "exponen" escandalosos incidentes sino que también proporcionan una serie de contextos humanos, sociales y políticos excluidos de los informes oficiales. Como una tendencia paralela, también debemos hacer notar el crecimiento de un *corpus* de historias orales y biografías de personas cuyas vidas han sido ampliamente simplificadas y mal interpretadas por "especialistas". También ha aparecido un pequeño grupo de textos "literarios" que efectivamente transgreden los límites entre la literatura y la historia, pero de una manera totalmente diferente a la escritura realista del pasado. Los poemas de Ernesto Cardenal, *Homenaje a los indios americanos* (1972) y *Yo el Supremo* (1974) de Roa Bastos, representan dos ejemplos bien diferentes. Los poemas de Cardenal utilizan transcripciones de las religiones y creencias pre-colombinas, así como también fuentes secundarias de la historia y recuentos de viajes, con el propósito de transmitir el impacto del genocidio de los indígenas en el presente. Una de las características más interesantes de estos poemas, no es tanto la explícita intención movilizadora, como la desmitificación del lenguaje poético y, en particular, la virtual eliminación de dos figuras poéticas tradicionales: el símil y la metáfora. El resultado de esta eliminación es que el lector debe enfrentar el discurso de y acerca de los indígenas americanos, con la menor mediación posible del poeta. Este no atrae hacia sí la atención como único creador y virtuoso del texto sino que dispone esos diferentes tipos de discursos de tal forma que la atención del lector es atraída hacia toda la cuestión del tratamiento del indígena en Occidente. En forma similar, en *Yo el Supremo,* el recopilador sostiene que todo lo que ha hecho es copiar fielmente lo que han dicho otros. La significación de ambos textos es que la historia no es algo acabado y perteneciente al pasado mientras la ficción, en cambio, es algo "original", sino que ambas están fundidas por la dinámica del presente de la cual el escritor y el lector participan. Ambos trabajos implican también una crítica al pasado a la vez que invalidan la separación de un mundo "interior" subjetivo de un mundo "exterior" social, separación que ya ni siquiera los psicólogos apoyan.

Lo que en estos textos están en juego no es tanto la inclusión de la realidad dentro del discurso, ni tampoco el rescate del "contenido", sino el hecho de que la exposición de las prácticas significativas del discurso literario puede ser ahora extendida a textos históricos, sociales y políticos.

La especificidad de la literatura, su enfoque en el mensaje propiamente dicho, se conserva, pero no es "autónoma" ya que precisamente dentro del texto literario de las múltiples clases de dircursos pueden reflejarse unos sobre otros y por consiguiente hacer patente la ideología dominante. En consecuencia, los límites entre historia y literatura se transforman, no por un cambio misterioso del *episteme,* sino al enfrentar *de facto* una violación de la "autonomía" de la literatura por el sistema dominante propiamente dicho, el cual ha reordenado las categorías del conocimiento y de la experiencia, haciendo esenciales nuevas formas de oposición.

La modernización ha introducido en Latinoamérica todos los horrores de la revolución industrial europea sin el equilibrio del humanismo liberal. A diferencia de la Europea del siglo XIX, donde los credos cristianos y humanísticos produjeron alternativas ideológicas, aun dentro de la burguesía, los latinoamericanos están pasando por un proceso inhumano, semejante al de los conejillos de Indias en el laboratorio conductista. La tortura no es una aberración de un sisteman básicamente humano, sino una práctica fundamental del conductismo que sustenta el sistema dominante de producción y comercialización y su consecuente representación de los "media". El conductismo ataca al "hombre autónomo" y considera la cultura como un "gigantesco ejercicio de autocontrol", equiparando términos como autoconocimiento con autoconducción, dentro de una estructura que nunca puede ser cuestionada o cambiada.[31] La escritura (y no solamente la literatura) se opone a esto, no para restaurar el humanismo burgués ni exaltar a un autor carismático; tampoco para considerar ciertas técnicas y recursos como necesariamente revolucionarios o subversivos, sino para rescatar la información sojuzgada o reprimida, enfocando las prácticas significativas que sustentan la forma en la cual esa información se presenta. Por esta vía trasgrede los límites disciplinarios y las estructuras jerárgicas dentro de las cuales el conocimiento y la experiencia han sido organizados y adelanta la posibilidad de cooperación social de los seres humanos y de nuevas formas de la cultura que se opondrán al mecanismo de estímulo y respuesta del conductismo. La sola escritura no puede reparar los daños ocasionados a las formas tradicionales de la cultura mediante la "modernización" que las ha reemplazado por un alfabetismo funcional y por la monotonía de los medios de comunicación de masas, pero de todos modos sigue siendo una de las vías más efectivas para hacernos conscientes de lo reprimido por la sociedad. Además, la producción de textos que sobrepasen los límites convencionales aunque un proyecto modesto en comparación con la gran aventura de los sesenta, es sin embargo una práctica más digna que la de servir ciegamente a la modernización tecnológica.

Stanford University

NOTAS

INTRODUCCIÓN: EL ARTISTA Y LA CONCIENCIA SOCIAL

1 Esteban Echeverría, *Dogma socialista y otras páginas políticas,* p. 91.
2 Citado por R. Bazin, *Histoire de la littérature américaine de langue espagnole,* p. 22.
3 Leopoldo Zea discute el rechazo de la cultura española en Hispanoamérica en *El pensamiento latinoamericano,* pp. 7-26.
4 Joâo Cruz Costa, *Historia de las ideas en Brasil,* p. 49.
5 Sarmiento, *Facundo,* 4a. edición, p. 18.
6 Esteban Echeverría, *La cautiva y El matadero,* pp. 75-79.
7 Sarmiento, *op. cit.*, p. 254.
8 Sobre esta opinión de *Martín Fierro,* véase *El gaucho Martín Fierro,* de Jorge Luis Borges.
9 Desafortunadamente no hay un estudio completo de estos grupos literarios del siglo diecinueve, aunque algunos de ellos son mencionados de paso por Margarita C. Suárez-Murias en *La novela romántica en Hispanoamérica.*
10 Zea, *op. cit.*, p. 33.

1. UNA REBELIÓN SIMBÓLICA: EL MOVIMIENTO MODERNISTA

1 Ricardo Gullón ha escrito la mejor presentación general del Modernismo en *Direcciones del Modernismo.* Hay también un estudio muy completo en la *Breve historia del modernismo;* las referencias hechas aquí son de la segunda edición.
2 Para una amplia discusión del término "Modernismo", véase Henríquez Ureña, *op. cit.*, capítulo 9, pp. 158-72.
3 Estas obras se incluyen en *Poesías completas de* Rubén Darío. Para la prosa véase *Obras completas.* Los mejores análisis de su poesía son los siguientes: Pedro Salinas, *La poesía de Rubén Darío* y Arturo Torres Rioseco, *Vida y poesía de Rubén Darío.*
4 Este tema se discutió con gran vivacidad, especialmente en México en ese periodo. Véase, por ejemplo, los muchos artículos al respecto de Amado Nervo, en *Obras completas,* Vol. II, especialmente "El casticismo melindroso", pp. 307-11.
5 Citado por Henríquez Ureña, *op. cit.*, p. 288.
6 *Ibid.*, p. 289.
7 Manuel González Prada, *Páginas libres,* p. 43.
8 Darío, "María Guerrero", *Obras completas,* Vol. IV, p. 887.
9 A. Bórquez Solar, citado por John M. Fein, *Modernism in Chilean Literature,* p. 18.

[10] Darío, "Los colores del estandarte", *Obras completas,* Vol. IV, p. 874.
[11] Julián del Casal, "La última ilusión", *Prosas,* Vol. I, pp. 228-29.
[12] Manuel Gutiérrez Nájera, "La duquesa Job", *Poesía,* pp. 200-02.
[13] Darío, *Prosas profanas,* en *Poesías completas,* pp. 611-99; Leopoldo Lugones, "*Las montañas de oro*", *Obras poéticas completas,* pp. 51-103; Ricardo Jaimes Freyre, *Castalia bárbara,* en *Poesías completas.*
[14] Nervo, "Nuestra literatura", *Obras completas,* Vol. I, p. 610.
[15] Citado por Fein, *op. cit.*, pp. 20-21.
[16] Darío, "La vida literaria", *Obras completas,* Vol. I, p. 610.
[17] Citado por Henríquez Ureña, *op. cit.*, p. 289.
[18] Casal, *Prosas,* Vol. III, p. 86.
[19] José Asunción Silva, "La realidad", *Prosas y versos,* p. 35.
[20] José Asunción Silva, "El paraguas del padre León", *Ibid,* pp. 45-49.
[21] Manuel Díaz Rodríguez, "Cuento áureo", *Cuentos de color,* pp. 87-93.
[22] Todos esos cuentos de Darío están incluidos en *Azul. . .*, publicado por primera vez en Santiago en 1888; véase *Obras completas,* Vol. V. pp. 624-757.
[23] José Martí, "Versos sencillos", *Obras completas,* Vol. XVI, p. 67.
[24] Martí, *Obras completas,* Vol. XV, p. 18.
[25] Martí, "Vivir en sí", *Obras completas,* Vol. XVI, pp. 276-7.
[26] Martí, "Versos sencillos", *Obras completas,* Vol. XVI, pp. 123-4
[27] Raúl Silva Castro, *Obras desconocidas de Rubén Darío,* pp. 266-68.
[28] Darío, *Poesías completas,* pp. 1019-26.
[29] Citado por Fein, *op. cit.*, p. 29.
[30] *Ibid.*
[31] Salvador Díaz Mirón, *Poesías completas,* pp. 101-3.
[32] Citado por Fein, *op. cit.*, p. 30.
[33] Díaz Mirón, "A Víctor Higo", *Poesías completas,* pp. 39-44.
[34] Darío, "A Víctor Hugo", *Poesías completas,* pp. 208-12.
[35] Darío, "El poeta", *Poesías completas,* pp. 275-79, Aún más exagerado fue su poema juvenil, "Víctor Hugo y la tumba", *Poesías completas,* pp. 435-44.
[36] Lugones, *Obras poéticas. . .*, p. 58.
[37] José Santos Chocano, "En la mazmorra" (de *Iras santas,* 1893-95), *Obras completas,* pp. 89-93.
[38] Martí, *Obras. . .*, Vol. XV, pp. 361-68.
[39] Gutiérrez Nájera, "Non omnis moriar", *Poesía,* pp. 346-47.
[40] Casal, "Autobiografía", *Hojas al viento,* incluido en José Monner-Sans, *Julián del Casal y el modernismo hispanoamericano,* pp. 123-25.
[41] José Asunción Silva, "Ars", *Prosas. . .*, p. 129.
[42] Darío, "La vida literaria", *Obras completas,* Vol. IV. p. 755.
[43] Darío, Introducción a "El canto errante", *Poesías completas,* p. 792.
[44] José Asunción Silva, "Paisajes", *Prosas. . .*, pp. 40-42.
[45] José Asunción Silva, "Nocturno", *Prosas. . .*, pp. 68-70.

[46] Darío, "Yo persigo una forma", de "Prosas profanas", *Poesías completas,* p. 699.

[47] El uso de la mitología clásica está tratado exhaustivamente por Dolores Ackel Fiore en *Rubén Darío in Search for Inspiration.*

[48] Darío, "El reino interior", de *Prosas profanas.*

[49] "Prometeo" y "Salomé" de Julián del Casal, están incluidas en la obra citada de Monner-Sans, pp. 166 y 165 respectivamente.

[50] Los más notables de estos poemas de Darío están en "Cantos de vida y esperanza", *Poesías completas,* especialmente "Melancolía", p. 764 y "Nocturno", p. 770.

[51] Darío, "El coloquio de los centauros", *Poesías completas,* pp. 641-9.

[52] El poema de Yeats data de 1923. Véase *Collected Works of W. B. Yeats,* Londres, 1959, p. 241. El poema de Darío corresponde a los "Cantos de vida y esperanza", *Poesías completas,* pp. 734-35.

[53] Darío, "La dulzura del Angelus", *Poesías completas,* pp. 740-41.

[54] Ricardo Jaimes Freyre, "El canto del mal", *Poesías completas,* p. 740.

[55] Citado por Mário da Silva Brito, *História do Modernismo Brasileiro,* Vol. I, p. 19. Hay un recuento sobre el movimiento de poesía parnasiana en Manuel Bandeira, *Antología dos Poetas Brasileiros da Fase Parnasiana.* Los poemas de Joâo Cruz e Sousa se incluyen en sus *Obras Poéticas.*

2. LA MINORÍA SELECTA: ARIELISMO Y CRIOLLISMO

[1] Hubert Herring, *A History of Latin America from the Beginnings to the Present,* capítulo 55. pp. 798-803.

[2] Sobre Mundonovismo, véase Francisco Contreras, *Les Ecrivains Contemporaines de l'Amérique Espagnole,* p. 15; también Fein, *op. cit.,* pp. 90-126. Sobre americanismo literario, véase Francisco García Godoy, *Americanismo literario,* que contiene ensayos de escritores como Rodó y Rufino Blanco-Fombona.

[3] Rufino Blanco-Fombona, *Camino de imperfección: Diario de mi vida, 1906-1913,* pp. 41-42.

[4] Joseph Arthur de Gobineau, *Essai sur l'inégalité des races humaines* Edmond Demolins, *A quoi tient la supériorité des Anglo-saxons?*

[5] *Pueblo enfermo* de Alcides Arguedas apareció primero en 1909; una versión revisada se incluye en sus *Obras completas,* Vol. I, pp. 395-617.

[6] Francisco García Calderón, *Le Pérou contemporain,* véase especialmente el capítulo VII, "L'Avenir".

[7] José Veríssimo, *A Educação Nacional;* especialmente el cap. II, "As Características Brasileiras", pp. 17-43 de la 2a. edición.

[8] Euclydes da Cunha, *Os sertôes;* para su concepto de la mezcla racial, véase la 12a. edición (revisada) p. 108.

[9] José Pereira de Graça Aranha, *Canâa,* 8a. edición (revisada), p. 99.

[10] Manuel González Prada, "Nuestros indios", *Horas de lucha,* 2a. edición, pp. 327-81 (especialmente 311).

[11] García Calderón, *op. cit.*, p. 328.

[12] Arguedas, *Pueblo. . .*, especialmente capítulo 11, "La terapéutica social".

[13] Esta referencia y las otras conclusiones sobre la actitud racial mexicana están tomadas del artículo de Martin S. Stabb, "Indigenism and Racism in Mexican Thought, 1877-1911", *Journal of Inter-American Studies,* Vol. I. pp. 405-23.

[14] *Ibid.*, pp. 419-22.

[15] Rufino Blanco-Fombona, "La barbarocracia triunfante", *Obras selectas,* p. 1192; allí sugiere que Venezuela debía proponerse ser una nación predominantemente blanca.

[16] Zea, *op. cit.*, p. 219.

[17] Darío, "Palabras liminares" *Poesías completas,* pp. 612-13.

[18] Darío, "Folklore de la América Central", *Obras completas,* Vol. IV, pp. 858-66.

[19] Chocano, "Quién sabe", *Obras completas,* pp. 827-28.

[20] Una presentación favorable de Santos Chocano se encuentra en Manuel Suárez-Miravel, "Las letras peruanas en el siglo XX", en *Panorama das Literaturas das Américas de 1900 a actualidade,* Vol. IV, pp. 1561-1609. Obsérvese que sus poemas sobre el indio son posteriores a 1920.

[21] Sousândrade, "O inferno de Wall Street" en la edición de Augusto y Haroldo de Campos, *Revisão de Sousândrade*, p. 199.

[22] Veríssimo, *op. cit.*, pp. 191-244.

[23] Las referencias a la obra de José Enrique Rodó son extraídas de sus *Obras completas, Ariel* incluido, pp. 191-244.

[24] Ernest Renan, *Caliban: Drame philosophique.*

[25] Rodó, *Ariel, Obras completas,* p. 231.

[26] Citado por E. Rodríguez Monegal, Introducción a las *Obras completas* de Rodó.

[27] Rodó, "El mirador de Próspero", *Obras completas,* p. 497.

[28] Blanco-Fombona, "La evolución de Hispanoamérica", *Obras selectas,* p. 357.

[29] Manuel Ugarte, *El porvenir de la América Latina,* pp. 84-85.

[30] Chocano, "Ofrenda a España" y "Ciudad colonial", incluidos en "Alma América", *Obras completas.*

[31] Ugarte, *op. cit.*, pp. 84-5.

[32] Francisco García Calderón, "Las corrientes filosóficas en la América Latina", *Ideas e impresiones,* pp. 41-57.

[33] Sobre la función del *Ateneo de la Juventud* en la formación de esta generación, véase José Vasconcelos, "Ulises criollo", *Obras completas*, Vol. I, pp. 507-10; y Alfonso Reyes, "Pasado inmediato", *Obras completas,* Vol. XII, pp. 182-216.

[34] Rodó, *Obras completas,* p. 239.

[35] Rómulo Gallegos, "Necesidad de valores culturales", *Una posición en la vida,* pp. 82-109. Esta es una colección de ensayos publicados originalmente en revistas; "Necesidad. . ." data de 1912.

[36] Carlos Reyles, "Vida nueva", *Academias y otros ensayos,* pp. 156-206.

[37] García Calderón, *Le Pérou. . .,* pp. 319-320.

[38] Rodó, "Ariel", *Obras completas,* p. 224.

[39] C. Vaz Ferreira, "Moral para intelectuales", *Obras,* Vol. III, p. 41.

[40] Zea, *op. cit.,* pp. 192-93.

[41] Véase Enrique Anderson Imbert, *Tres novelas de Payró.*

[42] "El padre Casafús", está incluido en Tomás Carrasquilla, *Obras completas,* pp. 1251-89.

[43] Machado de Assis, *Memorias Póstumas de Brás Cubas,* p. 38.

[44] *Revista de América,* París, No. 1.

[45] Leopoldo Lugones, *El payador,* p. 19.

[46] García Calderón, "La originalidad intelectual de América", *Ideas e impresiones,* pp. 72-3.

[47] Ugarte, *op. cit.,* pp. 297-306, especialmente p. 300.

[48] Mariano Latorre, *Autobiografía de una vocación,* p. 50.

[49] Hay una exposición sobre los tolstoianos chilenos en Fernando Alegría, *Las fronteras del realismo: literatura chilena del siglo XX,* pp. 47-67.

[50] Citado por Enrique Molina, *La filosofía en Chile en la primera mitad del siglo XX,* pp. 31-2.

[51] Véase, por ejemplo, Carlos Pezoa Véliz, *Alma chilena.*

[52] Baldomero Lillo, *Sub terra,* pp. 19-36.

[53] Mariano Latorre "Risquera vana" en el volumen *Cuna de cóndores.*

[54] Rufino Blanco-Fombona, *Dramas mínimos,* p. 111.

[55] "Pago de deuda", del libro del mismo nombre. Los mejores volúmenes de cuentos de Javier Viana son *Campo* (1896) y *Guri y otras novelas* (1916). Para un análisis de su obra véase Alberto Zum Felde, *Proceso intelectual del Uruguay,* pp. 302-15.

[56] Alberto Guerchunoff, *Los gauchos judíos.*

[57] Manuel Ugarte, *La dramática intimidad de una generación,* pp. 14-15.

[58] Rodó, *Obras completas,* p. 1318.

[59] Manuel Gálvez, *El mal metafísico,* p. 226. Esta novela es un documento de la vida argentina de ese periodo, muchos personajes están fielmente calcados de miembros de los círculos literarios argentinos; uno de ellos, por ejemplo, estuvo basado en Guerchunoff.

[60] En, por ejemplo, "La barrena" de Lillo. *Sub sole,* pp. 91-100.

[61] Venegas, "Cartas al Excelentísimo Señor Don Pedro Montt sobre la crisis moral de Chile en sus relaciones con el problema económico de la conversión metálica", citado por Enrique Molina, *op. cit.,* pp. 33-5.

[62] Citado por Mário da Silva Brito, *Historia do Modernismo Brasileiro,* p. 84.

3. LA VUELTA A LAS RAÍCES: I. NACIONALISMO CULTURAL

[1] Alberto de Oliveira, citado por Silva Brito en *História do Modernismo Brasileiro,* p. 33.

[2] José Ingenieros, "El suicidio de los bárbaros", *Los tiempos nuevos,* pp. 11-14.

[3] Pedro Henríquez Ureña, "La Utopía de América", *Plenitud de América: Ensayos escogidos,* p. 11.

[4] *Ibid.*, p. 13.

[5] Véase la autobiografía de Vasconcelos, "La tormenta", *Obras completas,* Vol. I, pp. 790 y 900-5.

[6] *Ibid,* p. 892.

[7] Vasconcelos, "Monismo estético", *Obras completas,* Vol. IV, pp. 91-2. Todo el ensayo gira en torno a este tema.

[8] Vasconcelos, "La raza cósmica", *Obras completas,* Vol. II, p. 912.

[9] Vasconcelos, "Conferencia leída en el Continental Memorial Hall de Washington", *Obras completas,* Vol. II, p. 874.

[10] Vasconcelos, "Discurso de Cuauhtémoc", *Obras completas,* Vol. II, pp. 848-53.

[11] Fernando Peñalosa, *The Mexican Book Industry.*

[12] Vasconcelos, "De Robinson a Odiseo", *Obras completas*, Vol. II, pp. 1674-78; aquí se relatan los inicios del movimiento muralista mexicano.

[13] Jean Charlot, *The Mexican Mural Renaissance, 1920-25,* p. 99.

[14] *Ibid,* p. 103.

[15] *Ibid,* p. 202.

[16] *Ibid,* p. 230.

[17] *Ibid,* pp. 259-60.

[18] Pedro Henríquez Ureña, *op. cit.*, p. 14.

[19] Citado por el biógrafo de Rivera. Bertram D. Wolfe, *Diego Rivera: His Life and Times,* p. 183.

[20] Citado por Charlot, *op. cit.*, pp. 226-27.

[21] José Luis Cuevas, "The cactus curtain: An Open Letter on Conformity in Mexican Art", pp. 111-20.

[22] Enrique Sánchez Pedrote, "Consideraciones sobre la música en Hispanoamérica", pp. 417-26.

[23] Vasconcelos, "Simón Bolívar", *Obras completas,* Vol. II, pp. 1721-66.

[24] Ramón López Velarde, "El retorno maléfico", *Poesías completas* y *El minutero,* pp. 174-76. Véase "Suave patria" que está lejos de ser un elogio ciego al país.

[25] Octavio Paz tiene algunas observaciones muy interesantes en *El laberinto de la soledad* sobre la posición de la inteligencia después de la Revolución; véase especialmente pp. 122-23. Francisco Monterde fue uno de los primeros críticos en reclamar una nueva novela que reflejara la experiencia de la revolución. Véase su introducción a las *Obras completas* de Mariano Azuela, en la que rehace la historia literaria de aquel periodo.

[26] Las novelas de la revolución aquí mencionadas fueron todas incluidas en la antología de Antonio Castro Leal, *La novela de la Revolución Mexicana*, 2 vols.

[27] Véase José Rubén Romero, *Obras completas*, con prólogo de Antonio Castro Leal.

[28] Alberto Zum Felde, *Índice crítico de la literatura hispanoamericana;* Vol. I, *Los ensayistas,* pp. 487-94.

[29] Eugenio Chang Rodríguez, *La literatura política de González Prada, Mariátegui y Haya de la Torre.*

[30] José Carlos Mariátegui, "El proceso de la literatura", *Siete ensayos de interpretación de la realidad peruana,* 9a. edición, pp. 198-305.

[31] César Vallejo, "El espíritu universitario", *Variadades,* Lima, octubre 8 de 1927.

[32] Vallejo, "Los escollos de siempre", *Variedades,* Lima, octubre 22 de 1927.

[33] Manuel Suárez Miravel sostiene en "Las letras peruanas. . ." —incluido en *Panorama das Literaturas. . .* que *La venganza del cóndor* data de 1919, pero la autora de esta obra no ha localizado ninguna edición anterior a la de Mundo Latino, París, 1924.

[34] Esta cita y los conceptos de López Albújar sobre temas raciales los tomó la autora de Suárez Miravel, *op. cit.*, pp. 1723-40. Véase también Earl M. Aldrich, Jr., *The Modern Short Story in Peru,* pp. 39-51.

[35] Ver la autobiografía de José Eustasio Rivera por Eduardo Neale Silva, *Horizonte humano: vida de José Eustasio Rivera.*

[36] Citado por Lowell Dunham, *Rómulo Gallegos: vida y obra,* p. 39.

[37] Dunham, *op. cit.*, p. 61. Todas estas novelas de Gallegos están incluidas en sus *Obras completas.*

[38] Earl T. Glauert, "Ricardo Rojas and the Emergence of Argentine Cultural Nationalism", p. 19.

[39] Sobre Ricardo Güiraldes ver Giovanni Previtali, *Ricardo Güiraldes and Don Segundo Sombra.*

[40] Leopoldo Lugones, "Himno a la luna", en "Lunario sentimental", *Obras poéticas. . .*, p. 206.

[41] Adolfo Prieto examina el papel de *Martín Fierro* en "El Martinfierrismo", *Revista de Literatura Argentina e Iberoamericana,* Vol. I, No. 1, pp. 9-31. Son importantes no solamente las revistas de vanguardia, sino personalidades tales como Oliverio Girondo y Macedonio Fernández.

[42] Jorge Luis Borges, "Arrabal", en "Fervor de Buenos Aires", *Poemas* (1923-58), pp. 34-5.

[43] Jorge Luis Borges, "El escritor argentino y la tradición, *Discusión,* 2a. edición, pp. 151-62.

[44] *Ibid.*, p. 161.

[45] Wilson Martins, "50 años de literatura brasileira", en *Panorama das Literaturas. . .*, Vol. I, pp. 103-241, especialmente p. 112.

[46] Ver, por ejemplo, Ronald de Carvalho y Elysio de Carvalho, *Affirmaçoes: un ágape des intellectuaes.*

[47] Citado por Mário da Silva Brito, *História do Modernismo Brasileiro,* p. 125.

[48] Ibid., p. 179.

[49] Ronald de Carvalho, *Pequeña História da Literatura Brasileira,* p. 372.

[50] Manuel Bandeira, "Poética" en *Libertinagem, Poesia e prosa,* Vol. I. pp. 188-89.

[51] Citado por Haroldo de Campos en su prefacio a Oswald de Andrade, *Memórias Sentimentais de João Miramar,* pp. 13-14.

[52] Citado por Silva Brito, *op. cit.,* p. 177.

[53] Gilberto Freyre, *Manifesto Regionalista de 1926,* p. 16.

[54] José Adelardo Castello, *José Lins do Rego: Modernismo e Regionalismo,* p. 103.

[55] José Lins do Rego comenta aquí las ideas de Gilberto Freyre: ver José Adelardo Castello, *op. cit.,* p. 105.

[56] Sobre la novela regional brasileña, véase Fred P. Ellison, *Brazil's New Novel.*

4. LA VUELTA A LAS RAÍCES: II. EL INDIO, EL NEGRO, LA TIERRA

[1] César Vallejo, "La conquista de París por los negros", *Mundial,* Lima, diciembre 11, 1925.

[2] Según G.R. Coulthard, *Race and Colour in Caribbean Literature,* pp. 30-31.

[3] D. H. Lawrence, *The plumed serpent,* p. 431.

[4] Hermann Keyserling, *South American Meditations,* p. 157.

[5] Mariátegui, *op. cit.,* p. 292.

[6] La autora consultó la traducción española de Antonio Mediz Bolio. *Libro de Chilam Balam de Chumayel.*

[7] Giuseppe Bellini, *La narrativa di Miguel Angel Asturias.* Buen estudio sobre la obra de Asturias.

[8] *El indio en la novela de América,* de Aída Cometta Manzoni trata casi todas las novelas indigenistas.

[9] Ciro Alegría, *La serpiente de oro,* edición de 1963, pp. 186-87.

[10] José María Arguedas, prólogo a *Canto Kechwa.*

[11] *Ibid.*

[12] Ver José Antonio Portuondo, *Bosquejo histórico de las letras cubanas,* p. 47; y José Luis Varela, *Ensayo de poesía indígena en Cuba,* pp. 91-92. También es importante la obra *El monte* de Lydia Cabrera, quien coleccionaba fábulas, cuentos y leyendas de origen africano.

[13] Nicolás Guillén, "Pequeña oda a un negro boxeador cubano", *Sóngoro cosongo,* 2a. edición, pp. 15-17.

[14] Citado por Coulthard, *op. cit.,* pp. 30-1.

[15] "Pueblo negro" de Luis Palés Matos está incluido en la antología de José Sanz y Díaz, *Lira negra,* pp. 275-77.

[16] Palés Matos, "Ñam-ñam", en *Lira negra,* pp. 282-83.
[17] Citado por Varela, *op. cit.*, p. 96.
[18] Citado por Coulthard. *op, cit.*, p. 29.
[19] *Ibid.*
[20] "Balada del Güije" de Guillén en "West Indies Ltd.", *Sóngoro cosongo,* pp. 62-64.
[21] Guillén, "Sensemayá" en *Sóngoro cosongo,* pp. 68-70.
[22] Guillén, "Tú no sabe inglé", en "Motivos del son", *Sóngoro cosongo,* p. 47. También en las artes plásticas, la pintura de Wifredo Lam se inspiraba en motivos de santería. Y más recientemente la de Mendive.
[23] Adalberto Ortiz, *El animal herido,* p. 7.
[24] *Ibid.* p. 57.
[25] Raymond S. Sayers, *O negro na Literatura Brasileira.*
[26] Jorge de Lima, "Poemas negros", *Obras completas,* Vol. I. pp. 373-74.
[27] Glauert, *op. cit.*
[28] Véase también *Posdata* de Octavio Paz, en que hace una crítica parecida en relación con México.

5. ARTE Y LUCHA POLÍTICA

[1] David Caute, *Communism and the French Intellectuals, 1914-60,* p. 70.
[2] Chang Rodríguez, *op. cit.*, p. 137.
[3] Raúl Silva Castro, *Pablo Neruda,* pp. 29-35.
[4] Silva Brito, *op. cit.*, pp. 131-32.
[5] Datos tomados de la noticia biográfica de Raúl Roa en la introducción a *La pupila insomne* de Rubén Martínez Villena, p. 32.
[6] José Ingenieros, *op. cit.*, pp. 11-14.
[7] Henri Barbusse, *Manifeste aux intellectuels,* pp. 9-10.
[8] José Carlos Mariátegui, "La revolución y la inteligencia", *La escena contemporánea,* pp. 139-245, especialmente p. 196.
[9] Percy Alvin Martin en un apéndice a *A history of Brasil,* de João Pandía Calogeras, p. 346.
[10] Graciliano Ramos, *Memórias do Cárcere,* p. 69.
[11] Víctor Alba, *Historia del movimiento obrero en América Latina,* pp. 20 y 463.
[12] Martínez Villena, *op. cit.*, p. 40.
[13] *Ibid.*, p. 41.
[14] César Vallejo, "Las lecciones del marxismo", *Variedades,* Lima, enero 19, 1929.
[15] Vallejo, "El apostolado como oficio", *Mundial,* Lima, septiembre 9, 1927.
[16] Vallejo, "Obreros manuales y obreros intelectuales", *Variedades,* Lima, junio 2, 1928.
[17] Vallejo, "Autopsia del superrealismo", *Variedades,* Lima, marzo 25, 1930.

[18] Vallejo, *Tungsteno,* p. 148.

[19] Vicente Huidobro, "Ecuatorial", *Poesía y prosa,* pp. 241-51.

[20] Manuel Maples Arce, "Urbe" citado por Raúl Leiva en *Imagen de la poesía mexicana contemporánea,* p. 69.

[21] Citado por Wolfe, *op. cit.*, p. 169.

[22] *Ibid.*, p. 167.

[23] José Clemente Orozco, "Nuevo Mundo, nuevas razas, nuevo arte", *Textos de Orozco,* pp. 42-43.

[24] Según Charlot, *op. cit.*

[25] Para una exposición del realismo socialista, ver Caute, *op cit.*, pp. 318-24, especialmente p. 323. Sobre la crítica reciente cubana, ver Juan Marinello, *Conversación con nuestros pintores abstractos.*

[26] Orozco, *Textos. . .*, p. 81. Las citas son del catálogo de una exposición realizada en 1947.

[27] Manuel Maples Arce, *Modern Mexican Art;* ver también Justino Fernández, *Arte moderno y contemporáneo de México.*

[28] Reproducido por Margarita Nelken, *El expresionismo en la plástica mexicana de hoy,* p. 15.

[29] Maples Arce, *op. cit.*, p. 20.

[30] Nelken, *op, cit.*, pp. 33-36.

[31] Orozco, *Textos. . .*, pp. 42-3.

[32] Citado por José Antonio Portuondo, *Bosquejo histórico de las letras cubanas,* pp. 62-3.

[33] Martínez Villena, *op. cit.*, pp. 95-6.

[34] Vallejo, *Trilce,* poema LVIII.

[35] Vallejo, "Masa", *España, aparta de mí este cáliz,* p. 81.

[36] Vallejo, "Los nueve monstruos", *Poemas humanos,* pp. 57-9.

[37] Vallejo, "Parado en una piedra", *Poemas humanos,* pp. 117-18.

[38] Vallejo, "Voy a hablar de la esperanza", *Poemas humanos,* pp. 153-54.

[39] Vallejo, "La rueda del hambriento", *Poemas humanos,* pp. 40-41.

[40] El mejor estudio para conocer la cronología de los poemas de Vallejo, es el de Luis Monguió, *César Vallejo 1892-1938: vida y obra, bibliografía, antología.*

[41] Guillén. "La canción del Bongó", *Sóngoro cosongo,* pp. 12-13.

[42] Guillén, "Soldado muerto", de "Cantos para soldados y sones para turistas", incluido en *El son entero,* p. 12.

[43] Guillén, "Llegada", *Sóngoro cosongo,* pp. 9-11.

[44] Guillén, "Visita a un solar", *El son entero,* pp. 40-42.

[45] Silva Castro, *Pablo Neruda,* p. 83.

[46] *Ibid.*, p. 96.

[47] Neruda, 'Canto General", *Obras completas,* p. 668.

[48] *Ibid.*, p. 674.

[49] Neruda, "Oda a la madera", "Odas elementales", *Obras completas,* pp. 1035-38.

[50] Nicanor Parra, *Poemas y antipoemas,* pp. 55-56.

[51] *Ibid.*, pp. 137-41.

[52] Jorge Amado, *Cacau,* incluido en la edición, *O País do Carnaval, Cacau, Suor: Obras de Jorge Amado,* Vols. I-III, p. 139.

[53] Roberto Arlt, prefacio a *Los lanzallamas.* Arlt se jacta también de la rapidez con que fue escrita la novela y dice que estaba escribiendo las últimas páginas cuando las primeras estaban ya en impresión.

[54] *Ibid.*, p. 6.

[55] Joaquín Edwards Bello, *El roto,* p. 57.

[56] Puede encontrarse una lista de estas novelas en Luis Alberto Sánchez, *Proceso y contenido de la novela hispanoamericana,* caps. 18 y 20.

[57] Jorge Icaza, *Huasipungo,* p. 15.

[58] *Ibid.*, p. 27.

[59] *Ibid.*, p. 175.

[60] Graciliano Ramos, *Vidas secas.* pp. 170-71.

[61] Rafael Arévalo Martínez "Por cuatrocientos dólares", *El hombre que parecía un caballo,* pp. 53-81.

6. ¿COSMOPOLITA O UNIVERSAL?

[1] Alfonso Reyes, "En el día americano", *Obras completas,* Vol. XI, p. 68.

[2] *Ibid.*, p. 69.

[3] Reyes, "Ciencia social y deber social", *Obras completas,* Vol. XI, p. 123.

[4] Vallejo, "Contra el secreto profesional: a propósito de Pablo Abril de Vivero", *Variedades*, Lima, 7 de mayo de 1927.

[5] Jorge Mañach, citado por Carlos Ripoll, "La revista de Avance, 1927-30", *Revista Iberoamericana,* Vol. XXX, No. 58, 1964.

[6] Hans Richter, *Dada Art and Anti-Art,* p. 34.

[7] *Ibid.*, p. 57.

[8] *Ibid.*, p. 64.

[9] *Ibid.*, p. 65.

[10] Patrick Waldberg, *Surrealism,* p. 84.

[11] *Ibid.*, p. 76.

[12] André Breton "Second Manifeste du Surréalisme", *Manifestes du surréalisme,* p. 194.

[13] Breton, "Discours au congrés des écrivains", *Manifestes. . .*, p. 285.

[14] Sin embargo, el surrealismo latinoamericano no es el surrealismo europeo. La visión onírica o grotesca de un Botero (Colombia), de un Matta (Chile), de Cuevas y Tamayo (México), de Szyszlo (Perú), de Batlle Planes (Argentina), indican no tanto una influencia surrealista como una liberación de las trabas de la verosimilitud. Lo mismo ocurrió en la literatura; la infiltración del surrealismo por medio de revistas y personalidades como Adolfo Westphalen y César Moro en Perú, Braulio Arenas en Chile, Luis Cardoza y Aragón y Octavio Paz en México, Aldo Pellegrini en Buenos Aires, dio frutos en la obra de poetas como Enrique Molina, Gonzalo Rojas y otros, que tienen poco que ver con modelos europeos.

[15] Jorge Luis Borges, *Otras inquisiciones,* p. 259.

[16] Borges, *Historia universal de la infamia,* p. 10.

[17] Borges, *Ficciones,* pp. 13-14.

[18] Borges, "La muralla y los libros", *Otras inquisiciones,* p. 12.

[19] Borges, "Nueva refutación del tiempo", *Ibid.*, p. 256.

[20] Borges, "Anotaciones del 23 de agosto de 1944", *Ibid.*, p. 185.

[21] Ana María Barrenechea, *Borges, the Labyrinth Maker,* p. 17.

[22] Borges, *The Spanish Language in South America: A Literary Problem,* p. 13.

[23] *Ibid.*, p. 6.

[24] Adolfo Bioy Casares, *El sueño de los héroes,* p. 46.

[25] Julio Cortázar, *Rayuela,* p. 438.

[26] *Ibid.*, p. 442.

[27] *Ibid.*, p. 442.

[28] *Ibid.*, pp. 31-32.

[29] J. Mario, "Poeta con revólver", *El corno emplumado,* julio 7, 1963, pp. 96-98.

[30] Editorial de *El corno emplumado,* julio 7, 1963, p. 92.

[31] *Ibid.*, enero 9, 1964, p. 5.

[32] *Ibid.*, enero 1, 1962, p. 5.

[33] Augusto de Campos, Décio Pignatari, Haroldo de Campos, *Teoría da Poesia Concreta: Textos Críticos e Manifiestos,* 1950-60, p. 23.

[34] *Ibid.*, p. 55.

[35] *Ibid.*, p. 113.

[36] *Ibid.*, p. 93.

[37] *Ibid.*, p. 90.

[38] *Ibid.*, p. 5.

[39] *Ibid.*, pp. 151-52.

[40] Para una valoración de la poesía concreta, véase J. Reichardt. "The Whereabouts of Concrete Poetry", *Studio International,* Londres, feb. 1966, pp. 56-59.

[41] Frank Dauster, *Ensayos sobre poesía mexicana,* pp. 8-9.

[42] *Ibid.*, p. 32.

[43] José Gorostiza, *Muerte sin fin,* p. 49.

[44] Salvador Novo, "Diluvio", *Poesía,* pp. 57-8.

[45] Novo, "Poemas proletarios", *Poesía,* pp. 109-15.

[46] Octavio Paz, "La poesía", *Libertad bajo palabra,* pp. 246-48.

[47] Octavio Paz, *El arco y la lira,* p. 149.

[48] *Ibid.*, p. 40.

[49] *Ibid.*, pp. 40-41.

[50] Octavio Paz, *Piedra de sol.*

[51] Paz, *El arco. . .*, p. 259.

[52] Marta Traba, *Seis pintores colombianos,* introducción.

[53] *Ibid.*

[54] Lawrence Alloway, "The International Style", *Encounter,* sept. 1965, pp. 71-74, especialmente p. 72,

55 Una ilustración de estos proyectos se encuentra en Paul F. Damaz, *Art in Latin American Architecture*. El arquitecto de Brasilia es Niemayer.

56 Por ejemplo las torres de la entrada de Ciudad Satélite. Véase, Damaz, *op. cit.*

7. EL ESCRITOR COMO CONCIENCIA DE SU PAÍS

1 Samuel Ramos, *Historia de la filosofía en México,* p. 149.

2 Zea, *Esquema para una historia de las ideas en Iberoamérica,* p. 112.

3 Paz, *El laberinto. . .,* p. 61.

4 Sebatián Salazar Bondy, *Lima la horrible,* p. 77.

5 Mario Benedetti, *Literatura uruguaya, siglo XX,* pp. 9-10.

6 Rodolfo Usigli, "Epílogo sobre la hipocresía del mexicano", *El gesticulador,* p. 172.

7 Fernando de Azevedo, *A Cultura Brasileira.*

8 Sérgio Buarque de Holanda, *Raízes do Brasil,* p. 133.

9 Usigli, "Epílogo. . .", *El gesticulador,* p. 163.

10 Paz, *El laberinto. . .,* p. 34.

11 Ezequiel Martínez Estrada, *Radiografía de la pampa.* Vol. II, p. 149.

12 Eduardo Mallea, "Historia de una pasión argentina", *Obras completas,* Vol. I, p. 348.

13 Salazar Bondy, *op. cit.,* p. 75.

14 Benedetti, *op. cit.,* p. 35.

15 Luis Cardoza y Aragón, *Guatemala, las líneas de su mano,* p. 289.

16 Ver especialmente la parte III.

17 Martínez Estrada, *op. cit.,* Vol. II., p. 153.

18 Salazar Bondy, *op. cit.,* p. 15.

19 Cardoza y Aragón, *op. cit.,* especialmente las secciones II y III.

20 Otto Morales Benítez, *Muchedumbres y banderas.*

21 Leopoldo Zea, *Conciencia y posibilidad del mexicano,* pp. 10-11.

22 *Ibid.,* pp. 54-5.

23 Benedetti, op. cit., p. 36.

24 *Ibid.,* p. 37.

25 Paz, *El laberinto. . .,* p. 151.

26 Mallea, *Historia. . ., Obras completas,* Vol. I, p. 432.

27 Leopoldo Zea, "Dialéctica de la conciencia en México", *La filosofía como compromiso,* p. 197.

28 Héctor Murena, *El pecado capital de América,* p. 26.

29 Luis Alberto Sánchez, *op. cit.,* p. 62; Murena, *op. cit.,* especialmente pp. 13-42.

30 Alfonso Reyes, "En el día americano", *Obras completas,* Vol. XI, p. 69.

31 Paz, *El laberinto. . .,* p. 148.

32 Mallea, *Historia. . ., Obras completas,* Vol. I, p. 436.

[33] Hernando Téllez, *Literatura y sociedad,* p. 74.

[34] Benedetti, *op. cit.*, p. 34.

[35] Mallea, *Historia. . .*, *Obras completas,* Vol. I, pp. 432-35.

[36] Eduardo Mallea, "La bahía de silencio", *Obras completas,* Vol. I, p. 854.

[37] *Ibid.*, p. 986.

[38] Carlos Fuentes, *Las buenas conciencias,* p. 190.

[39] Augusto Roa Bastos, *Hijo de hombre,* p. 229.

[40] Entrevistas con varios escritores hispanoamericanos como Mario Vargas Llosa, Miguel Ángel Asturias, Gabriel García Márquez, se incluyen en *Los nuestros,* de Luis Harss.

[41] Carlos Solórzano, *Teatro latinoamericano del siglo XX,* pp. 73-75.

[42] Un número especial de la revista madrileña *Primer Acto,* No. 75, 1966 fue dedicado al teatro brasileño e incluía traducciones al español de *Vida e Morte Severina,* de Cabral de Melo Neto y de la popular *O pagador de promesas* de Alfredo Días Gómez.

8. EL ESCRITOR Y LA SITUACIÓN NACIONAL

[1] En el momento en que se publica este libro hay escritores encarcelados en algunos países.

[2] Mario Monteforte Toledo, *Guatemala, monografía sociológica,* pp. 390-1.

[3] Rubén Barreiro Saguier, "Panorama de la literatura paraguaya, 1900-1959" en *Panorama das Literaturas. . .*, Vol. III, pp. 1265-95.

[4] Para estudios sobre escritores hondureños y nicaragüenses véase: Juan Felipe Toruño, "Sucinta reseña de las letras nicaragüenses en 50 años, 1900-1950". *Panorama das Literaturas. . .*, Vol, III, pp. 1093-202; Jorge Fidel Durón, "La prosa en Honduras", en *Panorama das Literaturas. . .*, Vol. II, pp. 673-778.

[5] Rivera Morillo, *op, cit.*, p. 694. Cuba ha acogido también algunos exiliados, entre ellos al poeta salvadoreño Roque Dalton.

[6] *Ibid.*

[7] G. R. Coulthard, *op, cit.*, pp. 37-38.

[8] "La excavación" está incluida en el volumen de cuentos de Roa Bastos, *El trueno entre las hojas.* Para mayor información sobre la literatura paraguaya ver Rubén Barreiro Saguier. *op. cit.*, Para una exposición de la literatura guatemalteca, ver: Otto-Raúl González, "Panorama de la literatura guatemalteca", *Panorama das literaturas. . .*, Vol. III, pp. 1017-71; y Seymour Menton, *Historia crítica de la novela guatemalteca.*

[9] Alfonso Ulloa Zamora, "Panorama literario costarricense, 1900-1958", *Panorama das literaturas. . .*, Vol. III, pp. 923-1016.

[10] Luis Gallegos Valdés, "Panorama de la literatura salvadoreña", *Panorama das literaturas. . .*, Vol. II, pp. 495-588.

[11] Zamora, *op. cit.*

[12] Damaz, *op. cit.*, pp. 57-58.

13 Zum Felde, *Proceso intelectual. . .*; y Benedetti, *op. cit.*

14 Benedetti, "El presupuesto", *Montevideanos.*

15 Carlos Martínez Moreno, "Paloma", *Los aborígenes.*

16 Rodrigo Miró, "La literatura panameña de la República", *Panorama das Literaturas. . .*, Vol. III, pp. 1203-64.

17 Demetrio Korsi, citado por Miró, *op. cit.*, p. 1237.

18 Josefina Rivera de Álvarez, "Panorama literario de Puerto Rico durante el siglo XX" *Panorama das literaturas. . .*, Vol. II, p. 745.

19 Coulthard, *op. cit.*, pp. 30-31.

20 René Marqués, "En la popa hay un cuerpo reclinado", *En una ciudad llamada San Juan.*

21 Incluido en los *Cuentos criollos*, de Gertrude M. Walsh.

22 Sobre la literatura venezolana, ver Dillwyn F. Ratcliff, *Venezuelan Prose Fiction.* Sobre la literatura colombiana, véase Javier Ferrer, "Medio siglo de literatura colombiana", *Panorama das literaturas. . .*, Vol. I, pp. 329-438; y *Diccionario de la literatura latinoamericana: Colombia.* La poesía colombiana y venezolana merecen mencionarse. De Colombia es Álvaro Mutis (1923), cuya obra se ha publicado en muchos países de América Latina. Entre los poetas contemporáneos venezolanos destaca Rafael Cárdenas (1930).

23 El problema racial está expuesto por Arguedas en *Pueblo enfermo*, y por Pío Jaramillo Alvarado en *El indio ecuatoriano.*

24 Mariátegui, "El problema de la tierra", *Siete ensayos. . .*, pp. 41-89.

25 Sobre la novela ecuatoriana, ver Angel Rojas, *La novela ecuatoriana.*

26 Sobre la literatura boliviana, ver *Diccionario de la literatura latinoamericana: Bolivia;* y Aída Cometta Manzoni, *op. cit.*, pp. 32-49.

27 Sobre literatura peruana véase Manuel Suárez Miravel, "Las letras peruanas en el siglo XX", *Panorama das literaturas. . .*, Vol. IV, pp. 1529-1895.

28 R. M. Albéres, *Argentine: Un monde, une ville.*

29 Julio Mafud, *El desarraigo argentino.*

30 Sobre literatura argentina, ver *Diccionario de la literatura latinoamericana: Argentina,* 2 vols. Sobre la tradición popular véase Álvaro Yunque, *La literatura social en la Argentina.* Sobre la tendencia no realista véase Ana María Barrenechea y Emma Susana Speratti Piñero, *La literatura fantástica argentina.* F. Urondo, *Veinte años de poesía argentina,* Buenos Aires, 1968. C. Fernández Moreno, *La realidad y los papeles,* Buenos Aires, 1967.

31 Informe sobre la conferencia internacional del PEN en 1966. *The Times,* junio 18 de 1966.

32 Pablo Neruda, "La lámpara en la tierra", *Canto General, Obras completas,* p. 302.

33 Sobre la novela chilena, ver Raúl Silva Castro, "Historia crítica de la novela chilena, 1943-1956", *Panorama literario de Chile.* Otra tradición en la poesía chilena ha sido la del surrealismo, introducido por la revista

Mandrágora y el poeta Braulio Arenas.

[34] Como introducción al Brasil, véase Roger Bastide, *Brésil: Terre des contrastes.* Un panorama útil sobre las fuerzas sociales y políticas se encuentra en Emanuel de Kadt, "The Brazilian Impasse", *Encounter,* Londres, septiembre de 1965, pp. 55-58. Sobre la literatura contemporánea, ver E. Rodríguez Monegal, "La novela brasileña", *Mundo Nuevo,* diciembre de 1966. Lo que destaca en Brasil en el momento actual son las artes plásticas y la arquitectura, véase la breve reseña de Aracy Amaral "Aspetti delle arti plastiche in Brasile", *Aut Aut,* Milán, 109-110, 1969.

[35] Mário da Silva Britto, *op. cit.*

[36] Joâo Cabral de Melo Neto, *Vida e Morte Severina.*

[37] Carlos Drummond de Andrade, "Himno nacional", *Poemas,* pp. 49-50.

[38] Howard Cline, *México: Revolution to Evolution,* 1940-1960, especialmente el capítulo 9, "The Elusive Indian".

[39] Paz, *El laberinto. . .,* p. 118.

[40] Damaz, *op. cit.,* p. 52.

[41] *Ibid.,* pp. 222-25. Justino Fernández, *Arte moderno y contemporáneo de México* (México, 1962). Para las tendencias más recientes, véase Juan García Ponce, *Nueve pintores mexicanos,* (México, 1968), e Ida Rodríguez Prampolini, *El surrealismo y el arte fantástico de México* (México, 1969).

[42] Dauster, *op. cit.*

[43] Reyes, *Obras completas,* Vol. XI, p. 142.

[44] Ver también Rosario Castellanos, *Oficio de tinieblas,* sobre el mismo tema.

[45] Luis Leal hace una breve reseña de los novelistas mexicanos recientes en "La literatura mexicana en el siglo XX", *Panorama das literaturas. . .,* Vol. IV, pp. 1998-2050; ver también José Luis Martínez, *Literatura mexicana siglo XX,* 2 vols., México, 1950.

[46] Paz, *El arco. . .,* pp. 260-64.

[47] Algunos poemas de autores jóvenes se incluyen en Pellegrini, *Antología de la poesía viva latinoamericana.*

[48] Para la poesía más reciente, véase *La espiga amotinada,* México, 1960, y *Ocupación de la palabra,* México, 1965, antologías de un grupo constituido por Juan Bañuelos, Óscar Oliva, Jaime Augusto Shelley, Eraclio Zepeda y Jaime Labastida.

[49] Salvador Bueno, "La literatura cubana en el siglo XX", *Panorama das literaturas. . .,* Vol. II; incluye un breve análisis de estas novelas sociales, pp. 448-53.

[50] Para mayor información sobre el movimiento afrocubano, véase Varela, *op. cit.;* Coulthard, *op. cit.,* Portuondo, *op. cit.*

[51] La autora queda muy agradecida a J. M. Cohen por su útil información sobre la literatura posrevolucionaria cubana, y también por la oportunidad de consultar su amplia colección de literatura cubana actual. Hay algunas referencias a escritores poscastristas en Portuondo, *op. cit.*

En lo que se refiere a la poesía cubana hasta 1953, ver Roberto Fernández Retamar, *La poesía contemporánea en Cuba (1927-53)*. Véase también la revista *Casa de las Américas,* que incluye literatura contemporánea. José María Caballero Bonald, *Narrativa cubana de la revolución,* Madrid, 1968.

9. NARRADOR, AUTOR SUPERESTRELLA: LA NARRATIVA LATINOAMERICANA EN LA ÉPOCA DE CULTURA DE MASAS.

[1] Para la relación entre formas de tecnología narrativa y formación sociales véase, Jean Franco, "La literatura, la crítica literaria y la teoría de la dependencia", *Siempre*, no. 720 de noviembre de 1975. *Revista Iberoamericana* -Núms. 114-115, enero-junio 1981, pp. 129-148.

[2] Para un estudio sobre el uso de la memoria en culturas auro-orales véase a Walter Ong. *The Presence of the Word,* Yale University Press, 1967.

[3] Walter Benjamin, "The Storyteller", *Illuminations*, London, Jonathan Cape, 1970, pp., 83-109.

[4] *La nueva novela hispanoamericana,* México, Joaquín Mortiz, 1969, p. 23.

[5] Incluido en *Material de sueños,* México, Era, 1974.

[6] Véase "The Author", *Language, Countermemory, Practice,* Oxford, 1977.

[7] Daniel J. Boorstein, *The Image. A Guide to Pseudo-Events in America,* Nueva York, Atheneum, 1973, p. 168.

[8] Guy Debord, *Society of the Spectacle*, Detroit, Black and Red, 1970, p. 61.

[9] Este trabajo es parte de un estudio más extenso publicado bajo varios títulos, tales como "Ideología dominante y literatura: el caso de México posrevolucionario", en Carlos Blanco *et. al., Cultura y dependencia,* Guadalajara, Bellas Artes, 1976: "The Limits of the Liberal Imagination", *Punto de contacto I,* dic. 1975: "Conversations and Confessions. Self and Character in *The fall* and Conversation in the Cathedral", Texas Studies in Literature and Language, vol. XIX no. 4, Winter 1977; "The Crisis of the Liberal Imagination and the Utopia of Writing", *Ideologies and Literature,* Minnesota, dic. 1976, ene. 1977.

[10] Josefina Ludmer, *Cien años de soledad: una interpretación,* Buenos Aires: Editorial Tiempo Contemporáneo, 1972.

[11] Para algunas reflexiones sobre el concepto de "personaje", véase a Noé Jitrik, "Jugar su papel dentro del sistema", *Hispamérica,* año 1, no. 1, julio 1972, pp. 17-29.

[12] Carlos Fuentes, "Radiografía de una década: 1953-63", en *Tiempo mexicano,* México, Joaquín Mortiz, 1971, pp. 78-9.

[13] Para una discusión de esta novela en relación a otras dos novelas en que la imagen del dictador latinoamericano es la fuerza autoritaria, véase

a Ángel Rama, *Los dictadores latinoamericanos,* México, Fondo de Cultura Económica, 1976.

[14] Fredric Jameson, "Reification and Utopia in Mass Culture", *The Social Text,* Madison, Winconsin, Winter 1979, pp. 130-148.

[15] Mario Vargas Llosa, *La orgía perpetua: Flaubert y "Madame Bovary",* Barcelona, Barral, 1975, pp. 272-3.

[16] Entrevista a Fuentes por Alberto Díaz Lastra, "La cultura en México", *Siempre* 718, 29 de marzo, 1967.

[17] Entrevista de Díaz Lastra.

[18] Entrevista por Emir Rodríguez Monegal en el *Homenaje a Carlos Fuentes,* Helmy F. Giacoman, Nueva York, Las Américas, 1971, pp. 47-8.

[19] Esto se lleva a los extremos en la entrevista llevada a cabo por James R. Fortson en *Perspectivas mexicanas desde París,* México, Corporación Editorial, 1973. Esta entrevista fue publicada por primera vez en la revista mexicana *El,* sucursal de la revista *Playboy,* haciendo de Mario Vargas Llosa un "male pin-up" e incluyendo una sección titulada "Kant y los detergentes".

10. MODERNIZACIÓN, RESÍSTENCIA Y REVOLUCIÓN: LA PRODUCCIÓN LITERARIA DE LOS AÑOS SESENTA.

[1] Utilizo el término de vanguardia ("avant-garde"), ya que el término "modernismo", generalmente usado en la crítica anglo-americana para referirse a textos anti-imitativos y anti-realistas, se presta a confusión en español debido a que se utiliza para referirse a un determinado movimiento literario. *Escritura,* año II, No. 3, enero/junio, 1977, pp. 3-19.

[2] Mario Vargas Llosa, "Novela primitiva y novela de creación en América Latina", *Revista de la Universidad de México,* vol. XXIII, 10, México, junio de 1969, p. 31.

[3] *La nueva novela hispanoamericana,* México, 1969, p. 35.

[4] Conversaciones con Tomás Segovia y Emir Rodríguez Monegal, "Nuestro Rubén Darío", *Nuevo Mundo,* 7 de enero, 1967, p. 36.

[5] José Revueltas, *El conocimiento cinematográfico y sus problemas,* México, 1965.

[6] Pierre Macherey, *Pour une theorie de la production littéraire,* París, 1966.

[7] *El zorro de arriba y el zorro de abajo,* Buenos Aires, 1971, p. 211.

[8] *El diario del Che en Bolivia,* Cuba, 1968, p. 275.

[9] "Responsabilidad del intelectual ante los problemas del mundo subdesarrollado", *Casa de las Américas,* No. 47, La Habana, marzo-abril, 1968, p. 103.

[10] Mario Benedetti, "Relaciones entre el hombre de acción y el intelectual", *Casa de las Américas,* año VII, No. 47, La Habana, marzo-abril, 1968, pp. 116-120. Posteriormente él modificó algunos de los puntos de vista de este artículo. Ver "Las prioridades del escritor", *Marcha,* No.

1546, Montevideo, 4 de junio de 1971, escrito después del caso Padilla.

[11] "Declaración de la UNEAC", Heberto Padilla, *Fuera del juego,* La Habana, 1968, p. 8.

[12] Carlos María Gutiérrez, "Mala conciencia para intelectuales", *Marcha* 1386, Montevideo, 12 de enero de 1968.

[13] *Casa de las Américas,* 65-66, La Habana, marzo-junio, 1971, p. 18.

[14] *Ibid.*

[15] Oscar Collazos, Julio Cortázar, Mario Vargas Llosa, *Literatura en la revolución y revolución en la literatura,* México, 1970, p. 35.

[16] Juan Carlos Onetti, citado por Angel Rama en *Marcha,* 1220, Montevideo, 28 de agosto, 1964.

[17] Carlos Fuentes, *La nueva novela hispanoamericana,* México, 1969, p. 35.

[18] Mario Vargas Llosa, "Novela primitiva y novela de creación en América Latina", p. 31.

[19] Carlos Fuentes, *La nueva novela hispanoamericana,* p. 90.

[20] Noé Jitrik, *El no existente caballero,* Buenos Aires, Megápolis, 1975, trata la idea del personaje en la narrativa latinoamericana.

[21] Carlos Fuentes. "Entrevista con Emir Rodríguez Monegal", *Homenaje a Carlos Fuentes,* ed. Helmy F. Giacoman, Nueva York, Las Américas, 1971, p. 47.

[22] Octavio Paz, *Los signos en rotación,* Buenos Aires, 1965, pp. 24-5.

[23] Octavio Paz, *Los signos en rotación,* pp. 27-8.

[24] Carlos Fuentes, *La nueva novela hispanoamericana,* p. 18.

[25] Carlos Fuentes. *La nueva novela hispanoamericana,* p. 32.

[26] Carlos Fuentes, "Entrevista con Emir Rodríguez Monegal", p. 41.

[27] Severo Sarduy, entrevista con Jean Michel Fossey, "From Boom to Big Bang", *Review 74,* Nueva York, Winter, 1974, p. 12.

[28] *Literatura en la revolución y revolución en la literatura,* p. 64.

[29] *Libro de Manuel,* Buenos Aires, 1973, p. 7. Véase también la entrevista con José Miguel Oviedo, *Marcha* 1634, 2 de diciembre de 1976.

[30] Armand Mattelart, Patricio Biedma, Santiago Funes, *Comunicación masiva y revolución socialista,* México, 1972; Armand Mattelart, *La comunicación masiva en el proceso de liberación,* México, Madrid, Buenos Aires, 1971; varios *La cultura en la vía chilena al socialismo,* Santiago, 1971.

[31] B.F. Skinner, *Beyond Freedom and Dignity,* Nueva York, 1971.

BIBLIOGRAFÍA

Nota: Se ofrece en detalle el dato de la editorial y el lugar de publicación siempre que son conocidos. Cuando la edición consultada es reciente, la fecha de la primera edición aparece entre paréntesis.

OBRAS DE REFERENCIA GENERAL

Halperin Donghi, Tulio, *Historia contemporánea de América Latina,* Madrid, Alianza Editorial, 1969.

Herring, Hubert C., *A History of Latin America,* Nueva York, Knopf, 1963, 2a. edición revisada.

Pendle, G., *A History of Latin America,* Harmondsworth, Penguin, 1963.

Penguin Companion to World Literature, Vol. III (American and Latinamerican section), Harmondsworth, 1970.

Stabb, Martin S., *In Quest of Identity. Patterns in the Spanish American Essay of Ideas (1890-1960),* Londres, North Carolina University Press, 1968.

Worcester, Donald E., y Schaeffer, Wendell G., *The Growth and Culture of Latin America,* Nueva York y Londres, Oxford University Press, 1956.

Historias de la literatura

Alegría, Fernando, *Breve historia de la novela hispanoamericana,* Mexico, Studium 1966, 3a. edición revisada.

Anderson Imbert, Enrique, *Historia de la literatura hispanoamericana,* 2 Vols., México, Fondo de Cultura Económica, 1961, 3a. edición.

Brushwood, J. S., *México in its Novel,* Austin, Texas University Press, 1966.

Diccionario de la literatura latinoamericana, Washington, D. C., Unión Panamericana. Se empezó a publicar en 1957 y han aparecido los siguientes volúmenes: *Argentina,* 2, vols. 1960-66; *Bolivia,* 1957; *Chile,* 1958; *Colombia,* 1959, *Ecuador,* 1962; *Centroamérica,* Vol. I: *Costa Rica, El Salvador y Guatemala,* 1963; Vol. 2., *Honduras, Nicaragua y Panamá,* 1963. No se publicarán otros volúmenes.

Englekirk, John E., ed., *Outline History of Spanish American Literature,* Nueva York, Appleton-Century-Crofts, 1965, 3a. edición.

Fernández Moreno, César, *La realidad de los papeles,* Madrid, Aguilar, 1967.

Franco, J., *An Introduction to Spanish American Literature,* Cambridge University Press, 1969.

Fuentes, Carlos, *La nueva novela hispanoamericana,* México, Joaquín Mortiz, 1969.

Hars, L., *Los nuestros,* Buenos Aires, Sudamericana, 1966.

Henríquez Ureña Pedro, *Las corrientes literarias en la América Hispánica,* México, Fondo de Cultura Económica, 1954, 2a. edición.

Lafforgue, Jorge, ed., *Nueva novela latinoamericana,* I. Buenos Aires, Paidós, 1969.

Ortega Julio, *La contemplación y la fiesta,* Lima, Ed. Universitaria, 1968.

Putnam, Samuel, *Marvelous Journey. A Survey of Four Centuries of Brazilian Writing,* Nueva York, Alfred A. Knopf, 1948.

Rodríguez Monegal, Emir, *Narradores de esta América,* I. Montevideo, Alfa, 1969.

Roggiano, A., *En este aire de América,* México, 1966.
Sommers, Joseph, *After the Storm, Landmarks of the Modern Mexican Novel,* University of New Mexico Press, 1968.
Torres-Rioseco, Arturo, *Nueva historia de la gran literatura iberoamericana,* Buenos Aires, Emecé, 1967, 6a. edición.

Antologías

Alegría, Fernando, *Novelistas contemporáneos hispanoamericanos,* Boston, Heath, 1964.
Arciniegas, Germán, *El continente verde.*
Bandeira, M., *Apresentaçao de poesía brasileira,* Edicôes de Ouro, s. f.
Caballero Bonald, J. M., *Narrativa cubana de la Revolución,* Madrid, Alianza Editorial, 1968.
Candido, Antonio, y Castello, Jose Aderaldo, *Presença da literatura brasileira,* Sâo Paulo, Difusao Européia do Livro, 1964.
Cohen, J. M., ed., *Writers in the New Cuba,* Harmondsworth, Penguin. 1967.
———, *Latin American Writing Today,* Harmondsworth, Penguin, 1967.
Fernández-Santos, Francisco, y Martínez, José, *Cuba: una revolución en marcha,* París, Ruedo Ibérico, 1967.
Florit, Eugenio, y Jiménez, José Olivio, *La poesía hispanoamericana desde el modernismo,* Nueva York. Appleton, Century, Crofts, 1968.
Franco, J., *Short Stories in Spanish,* Hermondsworth, Penguin Parallel Texts, 1966.
Goytisolo, José Agustín, *Nueva poesía cubana,* Barcelona, Ediciones Península, 1970.
Onís, Federico de, *Antología de la poesía española e hispanoamericana (1883-1932),* Nueva York, Las Américas, 1961, 2a. edición.
Oviedo, José Miguel, *Narradores peruanos,* Caracas, Monte Ávila, 1968.
Pacheco, José Emilio, *La poesía mexicana del siglo XIX,* México, Empresas Editoriales, 1965.
———, *Antología del modernismo (1884-1921),* 2 vols. México, UNAM, 1970.
Paz, Octavio; Chumacero, Alí; Aridjis, Homero, y Pacheco, José Emilio, *Poesía en movimiento,* México, Siglo XXI, 1966.
Pellegrini, Aldo, *Antología de la poesía viva latinoamericana,* Barcelona, Seix Barral, 1966.
Romualdo, Alejandro, y Salazar Bondy, Sebastián, *Antología general de la poesía peruana,* Lima, Librería Internacional, 1957.
Tamayo Vargas, *Nueva poesía peruana,* Lima, El Bardo, 1970.
La espiga amotinada, poemas de J. Bañuelos, O. Oliva, J. A. Shelley, E. Zepeda, J. Labastida, México, Fondo de Cultura Económica, 1960.
Ocupación de la palabra, poemas de J. Bañuelos, O. Oliva, J. A. Shelley, E. Zepeda, J. Labastida, México, Fondo de Cultura Económica, 1965.

OBRAS CITADAS O CONSULTADAS

Abreu Gómez, Ermilo (México, 1894-1971) *Quetzalcóatl, sueño y vigilia,* México, Robredo, 1947.
Abril, Xavier, *César Vallejo o la teoría poética,* Madrid, Tauro, 1963.

Ackel, Fiore, Dolores, *Rubén Darío in Search of Inspiration,* Nueva York, Las Américas, 1963.

Aguilera Malta, Demetrio (Ecuador, 1909), en colaboración con Joaquín Gallegos Lara y Enrique Gil Gilbert, *Los que se van* (Guayaquil, 1934), Casa de la cultura Ecuatoriana, 1955, 2a. ed.; *Don Goyo,* Madrid, Cenit, 1933: *La isla virgen* (1942), Casa de la Cultura Ecuatoriana, 1954.

Agustín, José (México, 1944), *De perfil,* México, Joaquín Mortiz, 1966; *Inventando que sueño,* México, Joaquín Mortiz, 1968; *Abolición de la propiedad,* México, Joaquín Mortiz, 1969.

Agustini, Delmira (Uruguay, 1886-1914), *Poesías completas,* Buenos Aires, Losada, 1962, 3a. edición.

Alba, Víctor, *Historia del movimiento obrero en América Latina,* México, Mexicanos Unidos, 1954; *Las ideas sociales contemporáneas en México,* México, Fondo de Cultura Económica, 1960.

Albérèz, R. M., *Argentine, Un Monde, Une Ville,* París, Hachette, 1957.

Aldrich, Earl M., Jr., *The Modern Short Story in Peru,* Madison, Milwaukee y Londres, University of Wisconsin Press, 1966.

Alegría, Ciro (Perú, 1909-67), *La serpiente de oro* (1935), LIma, Ediciones Nuevo Mundo, 1963; *Los perros hambrientos* (1939), incluido en *Novelas completas,* Madrid, Aguilar, 1959; *El mundo es ancho y ajeno* (1941), Buenos Aires, Losada, 1961, 20a. edición.

Alegría, Fernando (Chile, 1918), *Breve historia de la novela hispanoamericana,* México, Studium, 1966, 3a. edición; *Las fronteras del realismo: literatura chilena del siglo XX,* Santiago, Zig-Zag, 1962; *Novelistas contemporáneos hispanoamericanos* (antología), Boston, Heath, 1964; *Caballo de copas,* Santiago, Nascimento, 1957.

Alloway, Lawrence, "The International Style", *Encounter,* Londres, septiembre de 1965.

Almeida, José Américo de (Brasil, 1887), *A Bagaceira* (1928), Río de Janeiro, José Olympio, 1937, 7a. edición.

Alone, ver Díaz Arrieta.

Altamira, Rafael, *Mi viaje a América,* Madrid, Victoriano Suárez, 1911.

Altamirano, Ignacio (México, 1834-93), *El Zarco* (1901), Buenos Aires, Espasa Calpe, 1958, 5a. edición popular.

Amado, Jorge (Brasil, 1912), *País do Carnaval* (1932); *Cacau,* (1933); *Sour* (1934); estas tres novelas aparecen reunidas en: *Obras de Jorge Amado,* Vol. I. São Paulo, Martins, 1955, 4a. edición; *Jubiabá* (1935), *Obras. . .,* Vol. IV, 1951, 6a. edición; *Mar Morto* (1936), *Obras. . .,* Vol. V, 1955, 5a. edición; *Capitães de Areia* (1937), *Obras. . .,* Vol. VI, 1947, 4a. edición; *Terras do Sem Fim* (1942), Lisboa, Livros do Brasil, s. f., 3a. edición; *São Jorge dos Ilhéus,* São Paulo, Martins, 1944; *Gabriela, cravo e canela* (1958), São Paulo Martins, 1961; *Os Velhos Marinheiros: Duas Histórias dos Cais da Bahia,* São Paulo, Martins, 1961; *Dona flor e seus dois maridos,* Martins, São Paulo, 1966.

Amorim, Enrique (Uruguay, 1900-60), *El paisano Aguilar* (1934), Buenos Aires, Siglo Veinte, 1946; *El caballo y su sombra* (1941), Buenos Aires. Losada, 1945; *La desembocadura,* Buenos Aires, Losada, 1958.

Anderson Imbert, Enrique, *Tres novelas de Payró,* Tucumán, Facultad de Filosofía y Letras, 1942.

Andrade, Mário de (Brasil, 1893-1945), *Hd uma gôta de sángue em cada poema* (1917), incluido en *Obra imatura,* Sao Paulo, Martins, 1960. Sus demás poemas se incluyen en *Poesías completas,* Sao Paulo, Martins, 1955; *Mucanaíma, o Héroi sem nenhum caracter* (19287. Río de Janeiro, Cem bibliófilos do Brasil, 1957; "O Movimiento Modernista", *Aspectos da Literatura Brasileira, Obras Completas de Mário Andrade,* Vol. X, Sao Paulo, Martins, 1959.

Andrade, Oswald de (Brasil, 1890-1954), *Memórias sentimentais de Joao Miramar* (1924), Sao Paulo, Difusao Europeia do Livro, 1964, 2a. edición; *Poesías reunidas de Oswald de Andrade,* Sao Paulo, Difusao Europeia do Livro, 1966.

Aranha, José Pereira de Graça (Brasil, 1868-1931), *Canaa* (1902).

Arévalo Martínez, Rafael (Guatemala, 1884), *El hombre que parecía un caballo* (1915), Guatemala, Editorial Universitaria, 1951.

Arguedas, Alcides (Bolivia, 1879-1946), *Pueblo enfermo* (1909); *Raza de bronce* (1919); incluidos en *Obras completas,* 2 vols. México, Aguilar, 1959.

Arguedas, José María (Perú, 1911-1969), *Canto Kechwa,* Club del Libro Peruano, 1938; *Yawar fiesta* (1941), Populibros Peruanos, s. f., *Los ríos profundos,* Buenos Aires, Losada, 1958: *El sexto* (1961), Lima, Ediciones Merlín, s. f.; *Todas las sangres,* Buenos Aires, Losada, 1964; *Agua* (1935), Lima, Ediciones Nuevo Mundo, 1961; *Diamantes y pedernales,* Lima, Juan Mejía Baca, 1954; *El zorro de arriba y el zorro de abajo,* Buenos Aires, 1971.

Arlt, Roberto (Argentina, 1900-42), *Los siete locos,* Buenos Aires, Claridad, 1929; *Los lanzallamas,* Buenos Aires, Claridad, 1931: *Novelas completas y cuentos,* 3 vols., Buenos Aires, Fabril, 1963.

Arráiz, Antonio (Venezuela, 1903), *Puros hombres* (1938), Lima, Editorial Latinoamericana, incluido en la serie "Segundo Festival del Libro Venezolano", s. f.; *El mar es como un potro,* título original: *Dámaso Velázquez* (1943).

Asturias, Miguel Ángel (Guatemala, 1899-1974), *Leyendas de Guatemala,* Madrid, Editorial Oriente, 1930; *El señor Presidente* (1946); *Hombres de maíz* (1947); incluidas en *Obras escogidas,* Vol. I, Madrid, Aguilar, 1955; *Viento fuerte,* Buenos Aires, Losada, 1950; *El Papa verde,* Buenos Aires, Losada, 1954; *Los ojos de los enterrados,* Buenos Aires, Losada, 1960; *Mulata de tal,* Buenos Aires, Losada, 1963; *véase* también Bellini.

Ataide, Tristao de (seudónimo de Alceu Amoroso Lima, Brasil, 1893), *Contribuçao a historia do modernismo,* Vol. I, Río de Janeiro, José Olympio, 1939.

Azevedo, Fernando de (Brasil, 1894), *A cultura brasileira* (1943), Sao Paulo, Río de Janeiro, Bahía, Pará, Porto Alegre, Companhia Editora Nacional, 1944.

Azuela, Mariano (México, 1873-1952), *Los de abajo* (1916); *Obras completas,* 3 vols., México, Fondo de Cultura Económica, 1958-60 (introducción de Francisco Monteverde).

Baciu, Stefan, "Beatitude South of the Border, Latin American's Beat Generation", *Hispania,* Vol. XLIX, No. 4, diciembre de 1966.

Ballagas, Emilio (Cuba, 1908-54), *Antología de la poesía negra hispanoamericana,* Madrid, Aguilar, 1944; *Mapa de la poesía negra,* Buenos Aires, Pleamar, 1946.

Banchs, Enrique (Argentina, 1888), *Poemas selectos,* México, Cultura, 1921.

Bandeira, Manuel (Brasil, 1886), *Poesía e prosa,* 2 vols., Río de Janeiro, Aguilar, 1958, introducción de Sérgio Buarque de Holanda y Francisco de Assis Barbosa; *Antología das poetas brasileiros da fase parnasiana,* Río de Janeiro, Ministério da Educaçao e Saúde, 1951.

Barbusse, Henri, *Manifeste aux intellectuels,* París, Les écrivains réunis, 1927.

Barnet, Miguel (Cuba, 1940), *Cimarrón,* La Habana, Gente Nueva, 1967.

Barrenechea, Ana María, *La expresión de la irrealidad en la obra de Borges,* Paidós, Buenos Aires, 1967; y Emma Susana Speratti Piñero, *La literatura fantástica argentina,* Buenos Aires, Imprenta Universitaria, 1957.

Barrios, Eduardo (Chile, 1884-1963), *Un perdido* (1917); *Gran Señor y Rajadiablos* (1948); *Obras completas,* 2 vols., Zig-Zag, 1962.

Bastide, Roger, *Brésil: Terre des constrastes,* París, Hachette, 1957.

Bazin, R., *Histoire de la littérature américaine de langue espagnole,* París, 1953; publicado en español como *Historia de la literatura americana en lengua española,* Buenos Aires, Nova.

Beleño Cedeño, Joaquín (Panamá, 1922), *Luna verde,* Panamá, 1951; *Gamboa Road Gang (Los forzados de Gamboa),* Panamá, Ministerio de Educación, Departamento de Bellas Artes, 1960.

Belli, Carlos Germán, *El pie sobre el cuello,* Montevideo, Alfa, 1967: *Sextinas y otros poemas,* Santiago, Editorial Universitaria, 1970.

Bellini, Giuseppe, *La narrativa di Miguel Angel Asturias,* Vol. I: *Dalle "Leyendas" a "Hombres de maíz",* La Goliardica, Milán, 1965.

Bello, Andrés (Venezuela, 1781-1865), *Obras completas,* Caracas, Ministerio de Educación, 1952.

Benedetti, Mario (Uruguay, 1920), *Montevideanos* (1959), Montevideo, Alfa, 1964, 3a. edición; *La tregua* (1960), Montevideo, Alfa, 1963, 2a. edición; *Literatura uruguaya, siglo XX,* Montevideo, Alfa, 1963; *Gracias por el fuego,* Montevideo, Alfa, 1964. "Relaciones entre el hombre de acción y el intelectual", *Casa de las Américas,* año VII, No. 47, La Habana (marzo-abril, 1968). "Las prioridades del escritor", *Marcha* 1386, Montevideo, 12 de enero de 1968.

Beneke, Walter (El Salvador, 1928), *Funeral Home* (1959), incluido en *El teatro hispanoamericano contemporáneo* (antología) ver: Solórzano.

Benítez, Antonio (Cuba, 1931), *Tute de reyes,* La Habana, Casa de las Américas, 1967.

Benítez, Fernando (México, 1911), *Los indios de México,* 3 vols., México, Era, 1967-1970

Benjamin, Walter, "The storyteller", Yale University Press, 1967.

Berisso, Luis (Argentina 1866-1944), *El pensamiento de América.* 1808.

Bioy Casares, Adolfo (Argentina, 1914), *El sueño de los héroes,* Buenos Aires, Losada, 1954; *La invención de Morel* (1940), Buenos Aires, Sur, 1948, 2a. edición; *Los que aman, odian,* en colaboración con Ocampo, Silvina, Buenos Aires, Emecé, 1946.

Blanco-Fombona, Rufino (Venezuela, 1874-1944), *El hombre de hierro,* Caracas, Tipografía Americana, 1907; *Dramas mínimos,* Madrid, Biblioteca Nueva, 1920; *La evolución política y social de Hispanoamérica,* Madrid, 1911; *Camino de imperfección: Diario de mi vida, 1906-13,* Madrid, Editorial América, 1933; *Obras selectas,* ed. Gabaldón Márquez, Madrid y Caracas, Ediciones Edime, 1958.

Bombal Ma. Luisa (Chile, 1910), *La amortajada* y *La última niebla.*

Boorstein J., Daniel, *The Image,* A Guide to Pseudo-Events in America, Nueva York, Atheneum, 1973.

Bopp, Raúl (Brasil, 1898), *Cobra Norato e outros poemas* (1931), Río de Janeiro, Livraria Sao José, 1956.

Borges, Jorge Luis (Argentina, 1899), *Poemas* (1923-58), Buenos Aires, Emecé, 1958; *Otras inquisiciones* (1937-52), Buenos Aires, Sur, 1952; 2a, edición: Buenos Aires, Emecé, 1960; *Discusión* (1932), Emecé, 1957; *Historia universal de la infa-*

mia (1935), Buenos Aires, Emecé, 1954; *Ficciones* (1935-44), Buenos Aires, Emecé, 1961, 3a, edición; *El Aleph* (1949), Buenos Aires, Emecé, 1957, 3a. edición; *El hacedor*, Buenos Aires, Emecé, 1960; *El libro de los seres imaginarios*, Buenos Aires, Kier, 1967; *Elogio de la sombra*, Buenos Aires, Emecé, 1969; *Informe sobre Brody*, Buenos Aires, Emecé, 1970; *El idioma de los argentinos*, en una antología de ensayos por Borges y otros autores publicada bajo el mismo título, Buenos Aires, Emecé, 1963; *The Spanish Language in South America: A Literary Problem* y *El gaucho Martín Fierro* (textos de confrencias dadas en el Hispanic Council, Londres y en la Universidad de Bristol), Londres, Diamante, 1964.

Botelho Gosálvez, Raúl (Bolivia, 1917), *Borrachera verde*, Santiago, Zig-Zag, 1938: *Altiplano*, Buenos Aires, Ayacucho, 1945.

Brandao entre o mar e o amor, novela brasileña escrita en colaboración por Jorge Amado, José Lins do Rego, Aníbal Machado, Raquel de Queirós y Graciliano Ramos, 1942.

Breton, André, *Manifestes du Surréalisme*, París, Éditions Jean Jacques Pauvert, 1962.

Brunet, Marta (Chile, 1901), *Montaña adentro*, Santiago, Nascimiento, 1923; *María Nadie*, Santiago, Zig-Zag, 1957.

Buarque de Holanda; Sérgio (Brasil, 1902), *Raízes do Brasil*, Río de Janeiro, José Olympio, 1936.

Bulnes, Francisco (México, 1847-1924), *El porvenir de las naciones latinoamericanas*, 1899.

Bunge, Carlos Octavio (Argentina, 1875-1918), *Nuestra América*, Barcelona, 1903.

Caballero Calderón, Eduardo (Colombia, 1910), *El Cristo de espaldas*, Buenos Aires, Losada, 1953, 4a. edición, Espiral, Bogotá, 1961; *Siervo sin tierra* (1954), Madrid, Guadarrama, 1955, 2a. edición; *Manuel Pacho*, Medellín, Bedout, 1964: *Americanos y europeos*, Madrid, Guadarrama, 1957.

Cabral de Melo Neto, Joao (Brasil, 1920), *Duas águas, poemas reunidos*, Río de Janeiro, José Olympio, 1956; *Terceira feira*, Río de Janeiro, Editôra do Autor, 1961; *Poemas escolhidas*, Lisboa, Portugalia, 1963; *Antología Poética*, Río de Janeiro, 1965.

Cabral, Manuel del (República Dominicana, 1907), *Doce poemas negros*, Ciudad Trujillo, 1935.

Cabrera Infante, Guillermo (Cuba, 1929), *Así en la paz como en la guerra*, La Habana, Ediciones Revolución , 1964, 4a. edición; *Tres tristes tigres*, Barcelona, Seix Barral, 1967.

Caicedo, Daniel (Colombia), *Viento seco*, Losada, 1954, 3a. edición.

Cambaceres, Eugenio (Argentina, 1843-88), *Obras completas*, Santa Fe, E.M.S. Danero, 1956.

Campos, Augusto de (Brasil), en colaboración con Décio Pignatari y Haroldo de Campos, *Teoría da poesía concreta: Textos críticos e Manifestos, 1950-60*, Sao Paulo, Ediçoes Invençao, 1965; en colaboración con Haroldo de Campos, *Revisao de Sousândrade*. Sao Paulo, Ediçoes Invençao, 1964.

Campos, Haroldo de (Brasil), ver Campos, Augusto de.

Candido, Antonio, *Literatura e Sociedade*, Sao Paulo, Companhia Editôra Nacional, 1965.

Capdevila, Arturo (Argentina, 1889); *Babel y el Castellano*, Buenos Aires, Losada, 1940.

Cardenal, Ernesto (Nicaragua, 1925), *Poemas*, La Habana, Casa de las Américas, 1967.

Cardoza y Aragón, Luis (Guatemala, 1904), *Guatemala, las líneas de su mano,* México, Fondo de Cultura Económica, 1955.

Carpentier, Alejo (Cuba, 1904), *Ecué-Yamba-O,* Madrid, Editorial España, 1933; *El reino de este mundo* (1949), Lima, Organización Continental de los Festivales del Libro, 1958; *Los pasos perdidos* (1953), México, Compañía General de Ediciones, 1959; *El acoso,* Buenos Aires, Losada, 1956; *Guerra del tiempo,* México, EDIAPSA, 1958; *El siglo de las luces,* México, EDIAPSA, 1962; *Tientos y diferencias,* Montevideo, Arca, 1967.

Carrasquilla, Tomás (Colombia, 1858-1940), *Frutos de mi tierra* (1896); *Obras completas,* Madrid, EPESA, 1952, prólogo de F. de Onís.

Carrera Andrade, Jorge (Ecuador, 1903), *Boletines de mar y tierra,* Barcelona, 1930; *Rol de la manzana: poesías (1926-29); Biografía para uso de los pájaros,* París, 1937; *Registro del mundo: antología poética* (1922-39), Quito, Imprenta de la Universidad, 1940; *Edades poéticas (1922-56),* Quito, Casa de la Cultura Ecuatoriana, 1958 (incluye *microgramas,* 1940).

Carvalho, Ronald de (Brasil, 1893-1935), *Pequeña História da Literatura Brasileira,* Río de Janeiro, Briguet e Companhia, 1944, 7a. edición; en colaboración con Elysio de Carvalho, *Affirmaçoes: Um ágape de intelectuaes,* Río de Janeiro, Monitor Mercantil, 1921.

Casaccia, Gabriel (Paraguay, 1907), *La babosa,* Buenos Aires, Losada, 1952.

Casal, Julián del (Cuba, 1863-93), *Poesías completas,* La Habana, Ministerio de Educación, 1945; *Prosas,* 3 vols., La Habana, Consejo Nacional de Cultura, 1961; véase también Monner Sans.

Castello, José Adelardo, *José Lins do Rego: Modernismo e regionalismo,* Sao Paulo, Edart, 1961.

Castellanos, Rosario (México, 1925-1974), *Balún Canán,* México, Fondo de Cultura Económica, 1957; *Oficio de tinieblas,* México, Joaquín Mortiz, 1962: *Álbum de familia,* México, Joaquín Mortiz, 1971.

Castillo, Otto René, *Vámonos patria a caminar,* México, 1967.

Castro Leal, Antonio, ed., *La novela de la Revolución Mexicana,* 2 vols., México, Aguilar, 1958-60.

Caute, David, *Communism and the French Intellectuals,* 1914-60; Londres, Deutsch, 1964; Nueva York, Macmillan, 1964.

Céspedes, Augusto (Bolivia 1904), *Metal del diablo* (1946), Buenos Aires, Palestra, 1960; *Sangre de mestizos: Relatos de la guerra del Chaco* (1936), La Paz, Ministerio de Educación y Bellas Artes, 1962.

Cisneros, Antonio (Perú, 1942), *Comentarios reales,* Lima, La Rama Florida, 1964; *Canto ceremonial contra un oso hormiguero,* La Habana, Casa de las Américas, 1968.

Cline, Howard, *México: Revolution to Evolution, 1940-1960,* Londres y Nueva York, Oxford University Press, 1962.

Cometta Manzoni, Aída, *El indio en la novela de América,* Buenos Aires, Editorial Futuro, 1960.

Contreras, Francisco (Chile, 1877-1933), *Les Ecrivains Contemporains de l'Amérique Espagnole,* París, La Renaissance du Livre, 1920.

Corno Emplumado, El, México, D.F. No. 1, enero de 1962, hasta No 31, julio de 1969.

Corral, Jesús del (Colombia, 1871-1931), "Que pase el aserrador", incluido en Walsh, Gertrude M., *Cuentos criollos,* Boston, Heath, 1941.

Cortázar, Julio (Argentina, 1914-1984), *Final del juego* (1964), Buenos Aires, Sudamericana, 1964, 2a. edición; *Los premios* (1960), Buenos Aires, Sudamericana, 1965, 3a. edición; *Rayuela*, Buenos Aires, Sudamericana, 1963; *Historias de cronopios y de famas* (1962), Buenos Aires, Minotauro, 1964; *La vuelta al día en ochenta mundos*, México, Siglo XXI, 1967; *62, Novela para armar*, Buenos Aires, Sudamericana, 1968; *Ultimo round*, México, Siglo XXI, 1969.

Costa du Rels, Adolpho (Bolivia, 1891) ver Francovitch, Guillermo.

Coulthard, G. R., *Raza y color en la literatura antillana*, Madrid, Medinaceli, 1958.

Collazos, Oscar, Julio Cortázar, Mario Vargas Llosa, *Literatura en la revolución y revolución en la literatura*, México, 1970.

Cruz Costa, Joao, *Contribuçao a história das idéias do Brasil*, Río de Janeiro, Coleçao Documentos Brasileiros, 1956; publicada en español con el título *Esbozo de una historia de las ideas en Brasil*, México, Fondo de Cultura Económica, 1957.

Cruz e Sousa, Joao (Brasil, 1861-98), *Obras poética*, Río de Janeiro, Valverde, 1945.

Cuadra, José de la (Ecuador, 1903-41), *Repisas* (1931); *Horno* (1932); *Guasintón* (1935); *Los Sanguarimas* (1934); *Obras completas*, Quito, Casa de la Cultura Ecuatoriana, 1958; prólogo de Alfredo Pareja Díez-Canseco.

Cuevas, José Luis, "The cactus curtain: an open letter on conformity in mexican art", *Evergreen Review*, Vol. 2 No. 7, invierno de 1959.

Cunha, Eclydes da (Brasil, 1886-1909), *Os sertoes* (1902), Río de Janeiro, 1933, 12a. edición; publicado en español: *Los sertones*, Buenos Aires, Atlántida.

Chang Rodríguez, Eugenio, *La literatura política de González Prada, Mariátegui y Haya de la Torre*, México, Studium, 1957.

Charlot, Jean, *The Mexican Mural Renaissance*, New Haven, Yale University press, 1963.

Chávez, Fernando (Ecuador, 1902), *Plata y bronce* (1927), Quito, Casa de la Cultura Ecuatoriana, 1954.

Damaz, Paul F., *Art in Latin American Architecture*, Nueva York, Reinhold, 1963, prefacio de Oscar Niemeyer.

Darío, Rubén (Nicaragua, 1867-1916), *Azul* (1888); *Los raros* (1896); *Prosas profanas (1896); Cantos de vida y esperanza* (1906); *El canto errante* (1907); *Obras poéticas completas*, Madrid, Aguilar, 1967, 10a. edición; *Obras desconocidas de Rubén Darío escritas en Chile y no recopiladas en ninguno de sus libros*, ed. Raúl Silva Castro, Santiago, Universidad de Chile, 1934; *Obras completas*, 5 vols., Madrid, Aguado, 1950-55.

Dauster, Frank, *Ensayos sobre poesía mexicana*, México, Studium, 1963.

Debord, Guy, *Society of the Spectacle*, Detroit, Black and Red, 1970.

Delgado, Washington (Perú, 1927), *Días del corazón*, Lima, Cuadernos de composición, 1957; *Para vivir mañana*, Lima, 1959; *Parque*, Lima, La Rama Florida, 1965.

Demolins, Edmond, *A quoi tient la supériotité des Anglo-Saxons?*, París, 1897.

Denevi, Marco (Argentina, 1922), *Ceremonia secreta*.

Díaz Arrieta, Hernán (Alone), *Historia personal de la literatura chilena*, Santiago, Zig-Zag. 1962, 2a. edición.

Díaz Mirón, Salvador (México, 1853-1928), *Lascas* (1901), incluido en *Poesías completas*, México, Porrúa, 1952, 3a. edición.

Díaz Rodríguez, Manuel (Venezuela, 1871-1927), *Ídolos rotos* (1901); *Cuentos de color* (1899), Caracas, Ediciones Nueva Cádiz, 1952.

Donoso, José (Chile, 1924), *Coronación*, Santiago, Nascimento, 1957; *El lugar sin límites*, México, Joaquín Mortiz, 1966; *Este domingo*, México, Joaquín Mortiz, 1968, 2a. edición; *El obsceno pájaro de la noche*, Barcelona, Seix Barral, 1970.

Droguett, Carlos (Chile, 1915), *100 gotas de sangre y 200 de sudor*, Santiago, Zig-Zag, 1961; *El hombre que había olvidado*, Buenos Aires, 1968; *Eloy*, Barcelona, Seix Barral, 1960; *El compadre*, México, Joaquín Mortiz, 1967.

Drummond de Andrade, Carlos (Brasil, 1962), *Poemas*, Río de Janeiro, José Olympio, 1959.

Dunham, Lowell, *Rómulo Gallegos, vida y obra*, México, Studium, 1957.

Echeverría, Esteban (Argentina, 1805-51), *Dogma socialista* (1837-46), publicado como *Dogma socialista y otras páginas políticas*, Buenos Aires, Estrada, 1958; *El matadero* (publicado póstumamente en *Obras completas*, 5 vols. 1870-74); *La cautiva y el matadero*, Buenos Aires, Sopena, 1962, 7a. edición, con la reimpresión del prólogo de Juan María Gutiérrez.

Edwards, Jorge (Chile, 1931), *El peso de la noche*, Barcelona, Seix Barral, 1964.

Edwards Bello, Joaquín (Chile, 1887-1968), *El roto*, Santiago, Editorial Chilena, 1920.

Eguren, José María (Perú, 1874-1942), *Vida y obra, Antología, Bibliografía*, Nueva York, Hispanic Institute, 1961.

Elizondo, Salvador (México, 1932), *Farabeuf, o la crónica de un instante*, México, Joaquín Mortiz, 1967; *El hipogeo secreto*, México, Joaquín Mortiz, 1968; *El retrato de Zoe y otras mentiras*, México, Joaquín Mortiz, 1969.

Ellison, Fred P., *Brazil's New Novel*, Berkeley y Los Angeles, University of California Press, 1954.

Erro, Carlos Alberto (Argentina, 1899), *Tiempo lacerado*, Buenos Aires, Sur, 1936.

Espínola, Francisco (Uruguay 1901), *Raza ciega* (1927), Montevideo y Buenos Aires, Sociedad de Amigos del libro Rioplatense, 1936.

Fallas, Carlos Luis (Costa Rica, 1909), *Mamita Yunai* (1941), Santiago, Nascimento, 1949, 2a. edición.

Fein, John M., *Modernismo in Chilean Literature*, Durham, Duke University Press, 1955.

Fernández, Justino, *Arte moderno y contemporáneo de México*, México, Imprenta Universitaria, 1952; ed., *Textos de Orozco*, Editorial Universitaria, México, 1955.

Fernández, Macedonio (Argentina, 1874-1952), *Papeles de Recienvenido*, Buenos Aires, Centro Editor de América Latina, 1966; *Museo de la novela de la Eterna*, Buenos Aires, Centro Editor de América Latina, 1967; *No toda es vigilia la de los ojos abiertos*, Buenos Aires, Centro Editor de América Latina, 1967.

Fernández, Pablo Armando (Cuba, 1930), *Libro de los héroes*, La Habana, Casa de las Américas, 1963; *Toda la poesía*, La Habana, Ediciones Revolución, 1961.

Fernández de Lizardi, José Joaquín (México, 1776-1827), *El Periquillo Sarniento* (1816), México, Porrúa, 1962, 4a. edición.

Fernández Guardia, Ricardo (Costa Rica, 1867-1950), *Cuentos ticos*, San José, 1901.

Fernández Moreno, Baldomero (Argentina, 1886-1950), *Las iniciales del misal*

(1915); *Aldea española* (1925); *Poesía* (1928); *Décimas* (1928); *Dos poemas* (1935); *Seguidillas* (1936); *Romances* (1936); *Antología, 1915-50*, Buenos Aires, Espasa-Calpe, 1954, 6a. edición.

Fernández Retamar, Roberto (Cuba, 1930), *La poesía contemporánea en Cuba: 1927-52;* La Habana, Orígenes, 1954; *Vuelta a la antigua esperanza*, La Habana, 1959; "Carta a los prioneros", incluido en la antología *Con las mismas manos*, La Habana, Ediciones Unión, 1962.

Forston R., James, *Perspectivas mexicanas desde París*, México, Corporación Editorial, 1973.

Francovitch, Guillermo, *El pensamiento boliviano en el siglo XX*, México, Fondo de Cultura Económica, 1956.

Freyre, Gilberto (Brasil, 1900), *Casa Grande e Senzala* (1933); *Manifesto Regionalista del 1926*, Río de Janeiro, Ministerio de Educaçao e Cultura, 1955; *Interpretaçao do Brasil* (1947), Lisboa, Livros do Brasil, s. f.

Frías, Heriberto (México, 1870-1928), *Tomóchic*, Barcelona, Biblioteca Mexicana, 1899.

Fuentes, Carlos (México, 1929), *Las buenas conciencias* (1959), México, Fondo de Cultura Económica, 1961, 3a. edición; *La región más transparente* (1958), México, Fondo de Cultura Económica, 1965, 4a. edición; *La muerte de Artemio Cruz*, México, Fondo de Cultura Económica, 1962: *Cambio de piel*, México, Joaquín Mortiz, 1968: *Cumpleaños*, México, Joaquín Mortiz, 1969; *Todos los galos son pardos*, México, Siglo XXI, 1970; *EL tuerto es rey*, México, Joaquín Mortiz, 1970; *La nueva novela hispanoamericana*, México, Joaquín Mortiz, 1969; *Casa con dos puertas*, México, Joaquín Mortiz, 1970; *Tiempo mexicano*, México, Joaquín Mortiz, 1971; *Terra nostra*, 1972.

Gallegos, Rómulo (Venezuela, 1884-1969), *Reinaldo Solar* (1920); *La trepadora* (1925); *Doña Bárbara* (1929); *Cantaclaro* (1934); *Canaima* (1935) *Pobre negro* (1937); *Una posición en la vida* (ensayos), México, Ediciones Humanismo, 1954; todas las novelas aparecen en *Obras completas*, 2 vols., Madrid, Aguilar, 1958.

Gallegos Lara, Joaquín, ver Aguilera Malta.

Galván, Manuel de Jesús (República Dominicana, 1834-1911), *Enriquillo, leyenda histórica dominicana* (1882).

Gálvez, Manuel (Argentina, 1882-1962), *El mal metafísico* (1916); *Nacha Regules* (1919); *Obras escogidas*, Madrid, Aguilar, 1949.

Gamboa, Federico (México, 1864-1939), *Obras completas*, México, Fondo de Cultura Económica, 1965, prólogo de Francisco Monterde.

García Calderón, Francisco (Perú, 1883-1953), *Le pérou contemporain*, París, 1907; *Ideas e impresiones*, Madrid, 1919; *Les Démocraties Latines de l'Amérique*, París, 1912.

García Calderón, Ventura (Perú, 1886-1959), *La venganza del cóndor*, Madrid, Mundo Latino, 1924.

García Godoy, Federico (1857-1924), *Americanismo literario*, Madrid, Editorial América, 1917.

García Márquez, Gabriel (Colombia, 1928), *La mala hora*, Esso colombiana, 1962; *El coronel no tiene quien le escriba*, México, Era, 1963, 2a. edición; "Un día después del sábado", incluido en *Los fenerales de Mamá Grande*, México, Veracruzana, 1962; *La hojarasca*, Montevideo, Arca, 1965; *Cien años de soledad*. Buenos Aires, Sudamericana, 1967.

García Ponce, Juan (México, 1932), *Nueve pintores mexicanos*, Mexico, Era,

1968: *Imagen primera*, Buenos Aires, Galerna, 1968: *Desconsideraciones*, México, Joaquín Mortiz, 1968: *Figura de paja*, México, Joaquín Mortiz, 1964; *La casa en la playa*, México, Joaquín Mortiz, 1966; *La cabaña*, México, Joaquín Mortiz, 1969, *La vida perdurable*, México, Joaquín Mortiz, 1970.

García Robles, Víctor (Argentina, 1933), *Oíd, mortales*, La Habana, las Américas, 1965.

Garmendia, Salvador (Venezuela, 1928), *Los pequeños seres* (1959); *La mala vida*, Montevideo, Arca, 1968; *Día de Ceniza* (1964), Monteávila, 1968; *Los habitantes*, Caracas, Monteávila, 1968.

Garro, Elena (México, 1917), *Los recuerdos del porvenir*, México, Joaquín Mortiz, 1963.

Gerchunoff, Alberto (Rusia, 1884-Argentina, 1950), *Los gauchos judíos* (1910), nueva edición, Biblioteca de escritores argentinos, 1936.

Gil Gilbert, Enrique (Ecuador, 1912), *Nuestro pan*, Guayaquil, Librería Vera, 1942; ver Aguilera, Malta.

Girri, Alberto, *Casa de la mente*, Buenos Aires, Sudamericana, 1968; *Línea de la vida y otra poesía*, Buenos Aires, Sur, 1959.

Glauert, Earl T., "Ricardo Rojas and the Emergence of Argentine Cultural Nationalism", *Hispanic American Historical Review*, Vol. XLII, No. I, p. 19.

Gobineau, J. A. de, *Essai sur l'inégalité des races humaines*, París, 1884.

Gómez Carrillo, Enrique (Guatemala, 1873-1927), *Literatura extranjera*, París, Garnier, 1895.

González Martínez, Enrique (México, 1871-1952), *Antología poética*, México y Buenos Aires, Espasa-Calpe, 1944, 3a. edición.

González Prada, Manuel (Perú, 1848-1918), *Páginas libres*, París, 1894; *Horas de lucha* (1908), Lima, Lux, 1924, 2a. edición.

González Vera, José Santos (Chile, 1897), *Cuando era muchacho*, Santiago, Nascimiento, 1956.

Gorostiza, José (México, 1901-1973), *Muerte sin fin* (1939), México, UNAM, 1952; *Poesía*, México, Fondo de Cultura Económica, 1964.

Guevara, Ernesto (Che), *El diario del Che en Bolivia*, Cuba, 1968, *El socialismo y el hombre en Cuba*.

Guido, Beatriz (Argentina, 1924), *La caída*, Buenos Aires, Losada, 1956.

Guillén, Nicolás (Cuba, 1902), *Motivos de son* (1930); *Sóngoro cosongo* (1931), Buenos Aires, Losada, 1957, 2a. edición; *Cantos para soldados y sones para turistas* (1937); *El son entero*, Buenos Aires, Pleamar, 1947; *Cantos para soldados y sones para turistas* se incluyen en la 2a. edición de *El son entero*, Buenos Aires, Losada, 1957.

Guimaraes Rosa, Joao (Brasil 1908-1966), *Grande Sertao, Veredas* (1956), Río de Janeiro, José Olympio, 1963, 3a. edición; traducción española en Seix Barral, Barcelona, 1968; *Corpo de Baile (Sete novelas)*, 2 vols., Río de Janeiro, José Olympio, 1956; *Primeiras estórias*, Río de Janeiro, 1962; traducción española en Seix Barral, Barcelona, 1967; *Sagarana*, Río de Janeiro, 1964, 6a. edición.

Güiraldes, Ricardo (Argentina, 1886-1927), *Don Segundo Sombra* (1926), en *Obras Completas*, Buenos Aires, Emecé, 1962.

Gullón, Ricardo, Direcciones del modernismo, Madrid, Gredos, 1963.

Gutiérrez, Carlos María, "Mala conciencia para intelectuales", *Marcha* 1386, Montevideo, 12 de enero de 1968.

Gutiérrez Nájera, Manuel (México, 1859-95), *Obras de Manuel Gutiérrez Nájera*, México, ed. Justo Sierra, 1896; *Poesías completas*, 2 vols., México, Porrúa, 1953.

Guzmán, Martín Luis (México, 1887), *El águila y la serpiente* (1928); *La sombra del caudillo* (1929); *Obras completas de Martín Luis Guzmán*, 2 vols., México, Compañía General de Ediciones, 1961; prólogo de Andrés Iduarte.

Guzmán, Nicomedes (Chile, 1914), *Los hombres oscuros* (1939), Santiago, Zig-Zag, 1964, 6a. edición; *La luz viene del mar* (1950), Santiago, Zig-Zag, 1963, 2a. edición.

Henríquez Ureña, Max, *Breve historia del modernismo* (1954), México, Fondo de Cultura Económica, 1962, 2a. edición.

Henríquez Ureña, Pedro (República Dominicana, 1884-1946), *Plenitud de América, ensayos escogidos*, Buenos Aires, Peña del Giudice, 1952.

Heraud, Javier (Perú, 1942-1962), *Poesías completas y homenaje*, Lima, La Rama Florida, 1964.

Heiremans, Luis, A. (Chile, 1928-66), *La jaula en el árbol y dos cuentos para teatro*, Santiago, Nuevo Extremo, 1959.

Hernández, José (Argentina, 1834-86), *Martín Fierro* (1872); *La vuelta de Martín Fierro* (1879), Buenos Aires, Losada, 1953, 8a. edición.

Herrera y Reissig, Julio (Uruguay, 1875-1910), *Los éxtasis de la montaña* (1904); *Sonetos vascos* (1906); *Poesías completas*, Buenos Aires, Losada, 1958, 3a. edición.

Herring, Hubert, *A History of Latin America from the Beginings to the Present*, Nueva York, Knopf, 1963, 2a. edición.

Huidobro, Vicente (Chile, 1893-1948), *Poesía y prosa*, Madrid, Aguilar, 1957; *Poesías completas*, 2 vols., Santiago, Zig-Zag, 1964.

Ibarbourou, Juana de (Uruguay, 1895), *Obras completas*, Madrid, Aguilar, 1960.

Icaza, Jorge (Ecuador, 1906), *Huasipungo* (1934), Buenos Aires, Losada, 1953, 2a. edición; *Cholos* (1938), Quito, Atahualpa, 1939, 2a. edición.

Iduarte, Andrés (México, 1907), *Un niño en la Revolución Mexicana*, México, Editorial Ruta, 1951.

Ingenieros, José (Argentina, 1877-1925), *Los tiempos nuevos, reflexiones optimistas sobre la guerra y la revolución*, Buenos Aires, 1921.

Isaacs, Jorge (Colombia, 1837-95), *María* (1867), Buenos Aires, Espasa Calpe, 1949.

Jaimes Freyre, Ricardo (Bolivia, 1868-1933), *Castalia bárbara* (1897), incluido en *Poesías completas*, Buenos Aires, Claridad, 1944.

Jameson, Fredric, "Reification and Utopia in Mass Culture", *The Social Text*, Madison, Wisconsin, Winter, 1979.

Jaramillo Alvarado, Pío (Ecuador, 1889), *El indio ecuatoriano, contribución al estudio de la sociología nacional* (1922), Quito, Casa de la Cultura Ecuatoriana, 1945, 4a. edición.

Jitrik, Noé, "Jugar su papel dentro del sistema", *Hispamérica*, año 1, No. 1, julio de 1972; *El no existente caballero*, Buenos Aires, Megápolis, 1975.

Keyserling, Hermann, *Sudamerikanische Meditationen*.

Korsi, Demetrio (Panamá, 1899-1957), *Pequeña antología*, Panamá, 1947.

Lafourcade, Enrique (Chile, 1927), *La fiesta de rey Acab*, Santiago, Editorial del Pacífico, 1959; *Fuecuencia modulada*, México, Joaquín Mortiz, 1968.

Laguerra, Enrique A. (Puerto Rico, 1906), *Solar Montoya*, 1947.

Laterra, Enrique (Argentina, 1875-1961), *La gloria de don Ramiro* (1908); *Zogoibi* (1962); *Obras completas*, Madrid, Plenitud, 1958.

Latorre, Mariano (Chile, 1886-1955), *Cuentos de Maule* (1912); *Cuna de cóndores* (1918); *Autobiografía de una vocación*, Santiago, Universidad de Chile, 1956; *Sus mejores cuentos*, Santiago, Nascimento, 1962, 3a. edición.

Lawrence, D. H., *The Plumed Serpent*, Penguin, Harmondsworth, 1961.

Leiva, Raúl, *Imagen de la poesía mexicana contemporánea*, México, UNAM, 1959.

Leñero, Vicente (México, 1933), *Los albañiles* (1964), Barcelona, Seix Barral, 1964, 2a. edición; *Estudio Q*, México, Joaquín Mortiz, 1965; *El garabato*, México, Joaquín Mortiz, 1967; *Pueblo rechazado*, México, Joaquín Mortiz, 1969; *Los albañiles* (teatro), México, Joaquín Mortiz, 1970.

Lezama Lima, José (Cuba 1910-1977), *Paradiso*, La Habana, Contemporáneos, 1966; *La expresión americana*, Madrid, Alianza Editorial, 1969.

Lihn, Enrique (Chile, 1929), *La pieza oscura* (1955-62), Santiago, Editorial Universitaria, 1963; *Agua de arroz*, Santiago, Ediciones del Litoral, 1964.

Lillo, Baldomero (Chile, 1867-1923), *Sub terra*, Santiago, Imprenta Moderna, 1904; *Sub sole*, Santiago, Imprenta Universitaria, 1907.

Lima, Jorge de (Brasil, 1893-1953), *Bangue e Negra Fuló* (1928); *Obra completa*, Río de Janeiro, Aguilar, 1958.

Lima Barreto, Alfonso Henrique de (Brasil, 1881-1922), *Recordaçoes do escrivao Isaías Caminha* (1909); *Triste fim de Policarpo Quaresma* (1915); *Obras de Lima Barreto*, Sao Paulo, Editora Brasiliense, 1956.

Lins do Rego, José (Brasil, 1901-57), *Menino de Engenho* (1932); Río de Janeiro, José Olympio, 1943, 4a. edición; *Doidinho* (1933), Río de Janeiro, José Olympio, 1943, 4a. edición; *Bangué* (1934), José Olympio, 1943, 2a. edición; *O Moleque Ricardo* (1935), José Olympio, 1940, 3a. edición revisada; *Usina* (1936), José Olympio, 1940, 2a. edición; *Fogo morto* (1943), José Olympio, 1944, 2a. edición; *Lira Negra* (Antología de poesía afroamericana y afroespañola), Madrid, Aguilar, 1945.

López Albújar, Enrique (Perú, 1872-1965); *Cuentos andinos* (1920); *Matalaché* (1928); *De mi casona* (1924); *Nuevos cuentos andinos*, Santiago, Ercilla, 1937; *Los mejores cuentos*, Lima, patronato del Libro Peruano, 1957.

López Portillo y Rojas, José (México, 1850-1923), *La parcela* (1898).

López Velarde, Ramón (México, 1888-1921), *Poesías* y *El minutero*, México, Porrúa, 1957, prólogo de Antonio Castro Leal.

López y Fuentes, Gregorio (México, 1897-1968), *Campamento* (1921); *Tierra* (1932); *Mi general* (1934); estas novelas están incluidas en *La novela de la Revolución Mexicana*, 2 vols., México, Aguilar, 1964, ed. Antonio Castro Leal; *El indio* (1935), México, Botas, 1945, 3a. edición.

Loveira, Carlos (Cuba, 1882-1928), *Generales y doctores* (1920); *Juan Criollo*, La Habana, Consejo Nacional de Cultura, 1962.

Ludmer, Josefina, *Cien años de soledad; una interpretación*, Buenos Aires, Ed. Tiempo Contemporáneo, 1972.

Lugones, Leopoldo (Argentina, 1874-1938), *Las montañas de oro* (1897); *El libro de los paisajes* (1917); *Romances del Río Seco* (1938); *Obras poéticas completas*, Madrid; Aguilar, 1959, prólogo de Miguel Obligado; *La guerra gaucha* (1905), Buenos Aires, Peuser, 1946; *El payador* (1916), Buenos Aires, Ediciones Centurión, 1961.

Machado de Assis, Joaquim Maria (Brasil, 1838-1908), *Memórias póstumas de Brás Cubas* (1881); Sao Paulo, 1951; *Quincas Borba* (1891); *Dom Casmurro (1899), Río de Janeiro, 1957; Esaú e Jacó* (1904); *Papeis Avulsos, Río de Janeiro, Lombaerts, 1882; Relíquias de casa velha,* París, Garnier, 1906.

Macherey, Pierre, *Pour une theorie de la production littéraire,* París, 1966.

Mafud, Julio, *El desarraigo argentino,* Buenos Aires,Americalee, 1959.

Magaña Esquivel, Antonio, *La novela de la Revolución,* Vol. I, México, Instituto Nacional de Estudios Históricos de la Revolución Mexicana, 1964.

Magdaleno, Mauricio (México, 1906), *El resplandor* (1937), incluido en el vol. 2 de *La novela de la Revolución Mexicana,* México, Aguilar, 1964.

Mallea, Eduardo (Argentina, 1903), *La ciudad junto al río inmóvil* (1936); *Historia de una pasión argentina* (1937); *La bahía del silencio* (1940); *Las águilas* (1943); *Los enemigos del alma* (1950); *Obras completas,* 2 vols., Buenos Aires, Emecé, 1961, prólogo de Mariano Picón Salas; *La barca de hielo,* Buenos Aires, 1967.

Maples Arce, Manuel (México, 1898), *Modern Mexican Art, El arte mexicano moderno,* Londres, Zwemmer, 1946.

Marechal, Leopoldo (Argentina. 1900-70), *Adán Buenosayres* (1948).

Mariátegui, José Carlos (Perú, 1895-1930), *Siete ensayos de interpretación de la realidad peruana* (1928), Lima, Biblioteca Amauta, 1964, 9a. edición; *La escena contemporánea,* Lima, Editorial Minerva, 1925.

Marín, Juan (Chile, 1900), *Paralelo 53 sur,* Santiago, Nascimento, 1936; *Viento negro* (1944), Santiago, Zig-Zag, 1960, 2a. edición.

Marinello, Juan (Cuba, 1898), *Conversación con nuestros pintores abstractos,* Santiago de Cuba, Universidad de Oriente, 1960.

Marqués, René (Puerto Rico, 1919), *La carreta* (1953); Puerto Rico, Editorial Cultural, 1961; *La muerte no entrará en palacio* (1957), incluido en *Antología del teatro latinoamericano,* Vol. I (ver Solórzano); *Los soles truncos* (1958); *En una ciudad llamada San Juan,* México, UNAM, 1960.

Martel, Julián (seudónimo de José María Miró, Argentina, 1868-96), *La bolsa* (1891), Buenos Aires, Estrada y Cía., Biblioteca de Clásicos Argentinos, 1946, prólogo de Adolfo Mitre.

Martí, José (Cuba, 1853-95), *Ismaelillo* (1882); *Versos libres* (1919); *Versos sencillos* (1891); *Obras completas de Martí,* 23 vols., La Habana, Editorial Nacional de Cuba, 1963-65.

Martínez, José Luis, *Literatura mexicana, siglo XX; 1910-49,* 2 vols., México, Robredo, 1950.

Martínez, Luis (Ecuador, 1869-1909), *A la costa* (1904), Quito, Casa de la Cultura Ecuatoriana, 1959, 2a. edición.

Martínez Estrada, Ezequiel (Argentina, 1895-1964), *Radiografía de la Pampa* (1933), 2 vols., Buenos Aires, Losada, 1942; *Leer y escribir,* México, Joaquín Mortiz, 1969.

Martínez Moreno, Carlos (Uruguay, 1917), *Los aborígenes,* Montevideo, Alfa, 1964: *El paredón,* Barcelona, Seix Barral, 1962: *La otra mitad,* México, Joaquín Mortiz, 1966.

Martínez Villena, Rubén (Cuba, 1899-1934), *La pupila insomne,* La Habana, Publicaciones del Gobierno Provincial Revolucionario de La Habana, 1960, introducción de Raúl Roa.

Mattelart, Armand, Patricio Biedma, Santiago Funes, *Comunicación masiva y revolución socialista,* México, 1972. Armand Mattelart, *La comunicación ma-*

siva en el proceso de liberación, México, Madrid, Buenos Aires, 1971. Varios, *La cultura en la vía chilena al socialismo*, Santiago, 1971.

Matto de Turner, Clorinda (Perú, 1854-1909), *Aves sin nido*, Buenos Aires, 1889.

Mazzei, Ángel, *La poesía de Buenos Aires*, Buenos Aires, Editorial Ciordi, 1962.

Mediz Bolio, Antonio, ed. y trad., *Libro de Chilam Balam de Chumayel*, México, UNAM, 1941.

Meireles, Cecilia (Brasil, 1901), *Obra poética*, Río de Janeiro, Aguilar, 1958.

Mejía Vallejo, Manuel (Colombia, 1924), *El día señalado*, Barcelona, Seix Barral, 1964.

Meneses, Guillermo (Venzuela, 1911), *La misa de Arlequín*, Caracas, Ateneo de Caracas, 1962.

Menotti del Picchia, Paulo (Brasil, 1892), *Juca Mulato* (1917), Sao Paulo, Companhia Editoria Nacional, 1937. 16a. edición.

Menton, Seymour, *Historia crítica de la novela guatemalteca*, Guatemala, Ed. Universitaria, 1960; *El cuento costarricense*, México, Studium, 1964.

Mendoza, Jaime (Bolivia, 1874-1939), *El macizo boliviano*, La Paz, Arnos hijos, 1935; *En las tierras de Potosí*, Barcelona, 1911; *La tesis andina* (1920), *ver* Francovitch, Guillermo.

Mera, Juan León (Ecuador, 1832-94), *Cumandá* (1879).

Miró, Ricardo (Panamá, 1883-1940), *Versos patrióticos y recitaciones escolares* (1925); *Antología poética, 1907-37*, Panamá, Edición Homenaje, 1937; *Cien años de poesía en Panamá, 1852-1952*, Panamá, Departamento de Bellas Artes del Ministerio de Educación, 1953.

Mistral, Gabriela (seudónimo de Lucila Godoy Alcayaga, Chile, 1889-1957), *Desolación* (1922); *Ternura* (1924); *Tala* (1938); *Poesías completas*, Madrid, Aguilar, 1958.

Molina, Enrique, *La filosofía en Chile en la primera mitad del siglo XX*, Santiago, Nascimento, 1953, 2a. edición aumentada.

Molinari, Ricardo (Argentina, 1898), *Una noche*, Buenos Aires, Emecé, 1957.

Manguió, Luis, *César Vallejo (1892-1938): Vida y obra, bibliografía, antología*, Nueva York, Hispanic Institute, 1952.

Monner Sans, José María, *Julián del Casal y el modernismo hispanoamericano*, México, El Colegio de México, 1952.

Monteforte Toledo, Mario (Guatemala, 1911), *Guatemala, manografía sociológica*, México, UNAM, 1959; *Llegaron del mar*, México, Joaquín Mortiz, 1966.

Monteiro Lobato, José Benito (Brasil, 1882-1948), *Urupés* (1918); *Obras completas de Monteiro Lobato*, Sao Paulo, Editora Brasiliense, 1956.

Montes, Hugo, *Antología de Medio* (antología de poesía chilena), Santiago, Editorial del Pacífico, 1956.

Montes de Oca, Marco Antonio (México, 1932), *Fundación del entusiasmo*, México, UNAM, 1963; *Vendimia del junglar*, México; Joaquín Mortiz, 1965; *Las fuentes legendarias*, México, Joaquín Mortiz, 1966; *Pedir el fuego*, México, Joaquín Mortiz, 1968.

Morales Benítez, Otto, *Muchedumbres y banderas*, Bogotá, Tercer Mundo, 1962.

Murena, Héctor (Argentina, 1920), *El pecado original de América*, Buenos Aires, Sur, 1954.

Neale Silva, Eduardo, *Horizonte humano, vida de José Eustasio Rivera*, México, Fondo de Cultura Económica, 1960.

Nelken, Margarita, *El expresionismo en la plástica mexicana de hoy*, México, Instituto Nacional de Bellas Artes, 1964.

Neruda, Pablo (seudónimo de Neftalí Reyes, Chile, 1904-1973), *Veinte poemas de amor y una canción desesperada* (1924); *Residencia en la tierra* (1933-37); *España en el corazón* (1937); *Canto general* (1950); *Odas elementales* (1954-57); *Obras completas*, Buenos Aires, Losada, 1967, 2a. edición en 2 vols; *Memorial de Isla Negra*, 5 vols., Buenos Aires, Losada, 1964.

Nervo, Amado (México, 1870-1919), *Obras completas*, 2 vols. Madrid, Aguilar 1955-56.

Nicholson, Irene, *Firefly in the Night. A study of Ancient Mexican Poetry and Symbolism*, Londres, Faber and Faber, 1959.

Novo, Salvador (México, 1904-1974), *Poesía* (incluye *XX poemas, Espejo, Nuevo amor y Poesías no coleccionadas)*, México, Fondo de Cultura Económica, 1961.

Nueva poesía nicaragüense, Madrid, 1949, introducción de Ernesto Cardenal.

Onetti, Juan Carlos (Uruguay, 1909), *El astillero*, Buenos Aires, Fabril, 1961; *El pozo* (1939), Montevideo, Arca, 1965; *Tierra de nadie*, Montevideo, Ediciones de La Banda Oriental, 1965; *La vida breve*, Buenos Aires, 1950; *Juntacadáveres*, Montevideo, 1965; *Novelas cortas*, Caracas, Monteávila, 1968.

Ong, Walter, *The Presence of the Word*, Yale University Press, 1967.

Orozco, José Clemente (México, 1882-1949), *Textos de Orozco*, ed. Justino Fernández, México, UNAM, 1955.

Ortiz, Adalberto (Ecuador, 1914), *Juyungo* (1943), Quito, Casa de la Cultura Ecuatoriana, 1957; *El animal herido*, Quito, Casa de la Cultura Ecuatoriana, 1959.

Ortiz, Fernando (Cuba, 1881-1968), *Hampa afrocubana; los negros brujos*, Madrid, 1906; *Hampa afrocubana; los negros esclavos*, Madrid, 1916.

Ortiz de Montellano, Bernardo (México, 1889-1949), *Sueños*, México, Contemporáneos, 1933; *Muerte de cielo azul*, México, Cultura, 1937.

Otero Silva, Miguel (Venezuela, 1908), *Casas muertas*, Buenos Aires, Losada, 1955; *Oficina número 1*, Buenos Aires, 1961.

Oviedo, José Miguel, *Mario Vargas Llosa*, Barcelona, Seix Barral, 1970.

Pacheco, José Emilio (México, 1939), *Los elementos de la noche* (1963); *El reposo del fuego* (1966); *El viento distante*, México, Era, 1969, 2a. edición; *Morirás lejos*, México, Joaquín Mortiz, 1967; *No me preguntes cómo pasa el tiempo*, México, Joaquín Mortiz, 1970.

Padilla, Heberto, *Fuera del juego*, La Habana, Uneac, 1968.

Palés Matos, Luis (Puerto Rico, 1898-1959), *Tuntún de pasa y grifería*, (1937), San Juan de Puerto Rico, Jaime Benítez, 1950.

Palma, Ricardo (Perú, 1833-1919), *Tradiciones peruanas completas*, Madrid, Aguilar, 1957, 3a. edición.

Pandía Calogeres, Joao, *A history of Brazil*, Chapel Hil N. C., University of North Carolina Press, 1939, traducc. y ampliaciones de Percy Alvin Martin.

Panorama das literaturas das Américas, de 1900 à actualidade, 4 vols., Angola, Ediçao do Municipio de Nova Lisboa, 1958-63, ed. Joaquim de Montezuma de Carvalho.

Pardo y Aliaga, Felipe (Perú, 1806-68), *Poesías y escritores en prosa de Felipe Pardo*, París, 1865.

Pareja Díez-Canseco, Alfredo (Ecuador, 1908), *La Beldaca, novela del trópico* (1935), Quito, Casa de la Cultura Ecuatoriana, 1954, 2a. edición; *Los nueve años*, 2 vols., Quito, 1956 y Buenos Aires, 1959.

Parra, Nicanor (Chile, 1914), *La cueca larga*, Santiago, Editorial Universitaria, 1955; *Poemas y antipoemas*, Santiago, Nascimento, 1956, 2a. edición.

Parra, Teresa de la (Venezuela, 1891-1936), *Ifigenia, diario de una señorita que escribió porque se fastidiaba*, París, 1924; *Las memorias de Mamá Blanca*, Editorial Le Livre Libre, 1929.

Payró, Roberto (Argentina, 1867-1928), *Divertidas aventuras del nieto de Juan Moreira* (1910), Buenos Aires, Losada, 1957.

Paz, Octavio (México, 1914), *Libertad bajo palabra (Obra poética, 1935-58)*, México, Fondo de Cultura Económica, 1960; *Piedra de sol* (1957); *El laberinto de la soledad* (1950), México, Fondo de Cultura Económica, 1963, 3a. edición; *El arco y la lira*, México, Fondo de Cultura Económica, 1956; *Corriente alterna*, México, Siglo XXI, 1967; *Los signos en rotación*, México, Siglo XXI, 1967; *Puertas al campo*, México, UNAM, 1966; *Posdata*, México, Siglo XXI, 1969; *Salamandra*, México, Joaquín Mortiz, 1962; *Blanco*, México, Joaquín Mortiz, 1968; *Ladera Este*, México, Joaquín Mortiz, 1969; *Cuadrivio*, México, Joaquín Mortiz, 1965; *Claude Lévi-Strauss o el nuevo festín de Esopo*, México, Joaquín Mortiz, 1967; *Conjunciones y disyunciones*, México, Joaquín Mortiz, 1969.

Pedroso, Regino (Cuba, 1896), *Antología poética, 1918-38*, La Habana, Municipio de la Habana, 1939.

Pellicer, Carlos (1899), *Primera antología poética*, México, Fondo de Cultura Económica, 1969.

Peñalosa, Fernando, *The Mexican Book Industry*, Nueva York, Scarecrow Press, 1957.

Pezoa Véliz, Carlos (Chile, 1879-1908), *Alma chilena* (1911); *Antología*, selección de Nicomedes Guzmán, Santiago, Zig-Zag, 1957.

Piñera, Virgilio, *Teatro completo*, La Habana, Ediciones Revolución, 1960; *Cuentos*, La Habana, Uneac, 1964.

Portuondo, José Antonio, *Bosquejo histórico de las letras cubanas*, La Habana, Ministerio de Relaciones Exteriores, 1960.

Pozas, Ricardo (México, 1912), *Juan Pérez Jolote* (1952), México, Fondo de Cultura Económica, 1965, 5a. edición.

Prado, Paulo (Brasil, 1869-1943), *Retrato do Brasil* (1928), Río de Janeiro, Briguiet, 1931, 4a. edición.

Prado, Pedro (Chile, 1886-1952), *Alsino* (1920), Santiago, Nascimento, 1928, 2a. edición; *Un juez rural*, Santiago, Nascimento, 1924.

Praz, Mario, *The Romantic Agony*, Londres y Nueva York, Oxford University Press, 1951.

Previtali, Giovanni, *Ricardo Güiraldes and Don Segundo Sombra*, Nueva York, Hispanic Institute, 1963.

Prieto, Adolfo, "El martinfierrismo", Mendoza, *Revista de Literatura Argentina e Iberoamericana*, Vol. I, No. 1, 1959; *Literatura autobiográfica argentina*, Rosario, Facultad de Filosofía y Letras, 1962.

Primer Acto, Madrid, No. 75, 1966.

Puig Manuel (1932), *La traición de Rita Hayworth*, Buenos Aires, Jorge Álvarez, 1968; *Boquitas pintadas*, Buenos Aires, Sudamericana, 1969.

Queirós, Rachel de (Brasil, 1910), *O quinze* (1931), incluido en *Três romances*, Río de Janeiro, José Olympio, 1948.

Quiroga Horacio (Uruguay 1878-1937), *Cuentos de amor, de locura y de muerte* (1917), Buenos Aires, Losada, 1964, 3a. edición; *Cuentos de la selva para niños*

(1918), Buenos Aires, Losada, 1963, 7a. edición (publicada como *Cuentos de la selva); Anaconda* (1921), Buenos Aires, Losada, 1963; *Los desterrados* (1926), Buenos Aires, Losada, 1964, 2a. edición; *Cuentos escogidos*, Oxford, Pergamon, 1968.

Rama, Ángel, *Los dictadores latinoamericanos*, México, Fondo de Cultura Económica, 1976.

Ramos Graciliano (Brasil 1892-1953), *Vidas sêcas* (1938), las citas son de una edición portuguesa sin fecha, Lisboa, Portugalia; *Sao Bernando* (1934), Lisboa, Ulisseia, 1957; *Angustia* (1936); *Obras*, 10 vols., Río de Janeiro, José Olympio, 1947; *Memórias do Cárcere*, 4 vols., Río de Janeiro, José Olympio, 1954.

Ramos, Samuel (México, 1897-1959), *El perfil del hombre y la cultura en México*, México, 1934.

Ratcliff, Dillwyn F., *Venezuelan Prose Fiction*, Nueva York, Instituto de las Españas, 1933.

Reichardt, J., "The Whereabouts of Concrete Poetry", *Studio International*, febrero de 1966.

Renan, Ernest, *Caliban, drame, philosophique*, París, 1878.

Revueltas, José (México, 1914-1976), *El luto humano*, México, Editora México, 1943, *Obras completas*, 2 vols. México, 1967; *Material de sueños*, México, Era, 1974; *El conocimiento cinematográfico y sus problemas*, México, 1965.

Reyes, Alfonso (México, 1889-1959), *Obras completas de Alfonso Reyes*, 15 vols., México, Fondo de Cultura Económica, 1955-63.

Reyles, Carlos (Uruguay, 1868-1938), *Beba* (1894); *El terruño* (1916), Buenos Aires, 1945; *El embrujo de Sevilla* (1922), Buenos Aires, Espasa-Calpe, 1944; *Academias y otros ensayos* (1884), Montevideo, Biblioteca Rodó, s.f.

Richter, Hans, *Dada Art and Anti-Art*, Londres, Thames and Hudson, 1965.

Ripoll, Carlos, "La Revista de Avance (1927-1930); vocero de vanguardismo y pórtico de revolución", *Revista Iberoamericana*, 1964, Vol. XXX. No. 58, pp. 261-82.

Rivera, José Eustasio (Colombia, 1888-1928), *La vorágine* (1924), Buenos Aires. Losada, 1957, 6a. edición; *ver* Neale Silva.

Roa Bastos, Augusto (Paraguay, 1917), *El trueno entre las hojas* (1953); *Hijo de hombre* (1959), Buenos Aires, Losada, 1961, 2a. edición.

Rodó, José Enrique (Uruguay, 1871-1917), *Ariel* (1900); *Los motivos de Peteo* (1909); *El mirador de Próspero* (1913); *Obras completas;* Madrid, Aguilar, 1957, prólogo y notas de E. Rodríguez Monegal.

Rodríguez Monegal, Emir, *El juicio de los parricidas*, Buenos Aires, Deucalion, 1956; "La novela brasileña", *Mundo Nuevo*, diciembre, 1966; *El viajero inmóvil, Buenos Aires, Losada. Homenaje a Carlos Fuentes*, (entrenota), Helmy F. Giacoman (ed.) Nueva York, Las Américas, 1971.

Rojas, Ángel F., *La novela ecuatoriana*, México, Fondo de Cultura Económica, 1948.

Rojas González Francisco (México, 1903-51), *El diosero* (1952), México, Fondo de Cultura Económica, 1964, 5a. edición.

Rojas, Manuel (Chile, 1896), *Hijo de ladrón* (1951); *Obras completas*, Santiago, Zig-Zag, 1961.

Rojas, Ricardo (Argentina, 1882-1957), *La argentinidad*, Buenos Aires, Librería La Facultad de Juan Roldán, 1916; *Blasón de plata.* (1909); *Historia de la literatura argentina*, 9 vols., Buenos Aires, Kraft, 1960.

Romero, José Rubén (México, 1890-1952), *Apuntes de un lugareño* (1932); *Desbandada* (1934); ambas novelas se incluyen en Castro Leal: *La novela de la Re-*

volución Mexicana, ref. cit.; La vida inútil de Pito Pérez (1938), México, Porrúa, 1946; *Obras completas,* México, Oasis, 1957.

Romualdo, Alejandro (Perú, 1926), *Poesía* 1945-54, Lima, Mejía Baca, 1954; *Edición extraordinaria,* Lima, Cuadernos Trimestrales de Poesía, 1958; *Como Dios Manda,* México, Joaquín Mortiz, 1967.

Rubín, Ramón (México, 1912), *El callado dolor de los tzotziles,* 1949.

Rulfo, Juan (México, 1918), *El llano en llamas,* México, Fondo de Cultura Económica, 1953; *Pedro Páramo* (1955), México, Fondo de Cultura Económica, 1963, 4a. edición.

Sábato, Ernesto (Argentina, 1911), *Sobre héroes y tumbas* (1961); Buenos Aires, Fabril, 1964, 3a. edición.

Salazar Bondy, Sebastián (Perú, 1924-65), *Lima la horrible,* México, Era, 1964.

Salinas, Pedro, *La poesía de Rubén Darío,* Buenos Aires, Losada, 1958, 2a. edición.

Sánchez, Florencio (Uruguay, 1875-1910), *La gringa* (1904); *M'hijo el dolor* (1903); *Barranca abajo* (1905); *Teatro completo,* Buenos Aires, Claridad, 2a. edición.

Sánchez, Luis Alberto (Perú, 1900), *Literatura peruana,* 6 vols., Asunción, Guaranía, 1950-51; *Proceso y contenido de la novela hispanoamericana,* Madrid, Gredos, 1953.

Sánchez Pedrote, Enrique, "Consideraciones sobre la música en hispanoamérica", *Estudios Americanos,* No. 32 (1954), pp. 417-26.

Santos Chocano, José (Perú, 1875-1934), *Obras completas,* México, Aguilar, 1954.

Sarduy, Severo (Cuba, 1937), *Gestos,* Barcelona, Seix Barral, 1963; *De donde son los cantantes,* México, Joaquín Mortiz, 1967. Entrevista con Jean-Michel Fossey, "From boom to Big Bang", *Review 74,* Nueva York, 1974.

Sarmiento, Domingo Faustino (Argentina, 1811-88), *Facundo, civilización y barbarie* (1845), Buenos Aires, Espasa-Calpe, 1958.

Sayers, Raymond S., *O negro na literatura brasileira,* Río de Janeiro, Ediçoes O Cruzeiro, 1956.

Seoane, Juan (Perú, 1898), *hombres y rejas,* 1936.

Silva, José Asunción (Colombia, 1865-96), *Prosas y versos,* Madrid, Ediciones Iberoamericanas, 1960.

Silva Brito, Mário da, *História do modernismo brasileiro,* Vol. I, Sao Paulo, Ediçao Saravia, 1958.

Silva Castro, Raúl, ed., *Obras desconocidas de Rubén Darío, escritas en Chile y no recopiladas en ninguno de los libros,* Santiago, Universidad de Chile, 1934; *Panorama literario de Chile,* Santiago, Editorial Universitaria, 1961; *Pablo Neruda,* Santiago, Editorial Universitaria, 1964.

Silveira, Valdomiro (Brasil, 1873-1941), *Os caboclos* (1920); Sao Paulo, Compa nhia Editôra Nacional, 1928, 2a. edición.

Sinán, Rogelio (Seudónimo de Bernardo Domínguez Alba, Panamá, 1904), *Plenilunio* (1947) México, Editorial Constancia, 1953.

Solórzano, Carlos (Guatemala, 1922), *Teatro latinoamericano del siglo XX,* Buenos Aires, Nueva Visión, 1961; *El teatro hispanoamericano contemporáneo* (antología), 2 vols., México, Fondo de Cultura Económica, 1964; *Teatro breve hispanoamericano contemporáneo,* Madrid, Aguilar, 1969; *Los falsos demonios,* México, Joaquín Mortiz, 1966; *Las celdas,* México, Joaquín Mortiz, 1971.

Sousândrade (Joaquim de Sousa Andrade, Brasil, 1833-1902), *Obras poéticas.*

Nueva York, 1874. Véase la antología y el estudio de Augusto y Haroldo de Campos; *Revisao de Sòusândrade*, Sao Paulo, Ediçoes Invençao, 1964.
Skinner, B.F., *Beyond Freedom and Dignity*, Nueva York, 1971.
Stabb, Martin S., "Indigenism and Racism in Mexican Thought, 1877-1911", *Journal of Inter-American Studies*, Vol. I, No. 4, 1959.
Suárez-Murias, Marguerite G., *La novela romántica e Hispanoamérica*, Nueva York, Hispanic Institute, 1963.
Subercaseaux, Benjamín (Chile, 1902), *Jemmy Button* (1950); *Chile o una loca geografía*, Santiago, Ercilla, 1961, 12a. edición.

Tamayo, Franz (Bolivia, 1879-1956), *Creación de la pedagogía nacional* (1910), La Paz, Ministerio de Educación, 1944, 2a. edición.
Téllez, Hernando (Colombia, 1908), *Literatura y sociedad*, Bogotá, Ediciones Mito, 1956.
Torres, Carlos Arturo (Colombia, 1867-1911), *Idola fori* (1910), Bogotá, Minerva, 1935.
Torres Bodet, Jaime (México, 1912), *Poesías escogidas*, Buenos Aires, Espasa-Calpe, 1957.
Torres-Rioseco, Arturo, *Vida y poesía de Rubén Darío*, Buenos Aires, Emecé, 1944.
Traba, Marta, Seis pintores colombianos, Bogotá, s.f. (¿1965?).
Triana, José, *La noche de los asesinos*, La Habana, Casa de las Américas, 1964; *La muerte del ñeque*, La Habana, Ediciones Revolución, 1964.

Ugarte, Manuel (Argentina, 1878-1951), *El porvenir de la América Latina*, Valencia, 1911; *La dramática intimidad de una generación*, Madrid, Prensa Española, 1951.
Uribe Piedrahita, César (Colombia, 1897-1953), *Toá narraciones caucherías*, Buenos Aires, Espasa-Calpe, 1942.
Usigli, Rodolfo (México, 1905), *El gesticulador* (1937); *Epílogo sobre la hipocresía del mexicano*, de la 2a. edición de *El gesticulador*, México, Letras de México, 1944; *Teatro completo*, Vol. I, México, Fondo de Cultura Económica, 1963; *Corona de luz*, México, Fondo de Cultura Económica, 1965; *Corona de sombra* (1947), México, Cuadernos Americanos, 1958, 3a. edición.
Uslar Pietri, Arturo (Venezuela, 1906), *Las lanzas coloradas*, Madrid, Zeus, 1931.

Valcárcel, Gustavo (Perú, 1921), *La prisión* (1951), Lima, Perú Nuevo, 1960, 2a. edición.
Valdelomar, Abraham (Perú, 1888-1919), *Los hijos del sol* (1921); *Cuentos y poesía*, Lima, Universidad Nacional Mayor de San Marcos, 1959.
Valencia, Guillermo (Colombia, 1873-1943), *Obras poéticas completas*, Madrid, Aguilar, 1955.
Vallejo, César (Perú, 1892-1938), *Los heraldos negros* (1918), *Trilce* (1922); *Poemas humanos* (1939); *España, aparta de mí este cáliz* (1938); *Obra poética completa*, Lima, Mancloa, 1968; *Tungsteno y Paco Yunque*, Lima, Mejía Baca y P. L. Villanueva, 1967:
Varela, José Luis, *Ensayos de poesía indígena en Cuba*, Madrid, Ediciones Cultura Hispánica, 1951.

Vargas Llosa, Mario (Perú, 1936), *La ciudad y los perros,* Barcelona, Seix Barral, 1963; *La casa verde,* Barcelona Seix Barral, 1966; *Los cachorros,* Barcelona, Lumen, 1967; *Conversación en la catedral,* Barcelona, Seix Barral, 1969. *La orgía perpetua: Flaubert y "Madame Bovary",* Barcelona, Barral, 1975. "Novela primitiva y novela de creación en América Latina", *Revista de la Universidad de México,* vol. XXIII, 10, México, junio de 1969.

Vasconcelos, José (México, 1882-1959), *El monismo estético* (1918); *Pitágoras, una teoría del ritmo* (1916); *Indología* (1927); *De Robinsón a Odiseo* (1935); *La raza cósmica* (1925); *Ulises criollo* (1936); *Obras completas,* 4 vols., México, Libreros Mexicanos Unidos, 1957-61.

Vaz, Ferreira Carlos (Uruguay, 1878-1958), *Moral para intelectuales* (1908), *Obras,* Vol. III, Montevideo, Homenaje de la Cámara de Representantes de la República Oriental del Uruguay, 1957-8.

Veríssimo, Erico (Brasil, 1905), *O tempo e o vento,* trilogía que contiene: *O continente* (1929), Río de Janeiro, Porto Alegre y Sao Paulo, Globo, 1950, 2a. edición; *O retrato,* Globo, 1951; *O arquipélago,* Globo, 1961.

Veríssimo, José (Brasil, 1857-1916), *A educaçao Nacional* (1890), Río de Janeiro, Livraria Francisco Ales, 1906, 2a. edición.

Viana, Javier de (Uruguay, 1868-1926), *Campo* (1896), Montevideo, García, 1945; *Gaucha* (1899), Montevideo, Ministerio de Educación Pública, 1956; *Gurí y otras novelas,* Madrid, Editorial América, 1916; *Pago de deuda, Campo amarillo y otros escritores,* Montevideo, García, 1936.

Villaverde, Cirilo (Cuba, 1812-94), *Cecilia Valdés o la loma del Ángel* (1882), La Habana, Consejo Nacional de Cultura, 1964.

Villaurrutia, Xavier (México, 1903-50), *Nostalgia de la muerte* (1938); *Poesía y teatro completo,* México, Fondo de Cultura Económica, 1953.

Viñas, David (Argentina, 1929), *Literatura argentina y realidad política,* Buenos Aires, Álvarez, 1964; *Los dueños de la tierra,* Buenos Aires, Losada, 1958; *Los hombres de a caballo,* México, Siglo XXI, 1968.

Waldberg, Patrick, *Surrealism,* Londres, Thames an Hudson, 1965.

Walsh, Gertrude M., *Cuentos criollos,* Boston, Heat, 1941.

Wolfe, Bertram D., *Diego Rivera: His Life and Times,* Londres, Robert Hale, 1939; *Fabulous Life of Diego Rivera,* Nueva York, Stein & Day, 1963.

Yáñez, Agustín (México, 1904), *Al filo del agua* (1947), México, Porrúa, 1961, 3a. edición; *La creación* (1959), México, Fondo de Cultura Económica, 1963, 3a. edición; *Las tierras flacas,* México, Joaquín Mortiz, 1962; *Tres cuentos,* México, Joaquín Mortiz, 1964; *Ojerosa y pintada,* México, Joaquín Mortiz, 1967, 2a. edición.

Yunque, Álvaro (Argentina, 1889), *La literatura social en la Argentina: historia de los movimientos literarios desde la emancipación hasta nuestros días,* Buenos Aires, 1941.

Zalamea Borda, Eduardo (Colombia, 1907-63), *Cuatro años a bordo de mí mismo, diario de los cinco sentidos,* 1934.

Zapata Olivella, Manuel (Colombia, 1920), *En Chimá nace un santo,* Barcelona Seix Barral, 1963.

Zea, Leopoldo (México, 1912), *Dos etapas del pensamiento hispanoamericano; La filosofía como compromiso,* México, Tezontle, 1952; *Conciencia y posibilidad del mexicano*, México, Porrúa y Obregón, 1952; *El Occidente y la conciencia de México, Esquema para una historia de las ideas en Iberoamérica*, México, UNAM, 1956.

Zum Felde, Alberto, *Índice crítico de la literatura hispanoamericana*, 2 vols., México, Guaranía, 1954-59; *Proceso intelectual del Uruguay*, Montevideo, Claridad, 1941.

ÍNDICE DE NOMBRES

Esta obra se terminó de imprimir
en Septiembre de 1985,
en Ingramex, S.A.
Centeno 162, México 13, D.F.
La edición consta de 4,000 ejemplares